STEPHENIE MEYER

ZAĆMIENIE

przełożyła
Joanna Urban

Wydawnictwo Dolnośląskie

Tytuł oryginału
Eclipse

Projekt okładki
Gail Doobinin

Fotografia na okładce
© Roger Hagadone

Redakcja
Emil Kozłowski, Joanna Mika

Korekta
Sylwia Mazurkiewicz-Petek, Urszula Włodarska

Redakcja techniczna
Jacek Sajdak

ISBN 978-83-245-8916-6

Wydanie II

Wrocław

Wydawnictwo Dolnośląskie
50-010 Wrocław, ul. Podwale 62
oddział Publicat S.A. w Poznaniu
tel. 071 785 90 40, fax 071 785 90 66
e-mail: wydawnictwodolnoslaskie@publicat.pl
www.wydawnictwodolnoslaskie.pl

Mojemu mężowi, Pancho, za cierpliwość, miłość, przyjaźń, poczucie humoru i gotowość do jadania na mieście.
Moim dzieciom, Gabe'owi, Sethowi i Eliemu, za to, że dzięki nim doświadczyłam tego rodzaju miłości, za który ludzie dobrowolnie oddają życie.

Ogień i lód
Jedni mówią, że świat zniszczy ogień.
Inni, że lód.
Iż poznałem pożądania srogie,
Jestem z tymi, którzy mówią: ogień.
Gdyby świat zaś dwakroć ginąć mógł,
Myślę, że wiem o nienawiści
Dość, by rzec: równie dobry lód
Jest, by niszczyć,
I jest go w bród.

Robert Frost (1874–1963), przeł. Ludmiła Marjańska

Prolog

Wszystkie nasze próby przechytrzenia przeciwnika spełzły na niczym.

Z sercem skutym lodem przyglądałam się, jak szykuje się, by stanąć w mej obronie. Jeśli choć trochę się wahał – co byłoby zrozumiałe, zważywszy na przewagę liczebną wroga – zupełnie nie dawał tego po sobie poznać. Wiedziałam, że nie możemy liczyć na niczyje wsparcie – wszyscy jego bliscy też walczyli teraz o życie.

Czy dane mi będzie poznać wyniki tego drugiego starcia? Czy zdążę dowiedzieć się przed śmiercią, kto przegrał, a kto wygrał?

Było to bardzo mało prawdopodobne.

Przepełnione pragnieniem zadania mi bólu dzikie czarne oczy śledziły każdy ruch mojego obrońcy, aby wybrać na atak najodpowiedniejszy moment. Wówczas miałam umrzeć.

Gdzieś daleko, daleko w głębi lasu, rozległo się znienacka wilcze wycie...

1 *Warunek*

Bello,

~~*Nie wiem, czemu każesz Charliemu zanosić te karteczki do Billy'ego, jak gdybyśmy byli w drugiej klasie podstawówki – gdybym miał ochotę z tobą pogadać, to odbierałbym*~~

~~*Pamiętaj, że to był twój wybór. Nie możesz mieć jednego i drugiego, bo*~~

~~*Tak, to nasi śmiertelni wrogowie, koniec kropka.*~~

~~*Czy to tak trudno*~~

~~*Wiem, że zachowuję się jak skończony dureń, ale w tej sytuacji po prostu nie da się inaczej*~~

~~*Jak możemy być dłużej przyjaciółmi, skoro spędzasz całe dnie w towarzystwie bandy*~~

~~*Proszę, nie pisz już więcej, bo tylko się gorzej czuję, kiedy za dużo o tobie myślę.*~~

Też za tobą tęsknię. Nawet bardzo. Ale to niczego nie zmienia.

Wybacz.

Jacob

Przesunęłam opuszkami palców po linijkach jego listu, wyczuwając wgłębienia w miejscach, w których przycisnął długopis tak mocno, że niemal przedziurawił kartkę. Mogłam sobie z łatwością wyobrazić, jak do mnie pisze – jak kreśli koślawe litery, ze zdenerwowania zniekształcając jeszcze bardziej swoje i tak niechlujne pismo, jak przeklina, stwierdziwszy, że znowu coś źle sformułował. Może nawet swoją wielką łapą złamał niechcący długopis (wyjaśniałoby to, skąd wzięły się te wszystkie kleksy). Sfrustrowany, ściągał pewnie brwi i marszczył czoło. Gdybym wtedy przy nim była, może bym się i śmiała. Powiedziałabym coś w stylu: „Wyluzuj, człowieku, bo mózg ci eksploduje. Opisz to, co ci leży na sercu, i tyle".

A tak, kiedy czytałam jego list po raz kolejny, chociaż znałam go już na pamięć, wcale nie było mi do śmiechu. Nie zaskoczyło mnie bynajmniej nastawienie Jacoba, o nie – wysyłając mu swój błagalny w tonie liścik za pośrednictwem naszych ojców (jakbyśmy byli w drugiej klasie podstawówki), takiej właśnie reakcji z jego strony się spodziewałam. To moja własna reakcja była dla mnie niemiłą niespodzianką. Każda przekreślona linijka listu głęboko mnie raniła – jakby krawędzie liter były ostrzami żyletek. Co więcej, za każdym z tych przekreślonych początków kryły się długie godziny cierpienia, a cierpienie mojego przyjaciela dawało mi się we znaki po stokroć bardziej niż moje własne.

Rozmyślania przerwała przykra woń przypalanego garnka napływająca z kuchni. Zerwałam się na równe nogi i zbiegając po schodach, wepchnęłam kartkę od Jacoba do tylnej kieszeni dżinsów. W żadnym innym domu świadomość, że ktoś poza mną zabrał się do gotowania, nie wywołałaby u mnie ataku paniki.

Kiedy otworzyłam gwałtownie drzwiczki mikrofalówki, słoik sosu do spaghetti, który Charlie w niej umieścił, zdążył na szczęście wykonać zaledwie jeden obrót.

– Co jest? – oburzył się Charlie. – To już nie mogę sobie sam podgrzać obiadu?

– Najpierw odkręca się wieczko – wyjaśniłam. – Kontakt z metalem mógłby zepsuć kuchenkę.

Przelawszy połowę sosu do ceramicznej miseczki, wstawiłam ją do mikrofali, nastawiłam czas i nacisnęłam „start". Napoczęty słoik schowałam do lodówki.

Charlie przyglądał się moim poczynaniom z naburmuszoną miną.

– A makaron dobrze wstawiłem? – upewnił się.

Zajrzałam do stojącego na gazie rondla. To właśnie dobywający się z niego smród mnie zaalarmował.

– Warto od czasu do czasu zamieszać – powiedziałam, starając się przybrać możliwie neutralny ton głosu.

Sięgnęłam po drewnianą łyżkę i spróbowałam oderwać od dna garnka papkowatą masę.

Charlie westchnął.

– Co jest grane? – spytałam.

Splótł ręce na piersi, wbijając wzrok w ścianę deszczu za oknem.

– Nie wiem, o co ci chodzi – mruknął.

Tajemnicza sprawa. Co skłoniło Charliego do tknięcia garnków? I jeszcze ta mina. Zazwyczaj rezerwował ją dla mojego chłopaka, pragnąc okazać mu całym sobą znaczenie wyrażenia „niemile widziany", ale przecież Edward jeszcze się nie zjawił. Demonstracyjne zachowanie Charliego nie miało zresztą najmniejszego sensu, bo Edward i tak dobrze wiedział, co ojciec sądzi na jego temat.

„Mój chłopak", powtórzyłam w myślach, nie przerywając mieszania makaronu. Cóż za żałośnie nieadekwatne określenie. Zupełnie nie pasowało do roli, jaką Edward odgrywał w moim życiu – był przecież moim wybawcą, moim przeznaczeniem, moim życiem. Tyle że brzmiało to tak okropnie patetycznie. Musiałam znaleźć jakiś odpowiedni zamiennik, coś, czego można było używać w zwykłej rozmowie.

Edward zasugerował mi już, jakie mogłoby być to słowo, ale nie cierpiałam go z całego serca. Na samą myśl o nim przechodziły mnie ciarki.

„Narzeczony". Też mi coś! Brr.

Odgoniłam natrętne myśli.

– Czy coś przegapiłam? – spytałam Charliego. Dźgnęłam grudę ciasta, aż drgnęła. – Od kiedy to gotujesz? A raczej starasz się gotować?

Charlie wzruszył ramionami.

– Nie ma takiego prawa, które zakazywałoby mi gotować we własnym domu, prawda?

– No, na prawie to znasz się lepiej ode mnie – przyznałam, spoglądając znacząco na odznakę policyjną przypiętą do jego skórzanej kurtki.

– Święte słowa – zaśmiał się.

Uświadomiłam mu chyba, że wciąż ma służbową kurtkę na sobie, bo zdjął ją i odwiesił na przeznaczonym dla niej kołku. Pas z kaburą już tam był, bo od kilku dobrych tygodni ojciec nie widział potrzeby noszenia broni na posterunek. Mieszkańcom miasteczka Forks nie spędzały ostatnio snu z powiek żadne dziwne wydarzenia – tajemnicze wilki giganty przestały nawiedzać okoliczne lasy.

Mieszając w garnku, doszłam do wniosku, że chociaż Charliego coś wyraźnie dręczyło, to on sam musiał dojrzeć do tego, żeby mi się zwierzyć. Był tak małomównym i skrytym człowiekiem, że nie miałam najmniejszych szans cokolwiek od niego wyciągnąć bez jego zgody. Pozostawało mi czekać, a biorąc pod uwagę to, że postarał się, abyśmy zasiedli razem do obiadu, miał mi do zakomunikowania coś wyjątkowo ważnego.

Odruchowo zerknęłam na zegar – o tej porze miałam w zwyczaju robić to co kilka minut. Do przyjazdu Edwarda pozostało mniej niż pół godziny.

Najgorszą porą dnia były teraz dla mnie popołudnia, a wszystko dlatego, że odkąd mój były najlepszy przyjaciel (tudzież wilkołak) Jacob Black zdradził Charliemu, że bez ojcowskiego przyzwolenia jeżdżę na motorze – zrobił to, licząc na to, że dostanę szlaban, przez co nie będę mogła się spotykać ze swoim chłopakiem (tudzież wampirem) Edwardem Cullenem – Edward mógł mnie widywać wyłącznie pomiędzy godziną dziewiętnastą a dwudziestą pierwszą trzydzieści, tylko u mnie w domu i tylko pod nadzorem srogiego spojrzenia pewnego policjanta.

O dziwo, kara za motor była surowsza niż ta, którą Charlie wyznaczył mi wcześniej za to, że przez trzy dni nie dawałam znaku życia i raz skoczyłam z klifu do morza. Musiał naprawdę nienawidzić motocykli.

Oczywiście nadal widywałam Edwarda w szkole, bo Charlie nie mógł zabronić mi do niej chodzić. No i mój ukochany spędzał prawie każdą noc w moim pokoju, ale o tym to już ojciec nie miał zielonego pojęcia. Posiadana przez Edwarda umiejętność bezszelestnego wspinania się na pierwsze piętro była niemal tak samo przydatna, co jego zdolność czytania Charliemu w myślach.

Wychodziło na to, że spędzałam bez niego tylko popołudnia, ale i tak tych kilka godzin wystarczało, by mnie zniecierpliwić. Dłużyły się strasznie. Mimo wszystko znosiłam to jednak bez protestów – po pierwsze dlatego, że zasłużyłam sobie na takie traktowanie, a po drugie, ponieważ nie chciałam ranić ojca, wyprowadzając się do Cullenów, zwłaszcza wiedząc, że już niedługo opuszczę i jego, i Forks na zawsze. Była to kolejna rzecz, o której biedak nie miał pojęcia.

Charlie zasiadł za stołem z głośnym chrząknięciem, po czym rozłożył przed sobą wilgotną od deszczu gazetę. Już po kilku sekundach lektury zaczął cmokać z dezaprobatą.

– Nie rozumiem, czemu w ogóle ją kupujesz – powiedziałam. – Tylko ci skacze ciśnienie.

Puścił moją uwagę mimo uszu.

– I dlatego właśnie wszyscy chcą mieszkać w mniejszych miejscowościach! – skomentował gniewnie jakiś artykuł. – To śmieszne.

– Czym się znowu naraziły duże miasta?

– Jak tak dalej pójdzie, Seattle trafi na pierwsze miejsce krajowych statystyk policyjnych! Pięć nierozwikłanych morderstw w ciągu dwóch tygodni! Że też ci ludzie mają odwagę wychodzić z domów.

– O ile się nie mylę, tato, Phoenix zajmuje wyższe miejsce w tabelach niż Seattle i jakoś przeżyłam tam tych naście lat.

Dopiero przeprowadziwszy się do spokojnego, maleńkiego Forks, tylko cudem kilkakrotnie uniknęłam śmierci. Mało tego, wciąż byłam na celowniku – na niejednym celowniku...

Zadrżała mi ręka. Łyżka, którą trzymałam, zmieniła się na chwilę w pałeczkę werbla.

– Ja tam za nic w świecie nie przeprowadziłbym się do jednego z tych molochów – stwierdził Charlie.

Postanowiłam nie ratować dłużej obiadu, tylko po prostu go zaserwować. Musiałam posłużyć się nożem do steków, żeby wykroić porcję makaronu dla Charliego, a potem dla siebie. Ojciec przyglądał mi się niczym skarcony pies. Swoją porcję pokrył pieczołowicie sosem i zabrał się do jedzenia. Zamaskowałam swoją bryłę ciasta w podobny sposób, ale entuzjazmu do tak powstałej potrawy nie udało mi się już od Charliego skopiować.

Przez jakiś czas jedliśmy w milczeniu. Ojciec powrócił do gazety, a ja sięgnęłam po mocno zniszczony egzemplarz *Wichrowych wzgórz*, który zostawiłam na stole po śniadaniu. Na to, aż Charlie zdecyduje się w końcu przemówić, zamierzałam poczekać w Anglii z przełomu wieków.

Dotarłam do fragmentu, w którym Heathcliff wraca po latach, kiedy Charlie odchrząknął i rzucił gazetę na podłogę.

– Masz rację – oświadczył. – Miałem powód, dla którego zabrałem się do szykowania obiadu.

Wskazał widelcem na jego kleiste szczątki.

– Widzisz, chciałem z tobą porozmawiać.

Odłożyłam książkę na bok, nie zamykając jej, żeby wiedzieć, w którym miejscu skończyłam. Była tak zniszczona, że jej kartki nie utworzyły piramidki, tylko przyległy płasko do blatu.

– Wystarczyło poprosić.

Skinął głową, ściągając brwi.

– Wiem, wiem. Następnym razem nie zapomnę. Wydawało mi się, że jeśli cię wyręczę, to będziesz w lepszym humorze.

Uśmiechnęłam się.

– I co, nie widzisz, że podziałało? Twoje talenty kulinarne rozbawiły mnie do łez. No, o co chodzi?

– Hm... Chodzi o Jacoba.

Poczułam, że rysy twarzy mi tężeją.

– Ach, tak? – wycedziłam.

– Spokojnie, Bells. Wiem, że wciąż jesteś na niego zła za tę historię z motocyklem, ale chłopak postąpił słusznie. Zachował się odpowiedzialnie.

– Odpowiedzialnie? – powtórzyłam drwiąco, przewracając oczami. – Niech ci będzie. To co z Jacobem?

Beztrosko zadane przeze mnie pytanie tak naprawdę miało dla mnie ogromne znaczenie. Co z Jacobem? Jak zamierzałam rozwiązać ten problem? Czy w moim życiu było jeszcze miejsce dla byłego najlepszego przyjaciela, czy też miałam go już zaliczać do grona moich licznych wrogów? Wzdrygnęłam się.

Charlie zrobił się nagle ostrożny.

– Tylko się nie wściekaj, dobra?

– Dlaczego miałabym się wściekać?

– To, co mam ci do powiedzenia, dotyczy też Edwarda.

Zmrużyłam oczy jak żmija.

– Tylko nie pyskuj – zaoponował Charlie szorstko. – Doceń, że pozwalam mu bywać w tym domu.

– Pozwalasz – przyznałam. – Dokładnie dwie i pół godziny dziennie. A nie mógłbyś jeszcze pozwalać mi na przebywanie poza tym domem? Tak od czasu do czasu? Też po dwie i pół godziny? Ostatnio byłam grzeczna...

Tylko się z nim przekomarzałam – przed końcem roku szkolnego nie liczyłam na żadne ustępstwa.

– Cóż, po prawdzie, właśnie do tego zmierzam...

Ku mojemu bezbrzeżnemu zdumieniu Charlie uśmiechnął się znienacka od ucha do ucha. Przez chwilę wyglądał dwadzieścia lat młodziej.

Przyszło mi zaraz do głowy pewne wytłumaczenie jego dziwacznego zachowania, ale postanowiłam nie ubiegać wydarzeń.

– Nic nie rozumiem, tato. O czym my w końcu rozmawiamy – o Jacobie, o Edwardzie czy o moim szlabanie?

Charlie znowu wyszczerzył zęby.

– Właściwie to o wszystkim naraz.

– A co jedno ma z drugim wspólnego? – spytałam, starając się nie wyjść na zbyt wścibską.

– Już ci wszystko tłumaczę – westchnął Charlie, podnosząc ręce do góry w poddańczym geście. – Tak sobie myślę, że chyba zasługujesz na przedterminowe zwolnienie za dobre sprawowanie. Jak na nastolatkę, niezwykle mało narzekasz na swój los.

Drgnęłam. Głos podskoczył mi o oktawę.

– Mówisz serio? Jestem wolna?

Skąd ta nagła zmiana? Musiała być to spontaniczna decyzja, bo Edward niczego podobnego w rozmyślaniach ojca dotąd nie wychwycił. Byłam przekonana, że przyjdzie mi znosić narzucone ograniczenia aż do wyprowadzki.

Charlie pomachał mi przed nosem palcem.

– Ale pod jednym warunkiem...

Mój entuzjazm wyparował.

– Super – jęknęłam.

– Spokojnie, Bello. To raczej prośba niż żądanie. Jesteś wolna, ale... mam nadzieję, że będziesz korzystać ze swojej odzyskanej wolności... w sposób wyważony.

– Czyli niby jak?

Charlie znowu westchnął.

– Domyślam się, że całe dnie będziesz spędzać z Edwardem...

– Nie tylko z Edwardem, z Alice też – przerwałam mu. – Przecież wiesz.

Siostra mojego ukochanego nie miała limitowanych godzin dostępu do mojej osoby i była w naszym domu częstym gościem. Charlie nie potrafił jej niczego odmówić, a ona zręcznie to wykorzystywała.

– To prawda – powiedział – ale oprócz Cullenów masz też innych znajomych, Bello. A przynajmniej miałaś.

Zapadła cisza. Patrzyliśmy sobie prosto w oczy.

– Kiedy po raz ostatni rozmawiałaś z Angelą Weber?

– W piątek w stołówce – odpowiedziałam natychmiast.

Kiedy Edward i pozostali Cullenowie wyprowadzili się z Forks bez zapowiedzi, moi znajomi ze szkoły podzielili się na dwa obozy. Nazywałam ich w myślach „ci dobrzy" i „ci źli". „My" i „oni" też się sprawdzało. Do tej pierwszej grupy należała właśnie Angela, jej stały chłopak Ben Cheney oraz Mike Newton – ta trójka wybaczyła mi wspaniałomyślnie to, że po wyjeździe Edwarda zachowywałam się jak wariatka. Nieformalną przywódczynią „złych" była Lauren Mallory, wielbicielka rozsiewania złośliwych plotek i rzucania mimochodem kąśliwych uwag. Na jej stronę przeszły niemal wszystkie osoby, z którymi się kiedyś kolegowałam, w tym moja pierwsza koleżanka w Forks, Jessica Stanley.

Kiedy Edward wrócił, linia podziału pomiędzy dwoma obozami stała się jeszcze wyraźniejsza.

Moje kontakty z Mikiem rozluźniły się, bo zawsze był o Edwarda zazdrosny, ale Angela pozostała wobec mnie lojalna, a Ben poszedł za jej przykładem. Pomimo naturalnej awersji, jaką większość przedstawicieli rasy ludzkiej odczuwała w stosunku do wampirów, Angela dzień w dzień siadała w stołówce u boku Alice. Po kilku tygodniach zaczęła nawet wyglądać przy tym na rozluźnioną. Trudno było nie poddać się urokowi Cullenów – jeśli tylko dawało im się dość czasu, by mogli ów urok rozsiać.

– A poza szkołą? – ściągnął mnie z powrotem na ziemię Charlie.

– Tato, poza szkołą nie widuję nikogo. Mam szlaban, nie pamiętasz? A Angela i tak ma chłopaka. Ben nie odstępuje jej na krok. Hm... – Zamyśliłam się. – Gdybym naprawdę mogła robić to, na co mam ochotę, moglibyśmy spotykać się w czwórkę.

– Niezły pomysł – przyznał Charlie – ale wiesz... – zawahał się. – Jest jeszcze Jake, prawda? Kiedyś byliście nierozłączni, a teraz...

– Czy mógłbyś wreszcie przejść do sedna? – przerwałam mu. – Jaki dokładnie stawiasz mi warunek?

– Uważam – oświadczył surowym tonem – że niepotrzebnie porzuciłaś wszystkich znajomych dla swojego chłopaka, Bello. Po pierwsze, to bardzo nieuprzejme z twojej strony, a po drugie, należy zachować w życiu pewną równowagę. Wtedy, we wrześniu...

Wzdrygnęłam się.

– Nie chcę być okrutny – ciągnął – ale gdybyś miała wtedy oparcie w większej liczbie osób, może byś się nie... może uniknęłabyś tego, co ci się przytrafiło.

– Nawet najbardziej zgrana paczka przyjaciół by mi nie pomogła – burknęłam.

– Kto wie, kto wie.

– A twój warunek? – przypomniałam mu.

– Proszę, postaraj się nie spędzać całego czasu wolnego z Edwardem. Zachowaj równowagę.

Pokiwałam powoli głową.

– Rozumiem, równowaga. Okej. Czy dasz mi jakiś grafik, w którym będę odhaczać konkretne spotkania?

Machnął gniewnie ręką.

– Nie przesadzaj. Po prostu nie zapominaj, że oprócz Edwarda istnieją inni młodzi ludzie.

Nie wiedział, że musiałam o nich zapomnieć i że bardzo mi to ciążyło. Po ukończeniu szkoły, dla ich własnego bezpieczeństwa, miałam przestać się z nimi widywać na dobre.

Czy lepiej spędzać z nimi jak najwięcej czasu, póki jeszcze mogłam, czy powinnam raczej zacząć ich unikać już teraz, żeby przyzwyczaić się do czekającej nas rozłąki? Ta druga opcja mnie przerażała.

– Jacob też do nich należy – dodał Charlie, po raz kolejny wyrywając mnie z zadumy.

Jacob... Tu sytuacja była jeszcze bardziej skomplikowana. Potrzebowałam dłuższej chwili, żeby dobrać właściwe słowa.

– Jacob może robić trudności.

– Blackowie są dla nas jak rodzina, Bello – pouczył mnie Charlie ojcowskim tonem. – A Jacob był twoim bardzo dobrym przyjacielem.

– Wiem, kim dla mnie był.

– Nie tęsknisz za nim choć trochę? – spytał, tracąc cierpliwość.

W moim gardle znikąd pojawiła się klucha. Musiałam odkaszlnąć, by móc odpowiedzieć.

– Ależ tęsknię. Oczywiście, że za nim tęsknię. Bardzo mi go brakuje.

Mówiąc to, wbijałam wzrok w ziemię.

– Więc czemu tak trudno ci się z nim pogodzić?

Tego, niestety, nie miałam prawa szczegółowo mu wyjaśnić. Zwykli ludzie – prawdziwi ludzie, tacy jak ja czy Charlie – nie powinni byli wiedzieć o tym, że ich świat zamieszkiwały znane z legend potwory. Odkąd sama się o tym dowiedziałam, groziło mi śmiertelne niebezpieczeństwo. Nie miałam zamiaru narażać nikogo ze swoich bliskich na takie ryzyko.

– Widzisz... – zaczęłam wolno. – Co do tej mojej przyjaźni z Jacobem... Właśnie w tej kwestii nie możemy się dogadać. Cały problem tkwi w tym, że Jake'a taki stan rzeczy nie do końca satysfakcjonuje.

Nie kłamałam, ale wykorzystałam fakty w naszym konflikcie najmniej istotne. Tak naprawdę chodziło o to, że sfora wilkołaków, do której należał Jacob, nienawidziła z całego serca wampirzej rodziny Edwarda, a przy okazji i mnie, bo planowałam do tej rodziny dołączyć. Nie sposób było omówić takiej różnicy zdań w jednym liściku, a Jacob nie odbierał moich telefonów. Teoretycznie mogłam spotkać się z nim osobiście, ale na to z kolei nie wyrażali zgody nieufni wobec wilkołaków Cullenowie.

– I co, Edward boi się konkurencji? – spytał z sarkazmem Charlie.

Zmroziłam go wzrokiem.

– Edward jest poza wszelką konkurencją.

– Ranisz uczucia Jake'a, tak go unikając. Na pewno wolałby spotykać się z tobą tylko jako przyjaciel, niż nie spotykać się z tobą wcale.

Co takiego? Teraz to ja unikałam jego?

– Moim zdaniem taki układ zupełnie go nie interesuje. Skąd w ogóle przyszedł ci do głowy ten pomysł?

Charlie zawstydził się.

– No, byłem dzisiaj u Billy'ego i tak sobie...

– Plotkujecie o nas z Billym jak jakieś dwie stare baby – pożaliłam się, wbijając widelec w tężejący na makaronie sos.

– Billy martwi się o Jacoba – powiedział Charlie. – To wszystko. To dla Jake'a trudny okres. Jest podłamany.

Skrzywiłam się, ale nie oderwałam oczu od swojego talerza.

– Po dniu spędzonym w La Push byłaś zawsze taka zadowolona z życia – westchnął Charlie.

– Teraz też jestem zadowolona z życia – warknęłam.

Kontrast pomiędzy tonem mojego głosu a treścią mojej wypowiedzi był tak duży, że błyskawicznie rozładował napięcie. Charlie wybuchnął śmiechem, a ja przyłączyłam się do niego zaraz potem.

– Okej, okej – zgodziłam się. – Równowaga.

– I Jacob.

Nie dawał za wygraną.

– Zrobię, co w mojej mocy.

– Miło mi to słyszeć. Zachowaj równowagę, Bello. Ach, byłbym zapomniał – przyszedł do ciebie list. Leży koło kuchenki.

Charlie zakończył naszą superważną rozmowę bez cienia finezji.

Nie ruszyłam się – myślałam wciąż o Jake'u. Zresztą paczkę od mamy doręczono mi zaledwie poprzedniego dnia, więc nie spodziewałam się żadnego listu. Pomyślałam, że to pewnie jakaś reklama.

Ojciec odsunął krzesło od stołu, wstał, przeciągając się, i zaniósł swój talerz do zlewu, ale zanim odkręcił wodę, podniósł z blatu grubą kopertę i rzucił ją w moim kierunku. List wylądował na stole, z rozpędu uderzając mnie w łokieć.

– Ee, dzięki – wybąkałam, zaskoczona tą natarczywością. Zrozumiałam wszystko, kiedy zobaczyłam adres nadawcy: był nim dziekanat University of Alaska Southeast. – Szybko się uwinęli –

zauważyłam. – Ale chyba tu też nie zdążyłam wysłać podania w terminie.

Charlie uśmiechnął się tajemniczo. Obróciłam kopertę i posłałam mu oburzone spojrzenie.

– Jest otwarty.

– Byłem ciekawy.

– Komendant policji czytający cudzą korespondencję? Jestem w szoku. Według prawa federalnego to przestępstwo.

– Nie gadaj tyle, tylko czytaj.

Wyciągnęłam ze środka zadrukowaną kartkę oraz zgięty na pół folder z opisami oferowanych kierunków i przedmiotów.

– Moje gratulacje – powiedział Charlie, zanim zdążyłam zapoznać się z treścią przysłanego mi dokumentu. – Twoje pierwsze pozytywnie rozpatrzone podanie.

– Dzięki, tato.

– Powinniśmy przedyskutować kwestię czesnego. Mam odłożonych trochę pieniędzy...

– Nie ma mowy – przerwałam mu. – Będą ci potrzebne, kiedy przejdziesz na emeryturę. Poza tym mam przecież własne oszczędności. Pracowałam w sklepie Newtonów właśnie po to, żeby odłożyć na studia.

Większość zarobków przepuściłam na restaurowanie motocykli, ale to już była inna historia...

Charlie zasępił się.

– Niektóre z tych uczelni są bardzo drogie, Bello. Chcę cię jakoś wesprzeć. Nie musisz jechać aż na Alaskę tylko dlatego, że jest tam taniej.

University of Alaska Southeast wcale nie był tani, ale, prawda, był daleko, no i w Juneau, gdzie się mieścił, średnio przez trzysta dwadzieścia jeden dni w roku niebo było zachmurzone. Pierwszy z tych warunków postawiłam ja, drugi, rzecz jasna, Edward.

– Nie martw się o mnie, wszystko sobie obmyśliłam. W razie czego są różne kredyty studenckie i stypendia. Całkiem łatwo je dostać.

Miałam nadzieję, że zna się na tej dziedzinie jeszcze mniej niż ja, bo tak naprawdę nic na ten temat nie czytałam.

– A co z… – zaczął, ale zacisnął usta i odwrócił głowę.

– Co z czym?

– Nic, nic. Chciałem tylko… – Zmarszczył czoło. – Zastanawiałem się… jakie są plany Edwarda na nadchodzący rok akademicki.

– Edwarda?

– Chyba coś ci o tym mówił, prawda?

Rozległo się pukanie do drzwi – to mnie uratowało. Charlie przewrócił oczami, a ja poderwałam się z krzesła.

– Już otwieram! – zawołałam.

Charlie mruknął pod nosem coś, co zabrzmiało jak: „A idź mi". Zignorowałam go i przeszłam z kuchni do przedpokoju.

Otworzyłam drzwi, jakby się paliło – moja ekscytacja była wręcz dziecinna – i oto stał przede mną: moje cudo, mój młody bóg.

Czas nie osłabił dotąd wrażenia, jakie wywierała na mnie uroda Edwarda – byłam zresztą przekonana, że nigdy to się nie zmieni. Syciłam oczy każdym detalem jego bladej twarzy: kwadratową męską szczęką, wystającymi kośćmi policzkowymi, gładkim jak marmur czołem przesłoniętym częściowo przez mokre kasztanowe włosy, łagodnym łukiem pełnych warg wykrzywionych teraz dla mnie w uśmiechu…

Jego oczy zostawiłam sobie na koniec, wiedząc, że kiedy już w nich utonę, jak nic zapomnę o całym świecie. Były obramowane gęstym wachlarzem czarnych rzęs i miały kolor ciepłego płynnego złota. Kiedy się w nie wpatrywałam, czułam się niesamowicie – jak gdyby moje kości zmieniały się w gąbkę. Spojrzenie Edwarda uderzyło mi do głowy niczym szampan – a może był to raczej efekt tego, że przestałam oddychać? Że znowu przestałam oddychać?

Za taką twarz każdy zawodowy model oddałby duszę i za obcowanie z nią taka właśnie była cena: jedna maleńka ludzka duszyczka.

Nie, nie wierzyłam w te bzdury. Zrobiło mi się głupio, że znowu sobie o nich przypomniałam, i podziękowałam losowi – często mi się to zdarzało – że jakimś cudem jestem jedyną osobą pod słońcem, której myśli pozostają dla Edwarda nierozwikłaną zagadką.

Sięgnęłam po jego dłoń i kiedy nasze palce się zetknęły, mimowolnie westchnęłam. Jak zwykle poczułam niewysłowioną ulgę – jak gdyby wcześniej dokuczał mi silny ból, który od dotyku Edwarda nagle ustał.

– Hej.

Uśmiechnęłam się, rozbawiona zwyczajnością swojego powitania.

Edward podniósł nasze splecione dłonie, żeby wierzchem swojej pogłaskać mnie po policzku.

– Jak ci minęło popołudnie?

– Dłużyło mi się strasznie.

– Mnie też.

Podciągnął nasze palce pod sam nos i z zamkniętymi oczami powąchał moją skórę. Teraz to on się uśmiechnął. Napawanie się bukietem bez tykania wina – tak to kiedyś określił.

Zdaniem Edwarda zapach mojej krwi był wyjątkowy – słodszy niż u jakiejkolwiek innej osoby, z którą miał do czynienia. W porównaniu z innymi ludźmi byłam dla niego niczym kieliszek wina postawiony przed alkoholikiem przy szklance wody. Wiedziałam, że moja woń wywołuje u niego palące pragnienie, ale ostatnio nie unikał jej już tak jak kiedyś. Nie byłam pewnie sobie w stanie nawet wyobrazić, ile wysiłku kosztował go ten zwykły gest.

Robiło mi się smutno na myśl, że musiał się przy mnie tak męczyć, pocieszałam się jednak, że nie potrwa to już długo.

Usłyszałam, że zbliża się Charlie. Jak zwykle, chciał się pokazać Edwardowi, żeby dać mu do zrozumienia, że nie jest w naszym domu mile widziany. Mój ukochany natychmiast otworzył oczy i opuścił nasze ręce, nie rozluźniając jednak uścisku.

– Dobry wieczór, Charlie.

Zawsze był przy ojcu ujmująco grzeczny, chociaż ten zupełnie sobie na to nie zasłużył.

Charlie mruknął coś pod nosem na powitanie, po czym założył ręce na piersiach, nie mając najmniejszego zamiaru się wycofać. Ostatnimi czasy przesadzał z tym rodzicielskim nadzorem.

– Przyniosłem kolejne zestawy podań – oznajmił Edward, pokazując mi wypchaną sztywną kopertę. Miał też przy sobie znaczki.

Jęknęłam. Dałabym głowę, że zmusił mnie już do zgłoszenia się do wszystkich uczelni w kraju. Gdzie on wynalazł te nowe? I jakim cudem można było do nich jeszcze wysyłać podania? Moim zdaniem wszędzie było już dawno po terminie.

Uśmiechnął się, jakby potrafił jednak czytać mi w myślach – moje pytania musiałam mieć wypisane na twarzy.

– W paru miejscach nie skończyli jeszcze rekrutacji, a kilka innych zgodziło się zrobić dla ciebie wyjątek.

Wyjątek, dobre sobie! Wiedziałam doskonale, skąd się brały te wyjątki. I ile musiały go kosztować.

Widząc moją minę, parsknął śmiechem.

– Zabierzmy się do tego jak najszybciej – zaproponował, biorąc mnie pod łokieć i skierowując w stronę kuchni.

Charlie przepuścił nas w drzwiach, po czym wszedł za nami. Nie wyglądał na zachwyconego, chociaż do naszych planów na wieczór nie mógł się przyczepić – sam dopominał się dzień w dzień, żebym wreszcie zdecydowała, gdzie chcę studiować.

Edward ułożył formularze w wysoki stos, na którego widok robiło mi się niedobrze, ja tymczasem szybko sprzątnęłam ze stołu. Kiedy Edward dostrzegł, że przenoszę na blat koło kuchenki *Wichrowe wzgórza*, podniósł znacząco brew. Wiedziałam, jaki komentarz ma na końcu języka, ale zanim zdążył go wygłosić, odezwał się Charlie:

– Skoro już mowa o podaniach, Edward... – zaczął obrażonym tonem.

Starał się zawsze unikać zwracania się do mojego ukochanego bezpośrednio, a kiedy już musiał to zrobić, jeszcze bardziej psuło mu to humor.

– Bella i ja rozmawialiśmy właśnie o zbliżającym się roku akademickim. A ty, czy już podjąłeś decyzję, dokąd wyjedziesz na studia?

Edward znowu się uśmiechnął.

– Jeszcze nie – odpowiedział przyjaźnie. – Dostałem kilka pozytywnych odpowiedzi, ale cały czas rozważam wszystkie za i przeciw.

– Gdzie cię przyjęto, jeśli można wiedzieć? – drążył Charlie.

– Do Syracuse... na Harvard... do Dartmouth... a dzisiaj dostałem potwierdzenie z University of Alaska Southest.

Edward mrugnął do mnie po kryjomu. Musiałam się powstrzymać, żeby nie zachichotać.

– Harvard? Dartmouth? – wykrztusił Charlie, nie kryjąc, jaki respekt wzbudzają w nim te dwie nazwy. – Cóż, to całkiem... To naprawdę duże osiągnięcie. Tylko ten Univeristy of Alaska... Nie będziesz go chyba brał pod uwagę, mogąc studiować na jednej z uczelni Ivy League*, prawda? Twój ojciec byłby niepocieszony, gdybyś zmarnował taką szansę.

– Carlisle zawsze szanuje moje wybory, niezależnie od tego, czy mu odpowiadają – oświadczył Edward pogodnie.

– Ach tak.

– Edward, a zgadnij, skąd ja dzisiaj dostałam potwierdzenie przyjęcia – przerwałam wesoło obu panom.

– No, skąd?

Wskazałam na grubą kopertę leżącą na blacie.

– Też z University of Alaska, tak jak ty!

– Moje gratulacje! – Edward wyszczerzył zęby w uśmiechu. – Co za zbieg okoliczności.

---

* Ivy League – grupa starych prestiżowych uczelni na wschodnim wybrzeżu Stanów Zjednoczonych, do których zalicza się m.in. Harvard i Yale – przyp. tłum.

Oczywiście odegraliśmy oboje to krótkie przedstawienie, żeby podrażnić się z Charliem. Biedny ojciec połknął haczyk i przez kilkanaście sekund zerkał podejrzliwie to na Edwarda, to na mnie.

– Idę obejrzeć mecz – zakomunikował nam w końcu. – Tylko pamiętajcie, macie czas do wpół do dziesiątej!

Wychodząc do saloniku, zawsze właśnie tak się z nami żegnał.

– Hej, tato, a co z tym odzyskaniem wolności, które mi dziś obiecałeś?

Westchnął ciężko.

– No tak. Okej, niech będzie dziesiąta trzydzieści. Ale ani minuty dłużej! Musisz się wyspać przed szkołą.

– To Bella nie ma już szlabanu? – spytał Edward z ekscytacją w głosie.

Był doskonałym aktorem. Chociaż wiedział o decyzji ojca pewnie dłużej niż ja, zachowywał się tak, jakby właśnie usłyszał o niej po raz pierwszy.

– Tylko pod pewnym warunkiem – skorygował Charlie, cedząc słowa. – A czemu cię to tak interesuje?

Rzuciłam mu karcące spojrzenie, ale tego nie zauważył.

– Po prostu to się dobrze składa – powiedział Edward. – Alice szuka kogoś, kto miałby ochotę wybrać się z nią na zakupy, a jestem pewien, że Bella stęskniła się już za wielkomiejskim gwarem.

Uśmiechnął się do mnie.

– Odmawiam! – ryknął Charlie, purpurowiejąc na twarzy.

– Spokojnie, tato. W czym problem?

Z trudem otworzył swoje zaciśnięte usta.

– Nie pojedziesz do żadnego Seattle. Nie teraz.

– Co takiego?

– Opowiadałem ci o tym artykule z gazety. Po Seattle grasuje jakiś seryjny morderca, a może to wojna gangów? Masz się trzymać od tego miasta z daleka, zrozumiano?

Wzniosłam oczy ku niebu.

– Tato, istnieje większe prawdopodobieństwo, że trafi mnie piorun, niż że tego dnia, kiedy będę w Seattle...

– Wszystko w porządku, Charlie – wtrącił Edward. – Nie miałem na myśli Seattle, tylko Portland. Też nie puściłbym tam Belli w tych okolicznościach. Nigdy w życiu.

Spojrzałam na niego z niedowierzaniem. Trzymał gazetę ojca w ręce i z uwagą studiował artykuł z pierwszej strony.

Nie mógł mówić serio – chyba tylko chciał mu się przypodobać. Przy jednym z Cullenów żaden psychopata czy gangster nie miał szans.

Fortel podziałał. Charlie przez chwilę drapał się po głowie, a potem machnął ręką.

– A niech wam będzie – mruknął.

To powiedziawszy, pospiesznie wycofał się do saloniku – nie chciał zapewne przegapić rzutu sędziowskiego.

Zaczekałam, aż usłyszę telewizor, żeby upewnić się, że ojciec nas nie podsłucha.

– Czemu... – zaczęłam.

– Sekundkę – przerwał mi Edward, nie odrywając oczu od gazety. Zagłębiony w lekturze, podał mi pierwsze z podań. – Przy tym tu możesz wykorzystać swoje stare wypracowania. Mają taki sam zestaw tematów.

Zrozumiałam – mimo włączonego telewizora Charlie pewnie wciąż nasłuchiwał. Westchnąwszy, zabrałam się do wypełniania standardowych do bólu rubryk formularza: imię, nazwisko, adres, numer taki, numer owaki... Po kilku minutach podniosłam głowę, ale Edward wyglądał teraz zadumany przez okno.

Kiedy powróciłam do swojego zajęcia, po raz pierwszy zwróciłam uwagę na nazwę uczelni. Prychnęłam i odsunęłam kartki na bok.

– Co jest? – spytał Edward.

– Nabijasz się ze mnie. Ja i Dartmouth?

Podniósł odrzucone przeze mnie dokumenty i położył je z powrotem przede mną.

– Sądzę, że spodobałoby ci się w New Hampshire. A dla mnie mają tam szeroką ofertę kursów wieczorowych i dużo bogatych w zwierzynę lasów w okolicy. To idealne miejsce dla takiego miłośnika przyrody jak ja.

Nie mogąc się powstrzymać, uśmiechnął się łobuzersko.

Wzięłam głęboki wdech przez nos.

– Jeśli tak bardzo ci przeszkadza to, że chcę ci zafundować studia, to pozwolę ci mnie spłacić – obiecał. – Mogę nawet policzyć odsetki.

– Mniejsza o czesne. Przecież żebym się tam dostała, musiałbyś zapłacić gigantyczną łapówkę! A może sfinansujesz im w zamian nowe skrzydło biblioteki czy coś podobnego? Ohyda. Po co w ogóle znowu wracamy do tego tematu?

– Proszę, wypełnij tylko formularz, nic więcej. Zgłosić się może każdy, prawda?

Przygryzłam wargę.

– Ale nie jest to obowiązkowe.

Sięgnęłam po papiery, żeby zgnieść je i wyrzucić do kosza, ale blat przede mną okazał się pusty. Zgłupiałam na moment, a potem zerknęłam na Edwarda. Z pozoru nawet nie drgnął, ale formularz był już pewnie schowany w kieszeni jego kurtki.

– Co ty najlepszego wyprawiasz? – zaprotestowałam.

– Oszczędzam twój czas. Potrafię świetnie fałszować twój podpis, a wypracowania są już przecież napisane.

– Przesadzasz, naprawdę przesadzasz! – oburzyłam się, mówiąc szeptem, w obawie, że Charlie nie jest jeszcze dostatecznie pochłonięty przebiegiem meczu. – Poza tym nie muszę już składać żadnych nowych podań. Przyjęto mnie na Alasce, a jak sobie trochę dorobię, to będzie mnie akurat stać na opłacenie tam pierwszego semestru. Nie mam zamiaru marnować kupy pieniędzy, bez względu na to, do kogo one należą.

Edward zrobił zbolałą minę.

– Bello...

– Nie zaczynaj znowu. Zresztą, przecież odgrywam ten cały cyrk ze studiami tylko dla Charliego. Oboje dobrze wiemy, że na jesieni nie będę w stanie uczęszczać do żadnej szkoły. W ogóle nie będę mogła przebywać pomiędzy ludźmi.

Ponieważ Edward nie był skory zagłębiać się w szczegóły, moja wiedza na temat pierwszych lat życia wampira była nadal niekompletna, zdawałam sobie jednak sprawę z tego, że nie jest to przyjemny okres. Najwyraźniej samokontrola przychodziła dopiero z czasem. Żadne kursy uniwersyteckie, z wyjątkiem korespondencyjnych, nie wchodziły w rachubę.

– Nie ustaliliśmy jeszcze konkretnego terminu – przypomniał mi ugodowym tonem. – Pochodź na zajęcia przez semestr lub dwa. Może studenckie życie przypadnie ci do gustu. W końcu jeszcze tylu rzeczy nigdy nie doświadczyłaś...

– Mogę ich spróbować później.

– Później to już nie będą ludzkie doświadczenia, Bello. Nie dostaniesz drugiej szansy, aby być człowiekiem.

Pokręciłam głową.

– Ale też nie możemy odwlekać mojej przemiany w nieskończoność. Lada chwila mogę znaleźć się w śmiertelnym niebezpieczeństwie.

– Jeszcze się nie pali.

Spojrzałam na niego z powątpiewaniem. Tak, tak, oczywiście, miałam masę czasu. Kto by się tam przejmował sadystyczną wampirzycą, która chciała mnie dorwać, żeby wymyślnymi torturami pomścić śmierć swojego partnera? Ach, byłabym zapomniała, byli jeszcze Volturi – wampirza rodzina królewska z własną armią oddanych zabójców, której przyrzekliśmy, że w niedalekiej przyszłości stanę się jedną z nich, bo żaden człowiek nie miał prawa wiedzieć o ich istnieniu. Chyba nie zamierzali się na nas gniewać, gdybyśmy opóźnili moją przemianę o kilka lat? Nie, skąd. Nie miałam żadnych powodów do niepokoju.

Byłam wściekła na Edwarda, że tak bagatelizował te zagrożenia. Co prawda, Alice potrafiła do pewnego stopnia przewidywać przyszłość, ale jej umiejętności sprowadzały się do skutecznego uprzedzania o zagrożeniu, a nie na jego likwidowaniu.

Poza tym Edward kłamał, twierdząc, że nie ustaliliśmy terminu. Owszem, nie wyznaczyliśmy konkretnej daty, ale po długich bojach zagwarantował mi, że przestanę być człowiekiem, kiedy skończę szkołę średnią, a to miało nastąpić już za parę tygodni.

Przeszedł mnie dreszcz, kiedy uświadomiłam sobie, jak niewiele czasu mi zostało – mnie i moim najbliższym. Zaledwie kilka metrów ode mnie Charlie, jak niemal co wieczór, oglądał mecz. Na dalekiej Florydzie moja mama, Renée, wciąż liczyła na to, że spędzę u niej wakacje. A Jacob? On miałby najgorzej. Rodziców mogłam oszukiwać nawet przez wiele miesięcy, wymawiając się brakiem pieniędzy na bilet lotniczy, nawałem pracy czy chorobą, ale on wiedziałby, co jest grane, od samego początku. Samo to, że wybrałabym uczelnię daleko od domu, wzbudziłoby jego słuszne podejrzenia.

Przez chwilę wizja tego, ile bólu miałam sprawić mojemu przyjacielowi, przyćmiła wszystko inne.

– Bello – wyszeptał Edward, widząc, co przeżywam. – Naprawdę, nie ma pośpiechu. Nie pozwolę cię nikomu skrzywdzić. Możesz zwlekać z tym, ile tylko ci się podoba.

– Nie chcę zwlekać. – Uśmiechnęłam się blado, próbując obrócić wszystko w żart. – Chcę być takim samym potworem jak ty.

Zacisnął zęby.

– Nawet nie masz pojęcia, jakie bzdury wygadujesz – warknął, po czym jednym ruchem rozłożył na stole pomiędzy nami gazetę Charliego. Palcem wskazał na największy z nagłówków na pierwszej stronie:

KOLEJNE BRUTALNE MORDERSTWO.
POLICJA PODEJRZEWA WOJNĘ GANGÓW.

– Co to ma z nami wspólnego?

– Bycie potworem to nie żarty, Bello.

Przeczytałam nagłówek jeszcze raz, a potem spojrzałam Edwardowi prosto w oczy.

– To... to wampir tam grasuje? – wydukałam.

Edward pokiwał głową.

– Zdziwiłabyś się, ile nagłośnionych przez media morderstw to sprawka moich pobratymców. Jak się wie, czego się szuka, łatwo domyślić się prawdy. W tym przypadku wszystko wskazuje na wampira nowo narodzonego. To głodny i rozwścieczony nieszczęśnik, który nie potrafi się jeszcze kontrolować i zapewne brzydzi się samego siebie. Właśnie kimś takim planujesz się niedługo stać. Wszyscy przez to przeszliśmy.

Zawstydzona, odwróciłam wzrok.

– Zbieramy informacje na temat tych zbrodni od kilku tygodni, odkąd tylko zorientowaliśmy się, że to jeden z naszych. Wszystko się zgadza: ofiary giną bez śladu zawsze nocą, nie ma dowodów na to, by je coś łączyło, zwłok nikt nie stara się za bardzo ukryć... Tak, to jakiś nowy. I nikt najwyraźniej się nim nie opiekuje. – Edward zaczerpnął powietrza. – Cóż, to nie nasza sprawa. Interesujemy się tym tylko dlatego, że to nasz teren. Tak jak mówiłem, zdarza się to bardzo często. Pojawienie się każdego nowego potwora pociąga za sobą straszliwe konsekwencje.

Próbowałam nie zwracać uwagi na nazwiska pomordowanych, ale odcinały się od reszty tekstu, jakby wydrukowano je wytłuszczoną czcionką: Maureen Gardiner, Geoffrey Campbell, Grace Razi, Michelle O'Connell, Ronald Albrook – pięć osób, z których każda miała rodzinę, pracę, przyjaciół, marzenia, plany, wspomnienia i przyzwyczajenia – pięć osób z krwi i kości, a nie abstrakcyjnych ofiar z policyjnych statystyk...

– Ze mną będzie inaczej – powiedziałam cicho. – Już o to zadbamy. Wyprowadzimy się na Antarktydę.

Edward prychnął, rozładowując nieco napięcie.

– Nie szkoda ci słodkich pingwinków?

Tak, co jak co, ale Cullenowie nie jadali nic słodkiego i malutkiego – jako że ich „wegetariańskość” polegała jedynie na tym, że nie zabijali ludzi, preferowali opierać swoją dietę na dużych drapieżnikach.

Zaśmiałam się krótko i zepchnęłam gazetę z blatu, żeby nie widzieć dłużej tych wszystkich nazwisk.

– W takim razie Alaska, tak jak było ustalone. Tylko bardziej w głębi lądu niż Juneau – jakieś miejsce, gdzie można spotkać grizzly.

– Żeby tylko grizzly – powiedział Edward. – Na północy są i niedźwiedzie polarne. A żebyś widziała tamtejsze wilki – gigantyczne!

Otworzyłam mimowolnie usta i złapałam się za serce.

– Coś nie tak? – spytał Edward. Nagle uświadomił sobie swoje faux pas i zesztywniał. – Okej, zapomnij o wilkach. Nie będzie żadnych wilków, jeśli ci to nie pasuje.

Wyglądał na trochę obrażonego.

– Edwardzie, to mój były najlepszy przyjaciel. – Zabolał mnie ten czas przeszły. – Oczywiście, że mi to nie pasuje.

– Wybacz moje gapiostwo – oświadczył z wymuszoną uprzejmością. – Strzeliłem gafę.

– Nie przejmuj się, nic się nie stało.

Wbijałam wzrok w swoje dłonie, oparte o blat stołu. Obie były zaciśnięte w pięści.

Zapadła cisza.

Po chwili Edward wziął mnie pod brodę, zmuszając, bym na niego spojrzała. Już mu przeszło.

– Przepraszam. Szczerze.

– Wiem. Wszystko w porządku. Ja też przesadziłam z reakcją. Po prostu myślałam już o nim wcześniej, a potem ty wyskoczyłeś z tym polowaniem…

Zawahałam się. Zawsze, gdy wspominałam Jacoba, oczy Edwarda wydawały się ciemnieć. Widząc, że znowu tak się dzieje, przyjęłam błagalny ton.

– Widzisz, Charlie mówił mi przy obiedzie, że Jake przechodzi trudny okres. Mam wyrzuty sumienia. To wszystko moja wina…

– Nie zrobiłaś niczego złego.

Wzięłam głęboki oddech.

– Powinnam coś z tym zrobić. Jestem mu to dłużna. Zresztą to i tak jeden z warunków Charliego.

Kiedy mnie słuchał, jego twarz znów stężała, zmieniając się na powrót w marmurową maskę.

– Wiesz dobrze, że za nic w świecie nie pozwolę ci przebywać z wilkołakiem sam na sam, a iść z tobą w charakterze ochroniarza nie mogę, bo złamałbym postanowienia naszego paktu. Chyba nie chcesz, żebyśmy rozpętali wojnę?

– Jasne, że nie.

– W takim razie nie ma co dalej o tym dyskutować.

Odsunął raptownie rękę, po czym zaczął wędrować wzrokiem po kuchni, zastanawiając się, jak by tu teraz pokierować naszą rozmową. Nagle jego oczy zatrzymały się na czymś za mną. Przekrzywił głowę i uśmiechnął się delikatnie.

– Cieszę się, że Charlie postanowił wypuścić cię z domu, bo widzę, że musisz w pilnym trybie odwiedzić księgarnię. Te *Wichrowe wzgórza* znasz już chyba na pamięć.

– Nie wszyscy mają pamięć fotograficzną, jak co poniektórzy – odburknęłam.

– Mniejsza o twoje zdolności, nie pojmuję po prostu, co ci się w tej książce podoba. Cathy i Heathcliff są okropni, tylko niszczą sobie nawzajem życie. Nie wiem, kto wpadł na pomysł, żeby porównywać ich do takich par z literatury, jak Romeo i Julia czy Elizabeth Bennet i pan Darcy z *Dumy i uprzedzenia*. To nie historia romantycznej miłości, tylko bezsensownej nienawiści.

– Od kiedy to jesteś amatorem krytyki literackiej?

– Patrzę na fabułę obiektywnie, i tyle. Być może pomaga mi w takim podejściu to, że poznałem wiele dzieł klasyków, zanim je jeszcze zaszufladkowano.

Wyglądał na bardzo z siebie zadowolonego i trudno było mu się dziwić – dość skutecznie odwrócił moją uwagę od sprawy Jacoba.

– A tak zupełnie serio, czemu wciąż wracasz do Brontë?

Pochylił się nad blatem stołu, żeby móc przytulić swoją dłoń do mojego policzka. W jego oczach pojawiło się nieudawane zainteresowanie. Próbował – po raz kolejny – zrozumieć moje pokrętne procesy myślowe.

– Co ci się w tej powieści tak podoba?

Jego szczere zaciekawienie sprawiło, że się poddałam.

– Czy ja wiem... – Bezwiednie rozpraszał mnie swoim spojrzeniem – musiałam włożyć sporo wysiłku, by zebrać myśli. – Sądzę, że urzekło mnie to, że Cathy i Heathcliffa nic nie jest w stanie rozdzielić: ani jej egoizm, ani jego złe uczynki, ani nawet śmierć, jak się później okazuje...

Edward zamyślił się nad moją odpowiedzią, ale już po chwili uśmiechnął się kpiarsko.

– Ja tam nadal będę upierał się przy tym, że wyszłaby z tego lepsza historia, gdyby każde z nich miało choć jedną pozytywną cechę.

– O to właśnie w tym wszystkich chodzi – zaoponowałam. – Łączące ich uczucie to jedyna pozytywna rzecz w ich życiu.

– Mam nadzieję, że jesteś dość rozsądna, by nie pójść w ślady swoich ulubionych postaci literackich i zakochać się w kimś zupełnie pozbawionym zalet.

– Trochę się spóźniłeś ze swoim ostrzeżeniem – zauważyłam. – Ale i bez niego poradziłam sobie chyba całkiem nieźle, prawda?

Zaśmiał się cicho.

– Cieszę się, że tak uważasz.

– Mam nadzieję, że też będziesz się trzymał z daleka od takich dziewczyn jak Cathy. To jej egoizm tak naprawdę wszystko zniszczył, Heathcliff był tylko jego ofiarą.

– Będę miał się na baczności – obiecał mi Edward.

Westchnęłam. Był naprawdę niezły – prawie mu się udało – ale ja nie zamierzałam dać za wygraną.

Przyłożyłam dłoń do jego dłoni, żeby nie oderwał jej od mojego policzka.

– Muszę zobaczyć się z Jacobem – oświadczyłam z naciskiem.

Zacisnął powieki.

– Nie.

– To wcale nie jest takie niebezpieczne – ciągnęłam. – Kiedy ciebie nie było, spędzałam w La Push całe dnie i nigdy nawet nie poczułam, że czymś ryzykuję.

Byłam pewna swoich racji, ale nie przewidziałam jednego: że pod koniec mojej wypowiedzi zadrży mi głos, bo uzmysłowię sobie, że przecież kłamię. To, że przy wilkołakach nigdy nie poczułam strachu, nie było prawdą. Przed oczami stanął mi olbrzymi szary basior z obnażonymi kłami – wpatrzony we mnie i gotowy do skoku. Na samo wspomnienie tamtego wydarzenia spociły mi się dłonie, co, rzecz jasna, nie uszło uwagi Edwarda. Usłyszał też, że przyspieszyło mi tętno, i pokiwał ze smutkiem głową. Przejrzał mnie na wylot – nie musiałam nic mówić.

– Wilkołakom brakuje samokontroli. Zadając się z nimi, można odnieść poważne obrażenia. A czasami, niestety, od tych obrażeń się umiera...

Chciałam temu zaprzeczyć, ale przypomniało mi się coś jeszcze: piękna twarz Emily Young oszpecona potrójną linią głębokich blizn, zaczynających się w kąciku jej prawego oka i wykrzywiających jej usta w trwałym grymasie.

Edward czekał w milczeniu, aż sama dojdę do jedynego słusznego wniosku.

– Nie znasz ich – powiedziałam szeptem.

– Bello, znam ich lepiej, niż ci się wydaje. Byłem tu ostatnim razem.

– Jakim ostatnim razem?

– Nasze ścieżki skrzyżowały się po raz pierwszy około siedemdziesięciu lat temu, gdy dopiero co osiedliliśmy się w pobliżu Hoquiam. Było to jeszcze, zanim dołączyli do nas Alice i Jasper. Mimo że i tak mieliśmy nad watahą przewagę liczebną, nie wystraszyli się nas i chcieli się bić. Gdyby nie Carlisle, nie wiem, jak by się to skończyło. Udało mu się jednak przekonać Ephraima Blacka, że koegzystencja naszych ras jest możliwa, i w końcu zawarliśmy słynny pakt.

Dziwnie było mi słuchać o tym, że Edward znał osobiście pradziadka Jacoba.

– Sądziliśmy, że Ephraim był ostatni z rodu. – Edward ściszył głos, jakby mówił teraz tylko sam do siebie. – Wydawało nam się, że nikomu nie przekazał w genach tej dziwnej mutacji, przez którą dorastający chłopcy zmieniali się w wilki.

Przerwał, żeby rzucić mi oskarżycielskie spojrzenie.

– Twój pech rośnie chyba z dnia na dzień. Czy zdajesz sobie sprawę, że przyciągasz potwory do tego stopnia, że aktywowałaś na odległość geny Ephraima, ochroniwszy tym samym miejscową sforę przed wyginięciem? Gdybyśmy tylko potrafili koncentrować tego twojego pecha w butelkach, uzyskalibyśmy nową broń masowego rażenia!

Zignorowałam ten żart, bo myślami byłam gdzie indziej. Czy Edward naprawdę wierzył, że to ja wywołałam u mieszkańców La Push nawrót wilkołactwa, czy tylko się ze mną przekomarzał?

– Niczego nie aktywowałam. To ty nie wiesz, skąd się biorą wilkołaki?

– A jaka jest twoja wersja?

– Mój pech nie ma z tym nic wspólnego. To obecność wampirów tak działa na quileuckich nastolatków.

Zamarł. Zdumiony, wpatrywał się we mnie szeroko otwartymi oczami.

– Jacob powiedział mi, że to wszystko przez pojawienie się twojej rodziny. Myślałam, że o tym wiedziałeś.

– Tak to sobie tłumaczą... – powiedział z sarkazmem w głosie.

– Przestań. Spójrz lepiej na fakty. Przeprowadziliście się tutaj siedemdziesiąt lat temu i zaraz pojawiły się tu wilkołaki. Wróciliście po latach i znowu się pojawiły. Czy nie uważasz, że to podejrzany zbieg okoliczności?

Edward zmienił wyraz twarzy na mniej zacięty.

– Hm... Carlisle'a na pewno zainteresuje ta teoria.

– Teoria! – prychnęłam.

Zamilkł i zajął się wpatrywaniem w padający za oknem deszcz. Ciekawa byłam, jak się czuje, wiedząc, że obecność jego i jego najbliższych zmienia tubylców w gigantyczne basiory.

– Tak... – odezwał się po dłuższej chwili. – To interesujące, ale do naszego sporu nie wprowadza nic nowego.

Czytaj: żadnych wizyt w La Push.

Wiedziałam, że muszę wykazać się cierpliwością. Nie chciał mi dokuczyć, po prostu jeszcze nie rozumiał. Nadal nie miał pojęcia, ile zawdzięczałam Jacobowi – mój przyjaciel nie tylko kilkakrotnie uratował mi życie, ale i uchronił mnie przed popadnięciem w obłęd.

Nie miałam ochoty z nikim rozmawiać o tamtym ponurym okresie, a już zwłaszcza z Edwardem. To nie była jego wina – porzucił mnie tak brutalnie tylko dlatego, że pragnął uratować w ten sposób moją duszę. Bynajmniej nie zrzucałam na niego odpowiedzialności ani za swoje idiotyczne zachowanie podczas jego nieobecności, ani za ból, którego wówczas doświadczyłam.

To on sam się obwiniał.

Więc żeby cokolwiek mu wyjaśnić z wydarzeń tamtych dni, musiałabym bardzo starannie dobierać słowa.

Wstałam i obeszłam stół. Wyciągnął ku mnie ręce. Usiadłam mu na kolanach, a on objął mnie chłodnymi ramionami. Wbiwszy wzrok w jego dłonie, zaczęłam swoją przemowę:

– Proszę, wysłuchaj mnie przez minutę. Tu nie chodzi o byle spotkanie ze starym przyjacielem. Nie chcę pojechać do La Push na pogaduchy przy herbatce. Jacob cierpi! – Przy tym ostatnim słowie głos mi zadrżał. – Nie mogę, nie wolno mi go tak zostawić. Nie mogę się od niego odwrócić teraz, kiedy mnie potrzebuje. Co z tego, że nie jest do końca człowiekiem. Był przy mnie, kiedy sama zachowywałam się... dziwnie. Nie wiesz, jak to wtedy wyglądało.

Zawahałam się. Edward ściskał mnie mocniej, niż powinien, a przez skórę jego dłoni prześwitywały napięte ścięgna.

– Gdyby mi nie pomógł... Nie wiem, co byś tu zastał po powrocie. Jestem mu winna lepsze traktowanie.

Ostrożnie podniosłam wzrok. Miał zamknięte oczy i zaciśnięte usta.

– Nigdy sobie nie wybaczę tego, że cię zostawiłem – wyszeptał. – Nawet gdybym miał żyć sto tysięcy lat.

Przytuliłam czule dłoń do jego zimnego policzka. Westchnąwszy, otworzył oczy.

– Chciałeś tylko postąpić szlachetnie i rozsądnie. Jestem pewna, że z kimś bardziej pozbieranym niż ja twój plan by się powiódł. Poza tym wróciłeś. To dla mnie najważniejsze.

– Gdybym nigdy nie wyjechał, nie musiałabyś ryzykować życiem, żeby szukać pocieszenia u psa.

Wzdrygnęłam się. Do tego, że Jacob używa względem Cullenów obraźliwych określeń, byłam przyzwyczajona, ale vice versa... Wypowiedziana aksamitnym barytonem obelga zabrzmiała w moich uszach wyjątkowo obrzydliwie.

– Nie wiem, jak to sformułować – kontynuował Edward smutno. – Pewnie wyjdę na skończonego tyrana. Wszystko dlatego, że już kilka razy o mało cię nie straciłem. I wiem, jak to jest wierzyć, że cię utraciłem naprawdę. Powiem tak: nie zamierzam narażać cię na nawet najmniejsze ryzyko.

– Musisz mi zaufać. Nic mi nie będzie.

Jego twarz wykrzywił ból.

– Bello, błagam.

Spojrzałam prosto w jego złote oczy.

– O co dokładnie mnie błagasz?

– Błagam cię, żebyś w sposób świadomy unikała niebezpieczeństwa. Przez wzgląd na mnie. Będę dokładał wszelkich starań, żeby cię chronić, ale przydałaby mi się twoja pomoc.

– Popracuję nad tym – przyrzekłam.

– Czy ty w ogóle wiesz, jaka jesteś dla mnie ważna? Czy masz choćby mgliste pojęcie, jak bardzo cię kocham?

Przycisnął moją głowę do swojej piersi.

– Wiem, jak bardzo kocham ciebie – odpowiedziałam.
– Porównujesz jedno mizerne drzewko z całym lasem.
Przewróciłam oczami, ale nie mógł tego zobaczyć.
– To niemożliwe.
Pocałował mnie we włosy i znowu westchnął.
– Żadnych wilkołaków.
– Nie składam broni. Muszę się z nim spotkać.
– W takim razie będę musiał cię powstrzymać.
Sądząc po tonie jego głosu, był w stu procentach przekonany, że mu się to uda.
Podzielałam jego zdanie.
– Coś się wymyśli – zełgałam. – Nadal uważam go za swojego przyjaciela.
Poczułam liścik od Jacoba w kieszeni spodni, jakby nagle zrobił się okropnie ciężki. Usłyszałam w myślach jego głos. Paradoksalnie, miał mi do przekazania to samo, co Edward.
Ale to niczego nie zmienia. Wybacz.

2 *Unikanie tematu*

Idąc po hiszpańskim do stołówki, czułam się dziwnie radośnie. Trzymałam wprawdzie za rękę najprzystojniejszego mężczyznę pod słońcem, ale nie był to jedyny powód, dla którego dopisywał mi humor.
Być może nie bez znaczenia było też to, że mój wyrok dobiegł końca i nie musiałam zaraz po lekcjach wracać pędem do domu?
A może nie chodziło wcale o mnie, tylko o panującą w szkole atmosferę? Koniec roku zbliżał się wielkimi krokami i nikt, a już zwłaszcza uczniowie czwartych klas, nie krył swojej ekscytacji tym faktem.

Od wolności dzieliło nas wszystkich już tak niewiele, że była niemalże namacalna, a w powietrzu wydawał się unosić jej słodki zapach. Gdzie nie spojrzeć, rzucały się w oczy jej zapowiedzi: ogłoszenia na ścianach i ulotki w przepełnionych koszach zachęcały do kupna kroniki szkolnej na mijający rok lub przypominały o ostatecznym terminie zamawiania tóg i biretów na absolutorium. Niemiłym akcentem w tej kolorowej mozaice były jedynie zdobne w różyczki plakaty reklamujące tegoroczny bal absolwentów. Na szczęście Edward przyrzekł mi solennie, że nie zaciągnie mnie na niego po raz drugi. Może i miałam na koncie niewiele doświadczeń, ale ten nieszczęsny bal już zaliczyłam!

Nie, to raczej uchylenie ojcowskiego szlabanu tak mnie uskrzydliło – koniec roku szkolnego nie powodował u mnie takiej euforii jak u innych uczniów. Właściwie na samą myśl o nim dostawałam drgawek. Starałam się o nim nie myśleć.

Trudno było jednak uniknąć rozmów na tak nurtujący wszystkich temat.

– Rozesłałaś już zawiadomienia? – spytała mnie Angela, kiedy usiedliśmy z Edwardem przy naszym wspólnym stoliku.

Zwykle zaczesywała włosy gładko, ale dziś miała jakąś niechlujną kitkę, a jej oczy płonęły niezdrowym blaskiem.

Obok nas siedzieli już jej chłopak i Alice. Ben był do tego stopnia zaczytany w jakimś komiksie, że okulary zjechały mu na czubek nosa, siostra Edwarda z kolei przyglądała się z dezaprobatą moim dżinsom i podkoszulkowi. Czyżby znowu planowała zabawić się w moją prywatną stylistkę? Moja obojętność wobec mody bardzo ją uwierała. Gdybym tylko jej na to pozwoliła, co rano by mnie ubierała, a może nawet i przebierałaby mnie po kilka razy dziennie, jakbym była jej przerośniętą lalką Barbie.

– Nie, niczego nie rozsyłałam – odpowiedziałam Angeli. – W moim przypadku to zupełnie nie ma sensu. Renée wie, kiedy mam absolutorium, a poza nią nie mam żadnych bliższych krewnych.

– A ty?

Alice uśmiechnęła się.

– Wszystko już załatwiłam.

– Szczęściary – westchnęła Angela. – Moja matka ma pół tysiąca kuzynów i spodziewa się, że zaadresuję ręcznie kopertę z zawiadomieniem dla każdego z nich. Jak nic dostanę od tej roboty zespołu kanału nadgarstka. Odkładam to i odkładam, ale dłużej się nie da.

– Mogę ci pomóc – zaofiarowałam się. – Jeśli tylko nie przeszkadza ci mój charakter pisma...

Moja wizyta u Angeli powinna była usatysfakcjonować Charliego. Kątem oka zauważyłam, że Edward się uśmiechnął. Jemu także ten pomysł musiał przypaść do gustu – oto miałam dostosować się do ustaleń z ojcem, unikając jednocześnie zadawania się z wilkołakami.

Angela wyglądała na osobę, której kamień spadł z serca.

– Naprawdę, mogłabyś? Byłabym ci strasznie wdzięczna. To co, kiedy mogę do ciebie wpaść z kopertami?

– Wolałabym się spotkać u ciebie, jeśli nie masz nic przeciwko temu. Swojego domu mam po dziurki w nosie, a Charlie zniósł wczoraj wieczorem mój szlaban.

Uśmiechnęłam się szeroko, obwieszczając tę wesołą nowinę.

– Żartujesz! – ucieszyła się Angela. – Myślałam, że to był wyrok bezterminowy.

– Jestem tym jeszcze bardziej zaskoczona niż ty. Byłam pewna, że mi nie popuści przynajmniej do końca roku.

– Super! Musimy to jakoś uczcić!

– Jestem za. Boże, nareszcie będę mogła trochę się rozerwać!

– Jakieś propozycje? – zachęciła Alice.

Podejrzewałam, że jej pytanie jest tylko grzecznościowe, bo to ona była zawsze skarbnicą pomysłów – i to pomysłów tak ekstrawaganckich, że nawet ja, w gorącej wodzie kąpana, wolałam większości z nich nie wcielać w życie.

– Nie wiem, co ci chodzi po głowie, Alice – powiedziałam – ale wątpię, żeby Charlie wyraził na to zgodę.

– To zniósł ten szlaban czy nie?

– Sądzę, że pewne ograniczenia nadal mnie obowiązują – na przykład zakaz opuszczania kraju.

Angela i Ben wzięli to za dobry żart, ale Alice, rozczarowana, wygięła usta w podkówkę.

– No to co robimy? – spytała.

– Na razie lepiej nic. Poczekajmy parę dni, żeby sprawdzić, czy Charliemu nie przejdzie dobry humor. Zresztą dziś nie moglibyśmy zaszaleć, bo jutro trzeba iść do szkoły.

– Zaszalejemy w weekend!

Entuzjazmu Alice nie dawało się ugasić tak łatwo.

– Zobaczymy – rzuciłam, mając nadzieję, że mój opór ostudzi nieco jej zapał.

Nie miałam zamiaru zgodzić się na nic zbyt niezwykłego, żeby sobie samej nie zaszkodzić. Charliego należało przyzwyczajać do nowego stanu rzeczy stopniowo, a nie od razu rzucać na głęboką wodę. Najpierw miał uwierzyć, że jestem osobą dojrzałą i godną zaufania.

Angela i Alice zaczęły omawiać różne opcje, a Ben odłożył swój komiks i włączył się do rozmowy. Zamiast przysłuchiwać im się uważnie, pogrążyłam się w rozmyślaniach. Jeszcze przed chwilą odzyskana wolność mnie upajała, teraz jednak nie wydawała mi się już taka atrakcyjna. Kiedy moi przyjaciele spierali się, czy lepiej będzie pojechać do Port Angeles, czy do Hoquiam, ja sama czułam się coraz bardziej nieswojo.

Ustalenie tego, skąd brało się moje napięcie, nie zajęło mi dużo czasu.

Odkąd rozstałam się z Jacobem w lesie, w pobliżu mojego domu, nawiedzał mnie w regularnych odstępach czasu pewien niepokojący obraz. Pojawiał się w moich myślach ni stąd, ni zowąd co pół godziny, jakby sterował nim jakiś piekielny mechanizm zegarowy. Obraz ten przedstawiał twarz Jacoba wykrzywioną bólem. Takim właśnie widziałam go po raz ostatni.

Kiedy stanął mi teraz przed oczami, przerywając moje rozmyślania, zrozumiałam nagle, czemu czuję się tak dziwnie: moja swoboda była tylko pozorna, niekompletna.

Mogłam pojechać wszędzie tam, dokąd bym chciała, ale z jednym wyjątkiem – La Push. Mogłam robić wszystko to, na co miałam ochotę, byle tylko nie oznaczałoby to spotkania z Jacobem Blackiem.

Zmarszczyłam czoło. Czy naprawdę w tej sytuacji nie można było pójść na żaden kompromis?

– Alice? Alice!

Z zadumy wyrwał mnie głos Angeli. Machała Alice ręką przed nosem, bo siostra Edwarda siedziała nieruchomo z szeroko otwartymi oczami i nieobecnym wzrokiem. Znałam dobrze tę minę i przeraziłam się nie na żarty. Oznaczała, że Alice przyglądała się w tej chwili czemuś zupełnie innemu niż szkolnej stołówce – czemuś, co dotyczyło jednego z nas i co mogło się już niedługo wydarzyć, miało się już niedługo wydarzyć... Krew odpłynęła mi z twarzy.

Edward parsknął śmiechem – był świetnym aktorem, więc zabrzmiało to bardzo naturalnie. Angela i Ben zerknęli w jego stronę, ale ja nie odrywałam wzroku od Alice. Podskoczyła nagle na krześle, jakby ktoś kopnął ją pod stołem.

– Co, zdrzemnęło się babuleńce? – spytał Edward, udając, że naigrawa się z jej zachowania.

Była już w pełni przytomna.

– Przepraszam. Coś się zamyśliłam.

– Świetny sposób na przetrwanie lekcji – skomentował Ben.

Alice powróciła do omawiania naszego wyjścia z jeszcze większym zaangażowaniem niż wcześniej – nawet odrobinę za dużym. Raz zauważyłam, że oczy jej i Edwarda się spotkały, ale zanim dostrzegł to ktokolwiek inny, patrzyła już na Angelę. Edward siedział cicho, bawiąc się, niby to od niechcenia, kosmykiem moich włosów.

Czekałam niecierpliwie na odpowiedni moment, żeby zapytać go, co Alice zobaczyła w swojej wizji, ale przez całe popołudnie taka sposobność nie nadarzyła się ani razu. Zwykle znajdowaliśmy na przerwach trochę czasu dla siebie, więc domyślałam się, że

Edward celowo odwleka tę chwilę. Zaraz po lunchu, na przykład, zwolnił kroku, żeby zrównać się z Benem i zagaił go o zadanie domowe, które, jak wiedziałam, sam miał już dawno odrobione. Gdy dobiegła końca ostatnia lekcja, wdał się z kolei w rozmowę z omijanym zwykle przez siebie z daleka Mikiem Newtonem! Zrezygnowana, powlokłam się za nimi na parking.

Mike był nieco zdziwiony tym nagłym zainteresowaniem ze strony mojego chłopaka, ale na wszystkie pytania odpowiadał przyjaźnie. Nadstawiłam uszu.

– A przecież dopiero co wymieniłem akumulator.

Najwyraźniej miał jakieś problemy z samochodem.

– Może to kable? – zasugerował Edward.

– Nie mam pojęcia. Nie za bardzo znam się na autach – przyznał Mike. – Wypadałoby pojechać z tym do warsztatu Dowlinga, ale nie stać mnie na niego. Muszę kogoś wykombinować.

Otworzyłam już usta, żeby zareklamować mu świetnego fachowca, ale szybko je zamknęłam. Mój mechanik miał ostatnio inne rzeczy na głowie – był zajęty bieganiem po lesie jako olbrzymi wilk.

– Jakbyś chciał, mogę w nim trochę pogrzebać – zaoferował się Edward. – Kiedyś interesowałem się silnikami. Musiałbym tylko odwieźć najpierw Alice i Bellę.

Mike i ja stanęliśmy jak wryci. Edward miły dla Mike'a? Byliśmy w szoku.

– Ee... dzięki – wybąkał Mike, kiedy już doszedł do siebie – ale jadę teraz prosto do pracy. Może innym razem.

– Jakby co, daj mi znać.

– Jasne. Do jutra!

Mike zajął miejsce za kierownicą. Zerknąwszy przez ramię, zauważyłam, że kręci z niedowierzaniem głową.

Volvo Cullenów stało kilka metrów dalej. Alice siedziała już w środku.

– A to co miało być? – spytałam Edwarda szeptem, kiedy otworzył przede mną drzwiczki.

– Pokaz dobrych manier – odparł wymijająco.

Gdy tylko oboje znaleźliśmy się w aucie, Alice zaczęła gadać jak nakręcona:

– Edward, nie przesadzaj z tą swoją wiedzą na temat silników, bo się jeszcze zbłaźnisz. Lepiej poproś Rosalie, żeby dziś w nocy zakradła się do garażu Newtonów i zdała ci relację, będziesz wtedy chociaż wiedział, gdzie szukać usterki. Jeśli, oczywiście, Mike zdecyduje się poprosić cię o pomoc, co przecież nie jest takie pewne. Ale by się zdziwił, gdyby to Rose naprawiła mu samochód! Ech, jaka szkoda, że niby studiuje na drugim końcu Stanów... Byłby niezły ubaw. Zresztą, z takim wozem jak Mike'a to sobie akurat poradzisz – to nie jakieś sportowe cudeńko z Włoch. À propos cudeniek z Włoch, pamiętasz to żółte porsche, które tam ukradłam? Wiem, że obiecałeś mi takie samo w prezencie, ale nie wiem, czy wytrzymam do Gwiazdki...

Po minucie przestałam słuchać jej paplaniny, postanawiając uzbroić się w cierpliwość. Czyli Edward nie był skory podzielić się ze mną nowinami. Cóż, niech mu będzie, pomyślałam. Prędzej czy później i tak mieliśmy się znaleźć sam na sam, a wtedy zamierzałam go przycisnąć.

Edward chyba też zdał sobie z tego sprawę, bo zamiast grać na czas i odwieźć Alice pod same drzwi ich domu, wyrzucił ją tak jak zwykle przy zjeździe z głównej drogi.

Wysiadając, posłała mu znaczące spojrzenie. Z pozoru nie zrobiło to na nim żadnego wrażenia.

– Do zobaczenia – powiedział.

A potem nieznacznie skinął głową. A jednak!

Alice odwróciła się na pięcie i zniknęła w gęstwinie.

Zawróciliśmy do Forks w milczeniu. Czekałam, aż Edward odezwie się pierwszy. Nie zrobił tego, co jeszcze bardziej mnie zaniepokoiło. Co takiego, u licha, Alice zobaczyła? Dlaczego nie chcieli mi tego wyjawić? Może lepiej było już się przygotować psychicznie na ich rewelację? Gdybym spanikowała, zyskaliby argument, żeby móc mi rozkazywać.

W rezultacie siedzieliśmy w zupełnej ciszy, aż dojechaliśmy pod dom Charliego.

– Mało dziś zadali – powiedział Edward.

– No.

– Sądzisz, że mogę wejść do środka?

– Charlie jakoś nie dostał zawału, kiedy przyjechałeś po mnie rano.

Nie byłam jednak taka pewna, czy zareaguje równie neutralnie, wpadając na Edwarda zaraz po powrocie z pracy do domu. Trzeba było pomyśleć, jak by tu go udobruchać. Hm, może coś ekstra na obiad?

Poszliśmy na górę do mojego pokoju. Edward wyciągnął się wygodnie na łóżku, udając, że nie dostrzega mojego zaniepokojenia.

Odłożyłam plecak na podłogę i włączyłam komputer – miałam w skrzynce e-mail od mamy, na który powinnam była jak najszybciej odpowiedzieć. Renée zaczynała wydzwaniać do Forks, kiedy z tym zwlekałam. Czekając, aż mój rzęch będzie gotowy do pracy, wybijałam palcami na blacie biurka nerwowe staccato.

Nagle Edward położył na nich swoją chłodną dłoń. Znieruchomiały.

– Ktoś tu jest dzisiaj bardzo niecierpliwy – stwierdził.

Odwróciłam głowę, gotowa mu się odszczeknąć, ale jego twarz okazała się bliżej mojej, niż myślałam. Zobaczyłam dokładnie wszystkie cętki w jego złotych oczach, a na policzkach poczułam powiew jego oddechu.

Dowcipna riposta, którą miałam na końcu języka, wyleciała mi z głowy. Ba, nie pamiętałem nawet, jak się nazywam.

Nie dał mi szansy na wyjście z tego stanu.

Gdybym tylko mogła, całowanie Edwarda zajmowałoby mi większą część dnia. Niczego innego, czego doświadczyłam w życiu, nie dawało się z tym porównać. Miał takie cudowne wargi: twarde i zimne jak marmur, ale jednocześnie niesłychanie delikatne.

Nieczęsto miałam okazję oddawać się swojej ulubionej czynności, więc Edward nieco mnie zaskoczył, wplatając mi palce we włosy, i przyciągnął moją twarz do swojej. Objęłam go za szyję, żałując, że nie jestem silniejsza – dość silna, by nie był w stanie mi się wyrwać. Jedna z jego rąk powędrowała w dół i zatrzymawszy się na moich łopatkach, przycisnęła mnie jeszcze mocniej do jego kamiennej piersi. Bił od niego taki chłód, że czułam go nawet przez gruby sweter, który miał na sobie. Zadrżałam, ale nie z zimna, tylko z zadowolenia, ze szczęścia – niestety, Edward źle to zinterpretował i mięśnie otaczających mnie ramion zaczęły się rozluźniać.

Wiedziałam, że mam tylko kilka sekund, zanim, wzdychając, odepchnie mnie delikatnie od siebie, a potem powie coś w rodzaju, że starczy już tego ryzyka jak na jedno popołudnie. Starając się jak najlepiej wykorzystać te resztki pieszczoty, przywarłam do niego całym ciałem, wypełniając sobą szczelnie dzielącą nas przestrzeń. Koniuszkiem języka przesunęłam po łuku jego dolnej wargi. Była idealnie gładka, a w smaku...

Edward z łatwością odsunął mnie od siebie jednym zdecydowanym ruchem – pewnie nawet się nie zorientował, że trzymałam go z całej siły.

Zaśmiał się – krótko i gardłowo. Oczy błyszczały mu z podniecenia, którego sobie tak zdyscyplinowanie odmawiał.

– Ach, Bello, Bello...

– Powinnam cię przeprosić, ale wcale nie jest mi przykro.

– A mnie powinno być przykro, że tobie nie jest przykro, ale też nie jest mi przykro. Chyba lepiej usiądę na łóżku.

– Skoro musisz... – stwierdziłam w rozmarzeniu. Kręciło mi się w głowie.

Uśmiechnął się łobuzersko, wyplątał się z moich objęć i wrócił na swoje stare miejsce.

Poklepałam się po policzkach, żeby się ocucić, i odwróciłam się z powrotem do komputera, który rzęził za moimi plecami. System operacyjny już się uruchomił.

– Pozdrów ode mnie Renée.

– Postaram się nie zapomnieć.

Przeleciałam wzrokiem po mailu mamy, żeby przypomnieć sobie, o czym tym razem napisała. Jak zwykle miała w mijającym tygodniu kilka szalonych pomysłów. Cała Renée, pomyślałam, kręcąc głową. Zapominając w ekscytacji o swoim lęku wysokości, zapisała się na kurs spadochroniarski i uświadomiła sobie, że ma problem, dopiero wtedy, kiedy wyskoczyła z samolotu doczepiona do instruktora. Tak jak wtedy, gdy czytałam tę historyjkę po raz pierwszy, nie wiedziałam, czy śmiać się, czy płakać. Byłam trochę zła na Phila, że temu nie zapobiegł – w końcu był mężem mamy od prawie dwóch lat i powinien był już wiedzieć, jaka jest. Ja tam wiedziałam. Znałam ją na wylot.

Daj spokój, to dorośli ludzie, potrafią sami o siebie zadbać, skarciłam się niczym nadopiekuńcza matka. Pozwól im żyć po swojemu...

Opiekowałam się Renée, odkąd sięgałam pamięcią. Sterowałam nią taktownie tak, żeby popełniała jak najmniej głupstw, a kiedy nie dawało się jej wybić czegoś z głowy, cierpliwie przeczekiwałam kolejną fazę. Zawsze traktowałam ją pobłażliwie, a może nawet odrobinę protekcjonalnie. Śmiałam się w duchu z jej wyczynów i narwanego stylu życia. Ach, moja kochana, zwariowana Renée!

Z charakteru byłam zupełnie do mamy niepodobna: rozważna, ostrożna, odpowiedzialna, dojrzała. Tak siebie postrzegałam. Taką siebie znałam.

Poruszona wciąż pocałunkiem Edwarda, pomyślałam też, na zasadzie skojarzeń, o kolejnej spontanicznej decyzji mamy, która, w odróżnieniu od pozostałych, trwale odmieniła jej życie. W romantycznym odruchu wyszła za mąż zaraz po ukończeniu szkoły średniej, w dodatku za człowieka, którego ledwie znała, a w rok później wydała mnie na świat. Zarzekała się zawsze, że niczego nie żałuje i że byłam dla niej najpiękniejszym prezentem od losu, ale z drugiej strony powtarzała mi bez końca, że małżeństwo to

MAGICZNY KRĄG
Libba Bray ZBUNTOWANE ANIOŁY
Libba Bray
Mroczny sekret
Libba Bray
Zbuntowane anioły
Przenieś się do wiktoriańskiej Anglii,
przeżyj niezwykłe przygody i chwile grozy!
Wydawnictwo Dolnośląskie
Kolejna część magicznej trylogii
Marzec 2010
PUBLICAT S.A. Grupa Wydawnicza
publicat
Elipsa

poważna sprawa dla poważnych ludzi. Tacy ludzie najpierw kończą studia i znajdują sobie dobrą pracę, a dopiero później wiążą się z kimś stałe. Wiedziała zresztą, że nigdy nie będę ani taka bezmyślna, ani taka małomiasteczkowa, jak ona sama.

Zacisnęłam zęby i skupiłam się na komponowaniu odpowiedzi. Kiedy dotarłam do przedostatniej linijki maila Renée, przypomniałam sobie, dlaczego nie odpisałam jej wcześniej.

Dawno nie wspominałaś nic o Jacobie. Co u niego?

Mogłam się założyć, że to Charlie ją do tego namówił. Westchnąwszy, zaczęłam szybko wystukiwać słowa na klawiaturze, a gotowy akapit wkleiłam pomiędzy dwa inne, poświęcone mniej drażliwym tematom.

U Jacoba wszystko w porządku, przynajmniej z tego, co wiem. Nie widuję go ostatnio za często – spędza całe dnie ze swoimi kumplami z La Push.

Uśmiechając się do siebie cierpko, dodałam na końcu pozdrowienia od Edwarda i wcisnęłam „Wyślij".

Kiedy wyłączyłam komputer i wstałam od biurka, okazało się, że mój ukochany znowu stoi tuż za mną. Miałam go już skarcić za to, że czyta mi przez ramię, ale uzmysłowiłam sobie, że nie to go tu przywiodło. Przyglądał się trzymanemu przez siebie płaskiemu czarnemu pudełku, z którego pod dziwnymi kątami wystawała plątanina przewodów. Każdy domyśliłby się, że urządzenie jest zepsute.

Z opóźnieniem rozpoznałam w pudełku radio samochodowe, które Emmett, Rosalie i Jasper sprezentowali mi na ostatnie urodziny. Na śmierć zapomniałam, że wszystkie prezenty, jakie otrzymałam tamtego feralnego dnia, zalegały pod warstwą kurzu na dnie mojej szafy.

– Co ty z nim najlepszego zrobiłaś? – spytał Edward z udawanym przerażeniem.

– Nie chciało dać się wyjąć z deski rozdzielczej – wyjaśniłam.
– Więc musiałaś je ukarać?
– Wiesz, że mam dwie lewe ręce do takich rzeczy. Tak jakoś samo wyszło.
Edward nadal grał.
– Takie drogie radio!
Wzruszyłam ramionami.
– Moje rodzeństwo poczułoby się bardzo urażone, gdyby zobaczyło, jak potraktowałaś ich prezent. Dobrze, że miałaś ten szlaban, bo zyskaliśmy trochę czasu. Zanim zauważą brak tamtego, zdążę ci kupić nowe.
– Dzięki za dobre chęci, ale nie potrzebuję takiego wypasionego radia.
– To nie przez wzgląd na ciebie je wymienię.
Westchnęłam.
– Oj, nie było ci dane nacieszyć się swoimi prezentami urodzinowymi w zeszłym roku – powiedział Edward.
Nie wiedzieć kiedy, w jego ręku znalazła się sztywna kartka papieru, którą zaczął się teatralnie wachlować.
Nie odezwałam się, bojąc się, że głos zadrży mi z emocji. Usiłowałam wykreślić dzień mojej osiemnastki z pamięci, Edward dobrze o tym wiedział. Sam miał do tej sprawy podobny stosunek. Po jakiego diabła do tego teraz wracał?
– Czy wiesz, że to cudo lada moment straci ważność? – spytał, podając mi tajemniczy kartonik.
Był to voucher na dwa dowolne bilety lotnicze, wystawiony na mnie i na Edwarda – prezent od Esme i Carlisle'a, którzy chcieli mnie w ten sposób zachęcić do odwiedzenia Renée na Florydzie.
Wzięłam głęboki wdech i odpowiedziałam głucho:
– Szczerze mówiąc, zapomniałam o ich istnieniu.
Edward nie miał zamiaru poddać się mojemu nastrojowi.
– Zostało jeszcze trochę czasu – oświadczył pogodnie. – Pomyśl, tobie uchylono wyrok, nie mamy żadnych planów na ten weekend, uparcie odmawiasz pójścia na bal absolwentów...

A może by tak uczcić to, że Charlie zniósł ci szlaban, realizując ten voucher?

Zatkało mnie.

– Chcesz polecieć w ten weekend na Florydę? – wykrztusiłam.

– Wspominałaś coś o zakazie opuszczania kraju. Floryda jeszcze się nie odłączyła od Stanów, prawda?

Przyglądałam mu się podejrzliwie, zachodząc w głowę, czemu wyskoczył z tym akurat teraz.

– No to jak? – spytał. – Nie chcesz odwiedzić własnej matki?

– Charlie nigdy się na to nie zgodzi.

– Charlie nie może ci zabronić spotykania się ze swoją byłą żoną. To jej sąd przyznał opiekę nad tobą.

– To już nie ma znaczenia. Jestem pełnoletnia.

– Tym lepiej. – Uśmiechnął się triumfalnie.

Zamyśliłam się. Nie, to nie miało sensu. Charlie by się wściekł – nie dlatego, że miał coś do Renée, ale dlatego, że Edward miałby polecieć ze mną. Nie odzywałby się do mnie miesiącami, a po powrocie pewnie znowu dostałabym szlaban. Rozsądniej było odłożyć tę wizytę o kilka tygodni, a najlepiej poczekać na koniec roku i zrobić z niej nagrodę za ukończenie szkoły.

Z drugiej strony, bardzo się za mamą stęskniłam i kusiła mnie perspektywa zobaczenia jej już za parę dni. Odkąd przeprowadziłam się do stanu Waszyngton, widywałyśmy się niezmiernie rzadko i właściwie wyłącznie w nieprzyjemnych okolicznościach. Kiedy ostatni raz byłam w swoim rodzinnym Phoenix, większość pobytu spędziłam w szpitalu, a Renée przyjechała raz do Forks tylko dlatego, że zachowywałam się jak zombie. Zasługiwała na lepsze wspomnienia.

Może gdyby zobaczyła, jaka jestem szczęśliwa z Edwardem, kazałaby Charliemu wyluzować?

Edward czekał na moją odpowiedź.

– Nie, na pewno nie w ten weekend – zadecydowałam.

– Czemu nie?

– Nie chcę się znowu szarpać z ojcem. Dopiero co mi przebaczył poprzednią eskapadę.

Edward nachmurzył się.
– Skoro ci przebaczył, to ci przebaczył.
Pokręciłam głową.
– Może innym razem.
– Nie tylko ty byłaś ostatnio uwięziona w tym domu – wypomniał mi.
Moje podejrzenia powróciły. To nie było do niego podobne. Nigdy się na nic nie skarżył.
– Nie trzymam cię na smyczy. Możesz jeździć, dokąd chcesz.
– Świat bez ciebie jest pozbawiony wszelkiego uroku.
Przewróciłam oczami. To już była przesada!
– Mówię serio – upierał się.
– Świat może poczekać. Na początek pojedźmy może w weekend do kina w Port Angeles albo...
Edward jęknął.
– Później o tym pogadamy.
– Będę obstawać przy swoim.
Wzruszył ramionami.
– Okej, zmieńmy temat – zaproponowałam.
Prawie już zapomniałam o tym, co tak martwiło mnie od lunchu. Czy o to Edwardowi właśnie chodziło?
– Co Alice zobaczyła w swojej wizji w stołówce? – wypaliłam.
Patrzyłam mu prosto w oczy, żeby nie przegapić najmniejszej jego reakcji. Nie zmienił wyrazu twarzy, ale w głębi jego oczu coś się pojawiło.
– Zobaczyła Jaspera. Tak na oko był gdzieś na południowym zachodzie, mniej więcej tam, gdzie kiedyś mieszkał. Ale przecież się tam nie wybiera. Bardzo ją to zaniepokoiło.
– Ach tak.
Nie tego się spodziewałam. Jasper... No tak, wszystko było jasne. Nic dziwnego, że Alice patrolowała także jego przyszłość, nie tylko moją – w końcu byli parą od wielu, wielu lat, choć trzeba im było przyznać, że nie obnosili się ze swoim uczuciem tak jak Emmett i Rosalie.

– Dlaczego nie powiedziałeś mi tego jeszcze w szkole?

– Myślałem, że niczego nie zauważyłaś – usprawiedliwił się. – Tak czy owak, to chyba tylko fałszywy alarm.

Było mi głupio. Moja wyobraźnia wymykała mi się spod kontroli. Całe popołudnie wydawało mi się, że Edward wychodzi ze skóry, żebym tylko nie poznała treści tej wizji. Powinnam się leczyć.

Zeszliśmy na dół odrabiać przy kuchennym stole zadania domowe, tak na wszelki wypadek, gdyby Charlie miał wrócić wcześniej z pracy. Edward odłożył swoje zeszyty już po kilku minutach – ja pociłam się nad matematyką, dopóki nie zrobiło się tak późno, że musiałam zabrać się do gotowania obiadu.

Pomagał mi dzielnie, chociaż ludzkie jedzenie trochę go odrzucało. Zrobiłam strogonowa według przepisu babci Swan. Nie przepadałam za tą potrawą, ale chciałam się podlizać ojcu.

Charlie wydawał się w dobrym nastroju, kiedy wrócił do domu – nawet nie afiszował się ze swoją niechęcią do mojego chłopaka. Edward, jak zwykle, wymigał się od jedzenia i poszedł do saloniku oglądać telewizję. Z pokoju dobiegały mnie urywki wieczornych wiadomości, ale wątpiłam, żeby naprawdę je oglądał.

Pochłonąwszy trzy porcje gulaszu, ojciec oparł nogi o wolne krzesło i z zadowoleniem splótł dłonie na pełnym brzuchu.

– Pychota – skomentował.

– Cieszę się, że sprawiłam ci przyjemność. Jak tam w pracy?

Jadł tak łapczywie, że nie miałam serca wcześniej mu przerywać.

– Jakoś ostatnio spokojnie. Zupełnie nic się nie dzieje. I dobrze. Prawie całe popołudnie graliśmy z Markiem w karty – wyznał. – Wygrałem dziewiętnaście do siedmiu. A potem zadzwoniłem do Blacków i uciąłem sobie pogawędkę z Billym.

– Co u niego? – spytałam, dbając, by ton mojego głosu niczego nie zdradzał.

– Jakoś leci. Trochę mu dokuczają stawy.

– Ojej.

– Co poradzić. Zaprosił nas na sobotę. Mają przyjść też Clearwaterowie i Uleyowie. Obejrzymy razem mecz...

Mruknęłam coś pod nosem potakująco, bo i co miałam powiedzieć. Wiedziałam, że Edward nie puści mnie do La Push nawet pod policyjną eskortą. Ciekawe, że Charliemu pozwalał tam jeździć – może dlatego, że ojciec spędzał jednak większość czasu z Billym, a ten był człowiekiem, nie wilkołakiem.

Wstałam i nie patrząc na Charliego, zebrałam ze stołu talerze i sztućce. Włożywszy je do zlewu, odkręciłam kran. Edward pojawił się bezszelestnie u mojego boku i sięgnął po suchą ścierkę, gotowy pomóc mi w wycieraniu.

Ojciec westchnął. Na moment odpuścił sobie temat La Push, ale podejrzewałam, że wróci do niego, gdy tylko znowu zostaniemy we dwójkę. Podniósł się niezdarnie z krzesła i poczłapał do saloniku, aby jak co wieczór zasiąść przed telewizorem.

– Charlie... – zatrzymał go Edward w połowie drogi.

– Tak?

– Czy Bella wspominała ci kiedykolwiek, że na osiemnaste urodziny dostała od moich rodziców bilety lotnicze, żeby móc polecieć na Florydę?

Z wrażenia upuściłam szorowany przez siebie talerz. Musnąwszy krawędź blatu, z głośnym brzdękiem uderzył o podłogę. Nie stłukł się, ale przy okazji ochlapałam wodą i pianą całą naszą trójkę wraz z posadzką. Charlie wydawał się niczego nie zauważyć.

– Czy to prawda, Bello? – wykrztusił zaskoczony.

Wbiłam wzrok w podnoszony przez siebie talerz.

– Tak, mam te bilety.

Przełknął głośno ślinę, a zwracając się z powrotem ku Edwardowi, zmarszczył czoło.

– Nigdy mi o nich nie mówiła.

– Hm...

– Miałeś jakiś powód, żeby mnie o tym poinformować?

Edward wzruszył ramionami.

– Niedługo stracą ważność. Myślę, że Esme będzie przykro, jeśli Bella nie wykorzysta jej prezentu. Niczym się, oczywiście, nie zdradzi, ale...

Spojrzałam na niego z niedowierzaniem.

Charlie zamyślił się na chwilę.

– To nie jest nawet taki głupi pomysł z tym odwiedzeniem Renée. Byłaby wniebowzięta. Dziwię się tylko, że nic mi o tych biletach nie powiedziałaś, Bello.

– Zapomniałam – przyznałam.

Uniósł brwi.

– Zapomniałaś, że ktoś sprawił ci w prezencie bilety lotnicze?

– Yhm – potwierdziłam cicho, odwracając się przodem do kuchennego blatu.

– Mówisz o „biletach" – Charlie zwrócił się do Edwarda. – To ile ich jej dali?

– Jeden powrotny dla niej... i jeden dla mnie.

Tym razem upuszczony przeze mnie talerz wylądował w zlewie, więc nie narobił już tyle hałasu, usłyszałam za to, jak ojciec wydaje z siebie stłumiony okrzyk. Krew napłynęła mi do twarzy, wzbierały we mnie irytacja i rozżalenie. Dlaczego Edward mnie w to pakował? Coraz bardziej przerażona, wpatrywałam się w pianę.

Charlie nie potrzebował wiele czasu, żeby wpaść w gniew.

– Po moim trupie! – wrzasnął.

– Nie rozumiem – stwierdził Edward głosem pełnym szczerego zdumienia. – Przecież dopiero co powiedziałeś, że to dobry pomysł.

Ojciec zignorował ten argument.

– Nigdzie z nim nie pojedziesz, młoda damo! – wydarł się na mnie, wymachując mi palcem przed nosem.

Nie tylko on w tej rodzinie był w gorącej wodzie kąpany. Moja reakcja była odruchowa.

– Nie jestem dzieckiem! – wykrzyknęłam. – Nie masz prawa mi rozkazywać!

– Nie mam?! Nie mam?! Masz szlaban i tyle!

– Jaki szlaban?! Znowu?!
– Tak! Od teraz!
– Za co tym razem?!
– Nie pyskuj mi tu! Będziesz siedzieć w domu!
– Czy muszę ci przypominać, że jestem pełnoletnia, Charlie?
– To mój dom! Kto w nim mieszka, musi mnie słuchać!
Posłałam mu lodowate spojrzenie.
– Skoro tak uważasz. Czy mam się wyprowadzić jeszcze dziś wieczór, czy dasz mi kilka dni na spakowanie się?
Jego twarz przybrała barwę płachty na byka. Natychmiast zrobiło mi się strasznie głupio, że zagrałam tą kartą.
Zaczerpnęłam powietrza, żeby lepiej nad sobą panować.
– Pogodzę się z kolejnym szlabanem, jeśli coś nabroję, ale nie mam zamiaru podporządkowywać się twoim idiotycznym uprzedzeniom.
Wybełkotał coś niezrozumiałego – była to chyba po prostu wiązanka przekleństw.
– Sam powiedziałeś przed chwilą, że powinnam odwiedzić mamę – ciągnęłam. – Przyznaj się, że gdyby miała mi towarzyszyć Alice albo Angela, nie miałbyś nic przeciwko tej wyprawie.
– Dziewczyny to co innego.
– Nie udawaj, że chodzi tylko o to. Gdybym miała pojechać z Jacobem, też byś się tak wściekał?
Wybrałam to imię tylko dlatego, że Charlie miał do młodego Blacka słabość, ale szybko pożałowałam swojego wyboru, bo Edward zazgrzytał głośno zębami.
Ojciec postarał się trochę ochłonąć, zanim mi odpowiedział.
– Tak. Też bym zaprotestował – oświadczył nieprzekonująco.
– Kiepski z ciebie aktor.
– Bella... – zaczął, ale mu przerwałam.
– Gdybym wybierała się do Vegas pracować w klubie nocnym, to rozumiem, ale, na miłość boską, chcę tylko odwiedzić mamę! – przypomniałam mu. – Renée ma nade mną taką samą władzę, jak ty.
Prychnął.

– Czyżbyś był zdania, że mama nie jest w stanie się mną zaopiekować? – spytałam sprytnie.

Drgnął.

– Nie byłaby zadowolona, gdyby się o tym dowiedziała – ciągnęłam.

– Od ciebie niech się lepiej niczego nie dowie – pogroził mi. – Po prostu się martwię, Bello – dodał.

– Nie masz powodu do niepokoju.

Przewrócił oczami, ale wiedziałam, że burza minęła. Stanęłam przodem do zlewu, żeby wyciągnąć z jego dna korek.

– Odrobiłam lekcje, ugotowałam obiad, umyłam naczynia, a teraz wychodzę. Tylko ani słowa o szlabanie. Wrócę przed dziesiątą trzydzieści.

– A dokąd to się wybierasz? – Charlie znowu podniósł głos.

– Jeszcze nie wiem, ale nie zamierzam oddalać się od Forks na więcej niż piętnaście kilometrów. Czy to cię satysfakcjonuje?

Chrząknięcie, które z siebie wydał, nie brzmiało jak potwierdzenie, ale wyszedł z kuchni bez dalszych dyskusji.

Oczywiście, gdy tylko wygrałam pojedynek, dopadły mnie wyrzuty sumienia.

– Wychodzimy? – upewnił się Edward cicho, nie kryjąc jednak entuzjazmu.

Zlustrowałam go od stóp do głów.

– Tak. Muszę się z tobą rozmówić na osobności.

Niestety, raczej go nie przestraszyłam tą zapowiedzią.

Zaczekałam z wymówkami, aż znaleźliśmy się w samochodzie.

– Co to miało być?! – syknęłam.

– To tylko dla twojego dobra, Bello. Wiem, jak tęsknisz za Renée. Poza tym musisz się o nią trochę martwić, bo mówisz o niej przez sen.

– Przez sen?

Edward pokiwał głową.

– Widziałem, że nie masz w sobie dość odwagi, żeby zmierzyć się z Charliem, więc postanowiłem poruszyć ten temat za ciebie.

– Za mnie? Rzuciłeś mnie na pożarcie rekinom!
– Nie przesadzaj. Nie groziło ci żadne niebezpieczeństwo.
– Mówiłam ci, że nie chcę kłócić się z Charliem.
– I nikt ci nie kazał się z nim kłócić.
Trafił w czuły punkt.
– Nie mogę się opanować, kiedy zaczyna się tak rządzić. To chyba naturalne w moim wieku. Typowy konflikt na linii nastolatka–rodzic.
Edward zachichotał.
– Cóż, na to już nic nie poradzę.
Przyjrzałam mu się z ciekawością. Patrzył w drugą stronę, przez szybę, więc chyba nawet tego nie zauważył. Coś knuł, ale nie potrafiłam określić co. A może to znowu zwodziła mnie moja wybujała wyobraźnia?
– Czy ten pomysł z Florydą ma coś wspólnego z tym przyjęciem, które planuje Billy?
Zacisnął zęby.
– Nawet jeśli zostaniemy w Forks, w życiu cię tam nie puszczę.
Jakbym znowu rozmawiała z Charliem! Obaj traktowali mnie jak dziecko. Musiałam przygryźć dolną wargę, żeby nie zacząć krzyczeć. Nie miałam ochoty na kolejną rundę.
Edward milczał przez chwilę, a kiedy znowu się odezwał, jego głos był na powrót ciepły i opanowany.
– Jakie masz plany na dziś wieczór?
– Możemy pojechać do ciebie? Tak długo nie widziałam Esme.
Uśmiechnął się.
– Na pewno się ucieszy. Zwłaszcza jak się dowie, dokąd wybieramy się w nadchodzący weekend.
Pokonana, tylko jęknęłam.
Nie byłam zaskoczona, kiedy zobaczyłam, że w domu wciąż palą się światła – wiedziałam, że Charlie jeszcze ze mną nie skończył. Zresztą wróciliśmy stosunkowo wcześnie.
Zaparkowaliśmy na podjeździe.

– Lepiej nie wchodź do środka – doradziłam Edwardowi. – Tylko pogorszysz sytuację.

– Podsłuchuję jego myśli i zapewniam cię, że bywało gorzej.

Jego mina dała mi do myślenia. Czyżby bawiło go coś jeszcze, coś, czego nie dostrzegałam? Kąciki jego ust zadrgały – walczył z sobą, żeby się nie uśmiechnąć.

– Do zobaczenia – powiedziałam w zamyśleniu.

Pocałował mnie w czubek głowy.

– Pojawię się, jak tylko Charlie zacznie chrapać.

Na progu domu powitała mnie kakofonia dobywających się z telewizora dźwięków. Przystanęłam, zastanawiając się, czy ojciec usłyszy, że skradam się na górę.

– Czy mogłabyś wejść tu do mnie na chwilkę? – zawołał z saloniku, niwecząc moje plany.

Zrobiłam tych pięć kroków, szurając z rezygnacją nogami.

– O co chodzi?

– I jak tam, dobrze się bawiłaś?

Nie wyglądał na zrelaksowanego. Spróbowałam doszukać się w jego pytaniu drugiego dna.

– Tak – potwierdziłam z wahaniem.

– Co robiliście?

– Nic takiego. – Wzruszyłam ramionami. – Siedzieliśmy w pokoju Edwarda z Alice i Jasperem. Edward pokonał Alice w szachach, a potem ja zagrałam z Jasperem. Nie miałam szans.

Uśmiechnęłam się do swoich wspomnień. Obserwowanie Edwarda i jego siostry grających z sobą w szachy było strasznie zabawne. Siedzieli naprzeciwko siebie niemalże nieruchomo, wpatrując się w planszę – Alice przechwytywała w swoich wizjach każdą podejmowaną przez Edwarda decyzję, a on ze swojej strony wyczytywał z jej myśli każde posunięcie brane przez nią pod uwagę. Ponieważ odsiewali w ten sposób większość opcji, każde z nich ruszyło się może ze trzy razy. Po jakichś trzech minutach Alice przewróciła nagle swojego króla i oświadczyła, że się poddaje.

Charlie wyłączył pilotem dźwięk w telewizorze – chyba jeszcze nigdy nie użył przy mnie tej funkcji.

– Słuchaj, muszę z tobą o czymś porozmawiać.

Podrapał się po skroni.

Przysiadłam na brzegu kanapy. Zerknął na mnie raz, ale zmieszany, zaraz uciekł wzrokiem w kąt.

Przez chwilę siedzieliśmy w milczeniu.

– No co, tato? – zachęciłam go.

Westchnął ciężko.

– Nie jestem dobry w tych sprawach. Nie wiem, od czego zacząć.

Znowu zapadła cisza.

– Powiem tak, Bello... – Wstał i zaczął krążyć w tę i z powrotem po pokoju, nadal unikając mojego wzroku. – Jesteś z Edwardem na tyle długo, że można to uznać za coś poważnego, a jak się jest z kimś tak na poważnie, trzeba zachowywać ostrożność. Może i osiągnęłaś już pełnoletność, ale jesteś jeszcze bardzo młoda i możesz nie wiedzieć, jak o siebie zadbać, kiedy już... kiedy nawiążesz... kiedy zaczniecie...

– O nie, tylko nie to! – zaprotestowałam, zrywając się na równe nogi. – Tylko mi nie mów, że chcesz mi dać wykład o antykoncepcji, Charlie!

Zwiesił głowę.

– Jestem twoim ojcem. To mój obowiązek. Pamiętaj, że jestem równie zawstydzony, jak ty.

– Nie żartuj, bardziej ode mnie się nie da, zresztą mniejsza o to – spóźniłeś się o jakieś dziesięć lat. Ubiegła cię mama.

– Dziesięć lat temu nie miałaś jeszcze chłopaka – mruknął pod nosem.

Wyczułam, że mimo wszystko zastanawia się, czy w takim razie sobie nie odpuścić. Staliśmy naprzeciwko siebie w milczeniu, nie patrząc sobie w oczy.

– Nie sądzę, żeby podstawy bardzo się przez ten czas zmieniły – wykrztusiłam.

Oboje musieliśmy być tak samo zarumienieni. To było gorsze niż siódmy krąg piekielny! Zdałam sobie sprawę, że Edward dobrze wiedział, co Charliemu chodzi po głowie. To dlatego był taki rozbawiony w samochodzie.

– Chcę tylko usłyszeć, że oboje zachowujecie się odpowiedzialnie – oznajmił ojciec głosem człowieka, który pragnie zapaść się pod ziemię.

– Nie martw się o nas, tato. My nie z tych.

– Nie żebym ci nie ufał, Bello, ale wiem, że nie masz ochoty zdradzić mi żadnych szczegółów, a ty wiesz, że i ja nie mam ochoty ich poznać. Mimo wszystko postaram się podejść do tego, jak na światłą osobę przystało. Wiem, że czasy się zmieniły.

Zaśmiałam się nerwowo.

– Może czasy tak, ale Edward jest bardzo staroświecki. Zaręczam ci, że nic mi przy nim nie grozi.

Charlie znowu westchnął.

– Tak się mówi, ale...

– Czemu zmuszasz mnie, żebym powiedziała to głośno?! – jęknęłam. – Na razie jestem jeszcze... dziewicą i w najbliższej przyszłości nie mam zamiaru tego zmieniać. Zadowolony?

Skrzywiliśmy się oboje, ale moje wyznanie chyba mu pomogło. Najwyraźniej mi uwierzył.

– Czy mogę już iść do siebie? Proszę.

– Jeszcze jedno pytanie.

– Tato, błagam cię, daj już sobie z tym spokój.

– Nic krępującego tym razem, przysięgam.

Odważyłam się wreszcie na niego zerknąć, żeby upewnić się, czy nie kłamie, i zobaczywszy, że jego twarz powróciła do swojej zwykłej barwy, odetchnęłam z ulgą. Usiadł na kanapie, szczęśliwy, że najgorsze ma już za sobą.

– No, pytaj.

– Chciałem tylko wiedzieć, jak tam sobie radzisz z zachowywaniem równowagi w swoim życiu towarzyskim.

– Ach tak. Czy ja wiem… Chyba dobrze. Umówiłam się dzisiaj z Angelą. Będę jej pomagać w wypełnianiu zawiadomień o ukończeniu szkoły. Takie babskie spotkanie.

– Miło mi to słyszeć. A co z Jacobem?

Westchnęłam.

– Nie, jeszcze nie wymyśliłam, jak to załatwić.

– Postaraj się. Wiem, że mogę na ciebie liczyć. Masz dobre serce.

Super. Czyli jeśli nie pogodzę się z Jacobem, oznaczać to będzie, że jestem złym człowiekiem? Był to cios poniżej pasa.

– Będzie dobrze – powiedziałam.

Nie zamknęłam jeszcze ust, kiedy zdałam sobie sprawę, że zwrot „będzie dobrze" przejęłam właśnie od Jake'a. Przybrałam nawet taki sam protekcjonalny ton głosu, jakiego używał wobec własnego ojca. Niemal się uśmiechnęłam.

Charlie pomyślał, że to do niego, i odpowiedział mi szerokim uśmiechem, po czym odwrócił się przodem do ekranu i włączył dźwięk. Zapadając się w miękkich poduszkach kanapy, wyglądał na usatysfakcjonowanego. Oceniłam, że nie oderwie się teraz od telewizora przez dłuższy czas.

– Dobranoc, Bells!

– Do zobaczenia rano!

Rzuciłam się biegiem ku schodom.

Edward miał wrócić dopiero po zakończeniu meczu – w międzyczasie najprawdopodobniej polował – więc nie spieszyło mi się przebierać w piżamę. Nie byłam też w nastroju siedzieć na górze sama, ale co miałam robić – spędzić wieczór z ojcem, drżąc ze strachu, że postanowi poruszyć kolejny temat związany z edukacją seksualną? Wzdrygnęłam się na samą myśl o tym, że mogłoby mu to przyjść do głowy.

Może książka albo słuchanie muzyki? Nie, byłam na to zbyt podenerwowana. Przez Charliego, rzecz jasna. Dzięki, tato! Pomyślałam, że mogłabym zadzwonić do Renée, by jej powiedzieć, że się do niej wybieram, ale zaraz przypomniało mi się, że na Florydzie jest trzy godziny później, więc mama pewnie już śpi.

Hm, mogłam jeszcze zadzwonić do Angeli...

Nagle uzmysłowiłam sobie, że to nie z Angelą chcę porozmawiać. Że to nie z Angelą muszę porozmawiać.

Przygryzając dolną wargę, wpatrywałam się w czerń za szybą. Nie wiedziałam, jak długo tak stałam, rozważając wszystkie za i przeciw. Za przemawiało wiele: chciałam znowu spotkać się ze swoim najlepszym przyjacielem, chciałam go pocieszyć, a zarazem postąpić szlachetnie. Powstrzymywała mnie tylko świadomość, że Edward będzie na mnie zły.

Trwało to chyba z dziesięć minut – dostatecznie długo, żebym doszła do wniosku, że obiektywnie patrząc, wizyta w La Push nie kłóci się z priorytetami mojego ukochanego. Jak sam mówił, zależało mu tylko na moim bezpieczeństwie, a byłam przekonana, że z tym akurat nie będzie problemów.

Zadzwonić do Blacków nie mogłam – odkąd Edward wrócił, Jacob nie podchodził do telefonu – a poza tym musiałam się z nim widzieć. Jednym z moich największych marzeń było to, żeby znowu wywołać na jego twarzy uśmiech i zastąpić tym obrazem ten, który tak regularnie mnie nawiedzał.

Miałam około godziny – w sam raz, żeby zdążyć pojechać do La Push i wrócić, zanim Edward zorientowałby się, że wyjechałam.

Pozostawał jeden problem – było już po wpół do jedenastej – ale wątpiłam, żeby Charlie miał przestrzegać ustanowionej przez siebie godziny policyjnej, gdy w grę nie wchodził mój chłopak. Mimo wszystko musiałam go najpierw sprawdzić. Podniosłam kurtkę i wpychając ręce w rękawy, zbiegłam po schodach.

Ojciec oderwał wzrok od ekranu, by posłać mi podejrzliwe spojrzenie.

– Miałbyś coś przeciwko temu, gdybym pojechała teraz do Jake'a? – spytałam zadyszana. – Tylko na kwadrans.

Imię młodego Blacka podziałało na niego niczym zaklęcie – natychmiast się rozchmurzył. Nie wydawał się wcale zaskoczony faktem, że jego krótkie kazanie tak szybko przyniosło efekty.

– Nie ma sprawy. Możesz wrócić choćby w środku nocy.

– Dzięki, tato.

Ruszyłam do drzwi.

Jak każdy zbieg, zdążając do furgonetki, co chwila zerkałam sobie przez ramię, ale panowały egipskie ciemności, więc nie miało to najmniejszego sensu. Nawet klamkę w drzwiczkach musiałam wymacać.

Moje oczy zaczęły się powoli przyzwyczajać do mroku dopiero, kiedy wsadziłam kluczyki do stacyjki. Przekręciłam je nerwowym ruchem, ale silnik, zamiast ryknąć, tylko kliknął. Ponowiłam próbę – bez rezultatu.

A potem dostrzegłam coś kątem oka i aż podskoczyłam.

– Boże święty!

O mało nie dostałam zawału. Nie byłam w szoferce sama!

Edward siedział zupełnie nieruchomo. W ciemnościach migały jego blade dłonie, w których obracał jakiś tajemniczy ciemny przedmiot. Odezwał się, nie odrywając od niego wzroku.

– Zadzwoniła do mnie Alice.

Alice? Cholera, o tym nie pomyślałam. Pewnie kazał jej mieć mnie na oku, kiedy zaczął polować.

– Bardzo się zdenerwowała, kiedy parę minut temu twoja przyszłość znikła z jej wizji.

Wytrzeszczyłam oczy ze zdziwienia.

– Jak wiesz, nie widzi wilków – ciągnął cicho, monotonnym głosem. – A kiedy podjęłaś decyzję o spleceniu swojego losu z losem sfory, i ty stałaś się dla niej niewidzialna. To coś dla ciebie nowego, prawda? Ale chyba rozumiesz, że bardzo się przestraszyłem. Alice zobaczyła tylko, jak znikasz, i nie potrafiła mi nawet powiedzieć, czy wrócisz po wszystkim do domu, czy nie. Twoja przyszłość zgubiła się, podobnie jak przyszłość twoich znajomych z La Push. Nie jesteśmy pewni, dlaczego tak się dzieje. Kto wie, może to jakiś mechanizm obronny, z którym przychodzą na świat?

Brzmiało to coraz bardziej tak, jakby Edward mówił sam do siebie. Nadal wpatrywał się w część silnika mojej furgonetki, którą się bawił.

– To nie do końca dobre wytłumaczenie, bo przecież nie mam najmniejszego problemu z czytaniem im w myślach, przynajmniej Blackom. Carlisle wysnuł teorię, że to z powodu tych ciągłych transformacji. To u nich bardziej odruchowe niż celowe, a moment przemiany jest zupełnie nieprzewidywalny. W dodatku, kiedy ją przechodzą, na ułamek sekundy po prostu przestają istnieć. Ich przyszłość jest równie ulotna, jak ich natura.

Słuchałam tego wywodu w milczeniu, zastanawiając się nad postawionymi w nim tezami.

– W razie gdybyś chciała jutro jechać do szkoły sama, do rana doprowadzę twoje auto do porządku – dodał Edward po chwili.

Z zaciśniętymi ustami wyjęłam kluczyki ze stacyjki i wygramoliłam się na zewnątrz.

– Zamknij okno w swoim pokoju, jeśli nie chcesz, żebym cię dzisiaj odwiedził – powiedział cicho, zanim zatrzasnęłam drzwiczki. – Zrozumiem.

Drzwi frontowe do domu też zatrzasnęłam z hukiem.

– Co jest? – spytał Charlie z kanapy.

– Furgonetka nie chce zapalić! – jęknęłam.

– Mam się temu przyjrzeć?

– Nie teraz, zaczekajmy do rana.

– Może pożyczyć ci samochód?

Nie miałam prawa prowadzić radiowozu – musiał być naprawdę zdesperowany. Równie zdesperowany, jak ja.

– Dzięki, ale nie. Jestem już jednak zmęczona. Dobranoc!

Znalazłszy się w swoim pokoju, natychmiast podeszłam do okna i z całej siły pchnęłam otwartą na oścież ramę. Wskoczyła na miejsce z takim impetem, że rozedrgała się szyba.

Wpatrywałam się w szkło przez dłuższą chwilę, aż wreszcie znieruchomiało. Z westchnieniem otworzyłam okno z powrotem, najszerzej jak się dało.

3 Konfrontacja

Słońce do tego stopnia przesłoniły chmury, że nie sposób było ocenić, czy już zaszło, czy jeszcze nie. Przez całą długość lotu na zachód goniliśmy je po niebie, przez co wydawało się nieruchome. Bardzo mnie to dezorientowało – na kilka godzin czas stał się czymś płynnym.

Zamyśliłam się na tak długo, że kiedy las ustąpił miejsca pierwszym budynkom, zdziwiłam się szczerze, że dojechaliśmy do Forks tak szybko.

– Nic ci nie jest, Bello? – spytał Edward czule. – Tak sobie siedzisz cichutko. Może ci niedobrze po samolocie?

– Nie, nie. Wszystko w porządku.

– Smutno ci było wyjeżdżać?

– Wręcz przeciwnie. Odetchnęłam z ulgą.

Zaintrygowany, uniósł brew. Wiedziałam, że nie ma sensu prosić go, żeby patrzył na drogę – zresztą, żeby prowadzić bezpiecznie, wcale tego nie potrzebował.

– Renée jest czasem o wiele bardziej spostrzegawcza niż Charlie. Co chwila serce zaczynało mi bić szybciej, bo myślałam, że się czegoś domyśla.

Zaśmiał się.

– Twoja matka ma bardzo interesującą osobowość. Jest po dziecięcemu roztrzepana, ale i po dziecinnemu przenikliwa. Postrzega świat inaczej niż większość ludzi.

Przenikliwość – tak, to słowo świetnie ją opisywało. Oczywiście objawiała się ona u niej tylko w przebłyskach. Przez większość czasu Renée była tak zajęta samą sobą, że chodziła zupełnie nieprzytomna. Ale w ten weekend poświęciła mi naprawdę dużo uwagi.

Phil był zajęty – młodzieżowa drużyna baseballu, której był trenerem, miała właśnie rozgrywki – i przebywanie sam na sam ze mną i Edwardem pozwoliło jej się skupić. Na początku wprawdzie w kółko mnie przytulała i wykrzykiwała w euforii, jak bardzo się cieszy, ale gdy tylko się uspokoiła, zaczęła mnie bacznie obserwować. W jej błękitnych oczach najpierw pojawiło się zagubienie, a po kilku godzinach troska przemieszana z lękiem.

W niedzielę rano poszłyśmy we dwie przejść się po plaży. Renée chciała mi pokazać, jak cudowna jest okolica jej domu, nadal mając nadzieję, że przekona mnie do przeprowadzki. Pragnęła również pomówić ze mną na osobności. Dało się to łatwo zaaranżować, bo Edward miał niby do napisania zaległą pracę semestralną – była to jego wymówka, żeby nie wychodzić na słońce.

Szłyśmy promenadą, starając się maksymalnie wykorzystać cień rzucany przez rosnące wzdłuż niej palmy. Chociaż było jeszcze wcześnie, upał dawał się już we znaki. Przesycone wilgocią powietrze wydawało się tak ciężkie, że zwykłe wdechy i wydechy męczyły moje płuca jak siłownia.

– Kochanie, muszę ci coś powiedzieć – oznajmiła mi w pewnym momencie Renée, przyglądając się niknącym na piasku falom.

– Co takiego, mamo?

Westchnęła, unikając mojego wzroku.

– Wiesz, martwię się...

– Czy coś się stało? – W mojej głowie rozdzwonił się alarm. – Masz problemy? Mogę ci jakoś pomóc?

– Tu nie chodzi o mnie – pokręciła głową. – Martwię się o was, o ciebie i Edwarda.

Nareszcie ośmieliła się spojrzeć mi prosto w oczy. Widać było, że nie chce mnie zranić.

– Och – wybąkałam.

Minęło nas dwóch zlanych potem biegaczy.

– Widzę, że jesteście z sobą tak na poważnie – kontynuowała – że to o wiele poważniejszy związek, niż się spodziewałam.

Zmarszczyłam czoło, starając się sobie przypomnieć, jak odnosiliśmy się z Edwardem do siebie przez ostatnie dwa dni. Ledwie się dotykaliśmy – a przynajmniej w obecności mojej mamy. Czyżby zamierzała dać mi wykład o byciu odpowiedzialną, tak jak Charlie? Tym razem by mi to nie przeszkadzało – jakkolwiek by było, przez ostatnich dziesięć lat to ja prawiłam takie kazania jej.

– Zachowujecie się... jakoś dziwnie – wyznała Renée przepraszającym tonem. – On ci się tak... przygląda. Tak intensywnie. Jakby był twoim ochroniarzem, gotowym w każdej chwili osłonić cię własnym ciałem przed strzałem, czy coś w tym rodzaju.

Zaśmiałam się sztucznie, patrząc na piasek.

– Czy to coś złego?

– Nie, jasne, że nie. – Z trudem dobierała słowa. – Ale... po prostu... to takie niezwykłe. Nie tak postępują chłopcy w jego wieku. Jest taki... ostrożny. Odnoszę wrażenie, że nie rozumiem do końca, o co chodzi w tym waszym związku. Jest tak, jakby łączyła was tajemnica, którą ukrywacie przed światem.

– Oj, mamo, masz jakieś omamy – powiedziałam, z wysiłkiem utrzymując naturalny ton głosu.

Żołądek podszedł mi do gardła. Zapomniałam, jak bardzo potrafiła być spostrzegawcza! Odbierała świat w tak dosłowny sposób, że docierał do niej jego prawdziwy obraz bez żadnych zakłóceń wynikających ze społecznych czy kulturowych zahamowań. Poczułam się zbita z pantałyku. Nigdy przedtem nie miałam przed nią żadnych sekretów.

– Nie tylko Edwarda to dotyczy – wyznała, zakładając sobie ręce na piersi. – Żałuj, że nie możesz zobaczyć, jak sama się z nim obchodzisz.

– A jak się z nim niby obchodzę?

– Bezustannie dostosowujesz się do jego ruchów, najwyraźniej zupełnie automatycznie. Wystarczy, że odrobinę się przesunie, a ty dosuwasz się zaraz do niego, odpowiednio dopasowujesz swoją pozycję. Jesteście jak dwa magnesy... albo nie, nie jak magnesy – jak ciało niebieskie z satelitą. Jesteś jego satelitą. Jeszcze nigdy nie widziałam czegoś takiego.

Zacisnęła usta i wbiła wzrok w ziemię.

– Tylko mi nie mów, że znowu zaczytujesz się w kryminałach. – Zacmokałam z udawaną dezaprobatą. – A może w science fiction? Przyznaj się.

Spłonęła rumieńcem.

– To nie ma nic do rzeczy.

– Odkryłaś jakiegoś fajnego autora?

– Nie odkryłam żadnego... No, jest taki jeden... Ale nie odbiegajmy od tematu. Rozmawiamy teraz o tobie i Edwardzie, Bello.

– Powinnaś ograniczać się do romansów, mamo. Wykończysz się przez takie podejrzenia.

Kąciki jej ust uniosły się ku górze.

– Znowu wygaduję głupoty, prawda?

Zawahałam się na ułamek sekundy. Tak łatwo było ją do czegoś przekonać! Czasami błogosławiłam tę jej cechę, bo nie wszystkie jej pomysły były rozsądne, ale równie często bolało mnie to, że muszę ją pacyfikować – zwłaszcza teraz, kiedy miała absolutną rację.

Zerknęła na mnie, więc skupiłam się na kontrolowaniu swojego wyrazu twarzy.

– Nie, to nie głupoty – odparłam. – Po prostu się o mnie troszczysz. Jak na rodzica przystało.

Zaśmiała się, a potem szerokim gestem wskazała na białe piaski plaży i błękitną taflę oceanu.

– Nawet to nie zachęca cię do przeprowadzenia się do domu swojej matki wariatki?

Z teatralnym przerysowaniem otarłam sobie pot z czoła, po czym udałam, że wyżymam sobie włosy.

– Do wysokiej wilgotności można się przyzwyczaić – przyrzekła mi.

– Do deszczu i zimy też – odparowałam.

Dała mi sójkę w bok. Wróciłyśmy do samochodu, trzymając się za ręce.

Oprócz tego, że martwiła się o mnie, wydawała się zadowolona z życia, a nawet szczęśliwa. Było widać jak na dłoni, że nadal szaleje za Philem, i to podnosiło mnie na duchu. Niczego jej nie brakowało. Chyba nawet aż tak bardzo za mną nie tęskniła.

Z zadumy wyrwał mnie dotyk lodowatych palców muskających mój policzek. Drgnęłam. Staliśmy pod domem Charliego. Edward pochylił się nade mną i pocałował mnie w czoło.

– Pobudka, Śpiąca Królewno. Jesteśmy już na miejscu.

Na podjeździe stał zaparkowany radiowóz, a nad gankiem paliło się światło. Kiedy spojrzałam na okno saloniku, wisząca w nim zasłona odchyliła się na moment, oświetlając ciemną połać trawnika podłużną smugą.

Westchnęłam. Charlie już czekał na swoją ofiarę – czyli mnie.

Edward musiał myśleć podobnie, bo kiedy otwierał mi drzwiczki, miał nastroszone brwi i napięte mięśnie.

– Aż tak źle? – spytałam.

– Nie ma zamiaru czynić ci żadnych wyrzutów – poinformował mnie nieco oschle. – Bardzo się za tobą stęsknił.

Tak? Przekrzywiłam głowę. To czemu Edward wyglądał na kogoś, kto szykuje się do stoczenia pojedynku?

Nie wzięłam na Florydę wiele bagażu, ale mój ukochany uparł się, że odniesie mi torbę do pokoju. Charlie powitał nas w drzwiach.

– No jesteś już, nareszcie! – zawołał uradowany. – I jak było? Ładne to Jacksonville?

– Strasznie tam wilgotno. I pełno robali.

– Renée nie przekonała cię do studiów na University of Florida?

– Próbowała, ale wolę pić wodę, niż ją wdychać.

Charlie z niechęcią przeniósł wzrok na Edwarda.

– A ty, dobrze się bawiłeś?

– O tak – odparł Edward spokojnie. – Renée jest bardzo gościnna.

– Hm... No tak. To dobrze, to dobrze.

Spełniwszy swój obowiązek, odwrócił się do mnie i znienacka mocno mnie do siebie przytulił.

– Aż tak ci mnie brakowało? – szepnęłam mu do ucha.

– Och, Bello – zaśmiał się. – Nawet nie wiesz, jakie świństwa jadłem, kiedy ciebie nie było.

– Mogę zaraz coś upitrasić – powiedziałam, kiedy wypuścił mnie z objęć.

– Tylko zadzwoń najpierw do Jacoba, dobrze? Chłopak wydzwania tu co pięć minut od szóstej rano. Obiecałem mu, że oddzwonisz, zanim się jeszcze rozpakujesz.

Nie musiałam nawet patrzeć na Edwarda – jego nastrój był łatwo wyczuwalny. A więc to dlatego wysiadł z samochodu taki spięty!

– Dzwonił do mnie Jacob?

– To jakaś bardzo pilna sprawa. Nie chciał mi powiedzieć, o co chodzi, tylko że to dla was okropnie ważne.

Jak na zawołanie rozległ się dzwonek telefonu.

– To znowu on – stwierdził Charlie. – Mogę się założyć o miesięczną pensję.

– W takim razie odbiorę.

Pospieszyłam do kuchni. Edward poszedł za mną, a ojciec zniknął w saloniku.

Podniosłam słuchawkę w połowie kolejnego dzwonka. Obróciłam się tak, żeby stać twarzą do ściany.

– Halo?

– Wróciłaś – powiedział Jacob.

Na dźwięk tego ochrypłego głosu, który tak dobrze znałam, wezbrał we mnie smutek. W mojej głowie zawirowały tysiące wspomnień: skalista plaża pokryta wyrzuconymi przez fale drzewami, garaż zrobiony z połączonych z sobą plastikowych szop, puszki z piciem trzymane w papierowej torbie, skromny pokoik z wytartą kanapą... Jego śmiejące się, głęboko osadzone czarne oczy, wielkie, nienaturalnie gorące dłonie, kontrast pomiędzy jego lśniącymi bielą zębami a śniadą skórą, szeroki uśmiech, jak klucz do sekretnych drzwi, za które wstęp miały tylko dwie pokrewne dusze...

Tęskniłam i za nim, i za jego domem – to tam, to przy nim doszłam do siebie po tych czarnych miesiącach.

Odchrząknęłam, zanim się odezwałam.

– Tak, wróciłam.

– To dlaczego do mnie nie zadzwoniłaś? – wypomniał mi.

Rozdrażnił mnie swoim zagniewanym tonem.

– Ponieważ przebywam w domu dokładnie od czterech sekund i kiedy zadzwoniłeś, Charlie tłumaczył mi właśnie, że mam do ciebie oddzwonić.

– Och! Przepraszam.

– Przeprosiny przyjęte. Po co męczysz od rana Charliego?

– Musiałem się z tobą pilnie skontaktować.

– Tego to się sama domyśliłam. No, to o co chodzi?

W słuchawce na chwilę zapadła cisza.

– Idziesz jutro do szkoły?

Zmarszczyłam czoło. Po co pytał mnie o coś takiego?

– Oczywiście, że idę. Czemu miałabym nie iść?

– Nie wiem, po prostu byłem ciekaw.

Znowu zamilkł.

– Jake, o czym chciałeś ze mną porozmawiać?

– Eee... Nic, tak tylko... Chciałem... chciałem usłyszeć twój głos.

– Rozumiem. I bardzo się cieszę, że do mnie zadzwoniłeś. Widzisz...

Nie wiedziałam, co powiedzieć – najchętniej oznajmiłabym, że już wsiadam w samochód i jadę do niego do La Push, ale nawet powiedzieć mu tego nie mogłam.

– Muszę kończyć – przerwał mi raptownie.

– Co? Czemu...

– Niedługo się odezwę, okej?

– Ale czemu...

Rozłączył się. Z niedowierzaniem wsłuchiwałam się w sygnał.

– Kurczę – mruknęłam pod nosem.

– Wszystko w porządku? – spytał Edward cicho.

Powoli się odwróciłam. Przyglądał mi się uważnie, ale w jego oczach nie potrafiłam się dopatrzyć żadnych emocji.

– Nie mam pojęcia, o co mu chodziło.

To nie trzymało się kupy. Jacob nie dręczyłby Charliego cały dzień tylko po to, żeby dowiedzieć się, czy nazajutrz idę do szkoły. A jeśli naprawdę stęsknił się za moim głosem, to czemu tak szybko zakończył rozmowę?

– Twoja teoria i tak będzie lepsza od mojej.

Miał rację – znałam Jacoba na wylot. Powinnam była domyślić się, co nim kierowało.

Myślami znajdując się daleko od kuchni Charliego – dokładnie jakieś dwadzieścia dwa kilometry na północ – zabrałam się do przeglądania zawartości lodówki, żeby ustalić, co mogę zrobić na kolację. Edward obserwował mnie oparty o krawędź blatu, ale byłam zbyt zajęta, by przejmować się tym, co wyczytywał z mojej twarzy.

Kluczem do zagadki było, rzecz jasna, pytanie o szkołę, bo żadne inne w mojej rozmowie z Jacobem nie padło. Odpowiedź na nie musiała być dla Jake'a na tyle istotna, że nie mógł się doczekać, żeby mi je zadać.

Tylko dlaczego?

Z początku spróbowałam rozumować logicznie. Co mogłoby mi się przytrafić, gdybym nie szła następnego dnia do szkoły? To, że nie było mnie tam już w piątek, nie spodobało się Charliemu – musiałam go długo przekonywać, że jeden dzień nie wpłynie na to, z jaką lokatą ukończę szkołę. Ale Jacob nie przejmował się moimi ocenami.

Mój mózg nie podsuwał mi uparcie żadnego błyskotliwego rozwiązania. Może brakowało mi najważniejszego elementu układanki?

Co takiego mogło się wydarzyć, co sprawiło, że Jacob poczuł nagle przemożną potrzebę, by się ze mną skontaktować, po tylu tygodniach unikania mojej osoby? Nie było mnie przecież zaledwie przez trzy dni.

Nie było mnie przecież zaledwie przez trzy dni...

Zamarłam na środku kuchni. Opakowanie mrożonych hamburgerów wypadło z moich zdrętwiałych dłoni. Z sekundowym opóźnieniem zdałam sobie sprawę, że nie uderzyły z hukiem o podłogę, tak jak powinny.

To Edward złapał je w locie i odłożył na blat. Zaraz potem mnie objął.

– Co się stało? – szepnął mi do ucha.

Oszołomiona, pokręciłam tylko głową.

Przez trzy dni wszystko mogło się zmienić.

Przecież dopiero co myślałam o tym, że nie będę mogła jednak iść na studia przez następnych parę lat, bo chociaż sama przemiana zabierze mi ledwie jeden weekend, jeszcze długo po niej będę musiała uczyć się nad sobą panować. Trzy dni – tak długo właśnie musiałabym cierpieć katusze, żeby stać się nieśmiertelną i móc spędzić resztę wieczności z Edwardem...

Czy Charlie wspominał Billy'emu o tym, że wyjechałam z moim chłopakiem? Czy Billy wysnuł z tego pochopnie jakieś wnioski? A Jacob pytał mnie, nie wprost, czy nadal jestem człowiekiem? Upewniał się, że kluczowe postanowienie paktu nie zostało złamane i żadne z Cullenów nikogo nie ugryzło, mnie nie ugryzło?

Czy naprawdę sądził, że wróciłabym po czymś takim do Charliego?

Edward potrząsnął mną delikatnie.

– Bello? Nic ci nie jest?

– Wydaje mi się... wydaje mi się, że Jacob mnie sprawdzał – wymamrotałam. – Upewniał się, czy jeszcze jestem człowiekiem.

Zesztywniał.

– Będziemy musieli wyjechać – uzmysłowiłam sobie. – Będziemy musieli najpierw stąd wyjechać, żeby nie zerwać paktu. I już nigdy nie będziemy mogli tu wrócić...

Przytulił mnie do siebie mocniej.

– Tak, wiem.

Przerwało nam czyjeś głośne chrząknięcie. To na progu kuchni pojawił się Charlie.

Odskoczyłam od Edwarda, czerwieniejąc jak burak. Też się ode mnie odsunął. Wyglądał na zmartwionego i rozzłoszczonego zarazem.

– Jeśli nie chce ci się gotować, mogę zamówić pizzę – zaofiarował się ojciec.

– Nie, nie. Nie trzeba. Już wszystko obmyśliłam.

– No to fajnie.

Charlie splótł ręce na piersiach i oparł się o framugę drzwi. Starając się ignorować moją publiczność, z westchnieniem zabrałam się do roboty.

– Gdybym poprosił cię, żebyś coś zrobiła, zaufałabyś mi? – spytał mnie.

W jego aksamitnym głosie pobrzmiewała nuta niepokoju.

Dojeżdżaliśmy do parkingu przed szkołą. Edward, który jeszcze chwilę temu dowcipkował rozluźniony, zaciskał teraz dłonie na kierownicy z taką siłą, że pobielały mu kłykcie.

Rzuciłam mu zaskoczone spojrzenie. Wzrok miał trochę nieobecny, jakby czegoś nasłuchiwał. Serce zaczęło mi bić szybciej ze strachu.

– To zależy – odpowiedziałam ostrożnie.

Skręciliśmy na parking.

– Obawiałem się, że to powiesz.

– To co mam zrobić?

– Chcę, żebyś została w samochodzie – oświadczył, skręcając w swoje stałe miejsce. Zgasił silnik. – Chcę, żebyś tu zaczekała, aż po ciebie wrócę.

– Mam zostać w aucie? Edward, co jest grane?

I wtedy go zobaczyłam. Trudno go było zresztą nie zauważyć, bo nie dość, że górował nad wszystkimi przechodniami, to jeszcze opierał się o swój czarny motocykl, zaparkowany wbrew przepisom na chodniku.

– Och – wyrwało mi się.

Rysy twarzy Jacoba układały się w dobrze znaną mi maskę – tę, która przywdziewał, kiedy chciał trzymać emocje na wodzy, kiedy chciał w pełni siebie kontrolować. Przypominał w takich chwilach Sama, najstarszego z wilków, przywódcę watahy, tyle że od tamtego bił zawsze idealny spokój, a Jacob jeszcze tej sztuki do końca nie opanował.

Zapomniałam już, jakie wrażenie wywierała na mnie ta poza. Chociaż zdążyłam spędzić z Samem trochę czasu, a nawet go polubić, zanim Cullenowie powrócili do Forks, kiedy Jake go naśladował, nadal przechodził mnie dreszcz. Jacob nie był wtedy „moim Jacobem", tylko obcym, odpychającym mężczyzną.

– Twoje rozumowanie było błędne – wyjaśnił mi Edward. – Spytał, czy idziesz do szkoły, ponieważ wiedział, że w takim wypadku i mnie tu zastanie. Chciał się ze mną spotkać w jakimś bezpiecznym miejscu, przy świadkach.

A więc źle zinterpretowałam jego zachowanie. Tak jak podejrzewałam, brakowało mi najważniejszego elementu układanki – odpowiedzi na pytanie, po jakiego licha musiał rozmówić się z moim chłopakiem.

– Idę z tobą – oznajmiłam hardo.

Jęknął cicho.

– Cała ty! Dobra, no to chodźmy. Miejmy to już z głowy.

Widząc, że zbliżamy się do niego, trzymając się za ręce, Jacob spochmurniał.

Dopiero teraz zauważyłam, jak na jego pojawienie się przed szkołą reagują uczniowie. Niektórzy otwierali szeroko oczy, innym opadały szczęki. Młody Indianin miał nie tylko równe dwa metry wzrostu, ale i był bardziej umięśniony niż jakikolwiek normalny szesnastolatek. Miał na sobie obcisły, czarny podkoszulek z krótkimi rękawami, przez co jeszcze bardziej szokował, bo dzień był wyjątkowo chłodny. Oczy przechodniów chłonęły to wszystko łapczywie, ale omijały twarz chłopaka – zauważyłam też, że wszyscy obchodzą go szerokim łukiem.

Ze zdumieniem uświadomiłam sobie, że zdaniem tych ludzi Jacob wyglądał na bandziora. Po prostu się go bali! Mojego Jacoba...

No tak, ten czarny motor, te mięśnie, te podarte, poplamione smarem dżinsy...

Edward zatrzymał się, zachowując w miarę bezpieczną odległość kilku metrów. Wiedziałam, że wolałby, abym była daleko stąd. Częściowo zasłonił mnie własnym ciałem.

– Mogłeś do nas zadzwonić – wypomniał szorstko Jacobowi.

Jake uśmiechnął się szyderczo.

– Sorry, ale nie znalazłem żadnych pijawek w książce telefonicznej.

– Mogłeś skontaktować się ze mną przez Bellę.

Jacob zacisnął zęby i ściągnął brwi. Nie odpowiedział.

– To nie jest odpowiednie miejsce na taką rozmowę. Nie moglibyśmy spotkać się gdzieś później?

– Jasne, wpadnę do waszej krypty, jak skończycie lekcje – zadrwił Jake. – A co jest nie tak z tym parkingiem?

Edward powiódł znacząco wzrokiem po twarzach licznych świadków, z których większość przechodziła w dodatku na tyle blisko, że mogła podsłuchać tę wymianę zdań. Kilka osób już nawet przystanęło, ciekawych, czy nie wywiąże się bójka – w poniedziałkowy poranek nie było w Forks innych atrakcji. Zobaczyłam, jak Tyler Crowley klepie po ramieniu Austina Marksa i obaj zatrzymują się, by popatrzeć.

– Wiem już, o co chodzi. – Edward przypomniał Jacobowi o swoich zdolnościach głosem tak cichym, że nawet ja miałam kłopoty z wychwyceniem jego słów. – Wiadomość przekazana. Ostrzeżenie przyjęte.

Mimowolnie rzucił mi zmartwione spojrzenie.

– Ostrzeżenie? – spytałam zbita z tropu. – O czym wy mówicie?

– Nie powiedziałeś jej? – Jake szczerze się zdziwił. – Co, bałeś się, że stanie po naszej stronie?

– Nie drążmy tego – poprosił Edward spokojnie.

– To czemu jej nie powiedziałeś?

– Edward, czy ja o czymś nie wiem? – wtrąciłam podenerwowana.

Zignorował moje pytanie, wpatrywał się tylko gniewnie w swojego rozmówcę

– Jake? – zwróciłam się do Jacoba.

– Nie powiedział ci, że w nocy z soboty na niedzielę jego... braciszek przekroczył wyznaczoną w pakcie granicę? – Przeniósł wzrok ze mnie na Edwarda. – Paul miał pełne prawo...

– To był pas ziemi niczyjej! – syknął Edward.

– Wcale nie!

Jacobowi już trzęsły się ręce. Zamknął oczy i zaczął powoli głęboko oddychać.

– Emmett i Paul? – wyszeptałam ze zgrozą.

Paul był najbardziej porywczym członkiem sfory – to on stracił nad sobą kontrolę wtedy w lesie. Przed oczami znowu stanął mi olbrzymi szary wilk z obnażonymi kłami.

– Co się stało? Bili się? – zawołałam piskliwie. – Dlaczego? Czy Paul jest ranny?

– Nie martw się – powiedział mi Edward do ucha. – Nikt się z nikim nie bił. Nikt nikogo nie zranił.

Jacob pokręcił głową z niedowierzaniem.

– Nic jej nie powiedziałeś, prawda? Boże święty... Czy to dlatego wywiozłeś ją na Florydę? Żeby się nie dowiedziała, że...

– Dosyć tego – przerwał mu brutalnie Edward.

Przez moment wyglądał groźnie, naprawdę groźnie – jak... jak prawdziwy wampir. Nie krył już nienawiści, jaką czuł do młodego Blacka.

Jacob uniósł brwi, ale poza tym ani drgnął.

– Czemu nic jej nie powiedziałeś?

Przez dobrą minutę patrzyli sobie w milczeniu prosto w oczy. Za Tylerem i Austinem przystanęło jeszcze kilkoro uczniów, w tym Mike i Ben – Mike trzymał Benowi rękę na ramieniu, jakby powstrzymywał go przed interwencją.

Nagle, jak za dotknięciem czarodziejskiej różdżki, wszystkie kawałki układanki złożyły się w mojej głowie w jedną logiczną całość. Edward nie chciał, żebym się o czymś dowiedziała – o czymś, czego Jacob nigdy by przede mną nie zataił. Przez owo coś zarówno Cullenowie, jak i wilki, przeczesywali okoliczne lasy, ryzykując, że staną sobie na drodze. Przez owo coś Edward wywiózł mnie na drugi koniec Stanów. To owo coś Alice widziała w swojej wizji tydzień wcześniej – w wizji, która, według Edwarda, dotyczyła Jaspera.

Czekałam na to coś tak czy owak i wiedziałam, że się tego doczekam, chociaż modliłam się z całych sił, by tak się nie stało.

Ale stało się. Ciąg dalszy nastąpił.

Moich uszu dobiegł mój własny spazmatyczny oddech, a budynki szkolne zaczęły drgać jak przy trzęsieniu ziemi. Wpadłam w histerię. Nie potrafiłam zapanować nad własnym ciałem.

– Wróciła po mnie – wykrztusiłam.

Victoria nie zamierzała odpuścić aż do śmierci jednej z nas. Miała próbować przedrzeć się do mnie do skutku, pewna, że prędzej czy później przechytrzy moich licznych obrońców.

Może miało się do mnie uśmiechnąć szczęście i mieli ją uprzedzić Volturi... Szczerze na to liczyłam, bo przynajmniej zabiliby mnie w mgnieniu oka.

Edward przycisnął mnie do swojego boku, stając tak, by nadal znajdować się pomiędzy mną a Jacobem, i wolną ręką pogłaskał mnie po głowie.

– Wszystko będzie dobrze – obiecał mi. – Wszystko będzie dobrze. Nigdy nie pozwolimy się jej do ciebie zbliżyć.

Potem spojrzał na Jacoba.

– Czy to dostatecznie jasna odpowiedź na twoje pytanie, kundlu?

– Nie sądzisz, że Bella ma prawo wiedzieć o takich rzeczach? – Jacob nie dawał za wygraną. – To o jej życie tu chodzi.

Rozmawiali z sobą tak cicho, że chyba nawet stojący najbliżej Tyler ich nie słyszał.

– Po co miałbym ją straszyć – odparował Edward – skoro nigdy nic jej tak naprawdę nie groziło?

– Lepiej być przestraszonym niż okłamywanym.

Próbowałam wziąć się w garść, ale było ze mną coraz gorzej – w oczach stanęły mi łzy. Widziałam przez nie twarz Victorii: jej odsłonięte kły, jej szkarłatne oczy przepełnione obsesyjną żądzą zemsty. Uważała, że to Edward jest odpowiedzialny za śmierć jej ukochanego, Jamesa, i że najdotkliwszą karą dla niego będzie odebranie mu mnie.

Edward starł mi łzy z policzka opuszkami palców.

– Naprawdę uważasz, że lepiej ją ranić, niż chronić? – spytał Jacoba.

– Bella jest twardsza, niż ci się wydaje. Zdążyła się zahartować.

Jacob spojrzał nagle w przestrzeń, zmieniając wyraz twarzy na bardziej skupiony. Wyglądał teraz jak ktoś, kto stara się rozwiązać w myślach jakiś matematyczny problem.

Poczułam, że mój ukochany drgnął. Podniosłam wzrok. Twarz miał wykrzywioną bólem. Przypomniało mi się tamto potworne popołudnie we Włoszech, kiedy w wieży pałacu Volturi mała Jane torturowała go nadprzyrodzoną mocą swojego spojrzenia.

Ten widok pozwolił mi otrząsnąć się z histerii i spojrzeć na wszystko z innej perspektywy. Uzmysłowiłam sobie, że wolałabym wpaść setki razy w sidła Victorii, niż przyglądać się jeszcze raz, jak Edward cierpi.

– A to ciekawe... – powiedział rozbawiony Jacob.

Edward z wysiłkiem przywołał się do porządku, chociaż ból, jaki odczuwał, pozostał widoczny w jego oczach. Zerkałam to na niego, to na zjadliwy uśmieszek jego przeciwnika.

– Co ty mu robisz? – spytałam Jacoba podniesionym głosem.

– To nic takiego, Bello – szepnął Edward. – Twój przyjaciel ma po prostu dobrą pamięć.

Jacob uśmiechnął się szerzej, a Edward znowu się skrzywił.

– Przestań! – zażądałam. – Przestań, cokolwiek to jest!

– Twoje życzenie jest dla mnie rozkazem – powiedział Jacob. – Chociaż to, że tak reaguje na moje wspomnienia, to już nie moja wina.

Nie mógł się opanować i znowu uśmiechnął się łobuzersko – jak dziecko, które wie, że nie powinno czegoś robić, ale wie też, że osoba, która je przyłapała, nie ukarze go.

– Idzie do nas dyrektor szkoły – poinformował mnie Edward. – Chce go stąd przegonić. Lepiej chodźmy już na angielski, żeby nie brać w tym udziału.

– Trochę nadopiekuńczy ten twój chłopak – powiedział do mnie Jacob, jakby Edward nie mógł go usłyszeć. – Mała pyskówka z dyrektorem to przecież zawsze jakieś urozmaicenie. Ale tobie nie wolno urozmaicać sobie życia bez pozwolenia, prawda?

Edward zgromił go wzrokiem i zaczął delikatnie odsłaniać zęby.

– Daj spokój, Jake – powiedziałam.

Zaśmiał się.

– Czyli jednak ci nie wolno. No cóż, jeśli kiedyś będziesz miała ochotę dobrze się zabawić, zapraszam do siebie. Cały czas mam twój motor.

Tą informacją zupełnie odwrócił moją uwagę od Victorii i całego tego zamieszania.

– Miałeś go sprzedać! Obiecałeś Charliemu!

Gdybym go nie ubłagała, argumentując, że Jake poświęcił na remont obu jednośladów wiele godzin, ojciec jak nic wrzuciłby mój motor do śmietnika. A później jeszcze podpalił kontener.

– A ty mi uwierzyłaś? Jak mógłbym zrobić coś takiego? To twój motor, a nie mój. Będę go przechowywał, dopóki się po niego nie zgłosisz.

W kącikach jego ust pojawił się nagle ślad tak uwielbianego przeze mnie serdecznego uśmiechu.

– Jake...

Pochylił się do przodu. Maska Sama powoli znikała z jego twarzy.

– Tak sobie myślę, że chyba się myliłem co do tego, iż nie możemy już być przyjaciółmi. Może jakoś się da... Musiałabyś tylko przekroczyć granicę. Przyjechać do mnie, do La Push.

Edward trzymał mnie nadal w ramionach, nieruchomy i zimny jak posąg. Jego obecność bardzo mi teraz ciążyła. Zerknęłam na niego, ale zachowywał spokój.

– Nie – odpowiedziałam. – Nie sądzę, żeby to był dobry pomysł.

Jacob porzucił już zupełnie swoją pozę. Zachowywał się tak, jakby Edwarda nie było, a przynajmniej bardzo starał się tak zachowywać.

– Tęsknię za tobą każdego dnia, Bello. Bez ciebie to nie to samo.

– Wiem i bardzo mi przykro z tego powodu, ale zrozum...

Westchnął ciężko.

– Rozumiem. To nie ma znaczenia, prawda? Ech, jakoś sobie poradzę. Kto potrzebuje przyjaciół?

Odwrócił głowę, żebym nie zobaczyła wyrazu jego twarzy.

Zawsze, kiedy widziałam, jak cierpi, miałam ochotę go chronić. Nie miało to sensu, bo był ode mnie o wiele silniejszy, ale i tak cała się rwałam, żeby go do siebie przytulić i tym gestem pokazać mu, że go wspieram i akceptuję. Gdyby nie Edward, już dawno bym do niego podbiegła. Miałam wręcz za złe swojemu chłopakowi, że tak mnie kurczowo trzyma.

Za naszymi plecami rozległ się surowy głos:

– Rozchodzimy się, proszę państwa. Crowley, proszę przejść do klasy.

– Wracaj do La Push, Jake – szepnęłam, rozpoznawszy baryton dyrektora naszej szkoły. Mógł oskarżyć Jacoba o zakłócanie porządku albo wagarowanie, czy coś w tym rodzaju.

Edward wypuścił mnie ze swoich objęć, ale zaraz złapał za rękę.

Przepchnąwszy się przez pierścień gapiów, pan Greene odwrócił się przodem do zgromadzonych uczniów i pogroził palcem.

– Nie żartuję. Liczę do trzech. Ci, którzy się nie rozejdą, będą musieli zostać po lekcjach.

Wszyscy ruszyli pospiesznie w stronę budynków szkolnych.

– Czy mogę wiedzieć, co tu się dzieje, Cullen? – zwrócił się do Edwarda.

– Nic, proszę pana. Już idziemy do klasy.

– Świetnie. – Mężczyzna przeniósł wzrok na Jacoba. – A ciebie nie znam. Jesteś nowy?

Zobaczyłam, że jeszcze zanim skończył mówić, doszedł do tego samego wniosku, co inni – że ma przed sobą młodocianego kryminalistę.

– Nie – odpowiedział Jacob z pogardliwym uśmieszkiem.

– W takim razie sugeruję, młody człowieku, żebyś opuścił teren tej placówki, zanim będę zmuszony wezwać policję.

Uśmieszek Jacoba przeszedł w pełny uśmiech. Wiedziałam, co sobie wyobraża – minę Charliego na wieść, że ma aresztować syna swojego najlepszego kumpla za to, że ten rozmawia z jego córką. Był to jednak uśmiech zbyt zgorzkniały i ironiczny, abym odczuła satysfakcję. Nie za taką jego odmianą się stęskniłam.

– Tak jest!

Jacob zasalutował, po czym dosiadł swojego motoru i odpalił go jeszcze na chodniku. Silnik zaskoczył z głośnym warknięciem. Chłopak skręcił tak ostro, że opony pojazdu wydały przeraźliwy pisk, i w kilka sekund zniknął z pola widzenia.

Pan Greene zacisnął wargi, zdegustowany tym popisem.

– Cullen, proszę doradzić swojemu koledze, żeby nas więcej nie odwiedzał, dobrze?

– Nie koleguję się z tym osobnikiem, proszę pana, ale nie ma problemu, mogę mu przekazać, co trzeba.

– To nie twój kolega? No tak... – Dyrektorowi przypomniało się chyba, że Edward świetnie się uczy i nie było na niego nigdy żadnych skarg, przez co zaczął nagle inaczej interpretować całe zajście. – Gdybyś się bał o swoje bezpieczeństwo, Cullen, to, oczywiście, mogę...

– To nie będzie konieczne – wszedł mu w słowo Edward. – Sądzę, że jest już po sprawie.

– Obyś miał rację. A teraz proszę przejść do klasy. Swan, ciebie też to dotyczy.

Edward pokiwał głową i pociągnął mnie za sobą w stronę klasy, w której mieliśmy angielski.

– Nic ci nie jest? Może zrobisz sobie dzisiaj wolne? – szepnął, kiedy minęliśmy już pana Greene'a.

– Nie, nie. Wszystko w porządku – odparłam, chociaż nie byłam taka pewna, czy nie kłamię. To, jak się czułam, nie miało tu nic do rzeczy – chciałam jak najszybciej porozmawiać z Edwardem, a w trakcie lekcji miałam ograniczone pole manewru. Tylko czy z dyrektorem szkoły za plecami mogliśmy się urwać na wagary?

Dotarliśmy do klasy odrobinę spóźnieni i natychmiast zajęliśmy swoje miejsca. Pan Berty deklamował właśnie jakiś wiersz Frosta*, zignorował więc nasze pojawienie się, żeby nie popsuć rytmu recytacji.

Wyrwałam ze swojego zeszytu pustą kartkę. Z nadmiaru emocji mój charakter pisma był jeszcze bardziej niechlujny niż zwykle.

Co się dokładnie wydarzyło? Chcę znać wszystkie szczegóły. Tylko bez „to dla twojego dobra", błagam.

Podsunęłam liścik Edwardowi. Westchnął, ale zaczął pisać odpowiedź. Mimo że zajęło mu to mniej czasu niż mnie, zdołał pokryć całą resztę kartki wyrafinowaną kaligrafią.

Alice zobaczyła w swojej wizji, że Victoria wraca. Wywiozłem cię z Forks tylko tak, na wszelki wypadek – nie miała najmniejszych szans przedrzeć się aż do twojego domu. Emmett i Jasper już

* Robert Frost (1874–1963) – niezwykle popularny poeta amerykański uznawany za ostatniego z „wielkich", trzykrotny laureat nagrody Pulitzera – przyp. tłum.

ją prawie wytropili, ale im się wymknęła – być może jest szczególnie uzdolniona w tej dziedzinie. Uciekała dokładnie wzdłuż granicy wyznaczonej paktem ze sforą, jakby miała przy sobie jej mapę. Niestety, zainteresowali się też nią Quileuci i ustalenia Alice diabli wzięli. Gdybyśmy na nich nie wpadli, pewnie sami by ją złapali, a tak ten duży szary stwierdził, że Emmett przekroczył granicę, i zaczął się stawiać. Rosalie stanęła w obronie Emmetta, zrobiło się gorąco i w rezultacie wszyscy przerwali pogoń, żeby nie dopuścić do bójki. Carlisle i Jasper z trudem jej zaradzili, a kiedy można było już podjąć pościg, po Victorii ślad zaginął. To wszystko, co wiem.

Czytając tę relację, zmarszczyłam czoło. A więc szukali jej wszyscy: i Emmett, i Jasper, i Alice, i Rosalie, i Carlisle... Pewnie nawet Esme, chociaż o niej Edward nie wspominał. A po przeciwnej stronie granicy Paul i reszta sfory. Mało brakowało, a pomiędzy moją przyszłą rodziną a moją paczką znajomych rozpętałaby się krwawa bitwa. Nie obyłoby się bez poważnych obrażeń. Przypuszczałam, że to wilki znalazłyby się w większym niebezpieczeństwie niż wampiry, ale kiedy wyobraziłam sobie drobniutką Alice walczącą z jednym z basiorów...

Zadrżałam.

Wymazałam starannie własne bazgroły i kaligrafię Edwarda, a potem napisałam na samej górze:

A co z Charliem? Mogła chcieć dorwać i jego.

Edward pokręcił przecząco głową. Najwyraźniej zamierzał utrzymywać, że ojcu nic nie grozi, byle tylko mnie uspokoić. Sięgnął po kartkę, ale odepchnęłam jego rękę i dopisałam jeszcze dwie linijki.

Co do tego, nie możesz mieć pewności. Nie miałeś jak czytać jej w myślach, bo cię tu przecież nie było. Z tą Florydą to był jednak zły pomysł.

Zabrał mi kartkę, zanim jeszcze oderwałam od niej ołówek.

Nie mogłem pozwolić ci wyjechać samej. Z twoim pechem nawet czarna skrzynka samolotu by się nie zachowała.

Nie to miałam na myśli – nawet mi do głowy nie przyszło, że mogłabym jechać sama. Chodziło mi o to, że powinniśmy byli zostać razem w Forks. Ale pociągnęłam ten wątek, bo odpowiedź Edwarda nieco mnie zirytowała. To już nawet nie mogłam wsiąść do samolotu bez narażania życia pozostałych pasażerów? Bardzo zabawne.

Powiedzmy, że z powodu mojego pecha nasz lot naprawdę miałby zakończyć się tragicznie. Ciekawe, jak byś temu zaradził, gdybyś mi towarzyszył?

A jaka byłaby przyczyna katastrofy?

Starał się teraz maskować to, że chce mu się śmiać.

Piloci upili się do nieprzytomności.

Łatwizna. Przejąłbym stery.

No tak, a czego się spodziewałam? Spróbowałam inaczej.

Oba silniki eksplodowały i spadamy już korkociągiem ku ziemi.

Zaczekałbym, aż znaleźlibyśmy się dostatecznie nisko, a potem zrobiłbym dziurę w ścianie kadłuba i wyskoczył na zewnątrz, mocno cię trzymając. Po wszystkim podkradlibyśmy się do wraku i udawali dwójkę największych szczęściarzy w historii lotnictwa.

Zatkało mnie.

– Co jest? – szepnął.
– Nic, nic – wymamrotałam oszołomiona.
Wymazawszy naszą dziwaczną wymianę zdań, dopisałam jeszcze:

Następnym razem nie będziesz nic przede mną ukrywał, okej?

Wiedziałam, że ten następny raz prędzej czy później nastąpi. Schemat miał się powtarzać tak długo, aż jedna ze stron przegra.
Mój ukochany przez dłuższą chwilę patrzył mi prosto w oczy. Zastanowiłam się nad tym, jak wyglądam – rzęsy miałam wciąż wilgotne od łez, a policzki chłodne, więc krew jeszcze do nich nie napłynęła.
Westchnął i skinął głową.

Dzięki.

Moja kartka rozpłynęła się nagle w powietrzu. Rozejrzałam się zdezorientowana, ale zauważyłam tylko, że zbliża się do nas nauczyciel.
– Czy masz tam napisane coś, czym chciałbyś się z nami podzielić, Edwardzie? – spytał surowym tonem.
Edward, niby to zdziwiony, podał mu kartkę.
– To tylko moje notatki z lekcji – powiedział, grając niewiniątko.
Pan Berty wczytał się w odebrane zapiski i podrapał po skroni. Sądząc po jego zakłopotanej minie, naprawdę nie miał się do czego przyczepić. Oddawszy kartkę, odszedł ku tablicy.

O krążących po szkole plotkach dowiedziałam się dopiero później, na matematyce – jedynym przedmiocie, na który chodziłam bez Edwarda*.

* W Stanach Zjednoczonych każdy uczeń ma indywidualny plan zajęć, taki sam na każdy dzień – przyp. tłum.

– Ja tam stawiam na Indianina – szepnął ktoś za moimi plecami.

Odwróciłam się dyskretnie. Tyler, Mike, Austin i Ben pochylali ku sobie głowy, pogrążeni w rozmowie.

– Jacob rządzi – zgodził się szeptem Mike. – Widzieliście jego klatę? Położyłby Cullena jedną ręką.

Odnosiło się wrażenie, że dałby wiele, żeby to zobaczyć.

– Nie sądzę – stwierdził Ben. – W Edwardzie jest coś takiego... Jest zawsze taki... pewny siebie. Coś mi się wydaje, że umiałby o siebie zadbać.

– Ben ma rację – odezwał się Tyler. – Poza tym każdy, kto mu dołoży, musi liczyć się z tym, że dorwą go jego dwaj starsi bracia.

– Bracia to nie problem – powiedział Mike. – Chyba nie byliście już dawno w La Push. Ze dwa tygodnie temu byłem tam na plaży z Lauren i wierzcie mi, ten cały Jacob trzyma się z takimi samymi mięśniakami jak on sam.

Tyler zacmokał głośno, kręcąc głową.

– Jaka szkoda, że przylazł Greene. Teraz już nigdy się nie dowiemy, który by wygrał.

– Nie byłbym taki pewny – pocieszył go Austin. – Nie wyglądało na to, żeby wyrównali już z sobą rachunki.

Mike uśmiechnął się zawadiacko.

– Ktoś z was ma ochotę to obstawić?

– Dziesięć na Jacoba – zaoferował od razu Austin.

– Dziesięć na Cullena – oświadczył Tyler.

– Tak, dziesięć na Edwarda – dodał Ben.

– A ja dziesięć na Jacoba – zakończył Mike.

– Hej, a wie któryś z was, o co tak w ogóle poszło? – spytał Austin. – To też może wpłynąć na wynik.

– To chyba oczywiste – powiedział Mike.

Razem z Benem i Tylerem jednocześnie spojrzeli w moją stronę. Odwróciłam szybko wzrok. Żaden z nich nie zdawał sobie najwyraźniej sprawy, że ich słyszę.

– I tak jestem za Jacobem – mruknął Mike.

4 Prawa natury

Ten tydzień był do bani.

Z pozoru niby nic się nie zmieniło. Okej, wróciła Victoria, ale czy kiedykolwiek wierzyłam, że zniknie na dobre? Jej pojawienie się potwierdziło tylko moje dawne przypuszczenia. Nie miałam powodu od nowa wpadać w panikę.

Teoretycznie tak właśnie było, ale w praktyce zupełnie to do mnie nie docierało.

Od ukończenia liceum dzieliło mnie już tylko kilka tygodni, ale uważałam, że z przemianą nie ma co czekać. Chodziłam sobie po Forks, bezbronna i smaczna, po prostu prosząc się o to, żeby mnie upolowano. Ktoś taki jak ja nie powinien być dłużej człowiekiem. Ktoś taki jak ja miał prawo do jakiejś formy obrony.

Tyle że nikt nie chciał mnie słuchać.

– Jest nas siedmioro – powiedział mi Carlisle na naradzie rodzinnej. – No i mamy Alice. Nie sądzę, żeby Victoria była w stanie nas przechytrzyć. Chociażby przez wzgląd na Charliego powinniśmy trzymać się pierwotnego planu.

– Nie pozwolimy, żeby stało ci się cokolwiek złego, skarbie – przyrzekła mi Esme. – Proszę, nie zamartwiaj się tym tak bardzo. A potem pocałowała mnie w czoło.

– Naprawdę się cieszę, że Edward cię nie zabił – wyznał mi Emmett. – Dzięki tobie zawsze się coś dzieje.

Rosalie rzuciła mu gniewne spojrzenie, a Alice przewróciła oczami.

– Obrażasz mnie swoim brakiem zaufania, Bello. Nie mów mi, że naprawdę tak się boisz?

– Jeśli nie było realnego zagrożenia – zaprotestowałam – to czemu Edward zaciągnął mnie aż na Florydę?

– Jeszcze nie zauważyłaś, że nasz braciszek często trochę przesadza?

Do akcji wkroczył Jasper. Korzystając ze swoich paranormalnych umiejętności, zmniejszył mój niepokój i pozwolił rozluźnić się moim mięśniom. Tak zmanipulowana, przyznałam w końcu Cullenom rację.

Oczywiście, gdy tylko wyszliśmy z Edwardem z pokoju, znowu zaczęłam się bać, ale to już zupełnie inna historia.

Ustaliliśmy na naradzie, że powinnam zachowywać się jak gdyby nigdy nic. O tym, że polowała na mnie oszalała wampirzyca, miałam po prostu nie myśleć.

Naprawdę się starałam. Co ciekawe, okazało się, że rzeczywiście, wkrótce zajęły mnie inne kwestie, i to niemal równie stresujące, jak ta, że znajdowałam się na liście gatunków zagrożonych.

A wszystko dlatego, że najbardziej frustrującej odpowiedzi ze wszystkich udzielił mi na naradzie rodzinnej sam Edward.

– To już sprawa pomiędzy tobą a Carlisle'em – powiedział z uśmiechem. – Oczywiście wolałbym sam się tym zająć, wystarczy, że poprosisz. Ale znasz mój warunek...

Znałam go, znałam. Mój ukochany obiecał mi, że zmieni mnie, kiedy tylko będę chciała, bylebym wcześniej... została jego żoną!

Co oni mieli z tymi warunkami, Edward i Charlie?

Czasami zastanawiałam się, czy Edward nie udaje tylko, że nie potrafi czytać w moich myślach. Jak inaczej udało mu się wynaleźć wśród tysiąca różnych potencjalnych zastrzeżeń to jedno, na które najtrudniej było mi przystać? To jedno, przez które wszystko tak niemiłosiernie się opóźniało?

Tak, to był beznadziejny tydzień. A na dziś przypadał najgorszy z jego siedmiu dni.

Zawsze było mi źle, kiedy Edward wyjeżdżał, nawet jeśli, jak w tym przypadku, sama go do tego zachęcałam – Alice nie zaalarmowała ostatnio żadna wizja, więc kazałam mu wykorzystać nadchodzący weekend na porządne polowanie z braćmi. Wiedziałam, że w lasach wokół Forks nudzi się jak mops, bo miejscowe gatunki fauny nie stanowiły dla niego żadnego wyzwania.

– Jedź, jedź – przekonywałam go. – Rozerwiesz się. Zabijesz kilka pum.

Nigdy dobrowolnie bym mu się nie przyznała, jak bardzo cierpiałam z powodu choćby kilkudniowej rozłąki. Przypominały mi się wtedy tamte straszne miesiące po jego wyjeździe zeszłej jesieni. Gdyby o tym wiedział, wyrzuty sumienia nie pozwoliłyby mu mnie opuszczać nawet po to, by mógł zaspokoić swoje najbardziej podstawowe potrzeby. Już raz tak było – na samym początku, zaraz po tym, jak wróciliśmy z Włoch. Chociaż oczy Edwarda dawno już zmieniły barwę ze złotej na czarną, tkwił w Forks wytrwale, nie zważając na głód. Widząc, jak się męczy, sama wygnałam go z domu i odtąd robiłam tak za każdym razem, kiedy Emmett i Jasper dokądś się wybierali.

Chyba mnie jednak przejrzał – no, może tylko się czegoś domyślał – bo rano znalazłam na swojej poduszce liścik następującej treści:

Nie martw się, już niedługo wrócę, żebyś za bardzo się nie stęskniła. Zaopiekuj się moim sercem – zostawiłem je przy tobie.

I tak oto czekała mnie nieskończenie długa sobota, której jedyną wątpliwą atrakcją było tych kilka godzin, jakie miałam spędzić przed południem za ladą sklepu Newtonów.

Ach, byłabym zapomniała – miałam jeszcze na pociechę obietnicę Alice.

– Będę polować w pobliżu i mieć na wszystko oko – oznajmiła mi w piątek. – W razie czego w piętnaście minut jestem z powrotem.

Czyli w wolnym tłumaczeniu: „Nie próbuj ze mną żadnych numerów. To, że Edward wyjechał, nie oznacza, że możesz wymknąć się do La Push".

Z pewnością umiała unieruchomić moją furgonetkę równie sprawnie, jak on.

No nie, przesadzałam. Nie było tak źle. Po pracy planowałam pomóc Angeli przy jej zawiadomieniach – zawsze była to przecież jakaś rozrywka. Miałam mieć spokój w domu, bo gdy

Edward był daleko, Charliemu zawsze dopisywał dobry humor. Mogłam też poprosić Alice, żeby została u nas na noc, choć nie wiedziałam jeszcze, czy się do tego zniżę, a rano byłaby już niedziela, a Edward wracał właśnie w niedzielę. Jakoś to przeżyję, pomyślałam.

Wstałam idiotycznie wcześnie, śniadanie jadłam więc bardzo wolno, żeby nie zajechać do sklepu pół godziny przed czasem. Kiedy już wsadziłam do ust ostatni zbożowo-miodowy krążek, wstałam umyć naczynia, a potem zaczęłam ustawiać przyczepione do lodówki magnesy w równym rządku, zastanawiając się jednocześnie, czy to nie objaw nerwicy natręctw.

Ostatnie dwa magnesy, okrągłe i czarne, lubiłam najbardziej ze wszystkich, bo mogłam za ich pomocą przyczepić do drzwi lodówki po dziesięć kartek naraz. Niestety, właśnie ta dwójka odmówiła mi współpracy – miały za silne pola i kiedy przysuwałam jeden do drugiego, ten pierwszy odskakiwał, psując cały efekt.

Z jakiegoś powodu – patrz nerwica natręctw – naprawdę mnie to zirytowało. Dlaczego nie mogły dać się ułożyć schludnie jak wszystkie inne? Z uporem osła dosuwałam je do siebie raz za razem, jakbym spodziewała się, że dadzą za wygraną. Mogłam po prostu jeden z nich obrócić, ale byłoby to, w moim mniemaniu, pójście na łatwiznę. W końcu, bardziej zmęczona chyba własnym zachowaniem niż siłowaniem się z magnesami, oderwałam oba od lodówki i trzymając każdy w jednej ręce, przycisnęłam je do siebie. Były na tyle silne, że kosztowało mnie to nieco wysiłku, ale udało mi się je połączyć.

– Same widzicie – powiedziałam na głos (było ze mną naprawdę niedobrze, skoro mówiłam do przedmiotów). – To wcale nie jest takie straszne, prawda?

Stałam tak kilka sekund jak idiotka, nie będąc w stanie przyznać się sama przed sobą, że nie mam żadnego wpływu na prawa fizyki. Wreszcie z westchnieniem przykleiłam magnesy z powrotem do lodówki, tym razem kilkanaście centymetrów od siebie.

– I po co kłótnie? – mruknęłam pod nosem.

Nadal było stosunkowo wcześnie, postanowiłam jednak wyjść z domu jak najszybciej – zanim przedmioty zaczęłyby odpowiadać na moje pytania.

Kiedy weszłam do sklepu, Mike wycierał do sucha podłogę między rzędami półek, a jego mama zmieniała ekspozycję na ladzie. Właśnie się sprzeczali, i to tak, że nie zwrócili na mnie uwagi.

– Ale Tyler ma tylko wtedy wolne – jęczał Mike. – Powiedziałaś, że jak już skończy się szkoła...

– Będziesz musiał trochę poczekać – przerwała mu ostrym tonem. – Na razie wymyślcie sobie z Tylerem inne zajęcie. Nie pojedziesz do Seattle, dopóki policja nie wyjaśni tych morderstw i nie złapie sprawcy. Wiem, że Beth Crowley powiedziała to samo Tylerowi, więc nie rób ze mnie tyrana. Och! – zauważyła mnie. – Dzień dobry, Bello. Coś wcześnie dzisiaj.

Karen Newton była ostatnią osobą, którą zatrudniłabym w sklepie ze sprzętem sportowym. Jasne długie włosy z eleganckim balejażem miała zawsze starannie uczesane, a paznokcie pomalowane i przycięte w specjalistycznym salonie. Odnosiło się to zarówno do jej paznokci u rąk, jak i u stóp, co mogłam stwierdzić, ponieważ na nogach miała mocno ażurowe szpilki, niepodobne do niczego wystawionego w dziale obuwniczym jej sklepu.

– Wyjątkowo nie było korków – zażartowałam, sięgając po obrzydliwy jaskrawopomarańczowy podkoszulek, który musiałam nosić w pracy.

Byłam zaskoczona, że mama Mike'a przejmuje się morderstwami w Seattle nie mniej niż Charlie. Myślałam, że tylko on jest taki przewrażliwiony.

– Tak...

Zawahała się na moment, bawiąc się nerwowo plikiem żółtych ulotek, które rozkładała przy kasie.

Znieruchomiałam w połowie nakładania koszulki. Dobrze znałam to spojrzenie.

Kiedy powiadomiłam Newtonów, że porzucę ich z końcem roku szkolnego – czyli, innymi słowy, tuż przed szczytem sezonu –

zatrudnili Katie Marshall, żeby zdążyć ją przyuczyć przed wakacjami. Nie było ich za bardzo stać na to, żeby płacić nam obu, więc kiedy zapowiadał się spokojny dzień, tak jak dziś...

– Zamierzałam do ciebie zadzwonić – wydusiła z siebie. – Widzisz, nie spodziewamy się dzisiaj dużego ruchu. Poradzę sobie sama z Mikiem. Przepraszam, że musiałaś się tu fatygować i...

– Nic nie szkodzi – odparłam odruchowo, ale jednocześnie posmutniałam i zwiesiłam głowę. Gdyby Edward był w Forks, byłabym wniebowzięta, że tak się złożyło, a tak... Nie wiedziałam, co teraz z sobą począć.

– Mamo, tak nie można – wtrącił się Mike. – Skoro Bella już przyjechała...

– Nie, nie, naprawdę nie ma sprawy – zaprotestowałam. – Muszę się uczyć do egzaminów końcowych i takie tam...

Nie chciałam dostarczyć im powodu do kolejnej sprzeczki.

– To dobrze – uspokoiła się pani Newton. – Mike, przegapiłeś tamten kawałek! Hm, Bello, mogłabyś wrzucić po drodze te ulotki do kontenera ze śmieciami? Obiecałam dziewczynie, która je przyniosła, że rozłożę je na ladzie, ale tak patrzę, że właściwie to nie mam gdzie.

– Jasne.

Odłożyłam podkoszulek na miejsce, wzięłam plik karteczek i wyszłam z powrotem na deszcz.

Kontener stał z boku budynku, obok prowizorycznego parkingu dla pracowników. Ruszyłam w jego stronę, powłócząc nogami i kopiąc kamyki. Miałam już wrzucić ulotki do śmieci, kiedy moją uwagę przykuł wytłuszczony nagłówek na pierwszej z nich, a zwłaszcza jedno słowo:

OCALMY MIEJSCOWĄ POPULACJĘ WILKA!

Poniżej widniał artystyczny szkic przedstawiający wyjącego wilka z łbem zwróconym ku księżycowi w pełni. Był to bardzo smutny widok – odnosiło się wrażenie, że zwierzę jest pogrążone w żałobie.

Nagle przeszył mnie prąd. Nie wypuszczając z rąk ulotek, rzuciłam się biegiem do furgonetki.

Piętnaście minut – tyle tylko miałam, ale powinno wystarczyć. Właśnie piętnaście minut jechało się spod sklepu do La Push, a wyznaczoną paktem granicę miałam przecież przekroczyć jeszcze szybciej.

Samochód odpalił od razu.

Tego, co robiłam, Alice nie mogła zobaczyć w jednej ze swoich wizji, ponieważ nic takiego wcześniej nie planowałam. Spontaniczna decyzja – tak, to był właśnie klucz do sukcesu! Musiałam tylko dostać się dostatecznie szybko do rezerwatu.

Wsiadając do auta, rzuciłam wilgotne ulotki w kąt i teraz pokrywały cały fotel pasażera: kilkadziesiąt wyjących wilków, każdy z wojowniczym nagłówkiem do pary, odcinało się czernią od żółtego papieru.

Mknęłam mokrą szosą z włączonymi wycieraczkami, ignorując głośne protesty sędziwego silnika swojego wozu. Nie dawało się z niego wycisnąć więcej niż dziewięćdziesiąt kilometrów na godzinę. Modliłam się, żeby to wystarczyło.

Nie miałam pojęcia, którędy biegła granica pomiędzy terytoriami wampirów i wilkołaków, więc poczułam się bezpiecznej dopiero, minąwszy pierwsze zabudowania La Push. Wątpiłam, żeby Alice miała prawo zapuszczać się aż tak daleko.

Przyrzekłam sobie, że zadzwonię do niej od Angeli, żeby się o mnie nie martwiła. Miałam nadzieję, że daruje sobie awanturę – jeśli zamierzała naskarżyć na mnie Edwardowi, da mi do wiwatu za dwoje.

Kiedy zajechałam na miejsce, moja furgonetka rzęziła jak astmatyk. Na widok domku Blacków łzy stanęły mi w oczach. To właśnie tutaj przyjeżdżałam wczesną wiosną oderwać się od swoich zmartwień. Tak dobrze potrafiłam się tu bawić!

Tak dawno mnie tu nie było…

Jeszcze zanim zaparkowałam, na progu domu stanął Jacob. Był w szoku.

– Bella, to ty? – usłyszałam, kiedy ucichł silnik.

– Cześć, Jake.

– Bella! – wykrzyknął. – Ale numer!

Na jego twarzy nareszcie pojawił się uśmiech, na który tyle czekałam. Poczułam się tak, jakby zza chmur wyszło słońce.

Podbiegł do mojego samochodu i niemal wyciągnął mnie ze środka. Zaczęliśmy skakać w kółko, trzymając się za ręce jak małe dzieci.

– Pozwolili ci?

– No co ty! Musiałam się wymknąć po kryjomu.

– Niezła jesteś.

– Witamy, witamy! – Billy podjechał na wózku do drzwi, żeby zobaczyć, co to za zamieszanie.

– Cześć, Bi…

Przerwałam, bo zabrakło mi powietrza – to Jacob przytulił mnie do siebie z siłą niedźwiedzia, odrywając moje stopy od ziemi.

– Ale super, że jesteś!

Wirowaliśmy jak para łyżwiarzy figurowych.

– Du… duszę się – wykrztusiłam.

Odstawił mnie, śmiejąc się radośnie.

– Witaj w La Push.

Zabrzmiało to tak, jakby powiedział: „Witaj w domu”.

Poszliśmy się przejść, bo byliśmy zbyt podekscytowani, żeby siedzieć w maleńkim saloniku. Idąc, Jacob wesoło podrygiwał. Sadził tak olbrzymie kroki, że musiałam mu co chwila przypominać, że moje nogi nie mają ponad metra długości, jak u co poniektórych.

Stopniowo wracało do mnie moje drugie „ja”. Przy Jacobie czułam się trochę młodsza i o wiele mniej rozważna. Stawałam się kimś, kto od czasu do czasu lubił zrobić coś naprawdę szalonego.

Z początku rozmawialiśmy o tym samym, o czym rozmawiałaby każda inna para dobrych znajomych, którzy dawno się nie widzieli – co w szkole, czy wszyscy zdrowi i czemu przyjechałam akurat teraz. Kiedy pokonawszy wewnętrzny opór, opowiedziałam Jacobowi o ulotkach z wilkiem, jego gromki śmiech rozszedł się echem po lesie.

Szybko jednak neutralne tematy się wyczerpały i doszedłszy do plaży, przeszliśmy do tego, co bolało nas najbardziej. Rysy twarzy mojego przyjaciela stężały w dobrze mi znaną maskę zgorzkniałego wojownika.

– A jak tam, no wiesz... Chodzi mi o to, że...

Z trudem dobierał słowa. Z nerwów kopnął mijaną gałąź z taką siłą, że spadła na skały dopiero kilka metrów dalej. Wziął głębszy oddech i spróbował jeszcze raz:

– Chciałbym tylko wiedzieć, czy wszystko już w porządku. To znaczy, między wami. Wybaczyłaś mu, prawda?

Teraz to ja wzięłam głębszy oddech.

– Nie miałam mu czego wybaczać.

Najchętniej ominęłabym tę część – te wszystkie pakty i oskarżenia – ale wiedziałam, że musimy przez to przejść, żeby posunąć się naprzód.

Jacob skrzywił się, jakby wypił szklankę soku z cytryny.

– Wielka szkoda, że Sam nie zrobił ci zdjęcia, kiedy znalazł cię wtedy w lesie. Mielibyśmy superdowód rzeczowy.

– Dowód? To nie proces sądowy.

– Ja tam uważam, że w tej sprawie ktoś powinien stanąć przed sądem.

– Nawet ty nie będziesz w stanie obwiniać go za to, że wyjechał, kiedy dowiesz się, dlaczego to zrobił.

Wpatrywał się we mnie gniewnie przez kilka sekund, a potem splótł ręce na piersiach.

– Doprawdy? – spytał z sarkazmem. – No to, proszę, oświeć mnie.

Ranił mnie swoją wrogością, otwierał na nowo zabliźnioną już ranę. Przypomniało mi się tamto ponure popołudnie, kiedy z rozkazu Sama poinformował mnie oschle, że nie możemy się dłużej spotykać.

Potrzebowałam dłuższej chwili, żeby się pozbierać.

– Edward wyjechał jesienią z Forks, ponieważ uznał, że nie mogę dłużej przebywać wśród wampirów. Postąpił tak brutalnie wyłącznie dla mojego dobra.

Jacob był już gotowy się odszczeknąć, ale zamknął usta – najwyraźniej to, co miał mi do powiedzenia, nie pasowało już do kontekstu. Dzięki Bogu, nie miał pojęcia, co sprawiło, że Edward podjął taką, a nie inną decyzję – trudno mi było sobie wyobrazić, jak zareagowałby na informację, że na moim przyjęciu urodzinowym Jasper próbował mnie zabić.

– Ale jednak wrócił, prawda? – mruknął. – Nie jest za dobry w dotrzymywaniu obietnic.

– Jakbyś nie pamiętał, to ja go tu sprowadziłam.

To, co powiedziałam, sprawiło chyba, że Jacob zaczął postrzegać całą sprawę z nieco innej perspektywy, bo patrząc mi przez moment prosto w oczy, wyraźnie się rozluźnił.

– Rzeczywiście – przyznał spokojniejszym głosem. – Co tak właściwie się wydarzyło? Znam tylko oficjalną wersję.

Przygryzłam dolną wargę.

– To tajemnica, co nie? – spytał szyderczo. – Pijawki zakazały ci o tym mówić?

– Wcale nie! To po prostu bardzo długa historia.

Uśmiechnął się pogardliwie, po czym obrócił się na pięcie i odszedł, spodziewając się zapewne, że za nim pójdę. I poszłam, odruchowo, chociaż zastanawiałam się, po co właściwie to robię – przebywanie z nim, kiedy tak się zachowywał, nie sprawiało mi żadnej przyjemności. Z drugiej jednak strony, po powrocie do domu czekała mnie konfrontacja z wściekłą Alice... Nie, nie miałam się co spieszyć.

Zatrzymał się przy wyrzuconym przez fale drzewie o wybielonych solą konarach, zagrzebanym głęboko w piachu. Poniekąd było to już „nasze” drzewo. Usiadłszy na stworzonej siłami natury ławeczce, poklepał wolne miejsce koło siebie.

– Lubię długie historie, zwłaszcza jak trzymają w napięciu. Ta twoja trzyma?

Usiadłam koło niego, przewracając w odpowiedzi oczami.

– Sam zobaczysz.

– Skoro to horror, to musi trzymać.

– Horror! – prychnęłam. – Będziesz mnie słuchał czy zamierzasz dalej obrażać moich przyjaciół?

Udał, że zamyka sobie usta niewidzialnym kluczem, a potem odrzuca go za siebie. Spróbowałam się uśmiechnąć, ale mi nie wyszło.

– Będę musiała zacząć od wydarzeń, w których częściowo brałeś udział – stwierdziłam, starając się poukładać sobie wszystko w głowie po kolei.

Podniósł rękę jak uczeń podczas lekcji.

– Tak?

– To mi nawet pasuje – powiedział. – Czasem nie do końca kumałem, co jest grane.

– Właśnie. No to słuchaj uważnie, bo to skomplikowane. Wiesz, że Alice miewa wizje dotyczące przyszłości, prawda?

Skrzywił się, co wzięłam za odpowiedź twierdzącą – wilkołakom nie było w smak, że podania nie przesadzały i wśród wampirów zdarzały się jednak osobniki obdarzone nadprzyrodzonymi zdolnościami.

Wyjaśniłam mu pokrótce, jak to się wszystko zaczęło: w wyniku splotu nieporozumień Edward doszedł do wniosku, że popełniłam samobójstwo, i postanowił pójść w moje ślady, ale gdy tylko podjął taką decyzję, Alice nawiedziła ostrzegawcza wizja.

Mówiąc, wyglądałam bacznie jakiejkolwiek reakcji ze strony Jacoba. Z początku wyraz jego twarzy był nieprzenikniony, a potem zamyślał się od czasu do czasu tak głęboko, jakby zupełnie przestawał mnie słuchać.

Przerwał mi tylko raz – kiedy zdradziłam mu, że w wizjach Alice nie pojawia się ani on sam, ani żaden z jego pobratymców.

– Ta mała wróżbitka nas nie widzi? – powtórzył mile zaskoczony. – Naprawdę? No to super!

Zacisnęłam zęby. Siedzieliśmy w milczeniu, dopóki nie zorientował się, że popełnił gafę.

– Oj. Przepraszam.

Spuścił na chwilę wzrok, ale zaraz podniósł głowę, ciekawy dalszego ciągu. Przeszłam do opowiadania o mojej misji ratunkowej we Włoszech.

Dowiedziawszy się o istnieniu Volturi, Jacob przestał kryć swoje odczucia: zmarszczył nos, zauważyłam też, że dostał gęsiej skórki. Chcąc uchronić go przed koszmarami, celowo to i owo przekręciłam. Powiedziałam mu tylko, że wypuszczono nas z pałacu dzięki umiejętnie poprowadzonej przez Edwarda rozmowie, ale nie wyjawiłam, co musieliśmy wcześniej przyrzec ani czyjej wizyty się spodziewaliśmy.

– No to znasz już całą historię – podsumowałam. – Teraz kolej na ciebie. Co dokładnie się wydarzyło, kiedy byłam u mamy na Florydzie?

Wiedziałam, że zdradzi mi więcej szczegółów niż Edward – w odróżnieniu od niego nie przejmował się tym, że mnie nastraszy.

Nachylił się ku mnie, podekscytowany tym, co miał mi do powiedzenia.

– To było tak: Embry, Quil i ja robiliśmy w sobotę w nocy rutynowy obchód okolicy, kiedy nagle – bam! – Rozpostarł ramiona, żeby pokazać mi, jak duże wrażenie to na nich wywarło. – Świeży trop, nie starszy niż piętnaście minut. Sam chciał, żebyśmy na niego poczekali, ale nie wiedzieliśmy, że wyjechałaś i czy twoi krwiopijcy mają na ciebie oko, czy nie, więc zaczęliśmy gonić tę rudą babkę sami. Skubana, przekroczyła granicę z paktu, zanim ją dorwaliśmy, no to poustawialiśmy się wzdłuż linii granicznej, mając nadzieję, że wróci. Wkurzeni byliśmy, jak nie wiem co. – Pokręcił głową i odrastająca grzywka przesłoniła mu oczy. – Skończyło się na tym, że zapędziliśmy się za bardzo na południe, bo w tym samym czasie Cullenowie zagonili ją z powrotem na nasze ziemie kilka kilometrów dalej na północ. Gdybyśmy z sobą współpracowali, otoczylibyśmy gadzinę z łatwością ze wszystkich stron. No a potem zrobiło się gorąco. Nasz drugi patrol namierzył rudą przed nami, ale igrała sobie z nimi – co chwila przekraczała granicę, za którą, oczywiście, czaiła się cała twoja rodzinka. Ten mięśniak, jak mu tam...

– Emmett.

– No tak, Emmett. Rzucił się za rudą, ale cholera jest szybka i o mało co nie zderzył się z rozpędu z Paulem. A Paul... No wiesz, znasz go.

– Tak... – westchnęłam.

– Zupełnie zapomniał, że ma gonić Victorię. Nie dziwię mu się zresztą, to wyglądało prawie jak atak – mięśniak wyskoczył z krzaków... Hej, nie patrz tak na mnie! Był na naszym terenie!

Postarałam się przybrać bardziej neutralny wyraz twarzy, żeby mógł kontynuować. Chociaż wiedziałam, że wszystko dobrze się skończyło, z nerwów wbijałam sobie paznokcie we wnętrze dłoni.

– Mniejsza o to. Paul zamachnął się na Emmetta, ale go nie trafił, a mięśniak wrócił zaraz na swoją stronę. Ale wtedy ta, hm, no, ta blondynka...

Zrobił bardzo zabawną minę. Z jednej strony gardził wszystkimi wampirami, ale z drugiej nie potrafił ukryć, że siostra Edwarda bardzo mu się podoba.

– Rosalie.

– Może. Przez tego mięśniaka Paul nadepnął jej na odcisk i wyleciała na niego z pyskiem. Musieliśmy lecieć obaj z Samem do Paula, żeby nie był z nią sam na sam. No i wtedy pojawił się ten najstarszy z rodzinki i jeszcze jeden facet, blondyn.

– Carlisle i Jasper.

Jacob rzucił mi spojrzenie mówiące: „Dałabyś spokój, kobieto".

– Wiesz, że wisi mi, jak oni mają na imię. W każdym razie Carlisle zaczął przekonywać Sama, że nie ma potrzeby się bić, a kiedy tak o tym nawijał, wszyscy nagle się uspokoili. Cholernie to było dziwne. Wiedzieliśmy, że to ten blondyn, ostrzegałaś nas przed nim, ale i tak nic nie mogliśmy na to poradzić...

– Tak, wiem, jak to jest.

– Strasznie denerwujące, tyle że wyrzucić to z siebie można dopiero później. – Pokręcił głową zdegustowany. – Wracając do historii, Sam i Carlisle uradzili, że najważniejsze jest dorwanie Victorii, więc popędziliśmy za nią razem, każda ekipa po swojej stronie granicy. Dotarliśmy aż do klifów na północnym krańcu rezerwatu Makah* i ruda, tak jak kiedyś, znowu skoczyła do morza. Mięśniak i blondyn poprosili o pozwolenie na przekroczenie granicy, żeby móc ją dalej ścigać, ale oczywiście nie zgodziliśmy się na to.

– To dobrze. To znaczy, zachowaliście się jak buce, ale cieszę się, że pohamowaliście Emmetta. On za bardzo lubi ryzykować. Mogło mu się coś stać.

– I co – spytał Jacob zjadliwie – Edzio pewnie powiedział ci, że zaatakowaliśmy jego braciszka bez powodu, a jego niewinna rodzinka...

– Nie – przerwałam mu. – Edward opowiedział mi dokładnie tę samą historię, tylko bez tylu szczegółów.

– Hm – prychnął gniewnie.

Z tysięcy kamieni, które leżały u jego stóp, wybrał większą bryłkę i cisnął nią od niechcenia z taką siłą, że zanim wpadła do wody, przeleciała dobrych sto metrów.

– Ona wróci – powiedział zaciętym tonem. – Wróci i wtedy już na pewno ją dorwiemy.

Zadrżałam. Co do tego, że Victoria miała po mnie wrócić, nie miałam żadnych wątpliwości, ale czy Edward znów miał zataić przede mną ten fakt? Tym razem postanowiłam bardziej ufać swojej intuicji, gdyby Alice miała dziwnie zareagować na jedną ze swoich wizji.

---

* Rezerwat plemienia Makah znajduje się około pięćdziesięciu kilometrów na północny zachód od Forks – przyp. tłum.

Jacob zupełnie nie zwracał uwagi na to, co przeżywałam. Pogrążony w rozmyślaniach wpatrywał się w fale zatoki.

– O czym myślisz? – przerwałam ciszę po dłuższej chwili.

– O tym, co mi powiedziałaś. O tym, że kiedy ta mała wróżbitka zobaczyła ciebie skaczącą z klifu, doszła do wniosku, że próbujesz popełnić samobójstwo, i o tym, jak to potem wszystko się pokręciło... Czy zdajesz sobie sprawę, że gdybyś wtedy jednak na mnie poczekała, to ta pij... Alice nie zobaczyłaby cię, jak skaczesz? A wtedy nic by się nie zmieniło. Siedzielibyśmy teraz pewnie w moim garażu, jak co sobota, w Forks nie mieszkałyby żadne wampiry, a ty i ja... – urwał w połowie zdania.

Biedak miał zupełnie inny pogląd na tę sprawę niż ja. Gdyby w Forks nie mieszkały żadne wampiry? Na samą myśl o tym robiło mi się słabo.

– Edward i tak prędzej czy później by wrócił – oznajmiłam.

– Jesteś tego pewna? – spytał zaczepnie, nie ukrywając swojej niechęci do mojego lubego.

– Ta długa rozłąka... nie tylko mnie dawała się we znaki.

Już chciał coś powiedzieć zagniewany, ale powstrzymał się i wziąwszy głębszy oddech, zaczął z innej beczki:

– Czy wiesz, że Sam jest na ciebie wściekły?

– Na mnie? – Dopiero po sekundzie znalazłam jakieś wytłumaczenie tego faktu. – Ach, rozumiem. Uważa, że gdybym nie mieszkała w Forks, nie mieszkaliby tu i Cullenowie?

– Nie, nie o to chodzi.

– To o co?

Schylił się, żeby podnieść kolejny kamień. Przez chwilę obracał go w dłoniach, a kiedy się znowu odezwał, nie odrywał od niego wzroku.

– Najpierw, no wiesz, znalazł cię wtedy w lesie, potem słyszał miesiącami od Billy'ego, że twój stan się nie poprawia, a potem zaczęłaś szaleć na motorze i skakać z klifu...

Skrzywiłam się. Czy nikt nie miał już nigdy o tym zapomnieć?

Jacob spojrzał mi prosto w oczy.

– Myślał, że po tym wszystkim staniesz się jedyną osobą na świecie, która będzie nienawidzić Cullenów tak samo jak on. Jest mu... Czuje się do pewnego stopnia zdradzony po tym, jak przyjęłaś ich z otwartymi ramionami.

Nawet przez sekundę nie wierzyłam, że tylko Sam tak się czuje. Obelga, którą z siebie wyrzuciłam, była skierowana także do Jacoba:

– Powiedz Samowi, żeby się...

– Patrz – przerwał mi, wskazując orła, który mknął jak strzała ku stalowej tafli oceanu. Ptak zawrócił w ostatnim momencie, tak że w wodzie zanurzyły się tylko jego pazury, a kiedy poderwał się do lotu, zalśniła w nich złapana przez niego ryba.

– Gdzie nie spojrzeć – skomentował mój towarzysz nieobecnym tonem – obowiązują niepodważalne prawa natury. Zwierzęta dzielą się na drapieżców i ich ofiary. To niekończący się cykl życia i śmierci.

Nie miałam pojęcia, o co mu chodzi. Pomyślałam, że chce zmienić temat, ale kiedy znowu na mnie zerknął, w jego oczach dostrzegłam pogardę.

– Czy ktoś kiedyś widział, żeby ryba próbowała pocałować orła? – spytał retorycznie.

Odpowiedziałam mu ironicznym uśmiechem.

– Stąd nie było widać, czy nie próbowała – stwierdziłam. – Zresztą, nawet z bliska trudno zgadnąć, co takiej rybie chodzi po głowie. A orły są z wyglądu bardzo atrakcyjne.

– Czy do tego właśnie to się sprowadza? Lecisz tylko na przystojniaków?

– Nie wygaduj głupot.

– To może jego kasa tak na ciebie działa?

– O nie, teraz to już przesadziłeś – syknęłam.

Poderwałam się z miejsca i ruszyłam w stronę jego domu.

– Hej! Nie wściekaj się na mnie! – zawołał.

Znalazłszy się przy mnie w ułamku sekundy, złapał mnie za nadgarstek i odwrócił przodem w swoją stronę.

– Nie chcę ci dokuczyć! Pytam serio! Dużo o tym myślałem.

Był zły, że miałam go za chama i że ulokowałam swoje uczucia w kimś, kogo nienawidził.

– Po prostu go kocham! – krzyknęłam. – I nie dlatego, że jest przystojny albo że jest bogaty. Tak szczerze, to wolałabym, żeby był zupełnie normalnym chłopakiem, wtedy kontrast pomiędzy nami nie byłby taki duży i nikt nie mógłby się mnie czepiać. Kocham go, bo jest najbystrzejszym, najofiarniejszym i najbardziej przyzwoitym człowiekiem, z jakim w życiu miałam do czynienia. Kocham go nawet i bez tych cech. Czy to tak trudno pojąć?

– Tego nie da się pojąć.

– To może mi wytłumaczysz – poprosiłam z sarkazmem – w jakich wypadkach ktoś ma prawo być w kimś innym zakochany? Bo najwyraźniej świetnie się na tym znasz.

– Sądzę, że przede wszystkim należy wybierać osobnika tego samego gatunku. To zwykle wystarcza.

– Bomba! Czyli jestem skazana na Mike'a Newtona?

Byłam świadoma tego, że moje słowa go ranią, ale poirytowana, nie odczuwałam jeszcze wyrzutów sumienia.

Odsunął się ode mnie, przygryzając dolną wargę. Puścił moją dłoń, żeby spleść ręce na piersiach, i przeniósł wzrok na ocean.

– Ja też jestem człowiekiem – mruknął.

– Ale chyba trochę bardziej wybrakowanym niż Mike, prawda? – zauważyłam bezlitośnie. – I co, nadal jesteś zdania, że kwestia gatunków jest tu najważniejsza?

– Nie jestem taki jak Cullenowie – powiedział, nadal na mnie na patrząc. – Nie prosiłem się, żeby zostać wilkołakiem.

Zaśmiałam się z niedowierzaniem.

– A co, myślisz, że Edward chciał być wampirem? Był tak samo zaskoczony tym, co się z nim stało, jak ty. Do nikogo się nie zgłaszał, żeby go ugryziono.

Mój towarzysz kolebał się rytmicznie.

– Jacob, przyznaj, że po prostu ich dyskryminujesz. Przecież obaj jesteście potworami rodem z legend!

– Nie jestem taki jak Cullenowie – powtórzył, rzucając mi wrogie spojrzenie.

– No to powiedz, gdzie leży różnica, bo ja żadnej nie widzę. Kurczę, mógłbyś być dla nich trochę bardziej wyrozumiały, wiesz? To naprawdę porządni ludzie.

Zmarszczył nos.

– Powinno ich nie być – wycedził. – To, że istnieją, kłóci się z prawami natury.

Byłam w szoku. Jakbym dyskutowała z jakimś rasistą!

– No co? – spytał, widząc moją minę.

– Jacob, na lekcjach przyrody o wilkołakach też mnie nikt nie uczył...

– Bella – zaczął zmienionym głosem, poważniejszym i bardziej opanowanym. Odniosłam wrażenie, że słucham kogoś znacznie starszego od siebie. – To, kim jestem, wzięło się z głębi mnie. To część mojego dziedzictwa, dziedzictwa mojego plemienia. To dzięki temu wciąż zasiedlamy nasze ziemie. A poza tym ja naprawdę wciąż jestem człowiekiem.

Ujął moją dłoń i przycisnął sobie do piersi. Jego skóra, jak zwykle, była nienaturalnie gorąca. Pod materiałem podkoszulka wyczułam bijące serce.

– Zwykli ludzie nie potrafią podnosić motocykli jedną ręką.

Uśmiechnął się odrobinę.

– Bella, zwykli ludzie instynktownie unikają potworów. Zresztą, ja nie utrzymuję, że jestem normalny – ale jestem człowiekiem.

Złoszczenie się na niego kosztowało mnie zbyt dużo wysiłku. Kiedy oderwałam dłoń od jego klatki piersiowej, też się delikatnie uśmiechnęłam.

– Rzeczywiście, wyglądasz teraz na człowieka – przyznałam.

– I czuję się jak człowiek.

Warga mu zadrgała i znowu ją przygryzł.

– Och, Jake... – szepnęłam, sięgając po jego dłoń.

To dlatego właśnie przyjechałam do La Push, to dlatego byłam gotowa zmierzyć się po powrocie z rozjuszoną Alice – gdzieś tam, głęboko, pod warstwą agresji i sarkazmu, w sercu Jacoba kryło się cierpienie. Dostrzegłam je teraz w jego oczach. Nie wiedziałam, jak mu pomóc, ale wiedziałam, że muszę spróbować. Nie chodziło nawet o to, że coś mu byłam dłużna – chciałam postąpić tak, a nie inaczej, bo jego ból udzielał się i mnie samej. Jacob stał się niepostrzeżenie częścią mnie i już nic nie mogło tego zmienić.

5 *Wpojenie*

– Jak się w ogóle czujesz z tym wszystkim? Charlie mówił mi, że jesteś podłamany. Lepiej ci już?

– Przesadzał.

Wziął mnie za rękę, ale unikał mojego wzroku.

Szurając nogami po różnokolorowych kamykach, wróciliśmy do „naszego" drzewa. Przycupnęłam na konarze, ale Jacob wolał usiąść na wilgotnej ziemi niż koło mnie. Zastanowiłam się, czy nie dlatego, że tak łatwiej mu było ukrywać przede mną wyraz twarzy. Na szczęście nie puszczał mojej dłoni.

Zaczęłam trajkotać bez ładu i składu, byle tylko zagłuszyć ciszę.

– Tak dawno tu mnie nie było. Pewnie sporo mnie ominęło. Co słychać u Sama i Emily? A u Embry'ego? Czy Quil...

Zamilkłam raptownie, bo przypomniało mi się, że temat Quila był dla Jacoba drażliwy.

– Ach, Quil... – westchnął.

A więc stało się – już dołączył do watahy.

– Tak mi przykro – wymamrotałam.

Ku mojemu zdumieniu Jacob prychnął gniewnie.

– Tylko mu tego czasem nie mów.

– Dlaczego?

– Quil nie szuka pocieszenia. Wręcz przeciwnie – świetnie się bawi. Jest bardzo podekscytowany.

To nie miało dla mnie sensu. Wiosną wszyscy pozostali członkowie sfory byli bardzo zasmuceni faktem, że i Quil podzieli wkrótce ich los.

– Jest podekscytowany?

Jacob odwrócił się w moją stronę, uśmiechnął się i przewrócił oczami.

– Uważa, że to najfajniejsza rzecz, jak mu się w życiu przytrafiła. Częściowo dlatego, że wreszcie wie, co mu dolegało, a częściowo, bo odzyskał swoich kumpli, no i jesteśmy teraz bardziej zgrani niż kiedykolwiek wcześniej, jak jakiś supergang czy krąg wtajemniczonych. – Znowu prychnął. – Właściwie nie powinienem być tym zaskoczony. To cały Quil.

– Bycie wilkołakiem mu się podoba?

– Hm... Poniekąd wszystkim chłopakom to się podoba – przyznał refleksyjnie. – Potrafimy niezwykle szybko biegać, jesteśmy bardzo silni, starsi nie siedzą nam na głowie, no i, jak już mówiłem, jesteśmy bardzo zgrani. Żyć, nie umierać. Właściwie to Sam i ja jesteśmy tacy zgorzkniali. No, Samowi chyba już przeszło. Czyli zostałem tylko ja. – Jacob zaśmiał się sam z siebie. – Wielka, umięśniona beksa.

Bardzo mnie to wszystko zaciekawiło.

– Dlaczego właśnie wy zareagowaliście inaczej? Jak to w ogóle było z Samem? Z czym miał problemy?

Wyrzucałam z siebie pytania jedno za drugim, nie czekając na odpowiedź. Mój kompan znowu się zaśmiał.

– To długa historia.

– Ja opowiedziałam ci swoją długą historię. Poza tym nigdzie się nie spieszę.

Skrzywiłam się na myśl o tym, co czekało mnie po powrocie. Nie uszło to uwagi Jacoba.

– Zrobi ci awanturę za tę wizytę?

– Tak – przyznałam. – Nie cierpi, kiedy robię coś... kiedy narażam się na niebezpieczeństwo.

– Na przykład zadając się z wilkołakami?

– Na przykład.

Wzruszył ramionami.

– To nie wracaj. Będę spał na kanapie.

– Świetny pomysł – powiedziałam. – Edward na pewno nie przyjedzie mnie szukać.

Jacob zesztywniał, a potem znowu się uśmiechnął, ale inaczej.

– Przyjechałby?

– Gdyby bardzo się o mnie bał... Tak, to prawdopodobne.

– Tym bardziej powinnaś zostać.

– Błagam, Jake. Naprawdę się tym stresuję.

– Czym się stresujesz?

– Tym, że każdy z was jest taki chętny zabić drugiego! – pożaliłam się. – Zwariuję od tego niedługo. Dlaczego nie możecie zachowywać się jak ludzie cywilizowani?

– Edzio ma ochotę mnie zabić? – powtórzył Jacob zadowolonym tonem, ignorując moją prośbę.

– Na pewno mniejszą niż ty! – Uświadomiłam sobie, że krzyczę. – Przynajmniej on podchodzi do tego jak na dojrzałą osobę przystało. Wie, że gdyby ci coś zrobił, to tak, jakby to mnie coś zrobił, więc nie podniesie na ciebie ręki. Ale ty wcale się tym nie przejmujesz!

– Jasne – mruknął. – Co innego nasz pan pacyfista.

– Ech! – jęknęłam, wyrywając swoją dłoń z jego uścisku. Podciągnęłam kolana pod brodę i owinęłam je rękoma. Cała się gotowałam. Wbiłam wzrok w widnokrąg.

Mój towarzysz ucichł na kilka minut. W końcu podniósł się z ziemi, usiadł na konarze koło mnie i objął mnie ramieniem. Od razu je strzepnęłam.

– Przepraszam – wyszeptał. – Postaram zachowywać się, jak należy.

Nie odpowiedziałam.

– Chcesz poznać historię Sama? – zaoferował się.

Wzruszyłam ramionami.

– Tak jak mówiłem, to naprawdę długa historia. I bardzo... bardzo dziwna. Bo bycie wilkołakiem jest naprawdę dziwne. Nigdy nie miałem czasu wszystkiego ci o tym opowiedzieć. No i jeszcze u Sama trochę to się pokomplikowało... Nawet nie wiem, czy będę umiał to dobrze wyjaśnić.

Ciągle byłam na niego zła, ale mimo to mnie zaintrygował.

– Słucham – oświadczyłam oschle.

Kątem oka dostrzegłam, że się rozpogodził.

– Sam miał o wiele gorzej niż ja czy pozostali, ponieważ był pierwszy, więc został zupełnie sam i nie miał nikogo, kto by mu wytłumaczył, co się z nim dzieje. Dziadek Sama zmarł jeszcze przed jego narodzeniem, a jego ojciec zostawił matkę, jak Sam był bardzo mały. W jego najbliższym otoczeniu nie było nikogo, kto rozpoznałby pierwsze objawy. Kiedy pierwszy raz przeobraził się w wilka, wydawało mu się, że ma zwidy, że zwariował. Potrzebował aż dwóch tygodni, żeby uspokoić się na tyle, by móc zmienić się z powrotem w człowieka. To się działo jeszcze, zanim przeprowadziłaś się do Forks, dlatego nic o tym nie słyszałaś. Matka Sama i Leah Clearwater postawiły na nogi policję i leśników. Ludzie myśleli, że miał jakiś straszny wypadek.

– Leah? – zdziwiłam się.

Na dźwięk jej imienia poczułam współczucie, bo jej ojciec, Harry, długoletni przyjaciel Charliego, zmarł tej wiosny na atak serca.

Jacob dziwnie spochmurniał.

– Tak, Leah. Ona i Sam byli wtedy parą. Zaczęli ze sobą chodzić, jak była w pierwszej klasie liceum. Mało nie zwariowała, kiedy zaginął.

– Ale co z Emily?

– Spokojnie, dojdę do tego. To część historii.

Zaczerpnął powoli powietrza, a potem z impetem wypchnął je z płuc.

Chyba było naiwne z mojej strony sądzić, że Sam nie miał nikogo przed Emily – większość ludzi zakochiwała się przecież i odkochiwała przynajmniej kilka razy w życiu. Wzięło się to u mnie najprawdopodobniej stąd, że widziałam Sama tylko z nią. Trudno mi było wyobrazić go sobie z inną dziewczyną. Sposób, w jaki na nią patrzył... Cóż, podobną minę widywałam czasem i u Edwarda, kiedy patrzył na mnie.

– Sam wrócił – ciągnął Jacob – ale nie chciał nikomu powiedzieć, co się z nim działo. Ludzie snuli najróżniejsze domysły i najczęściej dochodzili do wniosku, że załatwiał jakieś brudne interesy. Super, prawda? Ale potem tak się złożyło, że dziadek Quila przyszedł do pani Uley z wizytą i uścisnął Samowi dłoń na powitanie. – Jacob parsknął śmiechem. – Jak go dotknął, o mało nie dostał zawału!

– Dlaczego? Nie rozumiem.

Jacob przyłożył mi dłoń do policzka. Mimowolnie obróciłam głowę w jego stronę. Nachylał się ku mnie, tak że nasze twarze dzieliło od siebie zaledwie kilkanaście centymetrów. Jego palce parzyły moją skórę, jakby miał wysoką gorączkę.

– No tak, Sam miał tak jak ty – powiedziałam drżącym głosem. Czułam się nieswojo, będąc tak blisko wielkiego rozgrzanego mężczyzny.

Znowu się zaśmiał.

– Jego dłoń była taka gorąca, jakby dopiero co dotykał nią kuchenki!

Był tak blisko, że owiewał mnie jego ciepły oddech. Niby to od niechcenia, sięgnęłam po jego dłoń, ale odrywając ją od swojego policzka, splotłam swoje palce z palcami Jacoba, żeby nie poczuł się tym gestem odtrącony. I tak się domyślił i natychmiast odsunął się ode mnie z uśmiechem.

– Ateara zrelacjonował, rzecz jasna, to wydarzenie pozostałym członkom starszyzny plemienia – kontynuował. – Tylko oni jeszcze coś pamiętali, coś wiedzieli. Dziadek Quila, Billy i Harry widywali na własne oczy, jak ich dziadkowie przeobrażali się w wilki. Kiedy usłyszeli, jakie Sam ma objawy, spotkali się z nim w tajemnicy i wszystko mu wyjaśnili. Było mu po tym dużo łatwiej – nie czuł się już taki samotny. Poza tym powiedziano mu, że skoro Cullenowie wrócili na dobre – Jacob wymawiał to nazwisko z nieuświadomioną pogardą – to niedługo dołączą do niego inni chłopcy. Tyle że wszyscy jesteśmy od Sama o tych parę lat młodsi, więc pozostawało mu czekać.

– Cullenowie nie mieli pojęcia, że tak na was działają – wtrąciłam. – To ja ich oświeciłam. Myśleli, że w tej okolicy po prostu wilkołaków już nie ma.

– Co nie zmienia faktu, że ich pojawienie się spowodowało to, co spowodowało.

– Jesteś dziecinny w tej swojej nienawiści.

– A co, mam im może wybaczyć tak jak ty? Nie wszyscy mogą być świętymi i męczennikami.

– Wiesz co? Dorośnij.

Zamilkł na chwilę.

– Chciałbym – powiedział cicho.

Kiedy dotarło do mnie, co ma na myśli, otworzyłam szeroko oczy.

– Co takiego?!

Zachichotał.

– Już mówiłem, że bycie wilkołakiem jest bardzo dziwne.

– Nie dorośniesz? – wykrztusiłam. – Czyli się nie zestarzejesz, tak? Jacob, czy to jakiś głupi dowcip?

– Nie – odparł, zadowolony, że zdołał czymś tak mnie wyprowadzić z równowagi.

Do oczu napłynęły mi łzy, ale nie z rozpaczy, tylko z gniewu. Zazgrzytałam zębami.

– Bella, co jest? – przestraszył się Jacob. – Co ja takiego powiedziałem?

Zerwałam się na równe nogi, trzęsąc się na całym ciele. Dłonie miałam zaciśnięte w pięści.

– Nie zestarzejesz się! – ryknęłam.

Jacob poklepał mnie ostrożnie po ramieniu, zachęcając, żebym usiadła.

– Żaden członek watahy się nie zestarzeje. Ale czemu tak to cię porusza?

– Czyli wychodzi na to, że tylko mnie to czeka! – wybuchłam. – Cholera jasna, starzeję się z dnia na dzień!

Jakaś część mnie zdawała sobie sprawę, że mam atak furii w stylu Charliego, ale nie byłam w stanie nad sobą zapanować.

– A niech to! Jak tak można? Gdzie tu sprawiedliwość?

– Przestań, proszę.

– Zostaw mnie w spokoju! Zostaw mnie w spokoju! To nie fair!

– Czy mam przywidzenia, czy naprawdę przed chwilą tupnęłaś nogą? – spytał Jacob. – Sądziłem, że dziewczyny robią tak tylko w durnych serialach.

Nie udało mu się mnie rozbawić.

– Nie jest tak źle, jak ci się wydaje. Chodź, usiądź, to ci wszystko wytłumaczę.

– Dziękuję, postoję.

Wzniósł oczy ku niebu.

– Okej, niech ci będzie, ale chociaż mnie posłuchaj. W końcu się zestarzeję. Zadowolona? Kiedyś tam się zestarzeję.

– No to zestarzejesz się czy nie?

Poklepał miejsce koło siebie. Przez kilka sekund patrzyłam na niego spode łba, ale nagle złość opuściła mnie równie raptownie, jak się pojawiła. Uzmysłowiwszy sobie, że zachowywałam się jak idiotka, potulnie usiadłam.

– Kiedy wilkołak zyskuje nad sobą dostateczną kontrolę, żeby przestać... A może inaczej: wilkołak zaczyna się normalnie starzeć, kiedy przez dostatecznie długi okres nie zmienia się w wilka. Tyle że to nie takie łatwe. Trzeba przynajmniej kilku lat, żeby wyrobić w sobie taką wstrzemięźliwość. Nawet Sam tego jeszcze nie potrafi. Zresztą, nie mamy szans choćby spróbować się nie zmieniać, skoro tuż obok mieszka cała rodzina wampirów – musimy stać na straży bezpieczeństwa naszego plemienia. Ale tak w ogóle, to się nie przejmuj. Na szczęście, na razie nie zależy nam jakoś specjalnie na tym, żeby normalnie się starzeć, bo dołączając do watahy, wszyscy dojrzeliśmy w kilka tygodni, przynajmniej fizycznie. I tak jestem teraz starszy od ciebie.

– Jak to, starszy ode mnie?

– No tylko popatrz na mnie. Czy ja wyglądam na szesnaście lat?

Omiotłam go wzrokiem od stóp do głów, starając się zachować obiektywizm.

– Rzeczywiście, nie wyglądasz – przyznałam.

– Co najwyżej na szesnastolatka łykającego jakieś supersterydy. Sama pamiętasz, przecież jeszcze niedawno po prostu rosłem w oczach. To te wilcze geny. Mam teraz pewnie ciało dwudziestopięciolatka. Więc nie masz co się przejmować tym, że jesteś dla mnie za stara przynajmniej przez następnych siedem lat.

Dwudziestopięciolatka? No tak, taka była prawda – przypomniało mi się, jak wczesną wiosną potrafił zmieniać się z dnia na dzień. Mimowolnie stałam się świadkiem kolejnego nadprzyrodzonego zjawiska. Oszołomiona tą rewelacją, pokręciłam z niedowierzaniem głową.

– To jak, chcesz wysłuchać do końca historii Sama czy wolisz jeszcze na mnie trochę powrzeszczeć za coś, na co i tak nie mam wpływu?

– Przepraszam. Mam taką małą obsesję. Nadepnąłeś mi niechcący na odcisk.

Jak nic domyślił się, z czym w moim przypadku wiąże się zahamowanie procesu starzenia, bo zmrużył oczy, jakby zastanawiał się, jak sformułować jakieś pytanie. Żeby uniknąć dalszego drążenia tego tematu, pospiesznie zwróciłam jego uwagę na porzucony wątek naszej rozmowy.

– Więc kiedy Sam po spotkaniu ze starszyzną zrozumiał, co się z nim dzieje, było mu już łatwiej, tak? No i sam mówiłeś, że bycie wilkołakiem ma swoje dobre strony. Więc dlaczego... – zawahałam się. – Dlaczego mimo wszystko tak bardzo nienawidzi Cullenów? Dlaczego chciałby, żebym ja też ich nienawidziła?

Westchnął.

– To jest właśnie jedna z tych dziwnych rzeczy.

– Jacob, ja jestem ekspertem od dziwnych rzeczy.

– Wiem, wiem... No więc, tak jak powiedziałaś, Sam czuł się już lepiej i jego życie do pewnego stopnia wróciło do normy, ale pozostawał jeden problem, bardzo poważny problem: nie mógł o niczym powiedzieć Lei. Możemy zdradzać nasz sekret tylko w bardzo wyjątkowych przypadkach. Poza tym, teoretycznie, dla jej własnego dobra miał się przestać z nią widywać – jednak wymykał się chyłkiem, tak jak ja do ciebie. Leah była wściekła, że nie jest z nią szczery – że nie mówi jej, gdzie się podziewał, co robi nocami, dlaczego zawsze jest taki zmęczony i takie tam – ale mimo wszystko oboje starali się ze wszystkich sił ratować ten związek. Naprawdę bardzo się kochali.

– Czy w końcu się dowiedziała? To dlatego się rozstali?

Pokręcił przecząco głową.

– Nie, nie. Wszystko się zmieniło, kiedy do Lei przyjechała w odwiedziny jej kuzynka z rezerwatu Makah, Emily Young.

– Co takiego?! Emily jest kuzynką Clearwaterów?!

– No, daleką kuzynką. Ale jako dzieci były z Leą jak siostry.

– To straszne! Jak on mógł?! Z kuzynką swojej dziewczyny... Nie podejrzewałam, że Sam byłby zdolny do czegoś podobnego.

– Wstrzymaj się chwilkę, zanim zaczniesz mieć go za skończonego drania. Czy któreś z nas mówiło ci kiedyś... Czy wiesz, co to jest wpojenie?

– Wpojenie? – powtórzyłam nieznane sobie słowo. – Pierwsze słyszę.

– To jedna z kolejnych dziwnych rzeczy, o których ci jeszcze nie wspominałem. Nie przytrafia się wszystkim. Właściwie to niezmiernie rzadkie zjawisko. Sam słyszał o nim od starszyzny, ale nigdy mu się nawet nie śniło...

– Co się wtedy dokładnie dzieje? – przerwałam ten niezborny wywód.

Jacob przeniósł wzrok na ocean.

– Sam naprawdę kochał Leę, ale kiedy zobaczył Emily, zupełnie o niej zapomniał. Pod wpływem Emily tamto uczucie zostało w nim gwałtownie zduszone. I zastąpione nowym, silniejszym. To było jak grom z jasnego nieba. Tak się czasami dzieje, kiedy znajdujemy sobie partnerkę na całe życie. – Spojrzał na mnie i zaraz się zarumienił. – No wiesz, naszą drugą połówkę.

– Masz na myśli miłość od pierwszego wejrzenia? – spytałam z pewną dozą ironii.

Nie spodobała mu się moja reakcja.

– To coś większego niż zwykła miłość. Coś bardziej... wszechogarniającego.

– Przepraszam – powiedziałam. – To poważna sprawa, prawda?

– Jasne, że poważna.

– Hm. Silniejsze niż miłość od pierwszego wejrzenia...

Trudno mi było ukryć własne powątpiewanie.

– To dosyć skomplikowane – przyznał. – Ale mniejsza o to. Chciałaś wiedzieć, dlaczego Sam tak nienawidzi Cullenów, to udzieliłem ci odpowiedzi. Nienawidzi ich za to, że stał się przez nich wilkołakiem i że w rezultacie złamał Lei serce. Ba, złamał każde dane jej słowo. Teraz dzień w dzień musi znosić jej obecność, z pełną świadomością tego, jak bardzo ją skrzywdził.

Przerwał nagle swój monolog, jakby uświadomił sobie, że powiedział o kilka słów za dużo.

– A co o tym wszystkim sądzi Emily? Skoro była z Leą tak blisko...

Sam i Emily tak idealnie do siebie pasowali, naprawdę byli jak te przysłowiowe połówki jabłka. A jednak... Jak udało jej się pogodzić z faktem, że odbiła ukochanego niemalże rodzonej siostrze?

– Z początku była bardzo zła na Sama, ale tak ją adorował, taki był jej oddany, że w końcu uległa jego zalotom. – Westchnął. – A potem Sam wyznał jej całą prawdę. Kiedy w grę wchodzi wpojenie, można powiedzieć drugiej stronie wszystko, co się chce. Zresztą zapłacili już za swoje grzechy. Wiesz, skąd Emily ma tę straszna bliznę, prawda?

– Wiem.

Oficjalnie zmasakrował ją niedźwiedź, ale dopuszczono mnie do tajemnicy.

Wilkołakom brakuje samokontroli, powiedział mi niedawno Edward. Zadając się z nimi, można odnieść poważne obrażenia.

– Paradoksalnie, ten wypadek scementował ich związek. Sam zupełnie się załamał, dręczyły go straszne wyrzuty sumienia... Gdyby tylko to coś Emily dało, rzuciłby się bez namysłu pod autobus. I bez tego zastanawiał się, czy nie popełnić samobójstwa – żeby uciec przed samym sobą. O mało nie zwariował. No i nagle okazało się, że to ona go pociesza i wspiera, a nie na odwrót. A potem...

Nie dokończył zdania. Domyśliłam się, że dalsze szczegóły nie są już przeznaczone dla moich uszu.

– Biedna Emily – szepnęłam. – Biedny Sam. Biedna Leah.

– Tak, Leah najgorzej na tym wyszła. Ale robi dobrą minę do złej gry. Ma być druhną na ich ślubie.

Starałam się ułożyć sobie to wszystko w głowie. Spojrzałam w bok, ku południowemu krańcowi zatoki, gdzie nad taflą wody wznosiły się poszarpane skały przypominające połamane palce gigantów. Czułam na sobie wzrok Jacoba, który czekał najwyraźniej, aż coś powiem.

– A ty? – spytałam po dłuższej przerwie, nie patrząc na niego. – Czy też zakochałeś się już od pierwszego wejrzenia?

– Nie – odpowiedział szybko. – Tylko Samowi i Jaredowi się to przytrafiło.

– Ach tak.

Udałam grzecznie zainteresowaną, ale tak naprawdę poczułam tylko ulgę. Spróbowałam sobie wytłumaczyć, dlaczego tak się stało, i zadecydowałam, że cieszę się po prostu, iż nie łączy mnie z Jacobem żadna mistyczna wilcza więź. Relacje pomiędzy nami i tak były już dość skomplikowane, nie potrzebowaliśmy kolejnego nadprzyrodzonego zjawiska.

Jacob zamilkł i ta cisza nieco mi ciążyła. Intuicja podpowiadała, że nie chcę wiedzieć, o czym rozmyślał.

– A jak to wyglądało u Jareda? – spytałam, żeby ratować sytuację.

– Na szczęście obyło się bez dramatów. Trafiło po prostu na dziewczynę, z którą przez rok siedział w jednej ławce. Wcześniej w ogóle mu się nie podobała, ale jak ją zobaczył po swojej pierwszej przemianie... Kim była w siódmym niebie, bo okazało się, że od dawna się w nim podkochiwała. Nawet ćwiczyła na kartkach swojego pamiętnika podpisy, no wiesz, jak by wyglądało jej imię z jego nazwiskiem. – Zaśmiał się drwiąco.

Zmarszczyłam czoło.

– Zdradził ci jej sekret? To trochę niesmaczne.

Spuścił oczy.

– Wiem, nie powinienem się śmiać. Ale to zabawne, prawda?

– Lojalna z niego druga połówka, nie ma co.

Jacob westchnął.

– Pamiętaj, że Jared nie opowiada nam takich szczegółów nad piwkiem. Nic nie może na to poradzić. Jesteśmy wszyscy członkami sfory.

– No tak, zapomniałam, że potraficie czytać sobie w myślach. Ale tylko kiedy jesteście wilkami, prawda?

– Zgadza się. To trochę tak, jak ten twój krwiopijca.

– Edward – poprawiłam.

– To stąd wiem tyle o tym, jak czuł się Sam. Gdyby miał wybór, pewnie by wiele przed nami zataił, a tak... – Jacob ucichł na moment. – Tak właściwie to mamy tego wszyscy po dziurki w nosie – zwierzył się zgorzkniałym tonem. – To straszne, nie mieć prywatności, nie mieć żadnych tajemnic. Wszystko, czego się wstydzisz, podane jak na tacy.

Wzdrygnął się.

– Tak, nie brzmi to najlepiej.

– No, ale podczas akcji w lesie czasem bardzo się przydaje – przyznał niechętnie. – No wiesz, raz na sto lat, kiedy na nasze terytorium zapędzi się jakaś pijawka. To była dopiero jazda, jak ścigaliśmy Laurenta! I jak tropiliśmy Victorię też. Gdyby nie ci cholerni Cullenowie... – Zacisnął dłonie w pięści. – Dorwalibyśmy gadzinę, dorwalibyśmy ją jak nic!

Przeszły mnie ciarki. Bałam się o Emmetta, bałam się o Jaspera, ale mój lęk o nich był niczym w porównaniu z tym, co czułam na myśl, że z Victorią mógłby walczyć Jacob. Bracia Edwarda ze swoimi twardymi, marmurowymi ciałami wydawali mi się niezniszczalnymi androidami, mój przyjaciel z kolei był ciepły i miękki, i przez to o wiele bardziej od nich ludzki. No i był przecież śmiertelnikiem. A Victoria nie. Przed oczami stanęły mi jej kocie rysy. Zadrżałam.

Jacob przyglądał mi się z dziwną miną.

– Ale ty też tak masz, prawda? Twój pan wampir też siedzi ci cały czas w głowie.

– Edward? O nie. Chciałoby się.

Przypomniałam sobie te wszystkie sytuacje, w których dziękowałam Bogu za to, że ukochany nie słyszy moich myśli, i uśmiechnęłam się pod nosem, dumna z własnej odmienności.

Swoją odpowiedzią zbiłam Jacoba z pantałyku. Wyglądał na zdezorientowanego.

– Nie słyszy mnie. Nie słyszy moich myśli – pospieszyłam z wyjaśnieniem. – Jestem wyjątkiem, mutantem. Nie wiemy, czemu akurat ja.

– Ciekawe... – mruknął.

– No – przytaknęłam, ale moje samozadowolenie szybko znikło. – Pewnie to znaczy, że coś jest nie tak z moim mózgiem.

– To chyba oczywiste dla każdego, kto cię zna – zażartował.

– Piękne dzięki.

Spomiędzy chmur wyjrzało niespodziewanie słońce. Co za miła niespodzianka! Promienie odbiły się od fal zatoki i musiałam zmrużyć oczy. Wszystko wokół zmieniło barwę: fale z szarych stały się błękitne, drzewa ze zgniłozielonych szmaragdowe, a kamyki we wszystkich odcieniach tęczy rozbłysły jak stosy klejnotów. Potrzebowaliśmy trochę czasu, żeby nasz wzrok przyzwyczaił się do tych wszechobecnych jaskrawości.

Nad naszymi głowami pokrzykiwały mewy, miażdżone masami wody kamienie ocierały się o siebie, a szum rozbijających się o brzeg bałwanów odbijał się echem od osłaniających zatokę klifów. Wszystkie te dźwięki tworzyły jedną, relaksującą całość.

Jacob przysunął się do mnie na tyle blisko, że oparł się o moje ramię. Był taki rozpalony! Po minucie przebywania w takiej pozycji musiałam zdjąć wiatrówkę. Kiedy na powrót znieruchomiałam, oparł się policzkiem o moją skroń, a z głębi jego gardła dobyło się ciche mruknięcie pełne zadowolenia. Poczułam na skórze promienie słońca – chłodniejsze od mojego towarzysza – i zastanowiłam się, ile musiałabym tak siedzieć, żeby doznać oparzeń.

Wyciągnąwszy przed siebie prawą rękę, zaczęłam obracać ją pod różnymi kątami, przyglądając się, jak w ostrym świetle iskrzy się moja srebrnawa blizna, tragiczna pamiątka po spotkaniu z Jamesem.

– O czym myślisz? – szepnął Jacob.

– O słońcu.

– Fajnie grzeje.

– A ty, o czym myślisz?

Zaśmiał się cicho.

– Przypomniałem sobie ten idiotyczny film, na który mnie zabrałaś. I Mike'a Newtona, jak dopadła go grypa żołądkowa.

Też się zaśmiałam, zaskoczona, że czas uleczył jednak rany – jeszcze do niedawna wolałam nie wspominać tamtego wieczoru. Kiedyś kojarzył mi się ze stresem i zagubieniem, a teraz potrafiłam się z niego śmiać! To właśnie tego dnia, zaledwie w kilka godzin po wyjściu z kina, Jacob poznał prawdę o swoim dziedzictwie. Głupi film i Mike w ubikacji wyznaczały koniec jego niewinności, były jego ostatnimi ludzkimi wspomnieniami. Teraz, paradoksalnie, już przyjemnymi wspomnieniami.

– Wiesz, tęsknię za tamtymi czasami – stwierdził. – Za tym, że wszystko było takie... nieskomplikowane. – Westchnął. – Jak to dobrze, że mam dobrą pamięć.

Jego słowa z czymś mi się skojarzyły. Wyczuł, że zdrętwiałam.

– Co jest?

– Ta twoja dobra pamięć... – odsunęłam się od niego, żeby móc widzieć jego minę. W tej chwili wyrażała zaniepokojenie. – Korzystałeś z niej wtedy pod szkołą, prawda? Przywoływałeś jakieś obrazy czy coś, żeby zdenerwować nimi Edwarda. Powiesz mi, jakie dokładnie?

„Żeby zdenerwować Edwarda" było tu eufemizmem – sadystycznie go wtedy dręczył – ale chciałam uzyskać odpowiedź, a nie doprowadzić do kłótni.

– Ach, to – zrozumiał i uśmiechnął się. – Myślałem po prostu o tobie, nic więcej. Ale miał minę! Nieźle mi wyszło, co nie?

– O mnie? Co sobie o mnie myślałeś?

Uśmiech Jacoba zmienił się w okrutny uśmieszek.

– Najpierw pomyślałem o tym, jak wyglądałaś, kiedy Sam znalazł cię w lesie – widziałem to nieraz w jego głowie, bo ten obraz go prześladuje, więc mogłem odtworzyć wszystko ze szczegółami. A potem pomyślałem o tym, jak wyglądałaś, kiedy pierwszy raz przyjechałaś do La Push. Założę się, że do dziś nie zdajesz sobie sprawy, jak bardzo rzucałaś się wtedy w oczy. Musiało minąć kilka tygodni, żebyś zaczęła przypominać żywego człowieka. Co jeszcze... Ach tak, pokazałem mu też ten twój gest z owijaniem się ramionami, kiedy wydawało ci się, że się rozpadasz. – Zademonstrował go i zaraz potem się skrzywił. – Nawet mnie było trudno patrzeć na to wszystko, chociaż to, że się tak czułaś, nie było przecież moją winą, więc pomyślałem, że twój pan wampir na pewno wymięknie. Zresztą, powinien być świadomy, co narobił.

Uderzyłam go w ramię, ale tylko mnie to zabolało.

– Jak mogłeś! Nigdy więcej tego nie rób! Obiecaj!

– Nie ma mowy. Już dawno tak dobrze się nie bawiłem.

– Zrób to dla mnie!

– Och, weź się w garść, Bella. Co ty, myślisz, że pojadę jutro specjalnie do Forks? Nie wiem, czy jeszcze kiedyś faceta zobaczę. Nie ma się czym przejmować.

Wstałam, żeby odejść, ale złapał mnie za rękę. Próbowałam mu się bezskutecznie wyrwać.

– Wracam do domu – oświadczyłam.

– Nie, nie idź jeszcze – poprosił. – Kurczę, przepraszam. Okej, obiecuję, że nie będę przy nim o niczym celowo myślał.

Westchnęłam.

– Dzięki.

– Chodź, posiedzimy trochę z Billym – zaproponował z entuzjazmem.

– Tak właściwie to naprawdę muszę już jechać. Umówiłam się z Angelą Weber, no i wiem, że Alice się o mnie martwi. Nie chcę przeginać.

– Dopiero co przyjechałaś!

– Tylko tak się wydaje.

Spojrzałam znacząco na słońce. Jakimś cudem było już w zenicie. Straciłam na plaży poczucie czasu.

Jacob wbił wzrok w swoje stopy.

– Nawet nie wiem, czy jeszcze cię kiedyś zobaczę – powiedział smutno.

– Jak Edward znowu wyjedzie w góry, przyjadę na pewno – zdeklarowałam się pod wpływem impulsu.

– Jak wyjedzie w góry? – powtórzył drwiącym tonem. – Co za urocze określenie jego odrażających praktyk.

– Jeśli będziesz tak dalej gadał, to nie przyjadę! – zagroziłam. Cały czas usiłowałam wyswobodzić dłoń z jego uścisku.

– Nie wściekaj się, Bella. To już u mnie odruchowe.

– Słuchaj, jeśli mam się męczyć, główkując, jak tu się wymknąć, to musimy postawić pewną sprawę jasno, dobra?

Czekał na to, co powiem.

– Mnie nie interesuje to, kto jest wampirem, a kto wilkołakiem. To nie ma znaczenia. Ty jesteś Jacob, ja jestem Bella, a Edward to Edward. Koniec, kropka.

Zmarszczył czoło.

– Ale ja jestem wilkołakiem – oświadczył hardo. – A on wampirem – dodał z widocznym obrzydzeniem.

– A ja jestem Panną! – krzyknęłam, tracąc cierpliwość.

Przez chwilę przyglądał mi się bacznie, a w końcu wzruszył ramionami.

– Skoro potrafisz to rozdzielać...

– Potrafię. I ty też powinieneś.

– Okej. Tylko Bella i Jacob. I zero astrologii! – upomniał mnie, po czym uśmiechnął się dokładnie w taki sposób, za jakim tak bardzo tęskniłam.

Nie mogłam nie odpowiedzieć mu tym samym.

– Strasznie mi cię brakowało – wyznałam spontanicznie.

– Mnie ciebie też. – Uśmiechnął się jeszcze szerzej, tak że na jego twarzy nie pozostało ani śladu po wilczym zgorzknieniu. – Bardziej, niż ci się wydaje. To co, do zobaczenia?

– Do zobaczenia. Wrócę tak szybko, jak się da.

6 *Szwajcaria*

Jadąc do domu, ledwie zwracałam uwagę na drogę. Wilgotny asfalt połyskiwał w słońcu. Rozmyślałam o wszystkim, o czym opowiedział mi Jacob, starając się sobie to jakoś poukładać. Pomimo nadmiaru informacji krążących w mojej głowie czułam się jakby lżejsza. Znowu było mi dane zobaczyć ten wspaniały uśmiech, no i coraz lepiej rozumiałam wilczą naturę – nie rozwiązywało to naszych problemów, ale podnosiło mnie na duchu.

Dobrze zrobiłam, składając mu wizytę. Potrzebował mnie. I na pewno nie stanowił dla mnie zagrożenia.

Zerknęłam w boczne lusterko. Nic. Szosa za mną była zupełnie pusta.

Kilka sekund później zerknęłam w nie od niechcenia po raz w drugi i aż podskoczyłam. Srebrne volvo pojawiło się znikąd. Jechało tuż za mną.

– Cholera – mruknęłam.

Mogłam po prostu zaparkować na poboczu, ale zabrakło mi odwagi. Liczyłam na to, że będę miała trochę czasu na obmyślenie argumentów i że do konfrontacji dojdzie w moim pokoju, a więc zaledwie parę metrów od Charliego, przez co Edward nie mógłby przynajmniej podnosić na mnie głosu, ale tak...

Moją furgonetkę dzieliły od volvo centymetry.

Jak na tchórza przystało, pojechałam prosto do Angeli. Po drodze ani razu nie zerknęłam w lusterko. Odbijające się w nim spojrzenie było w stanie topić szkło.

Edward śledził mnie aż do domu Weberów. Nie zatrzymał się, gdy wyhamowałam, a ja nie odwróciłam głowy, nie chcąc widzieć wyrazu jego twarzy. Gdy tylko zniknął za zakrętem, podbiegłam do drzwi.

Zapukałam, otworzył mi Ben. Musiał stać w gotowości w przedpokoju.

– Ach, to ty – powiedział zaskoczony. – Cześć.

– Cześć. Jest Angela?

Przestraszyłam się, że zapomniała o naszym spotkaniu i będę musiała wrócić do domu dużo wcześniej.

– Jasne.

Wskazał na schody prowadzące na piętro. W tym samym momencie pojawiła się na nich jego dziewczyna.

– Bella! – zawołała uradowana.

Ben wyjrzał przez otwarte wciąż drzwi. Usłyszałam, że na podjeździe parkuje jeszcze jeden samochód, ale nawet się nie odwróciłam, bo silnik przybysza ryczał prawie tak potwornie jak mój. Nie, to na pewno nie było srebrne volvo, tylko ów gość, którego wyglądał Ben.

– To Austin – zakomunikował Angeli, kiedy stanęła u jego boku.

Na zewnątrz ktoś zatrąbił.

– Wpadnę wieczorem – obiecał. – Już za tobą tęsknię.

Przyciągnął ją do siebie i pocałował na pożegnanie. Długo. Przerwał im dopiero natarczywy dźwięk klaksonu.

– No to lecę. Cześć.

Wyszedł, nawet na mnie nie patrząc. Zarumieniona Angela stanęła na progu i machała za autem Austina tak długo, dopóki było je widać. Wreszcie zamknęła drzwi.

– Nawet nie wiesz, jaka jestem wdzięczna, że przyjechałaś – powiedziała. – Naprawdę, dziękuję ci z całego serca. Gdyby nie ty, nie dość, że rozwaliłabym sobie prawy nadgarstek, to jeszcze musiałabym oglądać jakiś kretyński azjatycki film akcji z beznadziejnym dubbingiem.

Odetchnęła z ulgą.

– Cała przyjemność po mojej stronie – odparłam.

Nie czułam się już taka spanikowana i oddychałam prawie normalnie. Tak miło było znaleźć się w zwykłym domu wśród zwykłych ludzi i usłyszeć, że mają zwykłe problemy.

Poszłyśmy na górę, do jej pokoju. Szła przodem, odsuwając stopą zalegające schody zabawki. Zauważyłam, że jest ciszej niż zwykle.

– A gdzie bliźniaczki?

– Rodzice zawieźli je na kinderbal do Port Angeles. Jejku, nie mogę uwierzyć, że chcesz mi pomóc przy tych nieszczęsnych zawiadomieniach. Wszyscy wymigują się, jak mogą. Ben, na przykład, udaje, że ma zapalenie ścięgna.

– Kombinator – zaśmiałam się, ale śmiech uwiązł mi w gardle, bo doszłyśmy już do pokoju Angeli i moim oczom ukazały się sterty kopert. – Och! – wyrwało mi się.

Spojrzała na mnie przepraszająco. Teraz rozumiałam, dlaczego tak długo to odkładała i dlaczego jej luby dał drapaka.

– Myślałam, że koloryzujesz z tymi setkami kuzynów – przyznałam.

– Wierz mi, chciałabym. Pewnie chcesz się wycofać, co?

– Skąd. Dawaj te koperty. Nigdzie się nie spieszę.

Rozdzieliła sterty na pół, a pomiędzy nimi położyła notes z adresami należący do jej matki. Zabrałyśmy się do pracy. Przez kilka minut słychać było tylko nasze długopisy jeżdżące po papierze.

– A co porabia Edward dziś wieczorem? – odezwała się znienacka.

O mało co nie zrobiłam w kopercie dziury.

– Eee... Emmett przyjechał do domu na weekend. Ponoć wybrali się razem w góry.

– Mówisz tak, jakbyś nie miała pewności.

Wzruszyłam ramionami.

– To dobrze, jak facet ma braci, bo wtedy to oni są od męskich spraw. Masz szczęście. Dziękuję Bogu, że Ben kumpluje się z Austinem.

– Słusznie. Mnie tam w góry nie ciągnie, a nawet gdyby, to przecież i tak nie wytrzymałabym ich tempa.

– Tak. Ja też wolę siedzieć w ciepłym, suchym domu.

Znowu zamilkłyśmy. Zaadresowałam kolejne cztery koperty. Przy Angeli nigdy nie trzeba było paplać o błahostkach, byle tylko coś mówić. Podobnie jak Charlie, dobrze znosiła ciszę.

Ale czasami, też tak jak on, była zanadto spostrzegawcza.

– Coś nie tak? – spytała cicho. – Wyglądasz, jakby... jakbyś czymś się zadręczała.

Uśmiechnęłam się kwaśno.

– Aż tak to widać?

– Nie, nie jest tak źle.

Pomyślałam, że kłamie, żeby mnie pocieszyć.

– Tak tylko pytam. Nie musisz mi się z niczego zwierzać – zapewniła. – Ale jeśli sądzisz, że to ci pomoże, to śmiało, możesz mi się wyżalić.

Miałam już powiedzieć: „To miło z twojej strony, ale nie, dzięki". Tylu tajemnic musiałam dotrzymywać, że nie mogłam ryzykować – nie mogłam się zwierzać nikomu, kto był zwykłym człowiekiem. Inaczej złamałabym zasady, taki mój niepisany pakt.

Ale z drugiej strony, tego właśnie było mi trzeba. Marzyłam, by móc po prostu pogadać, trochę się pożalić, trochę poplotkować, pogderać. Przedstawić moje problemy tak, żeby przypominały to, co przydarzało się i innym nastolatkom. Poznać zdanie kogoś, kto nie jest ani wilkołakiem, ani wampirem. Kogoś, kto nie jest uprzedzony.

– Nie ma sprawy – powiedziała Angela, widząc moje wahanie. – Niczego nie zauważyłam.

Pochyliła się nad swoją kopertą.

– Nie, nie – zaprotestowałam. – Masz rację. Mam taki jeden kłopot. Chodzi... chodzi o Edwarda.

– Co, pokłóciliście się?

Och, była taka cudowna! Widziałam w jej oczach, że nie zależy jej na poznaniu mojego sekretu tylko po to, żeby móc zamienić go w pikantną plotkę. Nie, nie była Jessicą. Naprawdę się o mnie martwiła.

– Jest na mnie wściekły.

– Trudno mi to sobie wyobrazić. Ma jakieś powody?

Westchnęłam.

– Kojarzysz Jacoba Blacka?

– Ach, rozumiem.

– No właśnie.

– Jest zazdrosny.

– Nie, nie zazdrosny...

Powinnam była trzymać język za zębami. Tego nie dawało się dobrze wyjaśnić. Ale chciałam opowiedzieć o wszystkim Angeli tak czy owak. Nie zdawałam sobie wcześniej sprawy, że tak bardzo brakowało mi ludzkiego partnera do rozmowy.

– Edward uważa, że Jacob... że Jacob ma na mnie zły wpływ. Coś w tym rodzaju. Że przebywanie z nim może być dla mnie niebezpieczne. Sama wiesz, w co się wpakowałam kilka miesięcy temu. Oczywiście te jego podejrzenia są śmiechu warte.

O dziwo, zgodna zazwyczaj Angela pokręciła przecząco głową.

– No co? – spytałam.

– Bella, widziałam, jak Black na ciebie patrzy. Założę się, że tak naprawdę chodzi wyłącznie o czystą zazdrość.

– Ja tam do Jacoba nic nie mam.

– Ty może nie, ale on...

Nastroszyłam brwi.

– Jacob wie, jak się sprawy mają. Jestem wobec niego szczera.

– Ale twój Edward jest tylko człowiekiem. Każdy inny chłopak też by tak przeginał na jego miejscu.

Skrzywiłam się. Do tego stwierdzenia nie miałam riposty.

Angela poklepała mnie po dłoni.

– W końcu mu przejdzie.

– Mam nadzieję. Tak się złożyło, że z pewnych powodów Jacob przechodzi teraz trudny okres. Potrzebuje mnie.

– Jesteście sobie naprawdę bliscy, prawda?

– Jak brat i siostra – przyznałam.

– A Edward go nie toleruje... Hm, twardy orzech do zgryzienia. Ciekawa jestem, jak Ben zachowałby się w takiej sytuacji.

Uśmiechnęłam się.

– Pewnie jak każdy inny chłopak na jego miejscu.

Rozbawiłam ją swoim powtórzeniem.

– Tak, pewnie tak.

A potem zmieniła temat. Była wspaniała – musiała wyczuć, że nic więcej już jej nie powiem.

Nie mogłam jej nic więcej powiedzieć.

– Dostałam wczoraj pocztą przydział na akademik – oznajmiła. – Oczywiście na drugim końcu miasta.

– Ben też już wie, gdzie będzie mieszkał?

– Na samej granicy kampusu. Ech, ten to zawsze ma szczęście. A ty? Podjęłaś decyzję, gdzie będziesz studiować?

Spuściłam oczy, koncentrując się na moment na zawijasach mojego ledwo czytelnego pisma. Na sekundę rozproszyło mnie coś, o czym nagle sobie przypomniałam – przecież za parę miesięcy Angela i Ben wyjadą do Seattle! Czy wtedy miało być tam już bezpiecznie? Czy nowy wampir miał się do tego czasu wynieść? Czy wtedy jego nowe miejsce zamieszkania też miało trafić na pierwsze strony gazet?

A może to moje wyczyny miały się tam znaleźć jesienią?

Odgoniłam pospiesznie czarne myśli, ale i tak odpowiedziałam na pytanie koleżanki z pewnym opóźnieniem.

– Chyba wybiorę Alaskę. Uniwersytet stanowy mieści się tam w Juneau.

– Alaskę? – zdziwiła się. – Naprawdę? Eee... no... fajnie. Sądziłam tylko, że będziesz preferować jakieś cieplejsze miejsca.

Uśmiechnęłam się, ale nadal nie odrywałam wzroku od koperty.

– Jak widać, pobyt w Forks trochę mnie zmienił.

– A Edward?

Przeszedł mnie zimny dreszcz, ale nie dałam tego po sobie poznać. Dzielnie spojrzałam Angeli prosto w oczy.

– Jemu też nie przeszkadza to, że na Alasce jest zimno.

– No tak. Tyle że to tak strasznie daleko... Nie będziesz mogła za często wpadać do domu. Stęsknię się za tobą. Będziemy pisać do siebie maile, okej?

Zalała mnie fala smutku. Może popełniałam błąd, kolegując się z Angelą? Ale czy nie byłoby mi jeszcze smutniej, gdybym zupełnie odcięła się od rówieśników? To była moja ostatnia szansa na takie kontakty.

– Jeśli tylko będę w stanie ruszać ręką po tych zawiadomieniach... – zażartowałam.

Postanowiłam wziąć się w garść i przez resztę popołudnia rozmawiałyśmy wesoło o kierunkach i specjalizacjach. W końcu już niedługo czekało mnie nieprzyjemne spotkanie.

Kiedy skończyłyśmy adresowanie, pomogłam jeszcze naklejać znaczki. Bałam się wracać.

– I jak tam twoja ręka? – spytała Angela po wszystkim.

Zgięłam i wyprostowałam palce.

– Chyba obejdzie się bez amputacji.

Trzasnęły drzwi wejściowe.

– Ang? – zawołał z dołu Ben.

Spróbowałam się uśmiechnąć, ale zadrgały mi wargi.

– Chyba już czas na mnie – powiedziałam.

– Zostań jeszcze. Ben zechce opowiedzieć mi treść filmu. Szczegółowo.

– Charlie będzie się martwił, gdzie się podziewam.

– Cóż, w takim razie jeszcze raz dziękuję.

– Nie było tak źle. Pogadałyśmy sobie i w ogóle. Musimy to powtórzyć, to znaczy, bez zawiadomień.

– Zgadzam się.

Ktoś zapukał do drzwi jej pokoju.

– Wchodź, wchodź – zawołała.

Wstałam od biurka i przeciągnęłam się.

– Cześć, Bella! – przywitał się Ben. – Widzę, że jakoś to przeżyłaś. – Zerknął na stosiki na biurku. – Kurczę, odwaliłyście kawał dobrej roboty. Szkoda, że nic nie zostało, bo mógłbym coś tam... – Zakończywszy uprzejmości, przeszedł to tematu, który go naprawdę interesował. – Ang, żałuj, że cię ominęło. Po prostu rewelacja! A ta walka na samym końcu – co za choreografia, mówię ci! Niesamowite! Jeden gość... Nie, tego nie da się opisać. Będziesz musiała sama to zobaczyć.

Rzuciła mi znaczące spojrzenie.

– Do zobaczenia w szkole! – pożegnałam się, robiąc się coraz bardziej spięta.

Angela westchnęła.

– Do zobaczenia.

Idąc do furgonetki, trzęsłam się jak osika, ale nikt mnie nie zatrzymał. Przez całą drogę rozglądałam się nerwowo, lecz srebrny wóz nie pojawił się ani razu w żadnym z lusterek. Nie zastałam go także na naszym podjeździe, ale nie było to dla mnie, oczywiście, żadną pociechą.

– Bella, to ty? – zawołał Charlie, słysząc, że otwierają się drzwi wejściowe.

– Tak, tak. Cześć.

Siedział w saloniku przed telewizorem.

– Jak ci minął dzień?

– Dobrze – powiedziałam. Postanowiłam nie kryć się ze swoją wizytą w La Push, bo w końcu, prędzej czy później, miał się o niej dowiedzieć od Billy'ego. – Nie potrzebowali mnie w sklepie, więc pojechałam odwiedzić Jacoba.

Nie wydawał się zaskoczony tym faktem. A więc Billy już dzwonił.

– I co u niego? – spytał z udawaną obojętnością.

– Wszystko w porządku – odpowiedziałam z udawaną swobodą.

– U Weberów też byłaś?

– Wszystkie zawiadomienia Angeli są już gotowe do wysłania.

– To miło. – Uśmiechnął się promiennie. Był nadzwyczaj na mnie skupiony – jakkolwiek by było, leciał mecz! – Cieszę się, że spędziłaś dzisiaj trochę czasu ze znajomymi.

– Ja też się z tego cieszę.

Przeszłam do kuchni, szukając sobie zajęcia. Niestety, Charlie pozmywał po swoich posiłkach, więc postałam tylko przez chwilę przy stole, wpatrując się w plamę słonecznego światła na podłodze. Nie, nie mogłam tego dłużej przeciągać.

– Idę do siebie! – krzyknęłam, kierując się ku schodom. – Pouczę się trochę!

– Zejdź jeszcze później do mnie! – odkrzyknął.

Jeśli przeżyję, pomyślałam.

Wszedłszy do pokoju, starannie zamknęłam za sobą drzwi i dopiero wtedy odwróciłam się przodem do okna.

Edward, oczywiście, już tam był. Stał w cieniu naprzeciwko drzwi. Wyglądał na spiętego i świdrował mnie wzrokiem.

Skuliłam się w oczekiwaniu na potok słów, ale nic nie przerwało ciszy. Był chyba zbyt zdenerwowany, by przemówić – patrzył i patrzył.

– Cześć – powiedziałam nieśmiało.

Jego twarz mogłaby być wyrzeźbiona z kamienia. Policzyłam w myślach do stu, ale nie doczekałam się reakcji.

– Jak widać, jeszcze żyję – zaczęłam.

Z głębi gardła Edwarda dobyło się ciche warknięcie, ale jego mina się nie zmieniła.

– Nic mi nie jest – dodałam, rozkładając ręce.

Poruszył się wreszcie. Zamknął oczy i przyłożył sobie dłoń do czoła.

– Bello – szepnął – nie masz pojęcia, co dziś przeżywałem. Mało brakowało, a w poszukiwaniu ciebie przekroczyłbym granicę i złamał postanowienia paktu. Czy wiesz, czym mogło się to skończyć?

– Och – wyrwało mi się.

Otworzył oczy. Były zimne i nieprzyjazne jak noc.

– Zwariowałeś?! – Za bardzo podniosłam głos. Szybko się opanowałam, żeby Charlie mnie nie usłyszał, ale miałam wielką ochotę to wszystko wykrzyczeć. – Nie wolno ci tam jeździć, i basta. Dla nich dobry będzie każdy pretekst. Każdy z nich rwie się do bitki.

– Może nie tylko członkowie sfory rwą się do bitki?

– Nie zaczynaj – warknęłam. – Sami ustanowiliście to prawo, to go teraz przestrzegajcie.

– Gdyby ci zrobił krzywdę...

– Dosyć tego! – ucięłam. – Nie masz się o co martwić. Jacob nie jest dla mnie żadnym zagrożeniem.

– Bello... – Edward przewrócił oczami. – Sama dobrze wiesz, że nie należysz do osób, które są w stanie ocenić, co jest dla nich bezpieczne, a co nie.

– Jeśli coś wiem na pewno, to to, że nie muszę się obawiać ataku ze strony Jake'a. I ty też nie musisz.

Zazgrzytał zębami. Dłonie miał zaciśnięte w pięści. Nadal stał pod ścianą i dzielące nas metry wydawały mi się nieprzyjemnie symboliczne.

Wziąwszy głęboki wdech, przeszłam przez pokój. Mój ukochany nawet nie drgnął, kiedy oplotłam go rękoma. Był taki zimny w porównaniu z wlewającymi się przez okno promieniami słońca – miałam wrażenie, że przytulam się do lodowego posągu.

– Przepraszam, że musiałeś się przeze mnie tak denerwować – szepnęłam.

Westchnął, ale odrobinę się rozluźnił. Objął mnie w talii.

– Nazywanie mojego stanu zdenerwowaniem byłoby niedomówieniem – mruknął. – Mam za sobą bardzo długi dzień...

– Myślałam, że o niczym się nie dowiesz – usprawiedliwiłam się. – Miałeś wrócić z polowania dopiero jutro.

Podniosłam głowę, żeby spojrzeć mu prosto w oczy. Nie były już takie nieprzeniknione, jak jeszcze chwilę temu, ale nie spodobało mi się, że są takie ciemne. I te sine cienie pod nimi... Pokręciłam głową z dezaprobatą.

– Wróciłem, gdy tylko Alice przestała cię widzieć – wyjaśnił.

– Nie powinieneś tego robić. Teraz znowu będziesz musiał wyjechać.

– Mogę trochę odczekać.

– To idiotyczne. To znaczy, wiem, że Alice nie potrafiła mnie ujrzeć z Jacobem, ale powinniście się domyślić, że...

– Ale się nie domyśliliśmy – przerwał mi. – I nie spodziewaj się, że będę zezwalał...

– A właśnie, że będę się spodziewać. – Teraz to ja weszłam mu w słowo. – Właśnie tego się po tobie spodziewam.

– To już się nie powtórzy.

– Zgadza się. Bo następnym razem zareagujesz normalniej.

– Bo nie będzie żadnego następnego razu.

– Ty możesz sobie wyjeżdżać, chociaż jest mi wtedy smutno.

– To nie to samo. Ja nie ryzykuję w górach życiem.

– A ja nie ryzykuję życiem w La Push.

– Wilkołaki to groźne potwory.

– Nieprawda.

– To nie podlega dyskusji, Bello.

– Raczej to, że nie są groźne, nie podlega dyskusji.

Znowu zacisnął dłonie w pięści – poczułam ich twardość na plecach.

– Czy aby na pewno chodzi ci tylko o moje bezpieczeństwo? – palnęłam bezmyślnie.

– Do czego zmierzasz?

– Nie jesteś czasem... – Teoria Angeli wydała mi się w tym momencie głupsza niż kiedykolwiek przedtem. Zawahałam się na kilka sekund. – Jesteś zbyt mądrym facetem, żeby być o mnie zazdrosnym, prawda?

Uniósł jedną brew.

– Jesteś tego pewna?

– Nie żartuj, proszę.

– Nic prostszego. W twoim stwierdzeniu nie ma nic zabawnego.

Zmarszczyłam czoło.

– A może... a może tu chodzi o coś jeszcze? Może to taka bzdurna waśń z cyklu „wampiry i wilkołaki to odwieczni wrogowie, koniec, kropka"? Testosteron was nakręca i tyle.

Edward spiorunował mnie spojrzeniem.

– Tu chodzi wyłącznie o twoje dobro. O twoje bezpieczeństwo.

Widząc płonący w jego czarnych oczach ogień, nie sposób było mu nie wierzyć.

– Okej, niech ci będzie – poddałam się – ale chcę, żebyś wiedział jedno: nigdy, przenigdy nie uznam Jacoba za swojego wroga. Ja w tym konflikcie nie będę brać udziału. Jestem państwem neutralnym. Jestem Szwajcarią. Wasze pakty, wasze spory mnie nie dotyczą, zrozumiano? Jacob jest dla mnie członkiem rodziny, a ty... ty jesteś miłością mojego życia, i to życia, które zamierzam przedłużyć w nieskończoność. Nie obchodzi mnie, kto z moich najbliższych jest wampirem, a kto wilkołakiem. Jeśli o mnie chodzi, Angela może okazać się czarownicą.

Przypatrywał mi się w milczeniu, ściągając brwi.

– Jestem Szwajcarią – powtórzyłam z naciskiem.

Prychnął, a potem westchnął.

– Bello... – zaczął, ale nagle coś odwróciło jego uwagę i zmarszczył z obrzydzeniem nos.

– Co znowu? – spytałam.

– Nie miej mi tego za złe, ale cuchniesz jak mokry pies.

Uśmiechnął się łobuzersko. A zatem nasza kłótnia dobiegła końca. Przynajmniej na jakiś czas zawarliśmy rozejm.

Jako że Edward musiał jednak nadrobić przerwane polowanie, wymyślił, że wyjedzie w piątek wieczorem z Jasperem, Emmettem i Carlisle'em do jakiegoś rezerwatu przyrody w północnej Kalifornii, gdzie mieli problem ze zbyt dużą populacją pum.

W kwestii wilkołaków nie osiągnęliśmy porozumienia. Nie zamierzałam dawać za wygraną i każdego wieczoru, po tym jak Edward odjeżdżał spod mojego domu, a zanim zakradał się do mnie przez okno, dzwoniłam do Jacoba, nie odczuwając przy tym najmniejszych wyrzutów sumienia. Mało tego, obiecywałam swojemu przyjacielowi, że odwiedzę go w najbliższą sobotę. Uważałam, że nie oszukuję Edwarda, postępując w ten sposób. Wiedział, co sądzę o jego zakazach. A jeśli znowu miał mi zepsuć furgonetkę, Jacob mógł po mnie po prostu podjechać, bo Forks było terytorium neutralnym, tak jak Szwajcaria – i jak ja.

Kiedy wyszłam w czwartkowe popołudnie z pracy, jak zwykle zastałam pod sklepem Newtonów srebrne volvo, ale za kierownicą nie siedział mój ukochany, tylko Alice. Ponieważ byłam dobrej myśli co do mojej sobotniej wizyty w La Push, fakt ten nie wzbudził z początku moich podejrzeń. Drzwiczki od strony pasażera były szeroko otwarte, a ze środka dobywała się głośna muzyka.

– Cześć! – zawołałam, starając się ją przekrzyczeć. – A gdzie się podział twój brat?

Wtórowała wokaliście z nagrania, tyle że śpiewała o oktawę wyżej. Skinęła mi głową na powitanie, ignorując moje pytanie.

Zatrzasnąwszy za sobą drzwiczki, szybko zakryłam uszy dłońmi. Zaśmiała się i ściszyła muzykę na tyle, by można było rozmawiać, po czym jednym ruchem zablokowała centralny zamek, jednocześnie dociskając pedał gazu.

– Co jest grane? – spytałam, czując się coraz bardziej nieswojo. – Gdzie jest Edward?

Wzruszyła ramionami.

– Wyjechali wcześniej, niż planowali.

– Och.

Starałam się ukryć swoje absurdalne rozczarowanie. Jeśli wyjechał wcześniej, to szybciej wróci, pocieszyłam się w myślach.

– Mamy dom wolny od mężczyzn, więc urządzamy dziś wieczorem piżama party – zakomunikowała. – Oczywiście jesteś zaproszona.

– Piżama party? – powtórzyłam podejrzliwie. Już wyraźnie wyczuwałam w tym wszystkim jakiś podstęp.

– Nie cieszysz się? – zdziwiła się.

– Przyjechałaś po mnie, żeby mnie uprowadzić, prawda?

Parsknęła śmiechem i kiwnęła głową.

– Do soboty. Esme ustaliła już wszystko z Charliem. Będziesz u nas nocować dzisiaj i z piątku na sobotę, a jutro rano odwiozę cię i przywiozę ze szkoły.

Odwróciłam się w stronę okna, żeby nie widziała mojego wyrazu twarzy.

– Wybacz – dodała Alice bez cienia poczucia winy w głosie. – Widzisz, Edward mnie przekupił.

– Jak? – syknęłam przez zaciśnięte zęby.

– Kupił mi w końcu to porsche. Dokładnie takie samo jak to, które ukradłam we Włoszech. – Wyrwało jej się rozmarzone westchnienie. – Mam zakaz jeżdżenia nim po okolicy, ale jeśli jesteś zainteresowana, możemy wypróbować razem, ile jedzie się stąd do Los Angeles*. Założę się, że zdążyłabym cię odwieźć przed północą, Kopciuszku.

O mało co się nie wzdrygnęłam. Zaczerpnęłam powietrza.

– Chyba sobie daruję taką wyprawę – powiedziałam.

Pokonawszy z szaloną prędkością krętą leśną drogę, znalazłyśmy się na podjeździe pod domem Cullenów. Alice wjechała autem do garażu, żebym mogła rzucić okiem na jej łapówkę. Kanarkowe cudo stało pomiędzy masywnym jeepem Emmetta a czerwonym kabrioletem Rosalie.

Wyskoczyła zwinnie z szoferki i podeszła do porsche, żeby je pogłaskać.

---

* Z Forks do Los Angeles jest ponad dwa tysiące kilometrów – przyp. tłum.

– Śliczne, prawda?

– Śliczne czy nie, uważam, że Edward przesadził – stwierdziłam. – Luksusowy samochód za dwa dni zabawy w kidnapera?

Spojrzała na mnie znacząco. Nagle wszystko zrozumiałam.

– O nie! – jęknęłam. – Masz mnie porywać za każdym razem, kiedy wyjedzie, tak?

Potwierdziła. Obróciłam się na pięcie i ruszyłam w kierunku domu. Pobiegła za mną, nadal ani trochę nie okazując skruchy.

– To już przegięcie! – zaburczałam gniewnie. – Mam dość cudzych nakazów! Edward dostał chyba obsesji!

– Ja tam się z nim zgadzam – przyznała. – Wilkołaki potrafią być naprawdę groźne, a ty uparcie nie przyjmujesz tego do wiadomości. W dodatku nie widzę ich w wizjach, więc nie możemy niczemu zapobiegać. Jesteś w La Push zdana tylko na siebie. To bardzo ryzykowne.

– Tak – wycedziłam z sarkazmem. – Za to, twoim zdaniem, zachowuję się rozważnie, idąc na piżama party do wampirzyc.

Znowu się zaśmiała.

– Zobaczysz, będzie fajnie. Zrobię ci pedikiur – obiecała.

Rzeczywiście, nie było tak źle – byłoby jeszcze lepiej, gdyby nie przetrzymywano mnie wbrew mojej woli. Esme przywiozła włoskie dania z restauracji w Port Angeles, a Alice naszykowała moje ulubione filmy. Nawet Rosalie zeszła do salonu, choć trzymała się na dystans.

Alice nie żartowała z pedikiurem – wręcz go na mnie wymusiła. Sprawiała wrażenie osoby, która odhacza kolejne punkty z jakiejś listy, przez co nabrałam podejrzeń, że napisała scenariusz naszego spotkania – zapewne na podstawie piżama party, które widziała w serialach dla młodzieży.

– Jak myślisz, ile filmów zdążymy obejrzeć? – spytała, kryjąc mi paznokcie u nóg warstwą krwistoczerwonego lakieru. Mimo mojej postawy jej entuzjazm nie osłabł.

– Nie chcę siedzieć do późna. Jutro idę przecież do szkoły.

Zrobiła urażoną minę.

– Tak w ogóle, to gdzie mam spać? – Przyjrzałam się z powątpiewaniem kanapie, na której siedziałam. Wydała mi się stanowczo za krótka. – Czy nie mogłabym po prostu nocować u siebie, w domu? Też możesz mieć tam na mnie oko.

– Ale co by to było za piżama party? – zaprotestowała. – O nie, nigdzie cię nie odwiozę. Śpisz u Edwarda w pokoju.

Westchnęłam. Cóż, jego kanapa była odpowiedniej długości. Mogłam tam zresztą spać nawet na podłodze, bo wykładzina była wyjątkowo gruba i puszysta.

– Czy mogę przynajmniej pojechać do domu po szczoteczkę do zębów i zmianę bielizny?

Uśmiechnęła się szeroko.

– Wszystko przywiozłam, jak byłaś w pracy.

– No to czy mogę wykonać jeden telefon?

– Mówiłam ci już, że Charlie wie o wszystkim.

– Nie do Charliego chcę zadzwonić. Muszę odwołać to, co miałam zaplanowane na weekend.

– Hm... – Zawahała się. – No nie wiem...

– Alice! – jęknęłam. – Przestań!

– Okej, okej.

Wyszła z pokoju. Wróciła ułamek sekundy później z telefonem komórkowym w dłoni.

– O telefonach Edward nic nie wspominał – mruknęła sama do siebie.

Wystukałam numer Blacków, modląc się, żeby Jacob nie był akurat na patrolu. Moje prośby zostały wysłuchane – to on właśnie odebrał.

– Halo?

– Cześć, Jake, to ja.

Alice przyglądała mi się przez chwilę nieprzeniknionym wzrokiem, po czym poszła usiąść na kanapie pomiędzy Rosalie a Esme.

– Cześć, Bella. Coś nie tak?

Miał niesamowity instynkt.

– Mam złą wiadomość. Z soboty nici.

W słuchawce na moment zapadła cisza.

– Cholerna pijawka! – zaklął Jacob. – Myślałem, że wyjeżdża na ten weekend. I co wykombinował, żebyś tylko nie mogła się ruszyć bez niego z domu? Zamknął cię w swojej trumnie?

Zachichotałam.

– To wcale nie jest zabawne.

– Śmieję się tylko dlatego, że prawie trafiłeś – powiedziałam. – Mniejsza o to, on i tak będzie w sobotę na miejscu.

– Będzie polował w lasach wokół Forks? – oburzył się.

– Nie. – Postanowiłam nie dać się zirytować. Starczyło, że mój rozmówca był wściekły. – Wyjechał już dziś.

– Nie ma go? – ożywił się. – No to na co czekasz? Wsiadaj w auto i przyjeżdżaj. Jeszcze wcześnie. A może mam po ciebie podskoczyć?

– Dzięki za zaproszenie, ale widzisz, nie jestem u siebie. Cullenowie mnie uprowadzili i przetrzymują u siebie w domu.

Jacob warknął gniewnie.

– A to świnie! Nie martw się, zaraz cię odbijemy.

Na myśl o takiej akcji przeszedł mnie zimny dreszcz, ale odpowiedziałam żartobliwym tonem.

– To kusząca propozycja. Wiesz, że nawet mnie torturowano? Alice pomalowała mi siłą paznokcie u stóp.

– Mówię poważnie.

– A nie ma potrzeby. Cullenowie robią to dla mojego dobra.

Znowu warknął.

– Wiem, że to głupota z ich strony chronić mnie przed tobą, ale wierz mi, to naprawdę dobrzy ludzie.

– Ładni mi ludzie!

– Przepraszam za tę sobotę. Za to, obiecuję, że już niedługo znowu zadzwonię.

– Jesteś pewna, że ci pozwolą? – zadrwił.

– Nie do końca – przyznałam. – Ech... Dobranoc, Jake.

– Do zobaczenia.

Alice znalazła się przy moim boku, jeszcze zanim się rozłączyłam. Wyciągnęła rękę po telefon, ale nie oddałam go jej, tylko wybrałam kolejny numer. Zauważyła jaki.

– Nie sądzę, żeby miał przy sobie komórkę.

– No to nagram się mu na pocztę.

Włączyła się już po czterech sygnałach. Nie usłyszałam nagranego powitania.

– Doigrałeś się – powiedziałam w słuchawkę, starannie wymawiając każde słowo. – Miarka się przebrała. To, co zastaniesz po powrocie do domu, da ci bardziej w kość niż całe stado niedźwiedzi grizzly.

Zamknęłam telefon i wręczyłam jego właścicielce.

– Skończyłam na dziś.

Uśmiechnęła się.

– Ten cały kidnaping coraz bardziej mi się podoba.

– Pójdę już spać – oznajmiłam, kierując się ku schodom.

Poszła za mną.

– Hej. – Przystanęłam. – Nie musisz za mną chodzić. Nawet gdybym planowała się wymknąć, i tak mnie dogonicie.

– Chcę ci tylko pokazać, gdzie odłożyłam twoje rzeczy – wyjaśniła z miną niewiniątka.

Pokój Edwarda znajdował się na samym końcu korytarza na drugim piętrze. Pamiętałam o tym dobrze, nawet wtedy, kiedy nie znałam jeszcze rozkładu reszty domu, jakież więc było moje zdziwienie, kiedy po otwarciu drzwi i zapaleniu światła nie rozpoznałam wnętrza. Czyżbym się pomyliła? Zagubiona, przystanęłam na progu.

Alice zachichotała.

Nie, to był ten sam pokój, uświadomiłam sobie z sekundowym opóźnieniem, tylko przestawiono w nim sprzęty. Czarną skórzaną kanapę przepchnięto pod samą ścianę, a wieżę i głośniki pod półki z kolekcją płyt. Wszystko po to, by zrobić miejsce na gigantyczne łoże, które dominowało teraz w całym pomieszczeniu. Okazały mebel odbijał się w wielkim oknie jak w lustrze, przez co sprawiał wrażenie jeszcze większego niż w rzeczywistości.

Łóżko i leżącą na nim pościel dopasowano do wystroju: kapa była koloru matowego złota, a rama z kutego w misterne wzory czarnego żelaza. Nad posłaniem górował oparty na czterech palikach ażurowy baldachim z żelaznych pnących róż.

Moja piżama, złożona w schludną kostkę, leżała na kapie, a kosmetyczka tuż obok niej.

– Co to ma być, do cholery? – wykrztusiłam.

– Naprawdę sądziłaś, że masz spać na kanapie?

Mruknęłam coś pod nosem. Podniosłam szybkim ruchem swoje rzeczy i przycisnęłam do piersi.

– Zostawię cię już samą – powiedziała Alice z uśmiechem. – Do zobaczenia rano!

Umywszy się i przebrawszy w piżamę, wyciągnęłam spod kapy kołdrę i wsadziwszy sobie jedną z poduszek pod pachę, podreptałam z zaciętym wyrazem twarzy ku czarnej kanapie. Wiedziałam, że zachowuję się dziecinnie, ale nic mnie to nie obchodziło. Porsche jako łapówka! Łoże z baldachimem w domu, w którym nikt nigdy nie sypiał! Miałam po dziurki w nosie tych teatralnych gestów. Zgasiłam światło i zwinęłam się w kłębek na sofie, zastanawiając się, czy w ogóle zasnę.

W ciemnościach wielkie okno stało się na powrót przezroczyste. Na zewnątrz światło księżyca srebrzyło chmury. Kiedy wzrok przyzwyczaił się do mroku, zobaczyłam jeszcze czubki drzew i połyskliwy kawałek rzeki. Przyglądałam się im w ciszy, czekając, aż zaczną mi ciążyć powieki.

Nagle ktoś zapukał cicho do drzwi.

– Co znowu, Alice? – syknęłam, gotowa jej odpyskować, gdyby miała zamiar naigrawać się z mojego prowizorycznego posłania.

– To nie Alice, to ja. – W szparze uchylanych drzwi ukazała się zabójczo piękna twarz Rosalie. – Mogę wejść?

7 Nieszczęśliwe zakończenie

Rosalie spojrzała na mnie nieśmiało.

– Jasne – odpowiedziałam, zaskoczona jej wizytą. – Proszę, wejdź.

Przesunęłam się, zbierając fałdy kołdry, żeby zrobić jej miejsce koło siebie. Poruszała się bezszelestnie. Kiedy usiadła, poczułam, że żołądek zawiązuje mi się z nerwów w supeł. Była jedynym członkiem rodziny Cullenów, który mnie nie lubił. Nie miałam zielonego pojęcia, jaki może mieć do mnie interes.

– Poświęciłabyś mi kilka minut? – poprosiła. – Chyba cię nie obudziłam, prawda?

Zerknęła na puste łoże.

– Nie, nie, jeszcze nie spałam. Możemy pogadać.

Ciekawa byłam, czy słyszy pobrzmiewające w moim głosie zaniepokojenie tak wyraźnie, jak ja.

– Edward tak rzadko zostawia cię samą. Pomyślałam, że skorzystam z okazji.

Chciała mi przekazać coś, czego nie mogła mi powiedzieć w obecności Edwarda? Zachodziłam w głowę, co by to mogło być. To zaciskałam palce na brzegu kołdry, to je rozluźniałam.

– Proszę, nie myśl, że chodzi mi tylko o to, żeby sprawić ci przykrość. – Ton głosu dziewczyny był niemal błagalny. Wpatrywała się w swoje dłonie. – Dość ci nadokuczałam w przeszłości i nie chcę cię już nigdy świadomie zranić.

– Nie przejmuj się, jakoś to przeżyję. Tylko o co chodzi?

Wyglądała na szczerze zakłopotaną.

– Przyszłam spróbować ci wyjaśnić, dlaczego uważam, że powinnaś zostać człowiekiem. Dlaczego ja na twoim miejscu zostałabym człowiekiem.

– Och.

Byłam w szoku. Wyczuła to i ciężko westchnęła.

– Czy Edward opowiadał ci kiedyś, jak zostałam tym, czym jestem? – spytała, wskazując na swoje piękne, nieśmiertelne ciało.

Skinęłam głową z powagą.

– Mówił, że przytrafiło ci się to, co mogło mi się przytrafić w Port Angeles – odpowiedziałam cicho – tyle że ciebie nie miał kto uratować.

Mimowolnie zadrżałam.

– Tylko tyle ci powiedział?

– Tak. Oszczędził mi szczegółów.

Uśmiechnęła się gorzko.

– Nawet nie wiesz, jak wiele ci oszczędził.

Nic nie powiedziałam. Rosalie przeniosła wzrok na ciemne okno. Wydało mi się, że próbuje się uspokoić.

– Czy chciałabyś poznać moją historię? – odezwała się po chwili. – Nie ma szczęśliwego zakończenia, ale czy historia któregokolwiek z moich bliskich kończy się dobrze? Gdyby tak było, wszyscy leżelibyśmy teraz na cmentarzu.

Skinęłam głową, chociaż ton jej głosu mnie przerażał.

– Żyłam w zupełnie innym świecie niż ty, Bello, w świecie o wiele prostszym. Moja historia zaczyna się w roku 1933. Miałam wtedy osiemnaście lat i byłam zjawiskowo piękna. Niczego mi nie brakowało.

Z nieobecnym spojrzeniem nadal wpatrywała się w srebrzyste chmury za oknem.

– Moi rodzice byli typowymi przedstawicielami klasy średniej. Ojciec miał stabilną pracę w banku, z czego, co dopiero teraz widzę, był śmiesznie dumny. Uważał bowiem, że dobrze mu się powodziło, ponieważ był utalentowany i ciężko pracował, a nie dlatego, że zwyczajnie miał szczęście. Życie w dobrobycie było dla mnie czymś oczywistym – w moim domu rodzinnym Wielki Kryzys jawił się jako przejaskrawiona przez prasę plotka. Rzecz jasna, widywałam na ulicach nędzarzy – tych, którym się nie poszczęściło – ale ojciec wpoił mi przekonanie, że ich bieda jest efektem ich własnego lenistwa i niezaradności.

Moja matka zajmowała się domem i dziećmi, i to w tych dwóch sferach życia ulokowała swoje ambicje. Miałam dwóch młodszych braci, ale matka nie ukrywała, że to o mój byt należy zadbać w pierwszej kolejności. Nie wiedziałam dokładnie, co przez to rozumie, byłam jednak do pewnego stopnia świadoma faktu, że rodzice nie są usatysfakcjonowani tym, co w życiu osiągnęli. Chociaż w hierarchii społecznej stali dość wysoko, chcieli zajść jeszcze wyżej, i to z moją pomocą. Moja uroda była dla nich jak prezent od losu. Doceniali ukryty w niej potencjał o wiele bardziej ode mnie.

Jak już mówiłam, mnie samej nic do szczęścia nie brakowało. Wystarczało mi aż nadto to, że jestem sobą – piękną Rosalie Hale. Odkąd skończyłam dwanaście lat, dokądkolwiek bym nie szła, oglądali się za mną mężczyźni, a koleżanki wzdychały z zazdrości, kiedy dotykały moich gęstych włosów. Wszystko to sprawiało mi ogromną przyjemność. Byłam szczęśliwa, że matka się mną chwali, a ojciec kupuje mi drogie sukienki.

Wiedziałam, czego chcę od życia, i do głowy mi nie przychodziło, że któreś z moich marzeń mogłoby się nie spełnić. Pragnęłam być wielbiona i adorowana. Marzyłam o tym, żeby mój ślub był wydarzeniem towarzyskim roku: wyobrażałam sobie, jak wszyscy ważniejsi mieszkańcy miasta przyglądają mi się kroczącej nawą u boku ojca i myślą, że nigdy w życiu nie widzieli tak pięknej panny młodej. Zachwyt w cudzych oczach był mi równie potrzebny, jak powietrze. Byłam młoda i głupia, ale taka szczęśliwa!

Uśmiechnęła się do swoich wspomnień.

– Rodzice mieli jednak na mnie duży wpływ, więc marzyłam też o dobrach materialnych: chciałam mieć duży dom pełen eleganckich mebli, które kto inny by odkurzał, i nowocześnie wyposażoną kuchnię, w której kto inny by gotował. Tak, byłam głupia – taka pusta laleczka. I nie widziałam powodu, dla którego miałabym tych wszystkich rzeczy nie dostać.

Kilka moich marzeń było poważniejszych, a zwłaszcza jedno, związane z moją najlepszą przyjaciółką, Verą. Vera wyszła za mąż bardzo młodo, miała zaledwie siedemnaście lat. Jej mąż był stolarzem – moi rodzice nigdy nie pozwoliliby mi poślubić kogoś takiego. Rok po ślubie urodziła synka, uroczego, z czarnymi loczkami i rozkosznymi dołeczkami w policzkach i bródce. Kiedy go zobaczyłam, po raz pierwszy w życiu ukłuła mnie zazdrość. Po raz pierwszy ktoś miał coś, czego ja nie miałam.

Rosalie przeniosła wzrok z okna na mnie.

– To były inne czasy, Bello. Miałam wtedy tyle lat, co ty teraz, ale czułam się gotowa do macierzyństwa. Nie mogłam się już doczekać, kiedy wreszcie będę mieć własne dzieciątko. Kiedy wreszcie będę mieć męża, który całowałby mnie po powrocie z pracy, jak mąż Very. Moja wizja różniła się od ich codzienności tylko tym, że dom moich marzeń miał być dziesięć razy większy niż ich...

Trudno mi było sobie wyobrazić, że pamiętała lata trzydzieste. Przedwojenne dekoracje sprawiały, że jej historia w moim mniemaniu przypominała bardziej bajkę niż prawdziwe wspomnienia. Kiedy się nad tym zastanowiłam, uzmysłowiłam sobie nagle, że przecież i Edward dorastał w tamtym świecie, w świecie znanym mi wyłącznie z czarno-białych filmów. Czy współczesność wydawała mu się równie dziwna, co mnie realia z opowieści jego siostry?

Rosalie westchnęła, a kiedy podjęła przerwany wątek, ton jej głosu był już bardziej zdecydowany – zniknęła z niego melancholijna nuta.

– Najbogatszą i najbardziej wpływową rodziną w moim rodzinnym Rochester* byli, nomen omen, Kingowie**. Royce King był nie tylko właścicielem banku, w którym pracował mój ojciec, ale i większości najważniejszych firm w mieście. Jego syn też miał na imię Royce, Royce King II. – Rosalie wycedziła tych ostatnich kilka słów, jakby się ich brzydziła. – Ponieważ miał przejąć bank, zaczął spędzać w nim dużo czasu, przyglądając się pracy na po-

---

* Rochester – miasto w stanie Nowy Jork, w pobliżu granicy z Kanadą – przyp. tłum.
** *King* – ang. król – przyp. tłum.

szczególnych stanowiskach. Dwa dni po tym, jak przyszedł do banku po raz pierwszy, moja matka „przypadkowo" zapomniała zapakować ojcu drugie śniadanie i poprosiła mnie, żebym to ja zaniosła mu kanapki. Zdziwiłam się, że kazała mi przed wyjściem włożyć białą sukienkę i zakręcić włosy, ale, naiwna, nawet nie podejrzewałam podstępu.

Nie zwróciłam uwagi, czy Royce mi się jakoś szczególnie przygląda – wszyscy zawsze to robili – ale jeszcze tego wieczoru posłaniec przyniósł mi bukiet róż. Tak to się zaczęło. Odtąd co wieczór dostawałam róże, aż wreszcie nie miałam ich już gdzie stawiać. Doszło do tego, że gdy wychodziłam z domu, ciągnęła się za mną ich słodkawa woń.

Royce był bardzo przystojny: niebieskie oczy, włosy jeszcze jaśniejsze od moich. Mówił mi, że mam oczy jak fiołki, i wkrótce właśnie fiołki zaczął mi przysyłać.

Moi rodzice patrzyli na jego zaloty przychylnym okiem – delikatnie mówiąc. Royce był ucieleśnieniem ich marzeń. Wydawało mi się, że jest także ucieleśnieniem moich marzeń. Był jak książę z bajki, który przybył na białym koniu, żeby uczynić mnie swoją księżniczką. Właśnie czegoś takiego się spodziewałam. Nie minęły dwa miesiące, a ogłoszono nasze zaręczyny.

Nie spędzaliśmy zbyt dużo czasu tylko we dwoje, właściwie się to nie zdarzało. Royce wyjaśnił mi, że ma dużo obowiązków, więc jeśli już chodziliśmy gdzieś razem, to na odczyty, bankiety albo na bale. Przed każdym z rodu Kingów wszystkie drzwi stały otworem, więc bez przerwy gdzieś go zapraszano i przyjmowano z honorami. Dostawałam od niego piękne stroje. Lubił pokazywać się ze mną w towarzystwie, a ja lubiłam być pokazywana.

Ślub miał się odbyć jak najszybciej. Zaplanowano bardzo wystawną ceremonię i jeszcze bardziej wystawne wesele. Kolejne z moich marzeń miało się spełnić. Byłam taka szczęśliwa! Kiedy odwiedzałam Verę, nie dręczyła mnie już zazdrość. Wyobrażałam sobie jasnowłose dzieci biegające po trawnikach rezydencji Kingów i patrząc na skromny domek mojej przyjaciółki, czułam tylko litość.

Przerwała niespodziewanie i zacisnęła zęby. Cisza mnie ocuciła. Wróciwszy do rzeczywistości, uświadomiłam sobie, że już niedługo opowie mi o najpotworniejszej rzeczy, jaka ją w życiu spotkała. Zgodnie z obietnicą, jej historia nie kończyła się happy endem. Zastanowiłam się, czy to właśnie dlatego była taka zgorzkniała – dlatego że kiedy jej ludzkie życie dobiegło końca, była tak bliska spełnienia wszystkich marzeń?

– Owego feralnego wieczoru wybrałam się z wizytą do Very – wyszeptała z twarzą wypraną z wszelkich emocji. – Jej mały Henry tak słodko się uśmiechał! Nadal miał swoje dołeczki i dopiero co nauczył się samodzielnie siadać. Kiedy zaczęłam zbierać się do wyjścia, Vera odprowadziła mnie do drzwi z dzieckiem na ręku i mężem u boku. Obejmował ją w talii, a w pewnym momencie, kiedy myślał, że nie patrzę, pocałował ją w policzek. Coś w tym pocałunku mnie zaniepokoiło. Royce też mnie całował, ale jakoś tak inaczej – nie tak czule... Odgoniłam tę nieprzyjemną myśl. Royce był moim księciem z bajki. Już za parę dni miałam zostać jego księżniczką.

Czy to światło księżyca mnie zwodziło, czy Rosalie naprawdę pobladła?

– Ulice były bardzo ciemne – ciągnęła cicho – paliły się już latarnie. Nie zdawałam sobie sprawy, że zrobiło się tak późno. Na domiar złego, jak na koniec kwietnia było też bardzo zimno. Do ślubu pozostał tylko tydzień, więc idąc do domu, martwiłam się, czy pogoda zdąży się poprawić – dobrze to pamiętam. Pamiętam zresztą każdy szczegół z tamtego wieczoru, bo tak bardzo się go czepiałam... na samym początku. Nie myślałam o niczym innym. I tak, pamiętam, że myślałam o pogodzie, choć z innych, radośniejszych wspomnień nic już w mojej głowie nie zostało...

Westchnęła.

– Zatem myślałam o pogodzie – nie chciałam przenosić uroczystości pod dach. Byłam zaledwie kilka przecznic od domu, kiedy ich usłyszałam – stali pod zepsutą latarnią i głośno się śmiali. Byli pijani. Zaczęłam żałować, że nie zadzwoniłam od Very po ojca, ale mieszkała tak blisko, że wydawało się głupotą prosić go o podobną przysługę. I wtedy jeden z mężczyzn wykrzyknął moje imię.

„Rose!", zawołał. Pozostali zarechotali, jakby powiedział coś śmiesznego.

Przyjrzałam im się uważniej i zdziwiłam się, że mają na sobie takie drogie ubrania. A zaraz potem rozpoznałam Royce'a i jego kolegów. Wszyscy byli synami miejscowych bogaczy.

„Oto moja Rose!", zawołał Royce bełkotliwie. „Nieźle się zasiedziałaś u Very. Czekamy tu na ciebie od wieków".

Nigdy przedtem nie widziałam go w takim stanie. Nigdy przy mnie nie pił, co najwyżej wznosił z kurtuazji jakiś toast. Powiedział mi nawet, że nie lubi szampana. Nie podejrzewałam, że gustuje za to w czymś o wiele mocniejszym.

Był z nim też jego nowy znajomy, kolega kolegi. Miał na imię John i pochodził z Atlanty.

„A nie mówiłem, John?". Royce złapał mnie za rękę i brutalnie przyciągnął do siebie. „Twoje panienki z Georgii mogą się przy niej schować".

John zlustrował mnie wzrokiem, jakbym była klaczą na targu. „Trudno powiedzieć", stwierdził z południowym akcentem. „Jest okutana po samą szyję". Wszyscy wybuchnęli śmiechem.

Nagle Royce zerwał mi z ramion żakiet – sam mi go dał w prezencie – aż oderwały się od niego guziki i z brzękiem potoczyły po chodniku.

„No, Rose! Pokaż mu się w pełnej krasie!", rozkazał, a potem zaśmiał się i jednym ruchem zdarł mi z głowy kapelusz. Wyrwał mi przy tym sporo włosów, bo kapelusz był przypięty szpilkami. Krzyknęłam z bólu, a w oczach stanęły mi łzy. Tak... To, jak krzyczę z bólu, bardzo im się podobało...

Spojrzała na mnie nagle z taką miną, jakby zapomniała na chwilę o moim istnieniu. Jak nic, byłam na twarzy równie blada, jak ona.

– Daruję ci całą resztę – oświadczyła. – Zostawili mnie na ulicy. Odeszli, śmiejąc się i zataczając. Myśleli, że nie żyję. Jeden zauważył, że Royce będzie musiał znaleźć sobie teraz nową narzeczoną. Odparł, że najpierw będzie musiał nauczyć się większej samokontroli.

Leżałam na lodowatym chodniku, czekając na śmierć. Tak bardzo mnie bolało, że dziwiłam się, iż mam jeszcze siłę zwracać uwagę na świat zewnętrzny. Zaczął padać śnieg, a ja ciągle uparcie nie umierałam. Tak bardzo pragnęłam, żeby ból wreszcie minął. Tak strasznie długo to wszystko trwało...

Taką znalazł mnie Carlisle. Wyczuł z daleka zapach krwi i przyszedł sprawdzić, co się stało. Zaraz rzucił się mnie ratować. Resztkami świadomości miałam mu za złe, że to robi. Wolałabym, żeby mnie dobił. Poza tym nigdy nie lubiłam ani doktora Cullena, ani jego żony i jego szwagra – bo Edward przedstawiał się wówczas jako brat Esme. Denerwowało mnie to, że są tacy piękni, piękniejsi ode mnie. Nie udzielali się jednak towarzysko, więc widziałam ich tylko kilka razy.

Kiedy wziął mnie na ręce i zaniósł do siebie do domu, sądziłam, że nareszcie skonałam – wydawało się, że lecę, a to tylko Carlisle tak szybko biegł. Przeraziłam się, że ból nie ustępuje nawet po śmierci.

Znalazłam się w jasno oświetlonym pokoju i zrobiło mi się cieplej. Zaczęłam tracić przytomność, co powitałam z ulgą, bo nie odczuwałam już tak silnie bólu. Jednak nagle powrócił, jeszcze ostrzejszy: w gardle, w kostkach, w nadgarstkach, jakby ktoś ciął mnie nożem. Zaczęłam krzyczeć i wyrywać się. Pomyślałam, że Carlisle to zboczeniec sadysta, który zabrał mnie tylko po to, żeby mnie torturować. Ale potem było mi już wszystko jedno – liczył się tylko ten ogień, który płonął w moich żyłach. Błagałam, żeby mnie dobito, błagałam o to i Carlisle'a, i Edwarda, i Esme. Carlisle trzymał mnie cały czas za rękę, powtarzał, że mnie bardzo przeprasza, i obiecywał, że moja agonia wkrótce się skończy. Opowiedział mi wszystko. Czasami go słuchałam. Kiedy wyjawił mi, czym się staję, nie uwierzyłam. Przepraszał mnie za każdym razem, kiedy przestawałam krzyczeć. Krzyczałam zresztą coraz rzadziej. Krzyk nie miał sensu.

Edward był wzburzony. Pamiętam, że spierał się z Carlisle'em. „Co ty najlepszego zrobiłeś? Dlaczego akurat Rosalie Hale?".

Rosalie idealnie naśladowała poirytowany ton głosu Edwarda.

– Nie podobał mi się sposób, w jaki wymawiał moje imię – ciągnęła. – Jakby było ze mną coś nie tak.

„Nie mogłem jej tak zostawić", odpowiedział Carlisle. „Gdybym to zrobił, wykrwawiłaby się na śmierć... Ona jest jeszcze taka młoda".

„Rozumiem", mruknął Edward, ale nie wyglądał na przekonanego. Rozzłościł mnie swoją postawą.

„To byłoby takie straszne marnotrawstwo", usprawiedliwiał się dalej Carlisle. „Nie mogłem...".

„Postąpiłeś słusznie", pocieszyła go Esme.

„Mało to ludzi umiera?", zdenerwował się Edward. „Dlaczego nie ratujesz całej reszty? Poza tym, gdzie my się teraz podziejemy? Będą jej przecież szukać. Royce i reszta bandy nigdy się nie przyznają do winy".

Ucieszyło mnie, że wiedzą, co się wydarzyło. Nie zdawałam sobie sprawy, że moja przemiana dobiegała już końca – że robię się coraz silniejsza i to dlatego właśnie jestem w stanie skoncentrować się na ich rozmowie. Ból zdawał się opuszczać moje ciało przez czubki palców.

„Co z nią zrobimy?", spytał Edward z obrzydzeniem – a przynajmniej takie odniosłam wrażenie.

Carlisle westchnął. „Zobaczymy, co sama zadecyduje. Może nie będzie chciała się do nas przyłączyć".

Taka możliwość mnie przeraziła. Zaczynałam powoli przyjmować to, co mi wcześniej mówił, i nie czułam się na siłach zmierzyć się z moim nowym życiem w pojedynkę. Kiedy doszłam do siebie, wyjaśnili mi jeszcze raz, czym się stałam. Było to zresztą widać jak na dłoni: skóra mi stwardniała, oczy poczerwieniały, a mózg domagał się krwi.

Jak na pustą lalę przystało, poczułam się znacznie lepiej, kiedy zobaczyłam swoje odbicie w lustrze. Byłam piękniejsza niż kiedykolwiek! Nawet szkarłatne tęczówki tak bardzo mi nie przeszkadzały. – Rosalie zaśmiała się z własnej próżności. – Dopiero po pewnym czasie moja uroda staje się kłopotliwa – zaczęłam traktować ją jak przekleństwo. Zrozumiałam, że nie tego najbardziej pragnęłam – że wolałabym być zwykłą młodą kobietą, jak Vera. Kobietą, której wolno wyjść za tego, kto ją kocha, i która może urodzić mu dzieci. To o tym tak naprawdę marzyłam. Nawet teraz wydaje mi się, że prosiłam o zbyt wiele.

Zamilkła i przez moment nie wiedziałam, jak się zachować. Czy miałam jej jakoś przypomnieć o swojej obecności? Ale zanim zdążyłam coś postanowić, podniosła głowę i uśmiechnęła się triumfalnie.

– Wiesz, że jestem prawie tak twarda jak Carlisle? Twardsza od Esme. Tysiąc razy twardsza od Edwarda.

Zgłupiałam. Czyżby mówiła o swojej skórze?

– Nigdy nie poznałam smaku ludzkiej krwi – dodała Rosalie z dumą.

Ach tak. Teraz już rozumiałam, pozostawało jednak pytanie, dlaczego w takim razie „prawie tak twarda jak Carlisle".

– Owszem, zabiłam pięciu ludzi – wyjaśniła, prawidłowo odczytując moją minę – ale bardzo uważałam, żeby nie uronić przy tym ich krwi. Widzisz, wiedziałam, że wówczas nie będę w stanie się powstrzymać, a zależało mi bardzo, aby żadna ich cząstka się we mnie nie znalazła.

Royce'a zostawiłam sobie na sam koniec. Miałam nadzieję, że dojdą do niego wieści o brutalnej śmierci jego koleżków i zrozumie, że i on nie wymknie się mordercy, a także, kim ów morderca jest. Chciałam w ten sposób przedłużyć jego agonię o czas oczekiwania i sądzę, że mi się udało. Kiedy go namierzyłam, ukrywał się w pozbawionym okien pokoju o ścianach tak grubych, jak ściany bankowego skarbca. Strzegło go dwóch uzbrojonych po zęby mężczyzn... Siedmiu ludzi – poprawiła się. – Zapomniałam o strażnikach. I nie dziwota, bo było po nich w kilka sekund.

Ubrałam się na tę okazję w suknię ślubną. Wiem, że to dziecinada, ale podziałało – już na sam mój widok Royce o mało nie wyzionął ducha. A dużo krzyczał tamtej nocy, oj, dużo. To, że zostawiłam go sobie na deser, to był świetny pomysł – umiałam się już dostatecznie kontrolować, więc mogłam wszystko przedłużyć...

Przerwała nagle, by rzucić mi ostre spojrzenie.

– Wybacz – powiedziała. – Pewnie boisz się teraz koło mnie siedzieć, prawda?

– Skąd – skłamałam.

– Zapędziłam się.

– Niczym się nie przejmuj.

– Dziwię się, że Edward nie opowiedział ci mojej historii, tylko streścił ją w jednym lakonicznym zdaniu.

– Unika opowiadania historii życia innych ludzi, żeby nie zdradzić niechcący cudzych sekretów. Przecież jak ich wysłuchuje, słyszy jednocześnie ich myśli – potem trudno mu te dwie wersje rozdzielić.

Uśmiechnęła się i pokręciła głową.

– Chyba go nie doceniam. To bardzo szlachetne z jego strony.

– Też tak uważam.

– Tak, to widać – wypomniała mi żartobliwie, po czym na powrót spoważniała. – Cóż, ja nie zachowuję się zbytnio szlachetnie, odkąd do nas dołączyłaś, prawda? Czy Edward powiedział ci dlaczego? A może uznał, że to też mój sekret?

– Wytłumaczył mi, że to dlatego, iż jestem człowiekiem. Że trudno ci się pogodzić z tym, iż ktoś z zewnątrz wie o twoim dramacie.

Rosalie wybuchnęła perlistym śmiechem.

– Dobry Boże, chyba zacznie mnie dręczyć poczucie winy. Edward potraktował mnie o wiele lepiej, niż na to zasługiwałam.

Wydała mi się nagle o wiele bardziej sympatyczna, jakby poprzez śmiech pozbyła się jakiejś maski, którą zawsze przy mnie do tej pory nakładała.

– Ależ z niego kłamczuch!

Znowu się zaśmiała.

– Skłamał? – zaniepokoiłam się.

– No, może przesadzam, tak go określając. Po prostu znowu zataił przed tobą pewne fakty. To, co ci powiedział, to prawda – to, że jesteś człowiekiem, przeszkadza mi teraz nawet bardziej niż wcześniej – ale na samym początku najbardziej bolało mnie co innego. Hm... – zawahała się. – Trochę się krępuję do tego przyznać. Widzisz, na samym początku byłam zazdrosna, zazdrosna o to, że Edward chciał być z tobą, a nigdy nie chciał być ze mną.

Przeszły mnie ciarki. Siedząc koło mnie w srebrzystym świetle księżyca, była piękniejsza niż kiedykolwiek. Nie miałam przy niej szans.

– Ale przecież kochasz Emmetta – wymamrotałam nieśmiało.

Rozbawiona, pokręciła przecząco głową.

– Nie chcę być z Edwardem, Bello, i nigdy nie chciałam, ale odkąd usłyszałam, jak wypowiada się na mój temat wtedy, w domu Carlisle'a, straszliwie mnie irytował. Musisz zrozumieć, że nie byłam przyzwyczajona do tego, iż nie robię na kimś wrażenia. A Edward nigdy ani trochę nie był mną zainteresowany. Frustrowało mnie to, a nawet czułam się z tego powodu urażona. Dopiero z czasem zrozumiałam, że nikt na nim nie robi wrażenia, żadna dziewczyna. Nawet kiedy po raz pierwszy zetknęliśmy się z klanem Tanyi w Denali i miał tyle atrakcyjnych wampirzyc do wyboru, żadna nie przypadła mu do gustu. A potem spotkał ciebie...

Przyjrzała mi się ciekawie, ale nie zwróciłam na to uwagi. Myślałam o Tanyi i innych „atrakcyjnych wampirzycach".

– Nie chodzi mi o to, że los poskąpił ci urody – ciągnęła, tym razem błędnie interpretując mój wyraz twarzy – ale o to, że Edward uznał cię za bardziej pociągającą ode mnie. Jestem na tyle próżna, że mnie to zabolało.

– Powiedziałaś „na samym początku" – odezwałam się. – Czyli teraz ci to już nie przeszkadza? Masz przecież na pociechę to, że jesteś najpiękniejszą kobietą na świecie, prawda?

Było to tak oczywiste, że zrobiło mi się głupio.

Rosalie zaśmiała się serdecznie.

– Dzięki za komplement. Tak, teraz mi to już nie przeszkadza. Zresztą, Edward zawsze był wielkim dziwakiem – zażartowała.

– Ale mimo to nadal mnie nie lubisz – wyszeptałam.

Jej uśmiech zbladł.

– Przepraszam. Nic na to nie poradzę.

Przez moment siedziałyśmy w milczeniu. Upewniwszy się, że nie ma ochoty zabrać głosu, przejęłam pałeczkę.

– Spróbujesz wyjaśnić mi dlaczego? Czy zrobiłam coś nie tak?

Może miała mi za złe to, że już tyle razy naraziłam jej najbliższych na niebezpieczeństwo? A zwłaszcza jej ukochanego Emmetta?

– Nie – odparła – niczym mi się nie naraziłaś. Jeszcze nie.

Zmarszczyłam czoło.

– Nie rozumiesz, Bello? – W jej głosie było teraz więcej pasji niż wtedy, kiedy opowiadała mi swoje losy. – Masz wszystko, wszystko to, czego pragnę. Całe życie przed sobą. I zamierzasz z tego dobrowolnie zrezygnować! Nie rozumiesz, że byłabym gotowa zapłacić każdą cenę, żeby tylko znaleźć się na twoim miejscu? Stoisz przed alternatywą, co mnie nie było dane, i mimo to chcesz dokonać złego wyboru!

Buchały od niej tak silne emocje, że odruchowo się odsunęłam. Uświadomiłam sobie, że siedzę z rozdziawionymi ustami, więc czym prędzej je zamknęłam.

Przez dłuższą chwilę patrzyła mi prosto w oczy. Ferment w jej oczach stopniowo gasł.

– Ech... A myślałam, że potrafię wyłożyć ci to spokojnie. – Pokręciła głową, jakby nie wierzyła, że stać ją było na taki wybuch. – O ileż łatwiej było mi to wszystko znosić, kiedy chodziło tylko o moją próżność.

Przeniosła wzrok na tarczę księżyca. Dopiero po dobrej minucie odważyłam się jej przeszkodzić.

– Więc polubiłabyś mnie, gdybym zdecydowała się pozostać człowiekiem?

Spojrzała na mnie. Po jej wargach błądził uśmiech.

– Może tak, a może nie.

– Twoja historia nie jest tak do końca tragiczna – zauważyłam. – Masz Emmetta.

– Mam połowę. – Uśmiechnęła się szeroko. – To, że ocaliłam go ze szponów niedźwiedzia i niosłam na rękach ponad sto mil, już wiesz. Ale czy potrafisz się domyślić, dlaczego go uratowałam?

– Bo... bo ci się spodobał?

– Te ciemne loki... te dołeczki, widoczne nawet wtedy, kiedy jęczał z bólu... ta dziecięca niewinność w jego twarzy, tak kontrastująca z umięśnionym ciałem młodego mężczyzny... Po prostu przypominał mi Henry'ego, synka Very. Nie chciałam, żeby umarł – nie chciałam tego do tego stopnia, że mimo obrzydzenia, jakie żywię do swojej rasy, ubłagałam Carlisle'a, żeby zmienił go w jednego z nas. Spotkało mnie szczęście większe, niż na to sobie zasłużyłam. Emmett jest wszystkim, o co prosiłabym los, gdybym znała się na tyle dobrze, by wiedzieć, o co prosić. Jest dokładnie takim typem człowieka, jakiego potrzebowałam. I w dodatku on też mnie potrzebuje, właśnie mnie. Ale... nasza rodzina nigdy się nie powiększy. Nigdy nie będę go głaskać po siwej głowie, przyglądając się, jak bawią się nasze wnuki.

Uśmiechnęła się ciepło.

– Wnuki, powiesz, bez wnuków można się obejść. Cóż, pod wieloma względami jesteś dojrzalsza, niż ja byłam w twoim wieku, ale wielu pomysłów na życie nie brałaś jeszcze nawet pod uwagę. Jesteś za młoda, żeby wiedzieć, czego będziesz pragnąć za dziesięć, piętnaście lat – za młoda, żeby to wszystko odrzucić, nawet tego poważnie nie przemyślawszy. Z decyzjami, których nie można cofnąć, nie należy się spieszyć, Bello.

Pogłaskała mnie po głowie, ale w jej geście nie było nic protekcjonalnego.

Westchnęłam ciężko.

– Sama pomyśl – ciągnęła. – Tego, co chcesz sobie zrobić, nie da się odwrócić, ale pewne ludzkie potrzeby w tobie pozostaną.

Esme miała nas, więc może nie odczuwała tego tak silnie. Alice nie czuła nic, bo i nic nie pamięta z czasów, gdy była człowiekiem. Ale ty... ty będziesz pamiętać. Tak wiele stracisz!

I tak wiele zyskam w zamian, pomyślałam, ale tę uwagę zachowałam dla siebie.

– Dziękuję, Rosalie, że... że opowiedziałaś mi o tym wszystkim. Chyba lepiej cię teraz rozumiem.

– Przepraszam, że byłam do tej pory taka okropna. Postaram się poprawić.

Uśmiechnęłyśmy się do siebie.

Nie mogłam jej jeszcze nazywać swoją przyjaciółką, ale przeczuwałam, że prędzej czy później się do mnie przekona.

– Dam ci wreszcie spać. – Wskazała głową łóżko. – Wiem, jak bardzo denerwuje cię to, że Edward nadmiernie cię kontroluje, ale oszczędź go, proszę, kiedy już wróci z polowania. On tak bardzo cię kocha. Umiera ze strachu, kiedy nie ma cię przy sobie.

Podniosła się bezszelestnie i podeszła do drzwi.

– Dobranoc, Bello – szepnęła, wychodząc na korytarz.

Po jej wizycie długo nie mogłam zasnąć.

Kiedy w końcu odpłynęłam, dręczyły mnie koszmary. Śniło mi się, że czołgam się po zimnym bruku nieznanej mi ulicy, zostawiając za sobą strugę rozmazanej krwi. Padał rzadki śnieg, a z daleka, urażonym wzrokiem, przyglądał mi się ledwo widoczny w cieniu anioł.

Nazajutrz rano Alice odwiozła mnie do szkoły. Przez całą drogę wpatrywałam się tępo w przednią szybę. Byłam okropnie niewyspana, przez co jeszcze gorzej znosiłam swoje uwięzienie.

– Nie musimy siedzieć w domu – pocieszała mnie Alice. – Możemy pojechać do miasta albo nad morze. Zobaczysz, będzie fajnie.

– Dlaczego nie zamkniesz mnie po prostu na klucz w piwnicy? Nie uda ci się odwrócić mojej uwagi na tyle, żebym zapomniała, że jestem więźniem.

Udała zmartwienie.

– Kurczę, jeśli nie będziesz się dobrze bawić, Edward zabierze mi za karę porsche.

– To nie twoja wina. – Byłam na siebie zła, bo zaczynałam mieć wyrzuty sumienia. – No to do zobaczenia w stołówce.

Powlokłam się na angielski. Dzień w szkole bez Edwarda był dla mnie dniem straconym. Pławiłam się w rozżaleniu całą godzinę, doskonale świadoma faktu, że tym sobie nie pomagam.

Na dzwonek zareagowałam bez entuzjazmu. Na progu klasy czekał na mnie Mike. Przytrzymał dla mnie drzwi.

– Edward znowu w górach? – zapytał, kiedy wyszliśmy na deszcz.

– Tak.

– To może wyskoczymy gdzieś razem wieczorem?

Czy naprawdę jeszcze nie stracił nadziei?

– Dzięki za propozycję, ale nie mogę. Mam babskie spotkanie.

Powiedziałam to takim tonem, jakby chodziło o wizytę u dentysty.

Mike przyjrzał mi się podejrzliwie.

– A z kim się...

Przerwał mu potężny ryk dobiegający od strony parkingu. Wszyscy na chodniku odwrócili głowy, po czym otworzyli szeroko oczy, bo pod szkołę zajechał czarny motocykl z dwumetrowym mięśniakiem za kierownicą.

Jacob pomachał do mnie, nie gasząc silnika.

– Biegiem! – zawołał, z trudem przekrzykując motor.

Zawahałam się, ale tylko sekundę. Alice nie odważyłaby się zainterweniować przy tylu świadkach.

– Mike – zwróciłam się do swojego kompana – zrobiło mi się niedobrze i pojechałam do domu, okej?

Byłam coraz bardziej podekscytowana.

– Nie ma sprawy – mruknął.

Pocałowałam go w policzek.

– Dzięki. – Rzuciłam się biegiem w stronę motocykla. – Jestem twoją dłużniczką! – krzyknęłam przez ramię.

Jacob uśmiechał się triumfalnie. Wskoczyłam na siodełko i mocno objęłam go w pasie.

Rozejrzałam się. Alice stała jak sparaliżowana na progu stołówki, a jej ciemne oczy ciskały błyskawice. Zanim zniknęliśmy za domami, zdążyłam jeszcze rzucić jej błagalne spojrzenie.

A potem pędziliśmy już przez miasteczko z taką prędkością, że żołądek podszedł mi do gardła.

– Trzymaj się – krzyknął Jacob.

Wtuliłam twarz w jego plecy. Wiedziałam, że zwolni, gdy tylko miniemy granicę terytorium Quileutów. Musiałam jakoś wytrzymać tych kilka minut. Modliłam się w duchu, żeby Alice nas nie goniła i żeby nie zobaczył mnie przypadkiem Charlie.

Nie musiałam otwierać oczu, żeby domyślić się, że jesteśmy w La Push. Jacob zwolnił, wyprostował się i syknął głośno:

– Tak!

Otworzyłam oczy.

– Udało się – powiedział. – I co, widziałaś kiedyś na filmie taką ucieczkę z ciupy?

– Miałeś świetny pomysł.

– Zapamiętałem, że ta ichnia wróżbitka nie widzi, co planuję. Dobrze, że nie chodziło ci po głowie nic podobnego – nie pozwoliliby ci iść do szkoły.

– Specjalnie nad niczym się nie zastanawiałam.

– No to mamy popołudnie dla siebie. Na co masz ochotę?

– Na wszystko! – zawołałam upojona wolnością.

8 *Wybuchowe charaktery*

Wylądowaliśmy znowu nad zatoką, więc zaczęliśmy krążyć bez celu po plaży. Mojego wybawcę ciągle rozpierała duma po tym, jak sprytnie wykradł mnie spod nosa Alice.

– Sądzisz, że przyjdą po ciebie? – spytał mnie z nadzieją w głosie.

– Nie przyjdą. – Byłam tego pewna. – Za to dostanie mi się wieczorem.

Puścił kilka kaczek.

– To nie wracaj – zaproponował.

– Świetny pomysł – stwierdziłam sarkastycznie. – Charlie będzie wniebowzięty.

– Założę się, że nie będzie miał nic przeciwko temu.

Nie odpowiedziałam, bo najprawdopodobniej miał rację. Cholera! Z wściekłości zacisnęłam zęby. Czy Charlie musiał być taki stronniczy? Preferował swoich przyjaciół z La Push, niezależnie od sytuacji. Ciekawa byłam, czy zachowywałby się tak samo, gdyby wiedział, że dokonuje wyboru pomiędzy wampirami a wilkołakami.

– Co tam słychać w sforze? – zapytałam, żeby sprowadzić rozmowę na inne tory. – Żadnych nowych afer?

Jacob zatrzymał się raptownie. Wyglądał na zszokowanego.

– Spokojnie. Tylko żartowałam.

– Och – wyrwało mu się. Uciekł wzrokiem gdzieś w bok.

Odczekałam chwilę, ale nie ruszył się z miejsca. Wydawał się pogrążony w myślach.

– Naprawdę coś się wydarzyło? – odgadłam.

Parsknął śmiechem.

– Kurczę, wszystko mi się już myli. Zapominam, że jeśli o czymś wiem, to nie znaczy, że i ty o tym wiesz. Zazdroszczę ci, że masz swoją głowę tylko dla siebie.

Zrobiliśmy kilka kroków po kamienistym podłożu. W końcu zdobyłam się na odwagę.

– Co to za afera? Ta, o której wszyscy w sforze już wiedzą?

Zawahał się na moment, jakby nie był pewien, ile może mi wyjawić, a potem westchnął ciężko i oznajmił:

– Quila trafił grom z jasnego nieba – no wiesz, to całe wpojenie. Czyli jest ich już trzech. Ja i pozostali zaczynamy się martwić. Może to bardziej powszechne zjawisko, niż mówiły podania.

Zmarszczywszy czoło, spojrzał mi prosto w oczy. Poczułam się skrępowana.

– Co tak patrzysz?

– Nic, nic...

Poszliśmy dalej. Niby to odruchowo, wziął mnie za rękę. Przez kilka minut żadne z nas nie zabierało głosu.

Pomyślałam, że dla postronnego obserwatora musimy wyglądać jak para zakochanych na romantycznym spacerze, i zastanowiłam się, czy nie powinnam jakoś tego zmienić. Tyle że, z drugiej strony, chyba zawsze sprawialiśmy takie wrażenie, będąc razem. Nie było powodu akurat teraz się o to awanturować.

– Dlaczego wpojenie u Quila wywołało skandal? – spytałam, nie będąc w stanie poskromić ciekawości. – Czy dlatego, że dołączył do was jako ostatni?

– To nie ma tu żadnego znaczenia.

– Więc w czym problem?

– Wątpię, czy kiedykolwiek przyzwyczaimy się do tego, że te wszystkie legendy to prawda – mruknął do siebie.

– Powiesz mi? A może mam się sama domyślić?

– W życiu byś na to nie wpadła. Quil jest z nami od niedawna, to prawda, więc dopiero od niedawna przesiaduje u Emily, jak to mamy w zwyczaju.

– Quil zakochał się w Emily? – przerwałam Jacobowi wstrząśnięta. – To tak można? Dwóch w jednej?

– Nie w Emily. Mówiłem, że masz nie zgadywać. Zakochał się w siostrzenicy Emily, Claire. Była u niej z wizytą.

Korzystając z tego, że zamilkł, przemyślałam pospiesznie całą sprawę.

– Emily nie chce, żeby jej siostrzenica zadawała się z wilkołakiem, tak? Hm, nie wiedziałam, że stać ją na taką hipokryzję.

Ale mimo wszystko ją rozumiałam. Kto, jeśli nie ona? Przed oczami stanęły mi długie blizny szpecące jej twarz i prawe ramię. Sam stracił nad sobą kontrolę jeden jedyny raz, a ona stała akurat o te pół metra za blisko. Jeden jedyny raz... Widziałam, z jakim bólem przywódca watahy przygląda się tym szramom. Tak, Emily miała prawo chronić bliską osobę.

– Na miłość boską, czy możesz wreszcie przestać zgadywać? Emily nie ma nic przeciwko, że padło na Claire, uważa tylko, że to... że to trochę za wcześnie.

– Jak to, za wcześnie?

Oblizał sobie nerwowo wargi.

– Postaraj się tylko nie wyciągać pochopnych wniosków, dobra?

Skinęłam głową.

– Claire ma dwa latka.

Zaczęło padać. Zamrugałam gwałtownie, bo kilka kropel wpadło mi do oczu.

Jacob czekał cierpliwie. Jak zwykle, nie miał na sobie żadnego swetra czy kurtki i deszcz znaczył jego czarny podkoszulek ciemnymi plamami. Przyglądał mi się nieprzeniknionym spojrzeniem.

– Quil... zakochał się... w dwuletniej dziewczynce? – wykrztusiłam z trudem.

– Zdarza się. – Wzruszył ramionami. Schylił się po kolejny kamień, po czym cisnął go w wody zatoki. – Według podań nie ma w tym nic dziwnego.

– Przecież ona dopiero co nauczyła się chodzić! – zaprotestowałam.

Uśmiechnął się kwaśno.

– Pamiętaj, że żaden z nas na razie się nie starzeje. Quil będzie musiał poczekać z piętnaście lat i tyle.

– Ty chyba... to... no nie, brakuje mi słów.

Starałam się, jak mogłam, pozbyć się uprzedzeń, ale w głębi duszy byłam przerażona. Od czasu, kiedy podejrzewałam członków sfory o mordowanie turystów, nic związanego z wilkołakami tak mnie nie zbulwersowało.

– Masz Quila za zboczeńca – zarzucił mi Jacob. – Widać to po twojej minie.

– Przepraszam – wybąkałam. – Ale to takie... niesmaczne.

– To wygląda zupełnie inaczej, niż ci się wydaje. – Bronił przyjaciela z prawdziwą pasją. – Byłem w jego głowie, więc doskonale go rozumiem. On nie jest w niej zakochany w zwykłym tego słowa znaczeniu, przynajmniej na razie. Jest raczej tak, jakby... Ech, trudno to opisać. Ta cała gadka o gromach z jasnego nieba to tylko uproszczenie. Tam nie ma nic romantycznego. Claire nie jest dla Quila w żaden sposób... atrakcyjna, tylko stała się nagle dla niego centrum wszechświata, taką najważniejszą istotą pod słońcem. Zrobiłby dla niej wszystko. Zawsze będzie idealnie dopasowywał się do jej potrzeb. Będzie dla niej tym, kogo będzie potrzebowała – na razie kimś w rodzaju starszego brata. Ale jakiego starszego brata! Żaden inny maluch nie miał i nie będzie miał tak dobrze, jak ta mała dziewczynka pod opieką Quila. Będzie pilnował dzień i noc, żeby włos nie spadł jej z głowy. Kiedy mała pójdzie do szkoły, stanie się jej przyjacielem i powiernikiem, na którym będzie mogła polegać bardziej niż na własnych rodzicach. A za kilkanaście lat... Sama zobaczysz – będą równie szczęśliwi, jak Emily i Sam.

To ostatnie zdanie wymówił tonem pełnym goryczy.

– Czy Claire będzie miała coś do powiedzenia? – spytałam.

– Oczywiście. Ale po co miałaby wybrać kogoś innego, skoro Quil będzie jakby robiony dla niej na zamówienie?

Teraz to ja przystanęłam, żeby rzucić kamieniem. Zabrakło mi siły – spadł na plażę kilka metrów od brzegu. Jacob zachichotał.

– Nie wszyscy mogą mieć nadprzyrodzone zdolności – mruknęłam.

Westchnął.

– Jak sądzisz, kiedy ciebie trafi? – szepnęłam.

Odpowiedział hardo i bez zastanowienia.

– Nigdy.

– Skąd wiesz? Przecież nie masz nad tym kontroli.

Nie odpowiedział.

Spacerowaliśmy w milczeniu, mimowolnie zwolniwszy tempo.

– Tak, ponoć nie ma się nad tym kontroli – przyznał w końcu. – Ale, z drugiej strony, trzeba tę przeznaczoną sobie dziewczynę zobaczyć, nagle po raz pierwszy naprawdę ją dostrzec.

– Nie wiem, czy dobrze cię rozumiem. Uważasz, że jeśli jeszcze jej nie spotkałeś, to ona nie istnieje? Jacob, na świecie są miliony dziewczyn, a ty nigdy nie przekroczyłeś nawet granicy stanu.

– Nie o to mi chodzi – powiedział cicho. Nagle spojrzał mi prosto w oczy. W jego własnych płonął ogień. – Ja po prostu nigdy nie będę w stanie nikogo dostrzec, bo nie widzę nikogo poza tobą, Bella. Nawet kiedy zamknę oczy i staram się myśleć o czymś innym. Spytaj Quila albo Embry'ego – doprowadzam ich tym do szału.

Wbiłam wzrok w swoje stopy.

Przystanęliśmy oboje. Rytmiczny szum fal zagłuszał szmer deszczu. Poza tym nie było słychać niczego innego.

– Lepiej już pójdę – szepnęłam.

– Nie! – krzyknął zaskoczony.

Podniosłam głowę. Wciąż się we mnie wpatrywał.

– Masz cały dzień tylko dla siebie, prawda? Twój krwiopijca jeszcze nie wrócił.

Nastroszyłam się za tego „krwiopijcę".

– Tak mi się wymsknęło – usprawiedliwił się szybko.

– Tak – powiedziałam – mam cały dzień tylko dla siebie, ale, Jake...

Uniósł obie ręce do góry w poddańczym geście.

– Okej, nie ma sprawy. Nie będę więcej poruszał tego tematu. Jesteśmy przyjaciółmi.

Westchnęłam.

– I tak będziesz cały czas czuł to samo...

– Mną się nie przejmuj. – Uśmiechnął się w odrobinę wymuszony sposób. – Wiem, na co się decyduję. Jakbym znowu z czymś wyskoczył, po prostu powiedz mi, żebym przestał.

– No, nie wiem...

– Chodź, wrócimy do domu i wyciągniemy z garażu twój motocykl. Trzeba na nich regularnie jeździć, bo inaczej się psują.

– Wiesz, że mi nie wolno.

– A kto ci zabrania, Charlie czy pij... czy tamten?

– Obaj.

Uśmiechnął się raz jeszcze, tym razem szczerze i łobuzersko, tak jak lubiłam najbardziej. Wydawał mi się wtedy taki miękki i ciepły... Nie mogłam się powstrzymać i poszłam za jego przykładem.

Deszcz przeszedł w mżawkę.

– Nikomu nie powiem – obiecał.

– Z wyjątkiem wszystkich z watahy.

– Przyrzekam, że nie będę o tym nawet myślał.

Zaśmiałam się.

– A jeśli coś mi się stanie, powiemy, że się potknęłam.

– Umowa stoi.

Jeździliśmy po bocznych drogach wokół La Push, dopóki deszcz nie zmienił ich w grzęzawiska, a Jacob nie zaczął narzekać, że zemdleje, jeśli zaraz czegoś nie zje. Billy przywitał mnie serdecznie, nie okazując zdziwienia czy oburzenia, choć było oczywiste, że jestem na wagarach.

Po posiłku złożonym z przygotowanych przez Jacoba kanapek poszliśmy do garażu i pomogłam mu myć motory. Nie byłam w szopie od kilku miesięcy – odkąd wrócił Edward – ale czułam się tam nadal jak u siebie.

Skończywszy robotę, Jacob wyjął z torby na zakupy dwie puszki coli.

– Tak mi tu dobrze – wyznałam, popijając ciepławy napój. – Stęskniłam się za tym miejscem.

Rozejrzał się po garażu.

– Doskonale cię rozumiem. Po co wydawać kasę na bilet do Indii i tracić czas na podróż, skoro mamy tu takie same luksusy co w Taj Mahal*.

– Za nasze małe Taj Mahal!

Wzniosłam toast colą. Jacob przytknął swoją puszkę do mojej.

---

* Taj Mahal – marmurowy pałac grobowiec z charakterystyczną białą kopułą, najsłynniejszy zabytek Indii – przyp. tłum.

– Pamiętasz ostatnie walentynki? Chyba byłaś tu wtedy po raz ostatni. Dopiero potem wszystko się zmieniło...

– Jak mogłabym zapomnieć? – zaśmiałam się. – Przyrzekłam ci niewolnicze oddanie w zamian za różową bombonierkę za pięćdziesiąt centów.

Udało mi się go rozbawić.

– Rzeczywiście. Hm, niewolnicze oddanie, mówisz? To muszę się zastanowić, do czego by cię tu wykorzystać... – Nagle posmutniał. – Wydaje się, że to było wieki temu. W innej epoce. Fajniejszej epoce.

Byłam innego zdania – moja „fajna epoka" miała się dopiero zacząć – ale nie spodziewałam się też, że tylu rzeczy z tamtego garażowego okresu będzie mi brakować. Spojrzałam przez uchylone drzwi na ścianę lasu. Deszcz przybrał na sile, ale w szopie było ciepło, głównie dzięki Jacobowi. Co jak co, ale był z niego świetny grzejnik.

Musnął opuszkami palców moją dłoń.

– Wszystko się zmieniło...

– Tak... – Wyciągnęłam rękę i poklepałam tylną oponę swojego motocykla. – Charlie kiedyś mnie lubił... Mam nadzieję, że Billy nie wygada się przed nim, że tu dziś byłam.

– Nie wygada się. Ma o wiele większy dystans do różnych spraw niż twój ojciec. Hej, nie przeprosiłem cię jeszcze za ten numer z podrzuceniem motoru! Przepraszam, że cię wydałem. Teraz tego żałuję.

– Dobrze ci tak.

– Naprawdę. Bardzo, bardzo głupio mi z tego powodu.

Wyglądał uroczo z oczami szczeniaka i mokrymi włosami sterczącymi we wszystkie strony.

– Wybaczam ci.

– Dzięki, Bells.

Uśmiechnęliśmy się do siebie, ale Jacob zaraz spochmurniał.

– Wiesz, wtedy, kiedy przywiozłem motor do Forks... chciałem zadać ci jedno pytanie. A jednocześnie nie chciałem ci go zadać.

Zamarłam. Była to teraz moja odruchowa reakcja na stres – nauczyłam się tego przy Edwardzie.

– Mówiłaś tak na poważnie – szepnął – czy tylko się ze mną drażniłaś, bo byłaś na mnie zła?

– Co czy mówiłam na poważnie? – spytałam, chociaż dobrze wiedziałam, co ma na myśli.

– Że to nie mój interes. Że nic mi do tego, czy on... czy on ukąsi cię, czy nie.

Wyrzucając to z siebie, skrzywił się.

– Jake...

W moim gardle pojawiła się jakaś przeszkoda, przez którą nie mogłam powiedzieć nic więcej.

Przymknął powieki i napełnił płuca powietrzem.

– Czy mówiłaś tak na poważnie? – powtórzył.

Ledwo zauważalnie drżał. Nie otworzył oczu.

– Tak – wyszeptałam.

Jacob wziął kolejny głęboki wdech.

– Cóż, domyślałem się, że tak to się może skończyć.

Wpatrywałam się w niego w napięciu, czekając, aż na mnie spojrzy.

– Wiesz, jakie to pociągnie za sobą konsekwencje? – zagrzmiał znienacka. – Chyba zdajesz sobie z nich sprawę? Wiesz, co będziemy musieli zrobić, kiedy tamci zerwą postanowienia paktu?

– Najpierw wyjedziemy – wyjaśniłam cicho.

Jacob otworzył oczy. W ich czarnych głębinach malował się gniew i ból.

– W pakcie nie ma ani słowa o tym, gdzie im wolno, a gdzie nie wolno się tego dopuścić. Nie wolno im i już. Nasi pradziadowie zgodzili się zawrzeć pokój tylko dlatego, że Cullenowie zarzekali się, że są inni – że w żaden sposób nie zagrażają ludziom. Obiecali nam nie tylko, że już nigdy nikogo nie zabiją, ale też, że już nigdy nikogo nie zmienią. Jeśli złamią dane nam słowo, udowodnią, że są takimi samymi wampirami jak wszystkie inne, a wtedy, jeśli kiedykolwiek się na nich napatoczymy...

Rozpaczliwie szukałam w głowie jakichkolwiek kontrargumentów.

– Przecież sam już złamałeś jedno z postanowień paktu – zauważyłam. – Czy mówienie komukolwiek spoza plemienia o istnieniu wampirów nie jest zakazane? A ty mi o nich opowiedziałeś. No i chyba każdy pakt można renegocjować, prawda?

Rozgniewałam go tylko, wypominając mu niedyskrecję. Miejsce bólu w jego oczach zastąpiła czysta wrogość.

– Tak, złamałem jedno z postanowień paktu – oświadczył, unikając mojego wzroku – ale to było jeszcze, zanim uwierzyłem w plemienne legendy. Zresztą, to niczego nie zmienia. Nie można handlować przewinieniami. Kiedy się dowiedzieli, że zdradziłem ich tajemnicę, mogli zaatakować. I my, jeśli się o czymś dowiemy, będziemy mogli wypowiedzieć im wojnę.

Powiedział to takim tonem, jakby było to nieuniknione. Przeszły mnie ciarki.

– Jake, to nie musi tak wyglądać.

– To właśnie tak wygląda.

Cisza, jaka zapadła po jego deklaracji, ciążyła mi okropnie.

– Nigdy mi nie wybaczysz? – wyszeptałam.

Zaraz pożałowałam, że zadałam to pytanie. Tak naprawdę nie chciałam poznać na nie odpowiedzi.

– Nie będziesz wtedy Bellą, więc nie będzie komu wybaczyć. Moja przyjaciółka przestanie istnieć.

– To chyba oznacza, że nigdy.

Siedzieliśmy długo w milczeniu.

– Czy to w takim razie nasze ostatnie spotkanie? – spytałam.

Zamrugał, jakby się obudził, szczerze zaskoczony.

– A dlaczego miałoby być ostatnie? Na razie możemy się nadal przyjaźnić. Przed nami jeszcze parę lat.

To, co miałam mu do powiedzenia, było okrutne.

– Obawiam się, że nie parę lat, ale parę tygodni.

Nie spodziewałam się aż tak gwałtownej reakcji.

Zerwał się na równe nogi, zgniatając trzymaną przez siebie puszkę z taką siłą, że z hukiem pękła. Strugi coli wystrzeliły we wszystkie strony, plamiąc mi ubranie.

– Jake! – jęknęłam, ale nie powiedziałam już nic więcej, bo uzmysłowiłam sobie, że mój kompan dygocze na całym ciele, a w jego klatce piersiowej narasta charkot. Samo jego spojrzenie mogło zabić.

Zamarłam. Byłam zbyt zszokowana, żeby pamiętać, co zrobić, żeby się poruszyć.

Przenikające Jacoba dreszcze przybrały na sile i prędkości. Nie tyle się trząsł, co wibrował. Kontury jego ciała zaczęły się rozmywać...

A potem zacisnął oczy i zęby, i charkot ucichł. Im dłużej się koncentrował, tym mu było lepiej. W końcu drżały mu tylko dłonie.

– Parę tygodni... – powtórzył głucho.

Nadal nie byłam w stanie poruszyć choćby własnymi wargami.

Otworzył oczy. Słowo „furia" nie oddawało już należycie wyrazu jego spojrzenia.

– To bydlę zmieni cię w obrzydliwą pijawę już za parę tygodni! – syknął przez zęby.

Byłam zbyt oszołomiona, żeby się na niego obrazić. Po prostu skinęłam głową.

Śniada skóra na jego twarzy przybrała zielonkawy odcień.

– Jacob, on ma siedemnaście lat – wyszeptałam błagalnie. – A ja po wakacjach skończę już dziewiętnaście. Poza tym, po co czekać? Edward jest miłością mojego życia. Co mogę jeszcze zrobić?

Wydawało mi się, że to pytanie retoryczne, ale postanowił mi odpowiedzieć. Każde z jego słów było dla mnie jak uderzenie batem.

– Cokolwiek. Cokolwiek, byle nie to. Lepiej byłoby dla ciebie, żebyś umarła. Wolałbym, żebyś umarła.

Odskoczyłam, jakby mnie spoliczkował. Zabolało bardziej, niż gdyby naprawdę to zrobił.

Z falą bólu wezbrał we mnie gniew.

– Może los się do ciebie uśmiechnie – warknęłam, podnosząc się z miejsca. – Może w drodze powrotnej potrąci mnie ciężarówka.

Złapałam kierownicę swojego motocykla i wypchnęłam go na deszcz. Jacob nie spróbował mnie zatrzymać. Gdy tylko znalazłam się na zewnątrz, wdrapałam się na siodełko i jednym kopnięciem odpaliłam. Spod tylnej opony trysło błoto, prosto w uchylone drzwi garażu. Miałam nadzieję, że trafiło w pewnego upartego wilkołaka.

Jadąc śliską szosą do domu Cullenów, przemokłam do suchej nitki. Smagające moją kurtkę podmuchy wiatru wydawały się zmieniać krople deszczu w kryształki lodu. Już w połowie drogi rozdzwoniły mi się zęby.

Jazda motocyklem w stanie Waszyngton była rozrywką dla masochistów. Postanowiłam sprzedać swój jednoślad przy najbliższej nadarzającej się okazji.

Wprowadziwszy motor do przestronnego garażu Cullenów, nie zdziwiłam się, zastając w środku Alice. Siedziała oparta o maskę swojego porsche, głaszcząc jego żółty lakier.

– Nawet się nim jeszcze nie przejechałam – westchnęła.

– Przepraszam – wymamrotałam, szczękając zębami.

– Chyba przydałby ci się gorący prysznic – stwierdziła, wstając.

– Nie zaprzeczę.

– Chcesz obgadać to, co się stało?

– Nie.

Skinęła głową na zgodę, chociaż widać było, że zżera ją ciekawość.

– Chcesz pojechać wieczorem do miasta?

– Nie bardzo. Nie mogłabym wrócić po prostu do domu?

Skrzywiła się.

– Nie ma sprawy – powiedziałam. – Jeśli ma ci to pomóc, to zostanę.

– Dzięki.

Odetchnęła z ulgą.

Tego dnia poszłam spać wcześnie i znowu wybrałam kanapę zamiast łóżka.

Kiedy się ocknęłam, było jeszcze ciemno. Wyczułam, że jest środek nocy. Nie otwierając oczu, wyprostowałam nogi, po czym obróciłam się na drugi bok. Dopiero po sekundzie uświadomiłam sobie, że wykonawszy taki manewr, powinnam była spaść na podłogę. Poza tym było mi jakoś podejrzanie miękko.

Wróciłam do poprzedniej pozycji i rozejrzałam się dookoła. W pokoju panowały egipskie ciemności – pogoda od wczoraj się popsuła i gruba warstwa chmur nie przepuszczała nic z księżycowego światła.

– Wybacz – zamruczał w mroku aksamitny baryton. – Nie miałem zamiaru cię obudzić.

Spięłam się w oczekiwaniu na wybuch gniewu – i jego, i swój – ale nic podobnego nie nastąpiło. Znikła za to gorycz, jaka towarzyszyła mi zawsze, kiedy Edward na jakiś czas musiał zostawić mnie samą, a której nie wyczuwałam świadomie, dopóki nie było mi dane wyzwolić się z jej oparów. Zastąpiła ją ledwie wyczuwalna słodka woń wampirzego oddechu.

Przestrzeń pomiędzy nami nie gęstniała wcale od negatywnych emocji. Za ciszą krył się spokój i to nie spokój przed burzą, ale spokój bijący od tafli leśnego jeziora.

Miałam być na niego wściekła, miałam być wściekła na nich wszystkich, ale nagle powody po temu przestały się dla mnie liczyć. Namacałam w ciemnościach jego ręce i przysunęłam się bliżej. Czułym gestem przytulił mnie do piersi. Moje wargi musnęły jego szyję, a potem brodę, by w końcu niezdarnie namierzyć jego usta.

Pocałował mnie delikatnie i zaśmiał się cicho.

– Obiecałaś mi coś gorszego od ataku stada grizzly, a fundujesz mi takie powitanie? Powinienem częściej doprowadzać cię do białej gorączki.

– Daj mi minutkę, to się rozkręcę – zaproponowałam, znowu go całując.

– Dam ci tyle czasu, ile tylko zażądasz.

Wplótł mi palce we włosy.

Mój oddech tracił stopniowo zdrowy rytm.

– Może rano coś wymyślę.

– Może być rano.

Pocałował mnie w czoło.

– Tak się cieszę, że wróciłeś.

– Uwielbiam do ciebie wracać.

– Uwielbiam cię witać.

Zacisnęłam mocniej ręce wokół jego szyi.

Jego dłoń zsunęła się z mojego łokcia i musnąwszy wpierw moje żebra, a później talię, powędrowała niżej, po krzywiźnie uda, aż za kolano. Nagle Edward jednym ruchem złapał mnie za łydkę i wciągnął sobie moją nogę pod biodro.

Zaparło mi dech w piersiach. Normalnie nie pozwalał sobie na takie ekscesy. Pomimo tego, że ręce miał lodowate, poczułam, że wzbiera we mnie ogień. Jego wargi błądziły po mojej szyi.

– Nie chciałbym wszczynać kłótni przedwcześnie – szepnął – ale czy mogłabyś mi powiedzieć, co ci się nie podoba w tym łóżku?

Zanim zdążyłam udzielić mu odpowiedzi – ba, zanim zdążyłam się skoncentrować na tyle, by zrozumieć, co do mnie mówi – nie wypuszczając mnie z objęć, przewrócił się na plecy, co spowodowało, że znalazłam się na nim. Nie oddychałam teraz, ale po prostu rzęziłam – gdybym była przytomniejsza, pewnie by mnie to krępowało.

– Czemu wolisz kanapę? – ponowił pytanie. – Ja tam uważam, że to łóżko to świetna sprawa.

– Niepotrzebne nam łóżko – zdołałam wykrztusić.

Ujął moją głowę obiema dłońmi, żeby znowu móc mnie pocałować. Tym razem nie odrywaliśmy się od siebie na tyle długo, że zdążył obrócić się powoli, tak żeby znaleźć się nade mną. Uważał przy tym bardzo, żeby mnie nie przygnieść, ale i tak jego marmurowe ciało napierało na mnie na całej długości. Serce waliło mi tak głośno, że prawie nie usłyszałam jego cichego śmiechu.

– No nie wiem, no nie wiem. Na kanapie nie dałoby się zrobić tego i owego.

Kręciło mi się w głowie. Dopływało do niej za mało tlenu.

– Czyżbyś zmienił zdanie? – spytałam bezgłośnie.

Może wszystko przemyślał i doszedł do wniosku, że stać go na więcej? Może pojawienie się małżeńskiego łoża w jego pokoju miało większe znaczenie, niż pierwotnie sądziłam?

Westchnął i zmienił pozycję tak, że oboje leżeliśmy na powrót na boku.

– Nie bądź dziecinna, Bello – skarcił mnie poważnym tonem. Dobrze wiedział, co mam na myśli. – Chciałem tylko pokazać ci jego dobre strony, żebyś trochę je polubiła. Nie daj się ponieść fantazji.

– Za późno – mruknęłam. – A łóżko bardzo mi się podoba.

– To dobrze. – Wyczułam, że całując mnie w policzek, uśmiechnął się. – Bo mnie też.

– Ale nadal jestem zdania, że go nie potrzebujemy – ciągnęłam. – Skoro nie zmieniłeś reguł, jaki jest sens zagracać nim pokój?

Edward znowu westchnął.

– Powiem to po raz setny, Bello: to zbyt ryzykowne.

– Lubię ryzyko.

– Wiem – odparł kwaśno.

Uzmysłowiłam sobie, że parkując auto, musiał zobaczyć w garażu mój motocykl.

– Wiesz, co mi tak naprawdę grozi? – spytałam szybko, żeby nie poruszył nowego tematu. – Że lada dzień eksploduję. I będzie to wyłącznie twoja wina.

Sięgnął po moje dłonie, żeby oderwać je sobie od pleców.

– Co ty wyprawiasz? – zaprotestowałam.

– Zapobiegam eksplozji. Skoro trudno ci wytrzymać...

– Poradzę sobie – oświadczyłam.

Pozwolił mi się znowu w siebie wtulić.

– Przepraszam, że rozbudziłem w tobie nadzieję – powiedział. – Nie chciałem sprawić ci przykrości.

– To była fantastyczna pobudka.

– Nie chce ci się spać?

– Ani odrobinę. Za to chętnie porozbudzam jeszcze w sobie trochę nadziei.

– To chyba nie najlepszy pomysł. Nie tylko ciebie może ponieść.

– Chciałoby się – pożaliłam się.

Parsknął śmiechem.

– Jak mało o mnie wiesz, Bello. A to, że starasz się wystawić moją powściągliwość na próbę, bynajmniej mi nie pomaga.

– Cóż, przepraszać cię za to nie będę.

– A czy ja mogę przeprosić?

– A to niby za to?

– Byłaś na mnie zła, nie pamiętasz?

– Ach, tak. Rzeczywiście.

– Więc chciałbym cię przeprosić. Teraz wiem, że się myliłem. Jakoś o wiele łatwiej patrzeć mi na wszystko z właściwej perspektywy, kiedy leżysz bezpieczna w moich ramionach. – Przycisnął mnie mocniej do siebie. – Muszę być przy tobie, inaczej po prostu wariuję. Już nigdy tak daleko nie wyjadę. Nie warto.

Uśmiechnęłam się.

– Co, nie znaleźliście żadnych pum?

– Znaleźliśmy, znaleźliśmy, ale po co mam się w przyszłości tak denerwować. Przepraszam też, że kazałem Alice cię uprowadzić. To także nie najlepszy pomysł.

– Zgadzam się.

– To pierwszy i ostatni raz.

– Świetnie – powiedziałam. Już dawno mu wybaczyłam. – Mimo wszystko piżama party mają swoje zalety... – Przycisnęłam wargi do wgłębienia nad jego obojczykiem. – Ty możesz mnie uprowadzać, kiedy cię tylko najdzie ochota.

– Hm... Może cię nawet posłucham.

– Czy teraz moja kolej?

– Na co twoja kolej?

– Na to, żeby przeprosić.

– A masz za co mnie przepraszać?

– Nie jesteś na mnie wściekły? – spytałam wprost.

– Nie.

Zabrzmiało to szczerze.

Ściągnęłam brwi.

– Nie rozmawiałeś jeszcze z Alice?

– Rozmawiałem, a bo co?

– Zarekwirowałeś już jej porsche?

– Czemu miałbym je rekwirować? – zdziwił się, nieco urażony. – To był prezent.

Żałowałam, że nie widzę jego wyrazu twarzy.

– Nie jesteś ciekawy, co robiłam podczas twojej nieobecności?

Czułam się coraz bardziej zdezorientowana.

– Zawsze jestem ciekaw tego, co masz mi do powiedzenia – ale jeśli nie chcesz, nie musisz mi o niczym opowiadać.

– Ale ja pojechałam do La Push!

– Wiem, że tam pojechałaś.

– I nie poszłam wczoraj do szkoły!

– Ja też wczoraj nie poszedłem do szkoły.

Zmęczyła mnie ta wymiana zdań. Niby to przypadkiem przejechałam opuszkami palców wokół jego ust, żeby zbadać jego minę. W końcu się poddałam.

– Skąd w tobie nagle tyle tolerancji, Edwardzie?

Westchnął.

– Jak już mówiłem, doszedłem do wniosku, że się myliłem. Przesadziłem z tym wszystkim. Usprawiedliwiałem się troską o twoje bezpieczeństwo, a tak naprawdę byłem po prostu do wilkołaków uprzedzony. I nadal jestem do nich uprzedzony, ale muszę też bardziej ci ufać. Skoro mówisz, że nic ci nie zrobią...

– Wow.

– Nie może być tak, że przez tę kwestię się kłócimy.

Oparłam głowę na jego piersi i w pełni usatysfakcjonowana zamknęłam oczy.

– À propos – zamruczał mi do ucha – wybierasz się może znowu do La Push w najbliższym czasie?

Nie odpowiedziałam, bo przypomniało mi się, czym zakończyła się moja wizyta u Jacoba, i gardło ścisnęło mi kilka emocji naraz.

Źle odczytał moją reakcję i pospieszył z wyjaśnieniami.

– Tak tylko pytam, żeby móc zawczasu zaplanować na ten czas coś dla siebie. Nie chcę, żebyś się spieszyła z powrotem, myśląc, że siedzę tu i czekam na ciebie, zgrzytając zębami.

– Wcale się nie wybieram do La Push – wyznałam obcym dla siebie głosem.

– Och, nie musisz się dla mnie tak poświęcać. Dopiero co powiedziałem...

– Nie o to chodzi – szepnęłam. – Nie jestem tam już mile widziana.

– Co się stało? Przejechałaś komuś kota? – spytał żartobliwym tonem.

Wiedziałam, że nie chce wymusić na mnie zeznań, ale wyczuwałam, że jest ich bardzo ciekaw.

– Nie. – Wzięłam głęboki oddech, a potem zaczęłam wyrzucać z siebie nieskładne zdania. – Sądziłam, że Jacob na to wpadnie... Nie myślałam, że tak go to zaskoczy...

Czekał cierpliwie, aż wszystko sobie poukładam.

– Nie spodziewał się... że zostało tak niewiele czasu.

– Ach, to.

– Powiedział mi, że wolałby, żebym umarła.

Na tym ostatnim słowie głos zadrżał mi płaczliwie.

Edward milczał przez chwilę, zapewne opanowując w sobie coś, co nie zgadzało się z jego najnowszymi postanowieniami, a potem czule mnie do siebie przycisnął.

– Tak bardzo mi przykro.

– Nie cieszysz się, że tak wyszło?

– Mam się cieszyć z czegoś, przez co jest ci smutno?

Pogłaskał mnie po policzku.

Odetchnęłam z ulgą, dopasowując kształt swojego ciała do jego kamiennej formy, ale nagle uświadomiłam sobie, że jest nie tyle po swojemu twardy, co spięty.

– Coś nie tak?

– Nic takiego.

– Mnie możesz powiedzieć.

Zawahał się.

– Znowu będziesz się gniewać.

– Mimo to chcę wiedzieć, co cię gryzie.

– Jestem... jestem wściekły, że tak cię potraktował. Mam ochotę tam pojechać i skręcić mu kark.

– No to dobrze się składa, że jesteś mistrzem w kontrolowaniu swoich odruchów, nieprawdaż?

– Nawet mistrzowi zdarzają się wpadki – zauważył.

– Wiesz co, jeśli zamierzasz pozwolić sobie na odrobinę zatracenia, to mam lepszy pomysł, jak to wykorzystać.

Zaczęłam zmieniać pozycję tak, by móc go pocałować w usta, ale mnie powstrzymał.

– Dlaczego to zawsze ja muszę być tą stroną, która zachowuje się odpowiedzialnie? – jęknął.

Uśmiechnęłam się łobuzersko.

– Wcale nie musisz. Żadne z nas nie musi. Zapomnijmy o odpowiedzialności. Tylko na kilka minut... albo godzin...

– Dobranoc, Bello.

– Czekaj. Mam jeszcze jedno pytanie.

– Tak?

– Wczoraj wieczorem przyszła tu do mnie Rosalie...

Edward znowu zrobił się spięty.

– Wiem. Kiedy przyjechałem, wyłapałem to w jej wspomnieniach – nadal to przeżywa. I co? Dała ci dużo do myślenia, prawda?

W jego głosie pobrzmiewał niepokój. Uświadomiłam sobie, że spodziewa się trudnej rozmowy na temat argumentów przemawiających za tym, żebym pozostała człowiekiem. Ale z wyznań jego siostry najbardziej zaciekawiło mnie coś zupełnie innego.

– Przybliżyła mi trochę... ten okres, kiedy mieszkaliście wszyscy w Denali.

Zbiłam go z pantałyku. Odezwał się po kilku sekundach.

– Tak?

– Ponoć tamtejsze wampirzyce bardzo cię polubiły...

Zamilkłam na dobrą minutę, ale nie doczekałam się komentarza.

– Nie przejmuj się – dodałam, kiedy cisza zaczęła mi już ciążyć. – Rosalie powiedziała mi, że żadnej z nich... nie okazywałeś żadnych szczególnych względów. Zastanawiałam się tylko, czy któraś nie okazywała czasem takich względów tobie. Rozumiesz – czy którejś z nich nie przypadłeś do gustu.

To milczenie mogło oznaczać tylko jedno.

– Jak jej na imię? – spytałam z nie za dobrze udawaną swobodą. – A może spodobałeś się więcej niż jednej?

Cisza. Znów żałowałam, że nie widzę jego miny.

– Alice będzie wiedzieć – stwierdziłam. – Pójdę ją zapytać.

Poruszyłam się, ale nie miałam szans wyswobodzić się z uścisku Edwarda.

– Już późno – oznajmił.

Nic dziwnego, że się nie odzywał – nawet on, mistrz samokontroli, nie potrafił ukryć, że moje pytania go... krępują. A może się przesłyszałam?

– Poza tym jest chyba na przejażdżce – ciągnął.

Puściłam jego uwagę mimo uszu.

– Hej, to musiała być jakaś poważna afera. Narzucała ci się? A może na serio się zakochała?

Wyobraziłam sobie swoją zabójczo piękną, nieśmiertelną rywalkę, z której istnienia nie zdawałam sobie do tej pory sprawy, i serce zaczęło mi bić szybciej. Ta wizja nie tylko mnie ekscytowała, ale przede wszystkim przerażała.

– Uspokój się. – Pocałował mnie w czoło. – Zachowujesz się jak dziecko.

– Ja zachowuję się jak dziecko? A kto unika odpowiedzi?

– Nie mam co ci odpowiedzieć. Robisz z tej sprawy nie wiadomo co.

– Czyli jednak była jakaś sprawa! No, która to? Jak ma na imię?

Westchnął z rezygnacją.

– Rzeczywiście, odebrałem pewne subtelne sygnały od Tanyi, ale nie byłem zainteresowany, co też grzecznie i bez zbędnych demonstracji dałem jej do zrozumienia. Ot i cała historia.

Skupiłam się, żeby mój głos nie zdradził wzbierających we mnie emocji.

– Jak właściwie wygląda ta cała Tanya?

– Jak każda wampirzyca: jasna cera, złote oczy. Sama wiesz.

Jak na mój gust, odpowiedział mi zbyt szybko.

– I oczywiście jest oszałamiająco piękna, prawda?

Wzruszył ramionami.

– Obiektywnie, pewnie tak. Ale ma jedną dużą wadę.

– Wadę? Wampirzyca? Chyba się ze mnie nabijasz.

Zbliżył usta do mojego ucha.

– Preferuję brunetki – szepnął.

– A Tanya jest blondynką? Teraz rozumiem.

– Ma takie żółte włosy, że aż prawie pomarańczowe. Zupełnie nie w moim typie.

Spróbowałam ją sobie zwizualizować, ale Edward zjechał wargami w dół wzdłuż mojej szyi, co uniemożliwiło mi należytą koncentrację.

– To chyba dobrze – powiedziałam po dłuższej chwili.

– Jeśli o mnie chodzi, możesz mi częściej robić sceny zazdrości. Jesteś taka urocza, kiedy mnie wypytujesz o rywalki. Nie wiedziałem, że to może być takie przyjemne.

Chociaż mnie nie widział, spojrzałam na niego spode łba.

– Późno już – powtórzył, tym razem bez śladu zażenowania. Jego cichy baryton pieścił moje uszy. – Śpij, skarbie. Niech ci się przyśni coś miłego. I nie przejmuj się – tylko ty obudziłaś moje serce. Już zawsze będzie należeć tylko do ciebie. Śpij, moja jedyna miłości.

To powiedziawszy, zaczął nucić moją kołysankę. Wiedząc, że wkrótce poddam się jej sile, posłusznie przymknęłam powieki i wtuliłam się w chłodny jak marmur tors.

9 Cel

Zgodnie z zawartą z Charliem umową Alice odwiozła mnie do domu nazajutrz rano. Edward miał wpaść do mnie z wizytą dopiero za kilka godzin, po swoim „oficjalnym" powrocie z wypadu w góry. Co prawda, zaczynałam mieć już powoli dość tych wszystkich oficjalnych i nieoficjalnych wersji wydarzeń. Za tym aspektem relacji ojciec–córka z pewnością nie miałam w przyszłości tęsknić.

Gdy zatrzasnęłam za sobą drzwiczki volvo, Charlie wyjrzał zza firanki w oknie saloniku. Pomachał Alice, a potem poszedł mi otworzyć.

– Dobrze się bawiłaś?

– Było super. Fajnie pobyć czasem z samymi dziewczynami.

Odłożyłam swoje dwie torby u podnóża schodów i przeszłam do kuchni poszukać dla siebie jakiejś przekąski.

– Dzwonił do ciebie Jacob – zawołał za mną Charlie. – Zapisałem ci wiadomość od niego na kartce przy telefonie.

Oparł nawet kartkę o garnek, żebym tylko jej nie przegapiła. Podniosłam ją do oczu.

Dzwonił Jacob. Przeprasza za to, co powiedział. Chce to wszystko odwołać. Prosi, żebyś do niego zadzwoniła. Nie wiem, co nabroił, ale nie gniewaj się na niego. Było słychać po jego głosie, że naprawdę żałuje.

Skrzywiłam się. Do tej pory ojciec nigdy nic nie dopisywał od siebie, gdy ktoś zostawiał dla mnie wiadomość.

Jeśli o mnie chodziło, Jacob mógł sobie wydzwaniać do woli. Nie miałam ochoty z nim rozmawiać. Zresztą, skoro wolałby, żebym umarła, powinien był zacząć się przyzwyczajać do braku odzewu z mojej strony.

Jakoś straciłam apetyt. Wróciłam do przedpokoju po swoje rzeczy.

– Nie zadzwonisz do niego? – spytał Charlie.

Opierał się o framugę drzwi i bacznie mi się przyglądał.

– Nie.

Podniosłam torby i zaczęłam wchodzić po schodach.

– To nieładnie z twojej strony. Wybaczanie to jedna z podstaw chrześcijaństwa.

– Pilnuj własnego nosa – mruknęłam tak cicho, żeby mnie nie usłyszał.

Odłożywszy ubrania noszone u Cullenów do kosza na brudną bieliznę, zadecydowałam, że wypadałoby zrobić pranie. Zdjęłam poszewki z pościeli Charliego, odłożyłam je na podłogę przy drzwiach łazienki i poszłam do siebie zrobić to samo.

Przystanęłam przy łóżku, przekrzywiając głowę.

Gdzie się podziała moja poduszka? Rozejrzałam się po pokoju. Nigdzie jej nie było, za to zauważyłam więcej niepokojących szczegółów. Czy nie zostawiłam w nogach łóżka szarej bluzy od dresu? Dałabym też sobie głowę uciąć, że za fotelem bujanym leżała para brudnych skarpetek, a na jego oparciu wisiała czerwona bluzka, którą porzuciłam tam dwa dni wcześniej, uznawszy za zbyt elegancką do szkoły. Czy ktoś to wszystko sprzątnął? Rzuciłam okiem na kosz, w którym zbierałam rzeczy przeznaczone do prania. Nie był pusty, ale i nie przepełniony, a takim go zapamiętałam.

Czyżby ojciec zrobił pranie? Mało prawdopodobne, ale jednak możliwe.

– Robiłeś pranie? – krzyknęłam w stronę otwartych drzwi.

– A co, mam zrobić? – odkrzyknął z dołu Charlie jak przyłapany przez rodzica nastolatek.

– Nie, nie, zajmę się tym, tylko... Szukałeś czegoś może w moim pokoju?

– Nie, a czemu pytasz?

– Nie ma... Nie mogę znaleźć bluzki.

– Nawet tam nie wchodziłem.

Nagle przypomniało mi się, że Alice była tu po moją piżamę i kosmetyczkę. Pewnie wzięła i poduszkę, czego nie zauważyłam, bo trzymałam się z daleka od nowego łóżka. No i przy okazji trochę posprzątała. Zrobiło mi się wstyd, że jestem taka niechlujna.

Ciekawe, gdzie odłożyła tę czerwoną bluzkę. Chyba nie wrzuciła jej do prania...

Spodziewałam się znaleźć zgubę na samym wierzchu kosza, ale jej tam nie było. Dokopałam się do samego dna i nadal na nią nie natrafiłam. Hm, może i dostawałam paranoi, ale coraz mniej mi się to wszystko podobało. Ten nawet nie do połowy wypełniony kosz... Co się stało z tymi wszystkimi ubraniami? Alice je wyprała, czy co?

Zgodnie z wcześniejszym zamiarem zdjęłam swoje poszewki i zaniosłam je do kuchni, zabierając po drodze poszewki Charliego. Pralka była pusta. Z resztkami nadziei zajrzałam jeszcze do suszarki – nic. Zdezorientowana, zmarszczyłam czoło.

– I jak tam, znalazłaś tę bluzkę? – zawołał ojciec.

– Jeszcze nie.

Wróciłam na górę, żeby zajrzeć pod łóżko. Nic, tylko kurz. Odhaczywszy łóżko, zabrałam się do wyjmowania szuflad z komody. Może odłożyłam czerwoną bluzkę na miejsce i na śmierć o tym zapomniałam?

Przerwał mi dzwonek do drzwi. To na pewno był Edward.

– Ktoś dzwoni – poinformował mnie Charlie z kanapy, kiedy mijałam drzwi do saloniku.

– Idę już przecież.

Otworzyłam drzwi z szerokim uśmiechem.

Edward miał zaciśnięte zęby i zdecydowaną minę.

– Co się... – zaczęłam zszokowana, ale przyłożył mi do ust palec.

– Daj mi dwie sekundy – szepnął. – Nie ruszaj się.

Zamarłam, a on... zniknął. Ojciec nie miał szans zauważyć go w przedpokoju.

Wrócił, zanim jeszcze zdążyłam dojść do siebie na tyle, żeby zacząć odliczać. Objął mnie ramieniem w talii i poprowadził pospiesznie do kuchni, zezując bezustannie na boki. Swoim ciałem posługiwał się jak tarczą, którą był gotowy w każdej chwili mnie osłonić. Zerknęłam na Charliego, ale wspaniałomyślnie nam się nie przyglądał. Nie mógł nas też słyszeć, bo w kuchni huczała pralka.

– Ktoś tu był – poinformował mnie Edward zdenerwowanym głosem.

– Przysięgam, że żaden wilkołak nie...

– Wiem, że to żaden z nich. To jedno z nas.

Nie musiał dodawać, że nie chodzi mu o członka jego własnej rodziny.

Poczułam, że blednę.

– Victoria? – wykrztusiłam.

– Nie, to jakiś zupełnie nowy dla mnie zapach.

– Ktoś od Volturi?

– Tego nie wykluczam.

– Kiedy?

– Nie tak dawno temu – wcześnie rano, kiedy Charlie jeszcze spał. Kimkolwiek była ta istota, nie zrobiła mu krzywdy, więc nie mogła być to przypadkowa wizyta.

– Szukają mnie.

Nie odpowiedział. Stał nieruchomo jak posąg.

– O czym tam tak szepczecie? – zainteresował się ojciec. Przyszedł do kuchni z pustą miską po popcornie.

Byłam przerażona. Kiedy smacznie sobie spał, w pokoju obok buszował obcy wampir! Panika ścisnęła moje gardło. Stałam sparaliżowana, nie będąc w stanie Charliemu odpowiedzieć – wpatrywałam się tylko w niego szeroko otwartymi oczami.

Zamiast zaniepokoić się moim stanem, uśmiechnął się promiennie.

– Widzę, że chyba przeszkodziłem wam w sprzeczce. Już sobie idę.

Odłożywszy miskę do zlewu, wyszedł, nie przestając się uśmiechać.

– Chodźmy – rzucił Edward.

– Ale co z Charliem? – zaprotestowałam jękliwie. Strach spiął moją pierś żelaznym pancerzem.

Edward podrapał się po brodzie, a zaraz potem w jego dłoni pojawił się telefon komórkowy.

– Emmett? To ja.

Zaczął mówić tak szybko, że nic więcej nie wyłapałam. Trwało to dobrych trzydzieści sekund. Kiedy się rozłączył, pociągnął mnie w kierunku drzwi.

– Emmett i Jasper już tu jadą – pocieszył mnie, natrafiwszy na mój opór. – Będą przeczesywać las. Charliemu nic nie grozi.

Zbyt spanikowana, by móc jasno myśleć, pozwoliłam wyprowadzić się do przedpokoju. Ojciec zerknął na mnie z kanapy. Musiałam wyglądać gorzej niż chwilę temu, bo uśmiech na jego twarzy zastąpiło nagle zdezorientowanie. Zanim zdążył cokolwiek powiedzieć, Edward wypchnął mnie na zewnątrz i wsadził do auta.

Ruszyliśmy.

Nie potrafiłam się opanować i nadal mówiłam szeptem.

– Dokąd jedziemy?

– Pogadać z Alice.

– Sądzisz, że miała wizję?

– Może.

Nawet nie udawał rozluźnionego. Nie odrywał wzroku od szosy.

U Cullenów wszyscy czekali już na nas w salonie, zaalarmowani jego telefonem. Przypominali rzeźby przedstawiające ludzi w różnoraki sposób reagujących na stres.

– Co to ma być? – ryknął Edward, gdy tylko przekroczyliśmy próg.

Ku mojemu zdziwieniu okazało się, że obiektem jego werbalnego ataku jest Alice. Ruszył ku niej z dłońmi zaciśniętymi w pięści.

Stała spokojnie z założonymi rękami. Tylko jej wargi się poruszyły.

– Nie mam pojęcia, co jest grane. Nic nie widziałam.

– Tak po prostu nic nie widziałaś?!

– Edward... – powiedziałam z przyganą w głosie. Nie podobało mi się to, jak ją traktuje.

– Wizje Alice to nie nauki ścisłe – upomniał go Carlisle.

– On był w jej pokoju! Mógł wciąż tam być – i czekać na nią.

– To już bym zobaczyła – stwierdziła Alice.

– Naprawdę? Jesteś tego taka pewna?

– Zgodnie z twoimi zaleceniami – oświadczyła chłodno – śledzę już poczynania Volturi, wyglądam powrotu Victorii i ani na moment nie spuszczam oka z Belli. Masz dla mnie jakąś nową propozycję? Czy mam obserwować tylko Charliego, tylko pokój Belli czy może cały ich dom? A może całą ulicę? Edward, nie mogę robić piętnastu rzeczy naraz. Prędzej czy później popełnię błąd.

– Już go popełniłaś.

– Skoro nic nie widziałam, to nic jej nie groziło.

– Mówisz, że badasz, jakie decyzje zapadają na dworze Volturi. To jakim cudem przegapiłaś oddelegowanie ich wysłannika?

– Myślę, że to nikt od nich.

– Kto inny darowałby życie Charliemu?

Zadrżałam.

– Nie wiem – przyznała.

– No to bomba.

– Przestań – syknęłam.

Spojrzał w moją stronę. Był nadal wzburzony i zaciskał zęby. Przez ułamek sekundy wpatrywał się we mnie jak rozjuszony byk, który namierzył właśnie nową ofiarę, ale nagle odetchnął głęboko i wyprostował się.

– Masz rację, Bello. Przepraszam. Wybacz mi, Alice. Nie powinienem się na tobie wyładowywać. Nie mam żadnego usprawiedliwienia na moje zachowanie.

– Ależ masz. – Poklepała go ugodowo po ramieniu. – Wszystko rozumiem. Ja też się zdenerwowałam.

Jeszcze raz maksymalnie napełnił płuca powietrzem.

– Dobrze, przeanalizujmy teraz wszystko na spokojnie. Jakie są możliwe wyjaśnienia tego incydentu?

Jak za dotknięciem czarodziejskiej różdżki pozostali Cullenowie od razu się rozluźnili. Alice opadła bezwładnie na oparcie kanapy, Carlisle stanął nieopodal, a Esme usadowiła się na sofie naprzeciwko, podciągając kolana pod brodę. Tylko Rosalie pozostała w swoim kącie, obrócona do nas plecami.

Usiedliśmy z Edwardem na kanapie koło Esme, która zaraz objęła mnie opiekuńczo ramieniem. Mój ukochany trzymał mnie za rękę.

– Victoria? – zasugerował Carlisle.

Edward pokręcił przecząco głową.

– Rozpoznałbym jej zapach. Ja stawiam na kogoś od Volturi, kogoś, kogo nigdy u nich nie spotkałem.

Teraz to Alice zaoponowała.

– Aro nikogo jeszcze nie prosił o odszukanie Belli. To na pewno zobaczę.

– Koncentrujesz się na wydaniu oficjalnego polecenia – zauważył Edward.

– Sądzisz, że ktoś inny pociągnie za sznurki? Ale kto? I po co?

– Inicjatywa może wyjść od Kajusza...

– Albo od Jane – dopowiedziała. – Tak, oboje mają dostatecznie dużą władzę.

– I motywację – dodał ze wstrętem.

– Wszystko pięknie, ale wasza hipoteza nie przystaje do faktów – wtrąciła Esme. – Gdyby ktoś miał za zadanie zaczekać na Bellę, Alice by go zobaczyła. Poza tym ten ktoś wcale na Bellę nie zaczekał. No i nie zaatakował Charliego.

Skrzywiłam się. Czy musieli to ciągle podkreślać?

Moja reakcja nie uszła uwagi Esme.

– Wszystko będzie dobrze – szepnęła i pogłaskała mnie po głowie.

– Więc o co w tym wszystkim chodziło? – kontynuował Carlisle.

– Może sprawdzali, czy jeszcze jestem człowiekiem – zaproponowałam.

– To możliwe – zgodził się doktor.

Rosalie odetchnęła z ulgą i przeniosła wzrok z okna na drzwi prowadzące do kuchni. Edward zmarszczył czoło – zapoznawał się z myślami przybyszów.

Do salonu pierwszy wszedł Emmett, a zaraz za nim Jasper.

– Nie ma go już w okolicy od ładnych paru godzin – złożył raport Emmett. – Trop biegł na wschód, potem na południe, a potem urywał się na bocznej drodze. Gość ma samochód.

– Cholera – mruknął Edward. – Jedyna nadzieja, że pojechał na zachód. Może wreszcie na coś się przydadzą psy z rezerwatu.

Miałam ochotę na niego warknąć, ale Esme dyskretnie mnie powstrzymała.

– Żaden z nas go nie rozpoznał – odezwał się Jasper – ale przynieśliśmy to. Powąchajcie sami.

Wyjął z kieszeni coś zielonkawego i zmiętego, i podał to Carlisle'owi. Doktor podetknął sobie znalezisko pod nos.

– Nie. Nie znam.

Tajemniczy przedmiot zaczął wędrować z rąk do rąk. Okazało się, że to liść paproci.

– Może oceniamy to wydarzenie ze złej perspektywy. Może to zbieg okoliczności – zasugerowała Esme. Przerwała na moment, widząc wokół siebie oburzone miny. – Nie mam na myśli tego, że jakiś nieznajomy przypadkowo wybrał dom Belli, tylko to, że ktoś mógł być po prostu zaintrygowany. Niepozorny domek, w środku śpiący spokojnie śmiertelnik, obok pusty pokój nastolatki, a dookoła pełno śladów wampirów. Ten przybysz mógł zadać sobie pytanie, po co się tam stale kręcimy.

– Nie mógł po prostu nas odwiedzić, żeby zaspokoić swoją ciekawość? – spytał Emmett.

– Nie wszyscy są tacy śmiali jak ty. – Esme uśmiechnęła się do niego czule. – Pamiętajcie, że nasza rodzina jest stosunkowo duża. Ten ktoś mógł się tego obawiać. No i nie skrzywdził Charliego. To naprawdę nie musi być wróg.

Victoria i James też byli zaintrygowani Cullenami na samym początku, pomyślałam. Chociaż wszyscy moi obrońcy byli pewni, że to nie rudowłosa wampirzyca mnie odwiedziła, na samą myśl o niej zaczęłam drżeć na całym ciele. Spokojnie, powtarzałam w duchu. Victoria trzyma się swojego utartego schematu. To ktoś nowy, zupełnie nowy. Przypadkowy nieznajomy.

Dopiero teraz powoli do mnie dochodziło, że wampirów jest na świecie o wiele więcej, niżbym przypuszczała. Ile razy w życiu przeciętny człowiek miewał z nimi nieświadomie do czynienia? Ile zbrodni i wypadków było w rzeczywistości efektem ich działalności? Ilu z nich ja sama miałam poznać po dołączeniu do ich grona?

Przeszedł mnie zimny dreszcz.

Cullenowie przetrawiali hipotezę Esme. Po minie Edwarda było widać, że w zupełności ją odrzuca – po minie Carlisle'a, że bardzo chciałby w nią uwierzyć.

Pierwsza głos zabrała Alice.

– Moim zdaniem to nie mógł być zbieg okoliczności. Bella w dziewięćdziesięciu procentach przypadków jest o tej porze w domu. Komuś bardzo zależało na tym, żeby to był tylko zwiad. I żebym go nie zobaczyła – zupełnie jakby wiedział o moich zdolnościach.

– Mógł unikać kontaktu także z innych powodów – zauważyła Esme.

– Czy to takie ważne, kto mnie szuka? – wtrąciłam się zniecierpliwiona. – Jeśli już ktoś tu się kręci, lepiej szybko zastosować idealny środek zaradczy. Zamiast czekać na koniec roku, zmieńcie mnie jak najszybciej.

– Nie ma mowy – powiedział szybko Edward. – Sytuacja jeszcze tego nie wymaga. Jeśli naprawdę będzie ci coś grozić, pierwsi się o tym dowiemy.

– Pomyśl o Charliem – przypomniał mi Carlisle. – Jak będzie się czuł, kiedy nagle znikniesz?

– Przecież myślę o Charliem! Właśnie dlatego chcę wszystko przyspieszyć – żeby móc przestać się o niego martwić! Co by było, gdyby ten nieznajomy akurat był głodny? Dopóki jestem potencjalnym celem ataku, Charlie jest nim także! Jeśli coś mu się stanie, to będzie moja wina!

– Jaka twoja wina? Bello... – Esme znowu pogłaskała mnie po głowie. – Charliemu nic nie będzie. Będziemy po prostu jeszcze bardziej na was uważać.

– Jeszcze bardziej? – jęknęłam z niedowierzaniem.

– Wszystko będzie dobrze – obiecała Alice.

Edward ścisnął mi dłoń.

Powiodłam wzrokiem po ich pięknych twarzach. Niczym, co mogłam powiedzieć, nie byłam w stanie ich przekonać.

Przez większą część drogi powrotnej oboje milczeliśmy. Byłam zła, że nie potraktowano mnie poważnie i po raz kolejny odmówiono niezwłocznej przemiany.

– Nie zostawimy cię samej ani na sekundę – przyrzekł mi Edward pod domem. – Ktoś zawsze będzie w pobliżu: Emmett, Alice, Jasper...

Westchnęłam.

– To idiotyczne. Tak się wynudzą, że sami mnie w końcu zabiją.

– To nie jest zabawne, Bello.

Przez całe popołudnie Charliemu dopisywał dobry humor – widział, że nie mam ochoty rozmawiać ze swoim chłopakiem, i mylnie to interpretował.

Zabrałam się do przygotowywania obiadu, Edward wyszedł tymczasem pod jakimś pretekstem na zewnątrz, żeby rozejrzeć się po okolicy. Ojciec uznał, że to dobry moment na przekazanie mi najświeższych wiadomości.

– Znowu dzwonił Jacob – poinformował mnie, ledwie zamknęły się drzwi za Edwardem.

– Dziękuję za informację.

Postawiłam przed nim pełny talerz, nie zmieniając wyrazu twarzy.

– Nie bądź taka, Bello. Miał taki zrozpaczony głos.

– Płaci ci za takie gadki czy zgłosiłeś się do niego na ochotnika?

Mruknął coś pod nosem, ale wolał jeść, niż się ze mną kłócić. Zresztą, sam o tym nie wiedząc, osiągnął swój cel.

Moje życie coraz bardziej przypominało grę planszową, którą znałam z dzieciństwa. Czy w następnym rzucie kostką miała mi się trafić jedynka oznaczająca wypadnięcie z gry? Co, jeśli naprawdę coś miało mi się niedługo stać? Gdybym, zgodnie z „życzeniem" Jacoba, umarła? Nie mogłam pozwolić na to, by w takim wypadku niepotrzebnie się zadręczał.

Nie chciałam z nim jednak rozmawiać w obecności Charliego. Zbyt wiele mieliśmy przed nim sekretów i coś mogło mi się niechcący wysmyknąć. Zazdrościłam Jake'owi, że nie musi niczego ukrywać przed Billym. Był w komfortowej sytuacji.

Postanowiłam poczekać do rana. Istniało duże prawdopodobieństwo, że przeżyję noc, a tych kilkanaście godzin mógł się jeszcze przemęczyć. Mogło mu to nawet wyjść na dobre.

Wieczorem, kiedy Edward już sobie poszedł, lało jak z cebra. Zastanawiałam się, kto pilnuje tej nocy mnie i Charliego. Z jednej strony, miałam wyrzuty sumienia, że biedak tak strasznie przemoknie, z drugiej jednak, poczucie, że wartownik jest niedaleko, podnosiło mnie na duchu.

Edward zakradł się przez okno do mojego pokoju szybciej niż zwykle i chcąc mi jakoś pomóc, znów uśpił mnie kołysanką. Nawet w mojej podświadomości musiało się wyryć to, że jest przy mnie, bo i tej nocy nie nawiedził mnie żaden koszmar.

Ojciec wyjechał na ryby ze swoim zastępcą, jeszcze zanim się obudziłam. Uznałam to za cudowne zrządzenie losu.

– Przebaczyłam Jacobowi – ostrzegłam Edwarda po śniadaniu.

– Wiedziałem, że tak będzie – odparł z uśmiechem. – Do osób pamiętliwych to akurat nie należysz.

Przewróciłam oczami, ale w głębi ducha byłam zadowolona. Edward naprawdę odstawił na bok uprzedzenia.

Wystukawszy numer, uświadomiłam sobie, że jest jeszcze wcześnie i mogę Blacków obudzić, ale Jacob odebrał telefon już po drugim sygnale, jakby przy nim czatował.

– Halo?

– Jake, to ty?

– Bella! – wykrzyknął radośnie. – Jak dobrze, że dzwonisz! – Podekscytowany, zaczął wyrzucać z siebie przygotowane wcześniej formułki. – Tak bardzo mi przykro za tamto. Nie wiem, co mnie naszło. Zachowałem się jak ostatni imbecyl. Byłem na ciebie wściekły, ale co to za wymówka. To była najgłupsza rzecz, jaką w życiu komuś powiedziałem. Przepraszam. Nie gniewaj się na mnie. Błagam. Teraz to ja przyrzeknę ci niewolnicze oddanie, zgoda? Tylko pozostańmy przyjaciółmi.

– Spokojnie, już się nie gniewam.

– Jesteś taka dobra. Nie mogę uwierzyć, że wyskoczyłem z czymś takim.

– Na szczęście jestem przyzwyczajona do twoich ekscesów – zażartowałam.

– Może wpadniesz? Jeśli przyjedziesz, spełnię każde twoje życzenie.

– Na przykład?

– Czy ja wiem, możemy iść poskakać z klifu...

– Świetny pomysł, Jacob – stwierdziłam z sarkazmem.

– Włos ci z głowy nie spadnie – obiecał. – Zresztą, to może być coś innego.

Zerknęłam na Edwarda. Na jego twarzy malował się idealny spokój, ale byłam pewna, że to nieodpowiednia pora.

– Dzięki za zaproszenie, ale nie mogę.

– Twojemu lubemu nie spodobał się mój ostatni wybryk?

Podobnie jak Edward, Jacob też się zmienił. Nie zadał tego pytania cierpkim tonem, tylko ze wstydem.

– Nie w tym rzecz. Widzisz... pojawiły się pewne nowe okoliczności, przynajmniej tymczasowo. Twoje idiotyczne zachowanie to już niejedyny powód, dla którego wolę na razie unikać rezerwatu.

Próbowałam obrócić wszystko w żart, ale nie dał się nabrać.

– Co się stało? – Podniósł głos.

– Eee... – zawahałam się. Nie wiedziałam, ile mogę mu zdradzić.

Edward wyciągnął rękę po słuchawkę. Przyjrzałam mu się uważnie. Cóż, nadal wyglądał na opanowanego.

– Bella? Jesteś tam?

Edward popędził mnie gestem dłoni.

– Jestem, jestem. Słuchaj, czy mogę dać ci do telefonu Edwarda? – spytałam ostrożnie. – Chce ci to chyba przekazać osobiście.

Na kilkanaście sekund zapadła cisza.

– Okej – zgodził się w końcu Jacob. – To może być ciekawe doświadczenie.

Przekazałam słuchawkę Edwardowi z groźną miną. Miałam nadzieję, że weźmie sobie moje ostrzeżenie do serca.

– Cześć, tu Edward – zaczął dostatecznie grzecznie.

Nie usłyszałam odpowiedzi. Przygryzłam wargę, zastanawiając się, jak mogła brzmieć.

– Ktoś tu był – wyjaśnił. – Nigdy nie zetknęliśmy się z takim zapachem. Natrafiliście może ostatnio w lesie na coś nowego?

Raport watahy niczym go widać nie zaskoczył, bo pokiwał głową.

– Sam rozumiesz, że nie mogę w takiej sytuacji wypuścić Belli z domu. To nie przez moje osobiste animozje, tylko…

Jacob wszedł mu w słowo. Musiał się przynajmniej odrobinę zdenerwować, bo tym razem ze słuchawki dobyły się stłumione odgłosy. Nadstawiłam uszu, ale nadal nie mogłam nic wyłapać.

– Może i masz rację…

Jacob znowu mu przerwał. Pocieszałam się, że to jeszcze nie kłótnia.

– Ciekawa sugestia – przyznał Edward. – Z chęcią wznowimy negocjacje. Jeśli tylko Sam nie ma nic przeciwko temu…

To zapewnienie uspokoiło Jacoba, ale ja mimo to zaczęłam obgryzać paznokcie. Edward miał nieprzenikniony wyraz twarzy.

– Dziękuję – powiedział do słuchawki i zaraz potem nareszcie drgnął. Jakaś propozycja jego rozmówcy najwyraźniej zbiła go z pantałyku. – Tak właściwie to planowałem teraz wybrać się sam… Zostawić ją pod opieką moich bliskich.

Głos Jacoba na powrót stał się słyszalny. Domyśliłam się, że chłopak próbuje do czegoś Edwarda przekonać.

– Postaram się wziąć to pod uwagę – przyrzekł mu mój ukochany – i rozważyć z taką dozą obiektywizmu, na jaką mnie tylko stać.

Kolejna pauza.

– To nie taki głupi pomysł. Kiedy?... Nie, może być. I tak chciałem coś sprawdzić w terenie. Tak z dziesięć minut starczy?... Dobra. Już ją daję.

Podał mi słuchawkę.

– Co kombinujecie? – spytałam Jacoba lekko urażonym tonem.

Wiedziałam, że to z mojej strony dziecinne, ale nie znając szczegółów rozmowy, czułam się odepchnięta.

– Jak by cię tu jak najlepiej chronić, oczywiście. Wyświadczysz mi przysługę? Spróbuj przekonać swoją pijawkę, że będziesz najbezpieczniejsza – zwłaszcza podczas jego wyjazdów – tutaj, w La Push, a nie w Forks. My już o wszystko zadbamy.

– Czy to właśnie usiłowałeś mu sprzedać?

– To sensowne rozwiązanie. Charlie też powinien przesiadywać u nas, jak często się da.

– Zaangażuj do tego Billy'ego – doradziłam mu. Byłam gotowa na wszystko, byle tylko nie narażać życia ojca. – Coś jeszcze uradziliście?

– Najprawdopodobniej ustalimy na nowo granice, żeby sfora mogła dorwać każdego podejrzanego, który zbliży się zanadto do Forks. Nie wiem jeszcze, czy Sam na to pójdzie, ale dopóki go nie przekonam, będę trzymał rękę na pulsie.

– Co masz na myśli, mówiąc „będę trzymał rękę na pulsie"?

– To, że jeśli w lasku za domem zobaczycie wilka, to proszę do niego nie strzelać.

– Masz to jak w banku. Tylko... no wiesz... nie narażaj się niepotrzebnie.

Prychnął.

– Nie bądź głupia. Potrafię o siebie zadbać.

Westchnęłam.

– Próbowałem też przekonać pijawkę, żeby pozwolił ci do mnie przyjechać, ale się stawia. Nie daj sobie wciskać kitu o kwestiach bezpieczeństwa, dobra? Gość jest uprzedzony i tyle. Dobrze wie, że w La Push nic ci nie grozi.

– Będę o tym pamiętać.

– No to już do was lecę.

– Umówiliście się?

– Tak. Musimy poznać z chłopakami ten nowy zapach, żeby wiedzieć, który to.

– Jake, czy naprawdę musicie...

– Boże, Bella – przerwał mi. – Dałabyś spokój. Do zobaczenia.

To powiedziawszy, odłożył słuchawkę.

10 Zapach

Co za dziecinada. Dlaczego, na miłość boską, Edward musiał zniknąć, żeby Jacob mógł mnie odwiedzić? Czy obaj byli naprawdę aż tak niedojrzali?

– Zaręczam ci, tu już nie chodzi o to, czy się lubimy, czy nie. Po prostu tak nam będzie łatwiej – wyjaśnił Edward, stojąc w drzwiach. – Będę w najbliższej okolicy. Nic ci nie grozi.

– Wiesz, że nie tym się akurat przejmuję.

Uśmiechnął się, a potem w jego oczach pojawił się zagadkowy błysk. Przycisnął mnie do siebie, zatapiając twarz w moich włosach. Kiedy poczułam jego lodowaty oddech na skórze głowy, przeszły mnie ciarki.

– Zaraz wracam – powiedział i zaśmiał się, jakby było w tym zdaniu coś zabawnego.

– Co cię tak rozbawiło?

Ruszył biegiem w kierunku ściany lasu, nie udzieliwszy mi odpowiedzi.

Mamrocząc gniewnie pod nosem, wróciłam do kuchni pozmywać naczynia, ale nie napełniłam nawet komory zlewozmywaka gorącą wodą, kiedy zadzwonił dzwonek. Trudno mi było przywyknąć do tego, że Jacob potrafił się teraz przemieszczać szybciej pieszo niż samochodem. Co ja, niezdarna nastolatka, robiłam wśród tych herosów?

– Wejdź! – zawołałam. – Otwarte!

Ponieważ skupiłam się na wkładaniu naczyń do wody, zupełnie wyleciało mi, że Jacob przemieszcza się nie tylko szybko, ale i bezszelestnie. Kiedy odezwał się znienacka tuż za moimi plecami, podskoczyłam jak oparzona.

– Nie powinnaś zamykać drzwi na klucz? Och, przepraszam – dodał, widząc, że ochlapałam się wodą i pianą.

Sięgnęłam po suchą ściereczkę.

– Tych, których się boję, nie powstrzyma żaden zamek.

– Słuszna uwaga.

Odwróciłam się do niego przodem i przyjrzałam się mu krytycznym okiem.

– Czy wkładanie ubrań naprawdę aż tak bardzo cię męczy? – spytałam.

Jak to miał ostatnio w zwyczaju, przed wyjściem z domu nie włożył na siebie nic z wyjątkiem pary podartych dżinsów z obciętymi nożyczkami nogawkami. Czyżby chodził z odsłoniętym torsem tylko po to, żeby szpanować muskulaturą? Była rzeczywiście imponująca, ale nigdy nie podejrzewałam go o taką próżność.

– Wiem, że nie jest ci zimno – ciągnęłam – ale powinieneś chyba zachowywać jakieś pozory normalności.

Odgarnął włosy z czoła. Były mokre od deszczu.

– Tak jest po prostu wygodniej – powiedział.

– Wygodniej?

Uśmiechnął się pobłażliwie.

– Wierz mi, samo to, że muszę non stop mieć przy sobie te szorty, jest już dostatecznie denerwujące. Gdybym targał z sobą cały zestaw, tobym chyba zwariował. Czy ja wyglądam na tragarskiego muła?

Ściągnęłam brwi.

– O czym ty mówisz?

Spojrzał na mnie z wyższością, jakbym nie rozumiała najprostszych rzeczy.

– Nie mogę ot tak teleportować swoich ciuchów z miejsca, w którym zmieniam się w wilka, do miejsca, w którym zmienię się z powrotem w człowieka. Muszę nosić wszystko przy sobie. Więc wybacz mi, że ograniczam się do minimum.

Poczerwieniałam.

– Zapomniałam o tym, że wybuchacie.

Zaśmiał się. Wskazał palcem na długi czarny rzemień, który miał trzykrotnie owinięty wokół lewej łydki. Dopiero teraz zauważyłam, że był też boso.

– Widzisz? To nie dla ozdoby. Ile można nosić portki w zębach?

Nie wiedziałam, co powiedzieć.

– A może czujesz się skrępowana, że chodzę taki goły? – wypalił.

– Nie – zaprzeczyłam szybko i wróciłam do mycia naczyń.

Znowu się zaśmiał. Pewnie myślał, że zarumieniłam się właśnie z tego powodu, gdy tak naprawdę zawstydziłam się wyłącznie własnej gapowatości.

– No to chyba zabiorę się do pracy – oświadczył i westchnął. – Jeszcze pijawka będzie mi robić wymówki, że się z naszej strony niedostatecznie przykładamy.

– Jacob, to nie jest twoja praca...

– Jak nie praca, to wolontariat – przerwał mi. – Mniejsza o nazewnictwo, pokaż mi lepiej, gdzie był ten intruz.

– U mnie w pokoju.

Cały się spiął. Nie spodobało mu się to tak samo, jak Edwardowi.

– Nie będzie mnie góra dwie minuty – zapowiedział.

Szorowałam trzymany przez siebie talerz centymetr po centymetrze. Jedynymi dźwiękami dobiegającymi moich uszu były te wydawane przez plastikową szczotkę w zetknięciu z ceramiczną powierzchnią. Nad moją głową ani nie kliknęły drzwi, ani nie zaskrzypiała żadna deska. Nic. Uświadomiłam sobie, że trzymam czysty już od dawna talerz, i postanowiłam skoncentrować się bardziej na zmywaniu.

– To tylko ja.

Znowu mnie zaskoczył.

– Boże, Jake! Kiedyś dostanę zawału.

– Przepraszam. Masz. – Podał mi ściereczkę, żebym się wytarła. – Wynagrodzę ci to: ty pozmywaj, a ja wszystko wypłuczę i wysuszę.

– Umowa stoi.

Podałam mu pierwszy talerz.

– Zapach zapamiętany – oznajmił. – Prawdę mówiąc, to strasznie tam śmierdzi.

– Obiecuję, że wywietrzę.

Przez kilka minut pracowaliśmy w milczeniu.

– Czy mogę cię o coś spytać? – odezwał się w końcu Jacob.

– To zależy od tego, czego chcesz się dowiedzieć.

– Nie chcę cię rozzłościć, przysięgam. Jestem po prostu ciekawy.

– No to wal.

Podrapał się nerwowo za uchem.

– Jak to jest... chodzić z wampirem?

Przewróciłam oczami.

– To supersprawa.

– Ale tak na serio... Nie boisz się, że... no wiesz. Nie żyjesz w ciągłym napięciu?

– Nie.

Kiedy brał ode mnie miskę, zerknęłam na jego twarz. Marszczył czoło i przygryzał dolną wargę.

– Masz jeszcze jakieś pytania?

– A czy ty... czy wy... całujecie się czasami?

Parsknęłam śmiechem.

– Tak.

Wzdrygnął się.

– Ble.

– O gustach się nie dyskutuje.

– Ale... Nie przeszkadzają ci jego kły?

Uderzyłam go w ramię, mocząc go pianą.

– Głupek! Dobrze wiesz, że Edward nie ma żadnych kłów!

– Przy tobie może nie ma – mruknął.

Zacisnęłam zęby, uparcie szorując nóż.

– Mogę jeszcze jedno? – spytał polubownym tonem. – Naprawdę, jestem tylko ciekawy.

– Niech ci będzie.

Podałam mu wypolerowany nóż. Zaczął obracać go pod strumieniem wody.

– Wspominałaś coś o kilku tygodniach – wyszeptał. – Macie... ustaloną... datę?

Głos mu się łamał.

– Koniec roku szkolnego – odpowiedziałam cicho, przyglądając się badawczo jego minie. Czy znów ta informacja miała go rozwścieczyć?

– Tak szybko...

Nie było to pytanie, tylko błaganie. Zamknął oczy i napiął wszystkie mięśnie, żeby się uspokoić.

– Auć! – wrzasnął nagle.

Zaskoczona, złapałam się odruchowo za serce.

Okazało się, że napiął także mięśnie prawej dłoni, zapominając, że trzyma w niej ostrze noża. Upuścił go teraz na blat, odsłaniając głęboką ranę, z której obficie tryskała krew.

– Cholera! Aj!

Zgiął się w pół.

Zakręciło mi się w głowie, a zawartość żołądka podeszła mi do gardła. Musiałam się podeprzeć o zlew i wziąć kilka głębokich oddechów. W końcu poczułam się pewniej.

– Pokaż. – Nachyliłam się nad jego ręką, ale odsunął się ode mnie. – Weź chociaż to. – Rzuciłam mu ściereczkę. – Już lecę po apteczkę.

– Nie przejmuj się, Bella, to nic takiego.

– Nic takiego?! – Znów wszystko wokół mnie zawirowało. – Rozciąłeś sobie dłoń do ścięgna!

Spokojnie odłożył ściereczkę na blat, po czym wsadził dłoń pod kran. Woda zabarwiła się na czerwono. Przed oczami zatańczyły mi czarne mroczki.

Powiedział coś, ale nie dosłyszałam co. Przeniosłam wzrok ze zlewu na jego twarz.

– Hej, hej!

Pomachał mi drugą ręką przed nosem.

– Co?

– Może byś tak lepiej usiadła, wiesz. Zrobiłaś się zielona. Rozluźnij się, nic mi nie jest, tylko trochę boli.

– Nie musisz mnie pocieszać.

– Wcale nie staram się ciebie pocieszać.

– Chodź, zawiozę cię na ostry dyżur.

Powinnam była dać sobie radę z prowadzeniem samochodu, bo ściany już nie falowały.

– Nie trzeba.

Zakręcił kran i owinął sobie dłoń czystą ściereczką.

– Daj mi chociaż popatrzeć – poprosiłam. Podparłam się, w razie gdyby widok rany miał spowodować nawrót mdłości.

– Skończyłaś wieczorowo medycynę i nic mi nie powiedziałaś? To nieładnie.

– Chcę tylko ocenić, czy muszę cię dowieźć do szpitala, choćby siłą, czy nie.

– Błagam, tylko nie siłą – powiedział z udawanym przerażeniem.

– To pokaż rękę.

Westchnął ciężko.

– Ależ z ciebie uparciuch.

Ale ściereczkę odwinął.

Odnalezienie właściwego miejsca zabrało mi dłuższą chwilę. Mimo że byłam pewna, iż Jacob rozharatał sobie wnętrze dłoni, zdezorientowana, przyjrzałam się też jej wierzchowi. Dopiero wtedy zdałam sobie sprawę, że jedyne, co pozostało z rany, to gruba ciemnoróżowa linia o nierównej powierzchni.

– Ale przecież... leciało tyle krwi...

Zabrawszy rękę, spojrzał na mnie z powagą.

– Wszystko szybko się na nas goi.

– Szybko to mało powiedziane.

Widziałam na własne oczy głębokie nacięcie i zalewającą zlew ciemnoczerwoną juchę. Charakterystyczny, słonawy zapach żelaza niemal zwalił mnie z nóg. Normalny człowiek musiałby mieć założone szwy. Usunięto by mu je najprędzej po tygodniu, a połyskującą różowo bliznę, taką jak ta u Jacoba, mógłby zaprezentować światu może w miesiąc po wypadku.

Chłopak uśmiechnął się delikatnie, po czym teatralnie się skłonił.

– Wilkołak, do usług.

– Nadal nie mogę się przyzwyczaić...

Na ułamek sekundy w jego w oczach pojawił się niepokój, ale zaraz uświadomił sobie, że źle mnie zrozumiał, i na powrót się uśmiechnął.

– Już ci to tłumaczyłem. Widziałaś bliznę Paula.

– Ale nie widziałam jego rany, a to jednak wielka różnica.

Przykucnęłam i z szafki pod zlewem wyciągnęłam butelkę silnie działającego środka czyszczącego, a następnie, wylawszy kilka jego kropel na szmatę, zabrałam się do szorowania nią podłogi. Intensywny zapach emulsji podziałał na mnie jak sole trzeźwiące.

– Daj, ja to zrobię – zaoferował się Jacob.

– Już kończę. Skoro nie potrzebujesz tej ściereczki, wrzuć ją do pralki, dobra?

Kiedy zyskałam pewność, że posadzka nie pachnie niczym innym prócz detergentu, powtórzyłam całą operację ze zlewem, a na koniec nastawiłam pralkę. Jacob przyglądał mi się z dezaprobatą.

– Masz nerwicę natręctw czy co? – spytał.

Hm. Może i miałam. Ale tym razem pod ręką była dobra wymówka.

– W tym domu zwraca się dużą uwagę na unikanie śladów krwi. Chyba rozumiesz...

– Och!

Zmarszczył z obrzydzeniem nos.

– Staram się ułatwić mu życie, jak tylko się da. To sprawiedliwy układ. Pomyśl, jak bardzo on sam musi się starać.

– No tak. Masz rację.

Wróciłam do zlewu.

– Mogę ci zadać jedno pytanie, Bella?

– Znowu?

Założyłam sobie ręce na piersiach.

– Jak to jest mieć za najlepszego kumpla wilkołaka?

Tego się nie spodziewałam. Parsknęłam śmiechem.

– Nie ma takich momentów, że się mnie boisz?

– Nie, no co ty. Tylko – podkreśliłam – wilkołak musi pamiętać o dobrych manierach. Grzeczny wilkołak to najlepszy przyjaciel pod słońcem.

Jacob wyszczerzył zęby w szerokim uśmiechu.

– Dzięki.

Ani się obejrzałam, a przytulił mnie mocno do siebie, jak zwykle prawie miażdżąc mi przy tym żebra. Nie zdążyłam nawet zaprotestować, bo zaraz odsunął mnie gwałtownie od siebie.

– Fuj! Twoje włosy cuchną jeszcze bardziej niż twój pokój.

– Przepraszam – bąknęłam.

Przypomniałam sobie, jak żegnając się z Edwardem, poczułam jego lodowaty oddech na skórze głowy. To to go tak rozbawiło – specjalnie na mnie nachuchał!

– Sama widzisz, zadając się z nimi, nie tylko ryzykujesz życiem, ale i tym, że ludzie będą na twój widok przechodzić na drugą stronę ulicy. Tak właściwie to nie na twój widok, tylko na twój zapach...

Spojrzałam na niego spode łba.

– Może się zdziwisz, ale nikt oprócz ciebie nie uważa, że śmierdzę.

Uśmiechnął się.

– No to cześć. Miło było cię zobaczyć.

– Idziesz sobie?

– Pijawka już czeka. Słyszę, jak kręci się wkoło domu.

– Ach, tak.

– Wyjdę tylnymi drzwiami. Hej, byłbym zapomniał. Może mogłabyś jednak przyjechać dziś wieczorem do La Push? Urządzamy ognisko. Będzie Emily, poznałabyś Kim... I Quil wspominał, że chciałby z tobą pogadać. Był zły na siebie, że poznałaś nasz sekret przed nim.

Nie trzeba mnie było do tego przekonywać – zraniłam jego męską dumę. Biegałam po lesie z wilkołakami, kiedy on nie miał wciąż zielonego pojęcia, co jest grane. Moglibyśmy powspominać, jak... Westchnęłam ciężko.

– No, nie wiem. Dopiero co odkryliśmy obecność tego tajemniczego przybysza...

– Nie przesadzaj. Sądzisz, że odważy się zaatakować przy... przy sześciu członkach watahy?

Zastanowiłam się, czemu się zawahał. Czyżby czasami było mu jednak trudno przyznać, że on i jego przyjaciele są wilkołakami?

Patrzył na mnie błagalnie.

– Spytam, czy mogę – powiedziałam bez przekonania.

Prychnął gniewnie.

– Czemu musisz go prosić o pozwolenie? Nie jesteś w więzieniu. Wiesz, czytałem niedawno artykuł o takich niezdrowych układach w związkach i uważam, że...

– Panu już dziękujemy – przerwałam, popychając go w kierunku drzwi.

– Spokojnie, już sobie idę. Tylko nie zapomnij poprosić pana strażnika o przepustkę!

Wyślizgnął się na zewnątrz, zanim zdążyłam znaleźć coś, czym mogłabym w niego rzucić. Tupnęłam nogą.

Kilka sekund później z przedpokoju wszedł do kuchni Edward i rozejrzał się ostrożnie. W jego kasztanowych włosach połyskiwały krople deszczu.

– Pokłóciliście się?

– Wróciłeś!

Rzuciłam mu się na szyję.

– Tak, to ja. – Zaśmiał się, przytulając mnie do siebie. – Czy to próba odwrócenia mojej uwagi? Prawie ci się udało.

– Nie, nie kłóciliśmy się. Prawie wcale. A dlaczego pytasz?

– Zaciekawiło mnie tylko, z jakiego powodu dźgnęłaś go nożem. Ale jak dla zabawy, to nie ma sprawy.

Wskazał na leżące na blacie zakrwawione narzędzie.

– Cholera. A taka byłam zadowolona, że wszystko sprzątnęłam.

Wyrwałam się z jego objęć, żeby umyć nóż tym samym środkiem, którym zdezynfekowałam podłogę.

– To nie ja go dźgnęłam – wyjaśniłam. – Sam się niechcący skaleczył. Pomagał mi wycierać naczynia.

Edward zachichotał.

– Jaka szkoda.

– Zachowuj się – ostrzegłam go.

Wyjął z kieszeni kurtki grubą kopertę i położył ją koło mnie na blacie.

– Wyjąłem to z waszej skrzynki.

– Coś ciekawego?

– Tak mi się wydaje.

Ton jego głosu był podejrzanie niewinny. Sięgnęłam po kopertę. Zaskoczyła mnie gładkością drogiego papieru. Zerknęłam na adres nadawcy.

– Dartmouth? Czy to jakiś głupi dowcip?

– Jestem pewien, że cię przyjęli. Dostałem taką samą kopertę.

– Boże, jak dużą łapówkę im dałeś?

– Wysłałem im za ciebie zwykły formularz zgłoszeniowy, nic więcej.

– Może nie dostałabym się w zwykłym trybie do Dartmouth, ale taka głupia, żeby uwierzyć w twoją wersję, to ja nie jestem!

– Ależ właśnie dostałaś się w zwykłym trybie do Dartmouth.

Wzięłam głęboki wdech i policzyłam do dziesięciu.

– Cóż, to bardzo miło z ich strony – powiedziałam – ale samo przyjęcie mnie w poczet studentów nie rozwiązuje jeszcze kwestii czesnego. Nie stać mnie na taką prestiżową uczelnię, a tobie nie pozwolę na marnowanie pieniędzy. Chcesz wydać tyle, ile na porsche dla Alice, tylko po to, żebym mogła udawać przed światem, że studiuję?

– Po pierwsze, nie zamierzam w najbliższej przyszłości kupować sportowego auta, a po drugie, rok w college'u ci nie zaszkodzi. Kto wie, może ci się nawet tam spodoba. Tylko o tym pomyśl, Bello. Pomyśl, jak cieszyliby się twoi rodzice...

Jego aksamitny baryton sprawił, że zanim zdążyłam je zablokować, przed moimi oczami ukazały się barwne obrazy. Charlie, oczywiście, spuchłby z dumy – nikt w Forks nie uciekłby przed jego szczegółową relacją. A Renée skakałaby po pokoju z telefonem przy uchu, głośno krzycząc ze szczęścia – i zarzekałaby się, że wcale jej tą nowiną nie zaskoczyłam. Jej mała córeczka była przecież taka mądra...

Potrząsnęłam głową, żeby odegnać te wizje.

– Edwardzie, nie wiem, czy dożyję końca roku szkolnego, a co dopiero jesieni.

Znowu mnie przytulił.

– Nie pozwolimy, żeby ktokolwiek cię skrzywdził. Możesz studiować choćby dziesięć lat.

Westchnęłam.

– Jutro zrobię przelew na konto University of Alaska. Tyle starczy za alibi. Juneau leży dostatecznie daleko, żeby Charlie nie spodziewał się mojej wizyty aż do Gwiazdki, a do tego czasu coś się wymyśli. Trochę męczące to całe kombinowanie – dodałam. – Jakbym była jakimś szpiegiem.

Spoważniał.

– Z roku na rok jest coraz łatwiej. A po siedemdziesięciu latach ma się kłopot zupełnie z głowy, bo wszyscy, których się znało, już nie żyją.

Wzdrygnęłam się.

– Przepraszam. Palnąłem z grubej rury.

– Ale to prawda, co powiedziałeś.

Wpatrywałam się w białą kopertę niewidzącym wzrokiem.

– Jak już załatwimy problem naszego tajemniczego gościa, czy nie mogłabyś raz jeszcze przemyśleć terminu swojej przemiany?

– Nie.

– Ależ z ciebie uparciuch.

Już to tego dnia słyszałam.

W pralce coś huknęło i nagle się zatrzymała.

– Głupia maszyna – mruknęłam, odrywając się od Edwarda.

Poszłam włączyć ją raz jeszcze.

– À propos prania – przypomniało mi się – spytaj, proszę, Alice, gdzie wsadziła te wszystkie ubrania przy sprzątaniu mojego pokoju. Nie mogę ich znaleźć.

Edward zrobił zdziwioną minę.

– Alice sprzątnęła ci pokój?

– Najwyraźniej. Wiesz, wtedy, jak mnie uprowadziła i przyjechała tu po moją piżamę, kosmetyczkę i poduszkę, którą, tak na marginesie, też mi musi zwrócić. Pozbierała wszystko z podłogi – skarpetki, bluzki, takie tam – i gdzieś odłożyła, ale nie wiem gdzie.

Zamyślił się, a potem nagle zesztywniał.

– Kiedy zauważyłaś, że brakuje tych rzeczy?

– Kiedy wróciłam do domu w sobotę rano. A bo co?

– Nie sądzę, żeby Alice wzięła cokolwiek poza piżamą i kosmetyczką. Te wszystkie pozostałe rzeczy... były noszone, prawda? I ta poduszka... spałaś na niej wcześniej?

– Tak – odpowiedziałam powoli. – Czemu to takie ważne?

– Były przesycone twoim zapachem – oświadczył zdławionym głosem.

– Och.

Przez dłuższą chwilę wpatrywaliśmy się w siebie w milczeniu.

– Mój gość... – zaczęłam.

– Zbierał dowody. Na to, że cię namierzył.

– Dlaczego? – wyszeptałam.

– Nie wiem, ale przysięgam, Bello, że się dowiem.

– Ufam ci.

Przytuliłam głowę do jego piersi. W tym samym momencie w jego kieszeni zawibrowała komórka. Wyjął ją i zerknął na wyświetlacz.

– Dobrze się składa. – Otworzył telefon. – Cześć, Carlisle. Bella właśnie mi powiedziała, że...

Ale doktor miał mu widać do przekazania coś jeszcze ważniejszego, bo przerwał, żeby cierpliwie go wysłuchać. Odezwał się dopiero po dobrej minucie:

– Sprawdzę to. A teraz moja kolej...

Przez następną minutę tłumaczył Carlisle'owi, co mogło się stać z moimi ubraniami. Niestety, doktor nie miał dla nas żadnych wskazówek.

– Okej – powiedział Edward w słuchawkę. – Czyli, podsumowując, szykuje nam się mała wyprawa. Tylko nie pozwól pojechać Emmettowi samemu. Wiesz, jaki on jest. Niech chociaż Alice wcześniej wszystko sprawdzi. Szczegóły dogadamy później.

Zamknął telefon.

– Macie wczorajszą gazetę? – spytał.

– Nie wiem, nie czytałam jej.

– Muszę coś sprawdzić. Może Charlie już ją wyrzucił?

– Może...

Zniknął, by wrócić po kilku sekundach. W jego włosach pojawiły się w międzyczasie nowe brylanciki rosy, a w rękach przemoczona gazeta. Rozłożył ją na stole, skacząc wzrokiem od nagłówka do nagłówka. Znalazłszy właściwy artykuł, zaczął śledzić palcem czytaną linijkę.

– Carlisle ma rację... Tak... Spaprana robota... Albo ten ktoś jest młody i głupi, albo chce się wystawić na pewną śmierć.

Zajrzałam mu przez ramię. Nagłówek głosił: „Epidemia morderstw trwa: policja bezsilna".

Był to artykuł bardzo podobny do tego, który tak wstrząsnął Charliem kilka tygodni wcześniej. I w tym pisano, że Seattle dołączyło do grona najniebezpieczniejszych metropolii w kraju, jednak liczba nierozwikłanych zbrodni, jaką wymieniano, była znacznie wyższa niż poprzednio.

– Robi się coraz gorzej – mruknęłam.

Edward ściągnął brwi.

– Kompletny chaos. To już nie wygląda na robotę jednego nowo narodzonego wampira. Co oni wyprawiają? Nie słyszeli o Volturi? Cóż, pewnie nie. Jeśli ktoś stworzył ich nieodpowiedzialnie, to raczej nie wyjaśnił im reguł. Tylko kto ich stworzył?

– Volturi? – powtórzyłam z drżeniem w głosie.

– Nie pamiętasz, że ich zadaniem jest likwidacja tych z nas, którzy mniej lub bardziej celowymi działaniami obnażają przed światem nasze istnienie? Zaledwie kilka lat temu zjawili się w Stanach, by rozprawić się z wampirem winnym serii zbrodni w Atlancie, a jego dokonania przy tych ostatnich historiach z Seattle to pryszcz. Jeśli sami nie opanujemy sytuacji, zareagują lada dzień, a wolałbym, żeby trzymali się od stanu Waszyngton z daleka. Jeszcze im przyjdzie do głowy sprawdzić przy okazji, co u ciebie.

Wzdrygnęłam się.

– Uważasz, że potraficie wyręczyć policję?

– Najpierw musimy zebrać jak najwięcej informacji. Jak już mówiłem, najprawdopodobniej to kilku młodzików. Może wystarczy, jeśli ich namierzymy i wyjaśnimy im reguły gry... – Nie wyglądał na przekonanego o skuteczności tej opcji. – Poczekamy, aż Alice nawiedzi kilka wizji. Nie zainterweniujemy, jeśli nie okaże się to naprawdę konieczne. W końcu to nie nasza sprawa. – Zamyślił się na moment. – Dobrze, że mamy pod ręką Jaspera...

– Dlaczego akurat Jaspera?

Edward uśmiechnął się mrocznie.

– Nowo narodzone wampiry to poniekąd jego specjalność.

– Czemu?

– Musiałabyś go zapytać – to dłuższa historia.

– Najpierw Victoria, potem Volturi, a teraz to...

– Ani chwili spokoju, prawda? – Westchnął. – Nie rozmyślasz czasami o tym, o ile prostsze byłoby twoje życie, gdybyś się we mnie nie zakochała?

– Może i prostsze, lecz co by to było za życie?

– Dla mnie żadne – powiedział cicho. – Ale zmieńmy temat. Czy nie chcesz mnie czasem o coś zapytać?

W jego oczach pojawiły się szelmowskie iskierki.

– Niby o co? – zdziwiłam się.

– Odniosłem wrażenie, że obiecałaś pewnej osobie uzyskać ode mnie pozwolenie na udział w planowanej na dziś wieczór imprezie.

– Znowu podsłuchiwałeś?

– Tylko odrobinkę. Pod sam koniec.

– Szczerze mówiąc, planowałam to sobie odpuścić. Dość masz powodów do zmartwień.

Wziął mnie pod brodę, żeby spojrzeć mi prosto w oczy.

– Mniejsza o mnie. Masz ochotę tam pojechać czy nie?

– Mną się nie przejmuj. To nic takiego.

– Bello, nie musisz mnie prosić o pozwolenie w takiej sprawie. Nie jestem twoim ojcem i dzięki Bogu za to. Właśnie, spytaj najpierw Charliego.

– Przecież wiesz, że się zgodzi.

– Wiem więcej o jego ewentualnej odpowiedzi niż większość postronnych obserwatorów, nie przeczę.

Wpatrywałam się w niego przez dłuższą chwilę, starając się odgadnąć, jak powinnam się według niego zachować, dla większego obiektywizmu próbując zarazem zdusić w sobie przemożne pragnienie złożenia wizyty sforze. Było mi głupio, że akurat teraz, kiedy wokół mnie tyle się działo, moim największym marzeniem jest spędzenie wieczoru w towarzystwie kilku nastoletnich mięśniaków. Z drugiej strony, właśnie dlatego miałam takie a nie inne marzenie – chciałam choć na kilka godzin oderwać się od przygnębiającej rzeczywistości, na kilka godzin stać na tyle niedojrzała i beztroska, by móc śmiać się z Jacobem z tego wszystkiego, co mi potencjalnie groziło. Ale to nie miało znaczenia.

– Bello – odezwał się Edward – nie kłamałem, kiedy przyrzekłem, że odtąd będę ci ufać. Skoro nie przejmujesz się wilkołakami, to i ja nie będę się nimi przejmował.

– Wow – skomentowałam jego deklarację tak samo jak w nocy.

– Poza tym Jacob ma rację przynajmniej co do jednego. Oni też się znają na zabijaniu wampirów. Przy nim i jego kolegach powinnaś czuć się bezpieczna.

– Jesteś tego pewien?

– W stu procentach. Mam tylko jedną prośbę...

Skrzywiłam się, spodziewając się czegoś, co popsuje mi całą przyjemność.

– Pozwól mi się odwieźć do granicy naszych terytoriów, dobrze? I weź z sobą komórkę, żebyś mogła po mnie zadzwonić, to cię później odbiorę. Mam nadzieję, że nie proszę o zbyt wiele.

– Może... może być.

– Świetnie.

Uśmiechnął się szeroko, a w jego oczach nie dopatrzyłam się ani śladu zaniepokojenia.

Charlie nie miał, rzecz jasna, nic przeciwko temu, żebym pojechała na ognisko do La Push. Jacob aż krzyknął z radości, kiedy do niego zadzwoniłam, i o dziwo, przystał bez protestów na środki bezpieczeństwa zasugerowane przez Edwarda. Umówiliśmy się na linii granicznej na szóstą.

Po krótkim namyśle zadecydowałam, że nie sprzedam na razie swojego motocykla, tylko odwiozę go do La Push, tam, gdzie jego miejsce. Pewnego dnia miałam nie potrzebować swojego jednośladu – zamierzałam zostawić go wtedy Jacobowi w nagrodę za jego ciężką pracę. Mógł go sprzedać albo oddać za darmo znajomemu – było mi wszystko jedno.

Ponieważ Edward miał mnie odwieźć, nadarzała się idealna okazja, żeby przetransportować motor do rezerwatu. Moja przyszłość nie rysowała się w moim mniemaniu różowo, chciałam więc wszystkie swoje plany wcielać w życie jak najszybciej, nawet te najbardziej błahe. Każdy nowy dzień był dla mnie prezentem od losu.

Kiedy wyjaśniłam Edwardowi, co zamierzam, skinął tylko głową, ale wydało mi się, że po jego twarzy przemknął cień, i pomyślałam, że do moich przejażdżek na motorze musi mieć podobny stosunek jak Charlie.

Jakże się myliłam! Uzmysłowiłam sobie swój błąd, dopiero kiedy podjechaliśmy do domu Cullenów i weszliśmy do ich przestronnego garażu.

Koło mojego motoru stał drugi, nieznany mi pojazd. Teoretycznie też był motocyklem, ale tylko teoretycznie, bo nie miałabym śmiałości tak go nazwać. Był wielki, opływowy, srebrny i z pewnością bardzo szybki. Mój własny wyglądał przy nim jak dziecięcy trójkołowy rowerek, w dodatku mocno używany.

– A to co?! – wykrztusiłam.

– Nic – mruknął Edward.

– Duże to „nic".

Mój ukochany nie miał zamiaru wdawać się ze mną w niepotrzebne dyskusje.

– Nie byłem do końca pewny, czy wybaczysz swojemu przyjacielowi, albo czy on wybaczy tobie, a z tego, co mówiłaś, wynikało, że jeżdżenie na motorze bardzo przypadło ci do gustu, więc wpadłem na pomysł, że mógłbym jeździć z tobą, gdybyś chciała.

Wzruszył ramionami.

Nie mogłam oderwać wzroku od tej cudownie lśniącej maszyny. Zerknęłam na jej odrapaną miniaturkę stojącą u jej boku. Co za kontrast! Nagle uświadomiłam sobie ze smutkiem, że taki sam istniał pomiędzy Edwardem a mną.

– Nigdy cię nie dogonię, jeśli wsiądziesz na coś takiego.

– To ja będę się dostosowywał do twojego tempa.

– Co to za zabawa jeździć sześćdziesiątką, kiedy się ma takie cudo.

– Jeśli tylko będziemy spędzać czas razem, niczego więcej nie będzie mi trzeba.

Przygryzłam wargę i spróbowałam sobie wyobrazić, jak przebiegałyby nasze przejażdżki.

– A gdybym, twoim zdaniem, jechała za szybko albo gdybym zaczęła tracić kontrolę nad motorem, to co byś zrobił?

Zawahał się, chociaż ja znałam już jego odpowiedź – stanąłby na głowie, byle tylko nic mi się nie stało.

Zanim zdążył odpowiedzieć, przyszło mu do głowy coś innego i uśmiechnął się. Sprawiał przy tym wrażenie rozluźnionego, ale dobrze wiedziałam, że to tylko pozory.

– Rozumiem. To coś zarezerwowanego dla ciebie i Jacoba.

– Chodzi mi bardziej o to, że jego nie ograniczam tak, jak bym ograniczała ciebie. Ale coś się wymyśli.

Przyjrzałam się srebrnemu motocyklowi pełna wątpliwości.

– Naprawdę, nie ma sprawy – odpowiedział szybko. – Widziałem, że wpadł w oko Jasperowi. Skoro Alice ma teraz porsche…

– Nie musisz…

Przerwał mi, całując mnie w policzek.

– Powiedziałem, nie ma sprawy. Ale możesz zrobić dla mnie coś innego…

– Cokolwiek – obiecałam w ciemno.

Doskoczył do nowego motoru, żeby wyjąć dwie rzeczy, które wcześniej za nim schował. Jedna z nich była twarda, okrągła i jaskrawoczerwona, druga z kolei czarna, miękka i bezkształtna.

– Stać cię na takie poświęcenie? – spytał. – Jak sądzisz?

Wzięłam od niego kask i zaczęłam ważyć go w dłoniach.

– Będę w nim głupio wyglądać.

– Wręcz przeciwnie. Będziesz wyglądać na kogoś, kto jest na tyle inteligentny, żeby wiedzieć, że należy cenić sobie własne zdrowie.

Przerzucił sobie to coś czarnego, czego jeszcze nie zidentyfikowałam, przez ramię, po czym ujął oburącz moją twarz.

– Tę główkę kocham najbardziej na świecie. Mogłabyś o nią zadbać.

– Okej, niech ci będzie. A to drugie to co? – spytałam podejrzliwym tonem.

Parsknął śmiechem. Okazało się, że trzymał coś w rodzaju pikowanej skórzanej kurtki.

– To też na motor. Ponoć otarcia od asfaltu potrafią być bolesne. No, przymierz.

Z westchnieniem odrzuciłam włosy na plecy i założyłam kask, a następnie wsadziłam ręce w nadstawione przez Edwarda rękawy. Zapiąwszy za mnie główny zamek błyskawiczny, zrobił krok do tyłu, by móc zobaczyć mnie w całej okazałości.

Czułam się jak pękata wiejska szynka obwiązana ciasno sznurkiem.

– No i jak się prezentuję? Tylko bez fałszywych pochlebstw.

Przekrzywił głowę.

– Fatalnie, prawda? – spytałam.

– Nie, nie. Wyglądasz bardzo... Jak by to ująć... Tak właściwie to wyglądasz bardzo seksownie.

– Bo uwierzę!

– Jesteś bardzo atrakcyjną młodą kobietą.

– Tylko tak mówisz, żebym przekonała się do tego wdzianka – powiedziałam. – Ale będę je nosić. Masz rację, to rozsądne.

Przyciągnął mnie do siebie.

– Jesteś taka urocza, kiedy cię zmusić do bycia rozsądną. Chociaż, przyznaję, ten kask ma swoje wady.

I zdjął go, żeby móc mnie pocałować.

Jakiś czas później wyruszyliśmy do La Push. Nigdy wcześniej nie odwoził mnie do Jacoba, ale mimo to miałam niejasne uczucie, że towarzyszące mi emocje i w ogóle cała ta sytuacja są mi dobrze znane. Potrzebowałam kilkunastu sekund, żeby zdać sobie sprawę, skąd się wzięło to déjà vu.

– Wiesz, co mi to przypomina? Jak byłam mała, Renée odwoziła mnie co roku latem do Charliego i przekazywała „drugiej stronie". Czuję się tak, jakbym znowu miała siedem lat.

Zaśmiał się.

Nie powiedziałam tego głośno, ale moi rodzice byli ze sobą w o wiele lepszych stosunkach niż on i Jacob.

Mniej więcej w połowie drogi zza zakrętu wyłonił się zaparkowany na poboczu czerwony volkswagen, którego Jacob sam złożył z używanych części. Chłopak opierał się niedbale o jego drzwiczki z wymuszoną obojętną miną. Gdy tylko mnie zobaczył, zastąpił ją szeroki uśmiech. Pomachałam mu na powitanie.

Edward stanął jakieś trzydzieści metrów przed volkswagenem.

– Zadzwoń, kiedy będziesz już chciała wrócić do domu.

– Nie będę siedzieć długo.

Wysiedliśmy. Wypakował mój motocykl i swoje dwa prezenty – jak to wszystko zmieścił w bagażniku, nie miałam pojęcia. Najwyraźniej dla kogoś, kto umiał podnieść jedną ręką furgonetkę, mało co na tym świecie stanowiło jakiekolwiek wyzwanie.

Jacob przyglądał nam się spode łba, nie próbując się do nas zbliżyć.

Wsadziłam sobie kask pod pachę, a kurtkę przerzuciłam przez siodełko.

– Wszystko masz? – upewnił się Edward.

– Wszystko.

Pochylił się nade mną. Spodziewałam się symbolicznego całusa w policzek, ale miał inne plany – przycisnął mnie do swojej piersi i puścił dopiero wtedy, kiedy zabrakło mi tchu. Z takim entuzjazmem nie całował mnie nawet w garażu.

Zaśmiał się z jakiegoś powodu.

– Do zobaczenia – powiedział. – Ta kurtka naprawdę mi się podoba.

Kiedy się już odwracałam, żeby odejść, wydało mi się, że mignęło mi w jego oczach coś, co starał się przede mną ukryć. Nie potrafiłam określić, co to tak właściwie było. Smutek? A może nawet panika? Ech, Bello, Bello, sprowadziłam się na ziemię, pewnie, jak zwykle, wytwór twojej wybujałej wyobraźni.

Prowadząc motocykl w kierunku czerwonego volkswagena, czułam, że Edward odprowadza mnie wzrokiem.

– A ten motor to po co? – zawołał Jacob, lekko zaniepokojony.

– Pomyślałam, że znam dla niego właściwsze miejsce niż garaż Cullenów.

Spochmurniał na ułamek sekundy, ale zaraz potem zrozumiał, co mam na myśli, i uśmiechnął się od ucha do ucha.

Dowiedziałam się, że przekroczyłam granicę, gdy tylko to uczyniłam, bo natychmiast doskoczył do mnie w kilku susach. Odebrawszy mi motocykl, odstawił go na rozłożonej nóżce, po czym zdusił mnie w charakterystycznym dla siebie serdecznym uścisku.

Usłyszałam odpalany silnik volvo, więc spróbowałam mu się wyrwać.

– Postaw mnie na ziemię! – jęknęłam bezgłośnie.

Posłuchał mnie, śmiejąc się wesoło. Odwróciłam się, żeby pomachać Edwardowi, ale jego srebrne auto znikało właśnie za zakrętem.

– Super – mruknęłam, pozwalając sobie na odrobinę sarkazmu.

Jacob zamrugał teatralnie oczami, udając niewiniątko.

– No co?

– I tak już poszedł na duży kompromis. Nie prowokuj go niepotrzebnie.

Zaśmiał się jeszcze głośniej. Czym tak go rozbawiłam? Zastanawiałam się nad tym, kiedy obchodził samochód, żeby go otworzyć od strony pasażera.

– Jesteś naprawdę biedna z tym swoim ludzkim węchem – stwierdził pobłażliwym tonem, nadal krztusząc się ze śmiechu. – Nie widzisz, że pojedynkujemy się we dwóch na zapachy? Gdybym cię nie wyściskał na powitanie, zepsułabyś chłopakom całe ognisko.

To powiedziawszy, nie czekając na moją replikę, zatrzasnął za mną bezceremonialnie drzwiczki.

11 Legendy

Jacob siedział oparty wygodnie o moje kolana i bawił się czymś, co niegdyś było drucianym wieszakiem, a teraz, wyprostowane, służyło mu za prowizoryczny rożen. Nadzianą na drut parówkę o spękanej skórce lizały leniwie języki ognia.

Z wielkiej uczty, jaką przygotowała dla siebie sfora, nie pozostało już nic oprócz tej jednej jedynej parówki. Po tym jak mój przyjaciel zjadł dziesiątego hot doga, straciłam rachubę, a zagryzał je przecież gigantycznymi porcjami frytek i popijał piwem korzennym z dwulitrowych butelek.

– Ten hot dog ma być dla ciebie? – spytał go Paul.

– Jak najbardziej – odparł. – Wprawdzie jestem tak obżarty, że zaraz puszczę pawia, ale jedna mała paróweczka na pewno się jeszcze zmieści. Szkoda tylko, że już zupełnie nie będzie mi smakować – dodał ze smutkiem.

Chociaż Paul zjadł przynajmniej tyle samo, co Jacob, krew napłynęła mu do twarzy, a dłonie zacisnął w pięści.

– Spokojnie. – Jacob parsknął śmiechem. – Tylko żartowałem. Łap.

Cisnął rożnem ponad ogniskiem. Gdyby otaczali mnie zwykli ludzie, hot dog jak nic wylądowałby w piachu, a tak Paul bez trudu złapał drut za właściwy koniec.

Przez to ciągłe przebywanie z nadzwyczaj sprawnymi fizycznie istotami można się było nabawić kompleksów.

– Dzięki – rzucił Paul.

Wykrzywiający jego twarz gniew zniknął tak szybko, jak się pojawił.

Coś trzasnęło w płonących gałęziach i ich stos nieco się zapadł, wyrzucając w powietrze kłąb pomarańczowych iskier. Tak pięknie odcinały się na tle czarnego nieba! Czarnego? Dopiero teraz zauważyłam, że słońce już dawno zaszło, i po raz pierwszy od przyjazdu do La Push zainteresowałam się, która może być godzina. Zupełnie straciłam poczucie czasu.

Nie spodziewałam się, że będę się tu tak dobrze czuła.

Na początku było fajnie – odwieźliśmy mój motocykl do garażu Blacków i Jacob przyznał, że kask to dobry pomysł i sam powinien o nim pomyśleć – ale potem zaczęłam się martwić, czy przyjęcie jego zaproszenia nie było skończoną głupotą. A może koledzy Jake'a będą mieć mu za złe to, że mnie przyprowadził? Może wataha uważa mnie za zdrajczynię? Może moja obecność popsuje wszystkim humor?

Na szczęście, kiedy wynurzyliśmy się z lasu i znaleźliśmy się na nadmorskim klifie, gdzie płonęło już ognisko, potraktowano mnie jak członka rodziny.

– Witamy fankę wampirów! – zawołał radośnie Embry.

Quil zerwał się z miejsca, żeby przybić mi piątkę, a potem pocałował mnie w policzek. Usiedliśmy z Jacobem koło Emily i Sama. Narzeczona przywódcy wilków uścisnęła mi dłoń.

Tylko Paul przypomniał mi kilka razy, żebym siedziała z wiatrem, bo „trochę ode mnie jedzie", ale, rzecz jasna, były to tylko żarty. Sfora nadal mnie akceptowała. Musiałam przyznać, że kamień spadł mi z serca.

Okazało się, że ogniska nie zaplanowano jako imprezy dla nastolatków. Po przeciwnej stronie kręgu, niby u szczytu stołu, siedział Billy na wózku inwalidzkim, a u jego boku, na składanym krzesełku ogrodowym, białowłosy dziadek Quila, czyli Stary Quil.

Przyszła też Sue Clearwater, wdowa po Harrym, przyjacielu Charliego, oraz jej dwoje dzieci, Leah i Seth. Sue, tak jak obaj starsi panowie, miała własne krzesło, a młodzi Clearwaterowie, wzorem reszty towarzystwa, siedzieli na ziemi. Zdziwiłam się, że całej ich trójce zdradzono tajemnicę watahy, ale sądząc po tym, jak zwracali się do wdowy Billy i Stary Quil, Sue zajęła w starszyźnie plemienia miejsce swojego zmarłego męża. Najwyraźniej i jej dzieci stały się w ten sposób członkami najbardziej tajnej organizacji w rezerwacie.

Ciekawa byłam, co czuje Leah, przebywając tak blisko Sama i jego narzeczonej. Dziewczyna bardzo dobrze ukrywała emocje, ale i nie odrywała oczu od płomieni. Podziwiając jej idealne rysy, nie mogłam jej nie porównać z oszpeconą Emily. Czy Leah wiedziała już, skąd tak naprawdę wzięły się blizny kuzynki? Czy uważała, że ta poniosła zasłużoną karę?

Seth Clearwater, którego zawsze miałam za małego chłopca, nie był już taki mały. Przydługimi kończynami i beztroskim uśmiechem przypominał mi młodszego Jacoba. Ucieszyło mnie to, ale i zasmuciło. Czyżby czekał go ten sam los, co mojego przyjaciela? Czy to dlatego jego rodzinę dopuszczono do plemiennych sekretów?

Na koniec mój wzrok padł na Jareda i słynną Kim, dziewczynę, którą wybrało dla niego przeznaczenie. Po raz pierwszy miałam świadomie mieć do czynienia z parą, która dobrała się w wyniku wpojenia.

Na pierwszy rzut oka Kim wydała mi się całkiem sympatyczna, choć raczej nieśmiała i niezbyt urodziwa. Nad jej szeroką twarzą górowały typowo indiańskie wystające kości policzkowe, ale jej oczy były zbyt małe, by to zrównoważyć. Miała też nieproporcjonalnie duży nos i usta, a jej powiewającym na wietrze długim włosom brakowało objętości i połysku.

Tyle, jeśli chodzi o moje pierwsze wrażenie, bo po kilku godzinach nie byłam już taka pewna, czemu uznałam urodę dziewczyny za pospolitą – a wszystko to dlatego, że przez cały ten czas widziałam, jakim wzrokiem patrzył na Kim Jared.

Jak on na nią patrzył! Jak ozdrowiały ślepiec, który zobaczył słońce! Jak kolekcjoner sztuki, który odkrył nieznany światu szkic da Vinci! Jak młoda matka przyglądająca się noworodkowi!

To dzięki jego pełnemu zachwytu spojrzeniu odkryłam, że skóra Kim przywodzi na myśl jedwab, że jej wargi to piękne bliźniacze łuki, a długie rzęsy rzucają na jej policzki urocze cienie.

Kiedy ich oczy się spotykały, dziewczyna czasami się rumieniła, zakłopotana tym demonstracyjnym uwielbieniem, ale z drugiej strony rzadko się zdarzało, żeby choć na kilka minut zainteresowała się kimś innym oprócz swojego adoratora.

Im dłużej im się przyglądałam, tym lepiej rozumiałam to, co o wpojeniu opowiadał mi Jacob: „Tak ją adorował, taki był jej oddany, że w końcu uległa jego zalotom".

Kim drzemała teraz wsparta głową o pierś Jareda, który przytulał ją mocno do siebie. Musiało jej być bardzo ciepło i przyjemnie w jego objęciach.

– Robi się późno – szepnęłam do Jacoba.

– Zostań jeszcze trochę – odszepnął, chociaż przynajmniej połowa zebranych miała na tyle czuły słuch, że i tak doskonale nas słyszała. – Najlepsze dopiero przed nami.

– Co, masz zamiar połknąć krowę w całości?

Zaśmiał się gardłowo.

– Nie, to zostawiam sobie na wielki finał. Ale tak na poważnie, widzisz, nie spotkaliśmy się tu tylko po to, żeby się objadać. To ognisko to także zebranie rady plemienia. Quil jest na czymś takim po raz pierwszy. Jeszcze nigdy nie słyszał naszych opowieści. To znaczy, słyszał je, ale wtedy nie wiedział, że one są prawdziwe. Teraz to dopiero będzie się starał zapamiętać wszystkie szczegóły! Dla Kim, Setha i Lei to też pierwszy raz.

– Co to za opowieści?

Przesunął się tak, żeby siedzieć nie przede mną, ale u mojego boku, po czym objął mnie ramieniem i powiedział mi do ucha:

– To te liczne historie, które zawsze miałem za legendy. Historie o tym, skąd się wzięliśmy. Pierwsza opowiada o wojownikach duchach...

Zdawać się mogło, że wszyscy usłyszeli ten wstęp, bo panująca wokół ogniska leniwa atmosfera ustąpiła nagle podniosłemu nastrojowi. Paul i Embry wyprostowali się jak na rozkaz, a chwilę później poszła w ich ślady obudzona przez Jareda Kim. Emily wyjęła z torebki długopis i notes, co nadało jej wygląd pilnej studentki szykującej się do robienia notatek z ważnego wykładu. Leah Clearwater, której piękna twarz nadal nie zdradzała żadnych emocji, zamknęła oczy, żeby móc się lepiej skoncentrować. Jej brat pochylił się ku członkom starszyzny, gotowy chłonąć każde słowo.

Co do samej starszyzny, kiedy Sam zmienił nieco pozycję, tak by znaleźć się bliżej Starego Quila, którego miał po swojej lewej stronie, uświadomiłam sobie, że w radzie plemienia Quileutów zasiadają od pewnego czasu nie trzy, a cztery osoby.

Zatrzeszczał ogień. Z płonących drewien znów wystrzeliła pod niebo chmara migoczących iskier.

Billy odchrząknął głośno i nie bawiąc się w żadne ceremonie, zaczął opowiadać. Wyuczone na pamięć słowa wypływały z jego ust nieprzerwanym potokiem. Krył się w nich subtelny, bliżej nieokreślony rytm, jakby był poetą i deklamował własny wiersz.

– Quileuci byli niewielkim plemieniem przed wiekami i niewielkim plemieniem pozostali aż do dziś, ale mimo to nie wyginęli. Dlaczego? Bo od dawien dawna w naszych żyłach prócz krwi płynie magia. Nie zawsze była to magia zmiennokształtności – ta pojawiła się później. Na samym początku byliśmy wojownikami duchami.

Nigdy wcześniej nie zauważyłam, że w Billym Blacku jest coś z dostojeństwa właściwego przywódcom. Dopiero teraz uzmysłowiłam sobie, że zawsze taki był. Sam ton jego głębokiego głosu wzbudzał szacunek.

Emily z trudem nadążała z notowaniem.

– Kiedy osiedliliśmy się nad tą zatoką – ciągnął Billy – nauczyliśmy się łowić ryby i budować łodzie. Ale nas było mało, a ryb w zatoce dużo. Naszych ziem zaczęły nam zazdrościć inne ludy. Nie byliśmy w stanie stawić czoła liczniejszym najeźdźcom. Otoczyli nas i zmusili do ucieczki. Wypłynęliśmy łodziami na morze. Kaheleha nie był pierwszym wojownikiem duchem, ale podania o jego poprzednikach się nie zachowały. Nie pamiętamy, ani kto pierwszy odkrył w sobie te zdolności, ani jak korzystano z nich przed najazdem. W historii naszego plemienia to Kaheleha jest zatem pierwszym wodzem duchem. W chwili zagrożenia użył magii, by obronić swój lud.

Pod jego dowództwem wszyscy wojownicy opuścili łodzie – nie jako byty materialne, ale jako duchy. Dusze mężczyzn wróciły do zatoki, kobiety zaś zostały na morzu pilnować ich ciał.

Wojownicy nie mogli w tej postaci dotykać swoich przeciwników, ale mieli swoje sposoby, aby obejść tę niedogodność. Podania głoszą, że potrafili nakierować na obozowisko wroga podmuchy silnego wiatru, które niosły z sobą ich zwielokrotnione, mrożące krew w żyłach okrzyki. To przerażające zjawisko wywoływało u najeźdźców popłoch.

Nie była to jedyna broń Quileutów. Niewidzialni dla ludzi, lecz widzialni dla zwierząt, umieli się z nimi porozumiewać, a one poddawały się ich woli. Szczęśliwym zrządzeniem losu najeźdźcom towarzyszyło wiele psów, które na dalekiej północy zaprzęgali do sań. Kaheleha rozkazał sforze, by zwróciła się przeciwko swoim panom, wezwał także stada nietoperzy z nadbrzeżnych jaskiń. Z pomocą wichru zwierzęta szybko wygrały. Ci, którzy przeżyli atak, zdezorientowani i rozproszeni, opuścili pospiesznie zatokę, uznając ją za przeklętą. Quileuci zwrócili psom wolność, po czym w glorii chwały wrócili do swoich ciał i żon.

Po tym wydarzeniu plemiona żyjące po sąsiedzku przyrzekły nigdy nie naruszać granic naszych ziem. Zarówno Hohowie, jak i Makahowie nie chcieli mieć nic do czynienia z naszymi magicznymi praktykami. Odtąd żyliśmy z nimi w pokoju, a kiedy przybywał wróg z zewnątrz, wojownicy duchy skutecznie odpierali jego atak.

Mijały lata, aż nastał czas ostatniego z wodzów duchów. Wielki Taha Aki słynął ze swojej mądrości, a nade wszystko cenił sobie pokój. Za jego rządów wszyscy byli zadowoleni.

Wszyscy prócz jednego mężczyzny. Miał na imię Utlapa.

Z ust kilkorga słuchaczy dobył się cichy syk, ale przez swój słaby refleks nie zdążyłam zauważyć, kto tak zareagował. Billy zignorował te odgłosy i kontynuował opowieść jak gdyby nigdy nic.

Utlapa był jednym z najsilniejszych wojowników plemienia, ale, niestety, siła szła u niego ramię w ramię z żądzą władzy. Uważał, że jego pobratymcy powinni wykorzystać magię, by zagarnąć terytoria sąsiadów, zrobić z nich niewolników i stworzyć imperium.

Musicie wiedzieć, że oderwawszy się od swoich ciał, wojownicy potrafili czytać sobie wzajemnie w myślach. Poznawszy poglądy Utlapy, Taha Aki wielce się na niego rozgniewał. Za karę nakazał mu opuścić ziemię Quileutów i zabronił kiedykolwiek zmieniać się na powrót w ducha. Utlapa był silny, ale nie tak silny, by móc stanąć przeciwko swoim byłym kompanom, więc nie mając innego wyboru, wyniósł się jak niepyszny z wioski. Nie odszedł jednak daleko – jako że marzył o zemście, zaszył się jedynie w pobliskim lesie.

Taha Aki zachowywał czujność nawet w czasach pokoju. Często podróżował samotnie do świętej polany w górach, gdzie opuszczał swoje ciało i pod postacią ducha sprawdzał z lotu ptaka, czy jego ludowi nie grozi niebezpieczeństwo.

Pewnego razu, kiedy Taha Aki wyruszył na swoją wyprawę, podstępny Utlapa poszedł potajemnie za nim. Z początku planował tylko zabić wodza, ale po drodze doszedł do wniosku, że plan ten jest zbyt ryzykowny – zaraz po odkryciu zbrodni wojownicy wszczęliby poszukiwania, a dzięki swoim umiejętnościom z pewnością odnaleźliby zabójcę. Kiedy Utlapa, schowany za skałami, przyglądał się medytującemu wodzowi, przyszedł mu do głowy inny potworny pomysł.

Taha Aki zostawił swoje ciało na świętej polanie i wzbił się w przestworza, by rozejrzeć się po okolicy, ale Utlapa nie opuścił swojej kryjówki od razu. Czekał tak długo, aż zyskał pewność, że dusza wodza jest już daleko, a potem sam zmienił się w ducha.

Gdy tylko to uczynił, Taha Aki dowiedział się o tym i poznał straszliwe plany wygnańca. Zaalarmowany, czym prędzej zawrócił, ale nawet przyjazne wiatry nie były w stanie sprowadzić go na czas. Na świętej polanie nie zastał już swojego ciała ani żadnego innego, w które mógłby wniknąć. Porzucone ciało Utlapy było bezużyteczne, ponieważ zdrajca zabił sam siebie ręką wodza.

Taha Aki dogonił swoje porwane ciało i jął łajać Utlapę, ale ten nie zwracał na niego najmniejszej uwagi. Wódz mógł się tylko bezradnie przyglądać, jak złoczyńca wraca do wioski i zajmuje jego miejsce.

Z początku Utlapa nie robił nic, co mogłoby wzbudzić czyjekolwiek podejrzenia – chciał, by wszyscy uwierzyli, że jest Tahą Akim. Dopiero po kilku tygodniach zaczął wprowadzać swoje porządki. Pierwszym rozporządzeniem zakazał wojownikom zmieniać się w duchy. Utrzymywał, że ostrzeżono go przed tym w wizji, ale tak naprawdę po prostu się bał – wiedział, że przy najbliższej nadarzającej się okazji Taha Aki nawiąże kontakt ze swoimi druhami. Sam Utlapa również nigdy nie opuszczał ciała, które sobie przywłaszczył, aby stary wódz nie mógł go odzyskać.

Zrezygnowawszy z korzystania z magicznych umiejętności, uzurpator nie mógł podbić sąsiadów, tak jak o tym marzył, ale pocieszał się, sprawując rządy ciężkiej ręki nad swoim własnym ludem. Żądał dla siebie przywilejów, o jakie Taha Aki nigdy by nie zabiegał: odmawiał traktowania wojowników jak równych sobie, nie pracował jak inni, wziął sobie drugą, młodą żonę, a potem trzecią, chociaż wielożeństwo nie należało do tradycji plemienia... Taha Aki nie mógł na to wszystko nic poradzić.

W końcu, by wyzwolić swój lud spod jarzma Utlapy, Taha Aki postanowił zabić własne ciało. W tym celu sprowadził z gór wielkiego rozwścieczonego wilka. Nie przewidział, że tchórzliwy uzurpator schowa się za murem wojowników. Kiedy bestia zagryzła jednego z obrońców fałszywego wodza, młodego chłopca, nieutulony w żalu Taha Aki nakazał basiorowi wrócić do puszczy.

Wszystkie podania podkreślają, że wcielać się w wojownika ducha nie było wcale tak łatwo. Przebywanie z dala od własnego ciała nie należało do przyjemności – wręcz przeciwnie, przerażało i mieszało w głowie. To dlatego Quileuci korzystali ze swojego daru tylko w chwilach prawdziwego zagrożenia, a samotne wyprawy wodza były postrzegane jako wielkie poświęcenie z jego strony. Tymczasem Taha Aki wiódł bezcielesny żywot już od wielu miesięcy i cierpiał z tego powodu coraz większe katusze. Ciążyła mu też myśl, że skoro ma się tak już błąkać bez końca, nigdy nie dołączy do swoich przodków w zaświatach.

Zbolałej duszy wodza, wijącej się w agonii, towarzyszył w wędrówkach po lesie wielki wilk. Był naprawdę ogromnych rozmiarów i zachwycał swoją urodą. Taha Aki przyjrzał mu się kiedyś i nagle poczuł zazdrość. Wilk miał własne ciało, miał własne życie. O ileż lepiej byłoby być zwykłym zwierzęciem niż tylko duchem!

I tak Taha Aki wpadł na pomysł, który odmienił losy jego plemienia. Poprosił wilka, aby ten zrobił mu w swoim ciele trochę miejsca – aby się z nim swoim ciałem podzielił. Basior przystał na to i wódz wniknął do jego wnętrza. Nie było to ciało człowieka, ale i tak czuł niewysłowioną ulgę.

Kiedy Taha Aki i wilk powrócili jako jeden byt do wioski nad zatoką, ludzie rozbiegli się na ich widok, wołając wojowników. W kilka minut zwierzę otoczyli uzbrojeni we włócznie mężczyźni. Utlapa, rzecz jasna, zawczasu się ukrył.

Taha Aki nie zaatakował. Zaczął się powoli wycofywać, patrząc innym znacząco w oczy i próbując nucić quileuckie pieśni. Wojownicy uświadomili sobie szybko, że nie mają do czynienia ze zwyczajnym wilkiem, ale z osobnikiem nawiedzonym przez czyjegoś ducha. Jeden ze starszych mężczyzn, niejaki Yut, postanowił złamać zakaz wydany przez fałszywego wodza, by się z owym duchem porozumieć.

Gdy tylko Yut opuścił swoje ciało, w jego ślady poszedł Taha Aki i obaj spotkali się w świecie duchów. Yut błyskawicznie pojął, co się stało, i serdecznie powitał starego wodza.

W tym samym momencie Utlapa wyszedł z kryjówki dowiedzieć się, czy wilka już zabito. Kiedy zobaczył leżące bez ruchu ciało Yuta i stojącego nad nim spokojnie wilka, nie trzeba mu było nic tłumaczyć. Bezzwłocznie dobył noża i rzucił się na ciało Yuta, by zabić je przed powrotem jego duszy.

„Zdrajca", wrzasnął. Wojownicy stali zdezorientowani. Jakkolwiek by było, Yut złamał zakaz wodza i ten miał prawo go za to ukarać.

Yut zdążył wskoczyć w swoje ciało, ale Utlapa przystawił mu nóż do gardła, drugą ręką zatykając usta. Nieszczęśnik nie miał szans. Utlapa uciszył go raz na zawsze, zanim ten zdołał wydobyć z siebie choćby jeden dźwięk.

Zobaczywszy, jak dusza Yuta ulatuje w zaświaty, co jego własnej duszy nie miało być dane, Tahę Akiego ogarnął wielki gniew, większy niż kiedykolwiek. Czym prędzej powrócił do ciała gościnnego wilka z zamiarem rozerwania Utlapie gardła. I wtedy stał się cud.

Taha Aki nigdy wcześniej nie odczuwał tak silnie, jak bardzo zależy mu na jego plemieniu, i nigdy wcześniej tak bardzo nie pragnął zabić uzurpatora. Nawet nie podejrzewał, że te dwie emocje, miłość i nienawiść, okażą się zbyt wielkim obciążeniem dla wilka, będą zbytnio dla niego obce. Zwierzę zatrzęsło się i na oczach zebranych w okamgnieniu przeobraziło się w człowieka.

Człowiek ten, jako ucieleśnienie przymiotów ducha starego wodza, nie przypominał z wyglądu ciała, które przywłaszczył sobie Utlapa, ale był od niego o wiele silniejszy i piękniejszy. Mimo to wojownicy rozpoznali go od razu, ponieważ takim właśnie widzieli Tahę Akiego jako duchy.

Utlapa rzucił się do ucieczki, ale Taha Aki był teraz szybki jak wilk. Złapał złoczyńcę i zmiażdżył jego duszę, zanim ten zdążył opuścić skradzione przez siebie ciało.

Kiedy inni zrozumieli, co się stało, zaczęli wiwatować. Taha Aki czym prędzej przywrócił stare porządki: znów pracował pomiędzy ludźmi, a dwie młode żony odesłał do ich rodzin. Nie zmienił tylko jednego – nie zniósł zakazu opuszczania ciał – aby nie kusić nikogo możliwością pójścia w ślady Utlapy. Tak oto era wojowników duchów dobiegła końca.

Od tej chwili Taha Aki był kimś więcej niż zwykłym mężczyzną i czymś więcej niż zwykłym zwierzęciem. Nazywano go Wielkim Wilkiem lub Człowiekiem duchem. Nie starzał się, więc przewodził plemieniu jeszcze przez wiele lat, a kiedy Quileutom groziło niebezpieczeństwo, przybierał na powrót postać wilka, by odstraszyć wroga. Pod jego rządami ludzie żyli w spokoju.

Taha Aki doczekał się wielu synów. Niektórzy z nich odkryli później, że z osiągnięciem wieku męskiego i oni potrafią zmieniać się w wilki. Każdy wilk był inny, ponieważ każdy był ucieleśnieniem innej duszy i swoim wyglądem odpowiadał charakterowi tego, kogo krył w swoim wnętrzu.

– Czyli Sam ma czarną sierść, bo jest czarnym charakterem? – zażartował Quil, uśmiechając się szelmowsko.

Tak się zasłuchałam, że aż się wzdrygnęłam, przeniósłszy się raptownie do rzeczywistości. Ognisko już dogasało. Powiodłam wzrokiem po twarzach zebranych. Nagle przeszedł mnie drugi dreszcz, bo uświadomiłam sobie, że większość z nich to przodkowie wodza, którego dzieje właśnie poznałam.

Pod niebo wystrzelił kolejny snop iskier. Przez chwilę tańczyły w powietrzu, układając się w niemalże rozpoznawalne kształty.

Sam nie pozostał Quilowi dłużny.

– A to, że ty masz sierść koloru czekolady, oznacza pewnie, że jesteś taki słodki?

Billy puścił ich komentarze mimo uszu.

– Kilku synów dołączyło do ojca, tworząc sforę, i oni także pozostali młodzi. Inni zakosztowali życia wilków, ale jako że nie przypadło im do gustu, przestali się przeobrażać. To dzięki temu dowiedziano się, że kto na długo rezygnuje z przemian, ten na powrót zaczyna się starzeć, jak każdy inny.

Taha Aki żył trzykrotnie dłużej niż zwykły człowiek. Kiedy zmarła mu pierwsza żona, wziął drugą, a kiedy zmarła i druga, wziął trzecią i dopiero w tej odnalazł prawdziwie bratnią duszę. Szczerze kochał jej poprzedniczki, ale tym razem czuł coś więcej. Postanowił przestać zmieniać się w wilka, by umrzeć wraz z nią.

Tak pojawiła się wśród nas magia, ale to jeszcze nie koniec historii...

Billy spojrzał na starego Quila Aterarę, a ten poprawił się na krześle i wyprężył przygarbione barki. Ojciec Jacoba sięgnął po butelkę wody i otarł sobie pot z czoła. Emily ani na moment nie przestała pisać.

– Wysłuchaliście opowieści o wojownikach duchach – zaczął Stary Quil. – Teraz kolej na historię o ofierze trzeciej żony.

Wiele lat po tym, jak Taha Aki porzucił życie wilka, kiedy był już bardzo starym człowiekiem, znikło kilka młodych kobiet z plemienia Makah i nasi północni sąsiedzi oskarżyli o ich uprowadzenie naszą sforę, której się bali i której nie ufali. Członkowie watahy potrafili czytać sobie w myślach jako wilki, tak jak ich przodkowie potrafili czytać sobie w myślach jako duchy, wiedzieli więc, że nikt z ich grona nie dopuścił się zarzucanych im czynów. Taha Aki próbował przekonać wodza Makahów do swoich racji, ale na próżno. Wojna wisiała w powietrzu. Aby nie dopuścić do jej wybuchu, Taha Aki nakazał swojemu najstarszemu synowi wilkowi o imieniu Taha Wi odnaleźć prawdziwego winowajcę.

Taha Wi wyruszył w góry w poszukiwaniu zaginionych dziewcząt wraz z pięcioma kompanami ze sfory. W sercu puszczy natrafili na coś, z czym nigdy przedtem się nie zetknęli – dziwną słodkawą woń, od której paliło im nozdrza.

Jacob uśmiechnął się pogardliwie i przytulił mnie mocniej do siebie. Usłyszawszy o słodkiej woni, skuliłam się u jego boku.

– Wojownicy zachodzili w głowę, jakież to stworzenie mogło rozsiać podobny zapach. Zaintrygowani, poszli jego tropem.

Głos Starego Quila nie miał w sobie majestatu basu Billy'ego, ale krył się w nim jakiś niepokój, który silnie na mnie oddziaływał. Mężczyzna mówił coraz szybciej i coraz szybciej biło mi serce.

– Po drodze wywęszyli też zapach człowieka i znaleźli plamy ludzkiej krwi. Byli przekonani, że los się do nich uśmiechnął i śledzą tego, kto wykradł dziewczęta.

Zawędrowali tak daleko na północ, że Taha Wi odesłał dwóch wojowników z powrotem nad zatokę, aby zdali wodzowi relację z ich wyprawy. Sam wraz ze swymi dwoma braćmi nigdy nie powrócił.

Szukano ich wszędzie, ale wszelki słuch po nich zaginął. Taha Aki pogrążył się w żałobie. Pragnął pomścić śmierć trzech synów, ale był już na to za stary, złożył za to w żałobnym stroju wizytę wodzowi plemienia Makah. Sąsiedzi zlitowali się nad jego stratą i wycofali oskarżenia. Konflikt został zażegnany.

Rok później dwoje dziewcząt z plemienia Makah znikło tej samej nocy. Tym razem sąsiedzi Quileutów zwrócili się do sfory o pomoc. Wilki natknęły się w ich wiosce na tę samą słodkawą woń, jak wtedy w lesie, i z miejsca wyruszyły na polowanie.

Wrócił tylko jeden z myśliwych, Yaha Uta, najstarszy syn trzeciej żony wodza i najmłodszy członek sfory. Przyniósł z sobą coś, czego Quileuci nie znali nawet ze swoich podań: szczątki twardej jak kamień istoty. Wszyscy, w których żyłach płynęła krew wodza, nawet ci, którzy nie potrafili zmieniać się w wilki, czuli bijący od zwłok przenikliwy zapach. Był to trup tego, kogo szukali.

Yaha Uta opowiedział wszystkim, co się wydarzyło. Razem z braćmi wytropili w lesie mężczyznę z pozoru niewiele różniącego się od zwykłego człowieka. Było z nim dwoje zaginionych dziewcząt: jedna leżała już martwa na ziemi, bez jednej kropli krwi w ciele, drugą zaś nieznajomy trzymał w ramionach. Ta druga może jeszcze żyła, kiedy ich odnaleźli, ale widząc przeciwników, mężczyzna przegryzł jej gardło i odrzucił ją na bok. Białe wargi krwiopijcy były szkarłatne od juchy, szkarłatne były też jego jarzące się oczy.

Yaha Uta przyznał ze smutkiem, że ani on, ani bracia nie docenili umiejętności tajemniczej istoty. Nie spodziewali się, że jest aż tak silna i szybka. Jeden z wojowników wkrótce przypłacił tę ignorancję życiem – krwiopijca rozerwał go na pół niczym szmacianą lalkę. Pozostała dwójka postanowiła zachować większą ostrożność. Zaatakowali jednocześnie, ściśle z sobą współpracując.

Nigdy wcześniej ich wilcze przymioty nie zostały wystawione na tak wielką próbę. Obcy miał skórę równie twardą i zimną co granit. Okazało się, że tylko zęby wilków są w stanie się przez nią przebić. Walcząc z krwiopijcą, odrywali od jego ciała coraz to nowe fragmenty.

Niestety, obca istota uczyła się szybko. Wkrótce pokazała, że dorównuje wojownikom umiejętnościami – złapała drugiego z nich i chwyciła go za szyję. Yaha Uta kąsał zapamiętale, odgryzł nawet istocie głowę, ale jej ręce mimo to nie przestały dusić.

Młodzian rozrywał obcą istotę na strzępy, byle tylko uratować brata. Nie udało mu się, ale z krwiopijcy pozostały w końcu same strzępy. Morderca dziewcząt i wilków wyzionął ducha.

Tak przynajmniej sądzono.

Żeby szczątkom złoczyńcy mogła się przyjrzeć starszyzna plemienia, Yaha Uta rozłożył je na ziemi. Była wśród nich między innymi zmasakrowana dłoń i niemal całe granitowe ramię. Potrącone kijami, którymi gmerano w stercie, zetknęły się one z sobą i nagle palce dłoni sięgnęły w stronę ramienia, by się z nim połączyć.

Nie czekając, aż ożyje i reszta szczątków, przerażeni mężczyźni niezwłocznie je podpalili. Po całej wiosce rozszedł się cuchnący dym. Kiedy z trupa nie pozostało już nic prócz popiołów, odsypano je do wielu mieszków, a te porzucono w jak najbardziej oddalonych od siebie miejscach: w lesie, w głębinach oceanu i w przybrzeżnych jaskiniach. Żeby wiedzieć, czy istota nie próbuje się wskrzesić, jeden z mieszków Taha Aki zawiesił je sobie na szyi.

Stary Quil przerwał swoją opowieść i zerknął na Billy'ego, a ten wyciągnął spod swetra rzemień, który miał zawiązany wokół szyi. Na jego końcu był przyczepiony poczerniały ze starości skórzany woreczek. Z gardeł kilku osób wyrwało się głośne „ach". Chyba byłam jedną z nich.

– Wspominając to wydarzenie – ciągnął Stary Quil – nazywano istotę Krwiopijcą albo Zimnym Mężczyzną. Bano się okropnie, że jest ich więcej, bo Quileutom pozostał tylko jeden obrońca, jeden wilk – młody Yaha Uta.

Nie musieli czekać długo. Towarzyszka zabitego, istota tego samego gatunku, przybyła na ich ziemie, pragnąc pomścić ukochanego.

Jeśli wierzyć podaniom, była najpiękniejszą kobietą, jaką kiedykolwiek widziało ludzkie oko. Gdy pojawiła się w wiosce tamtego ranka, smukła i czarnooka, wyglądała jak wcielenie bogini jutrzenki. Jej śnieżnobiała skóra mieniła się w słońcu, a kaskady złocistych włosów niemal sięgały ziemi. Część ludzi padła na kolana, by oddać jej cześć. Spytała o coś wysokim, donośnym głosem w języku, którego nikt wcześniej nie słyszał. Nie wiedziano, jak się z nią porozumieć.

Wśród obecnych była tylko jedna osoba, w której żyłach płynęła krew Tahy Akiego, kilkuletni chłopiec. Chowając się za nogami swojej matki, zawołał, że od zapachu nieznajomej boli go nos. Jeden z członków starszyzny usłyszał go z daleka i uzmysłowiwszy sobie, kto przybył do wioski, nakazał wszystkim głośno ratować się ucieczką. To on właśnie zginął jako pierwszy.

Świadkami pojawienia się Zimnej Kobiety w wiosce było dwadzieścia osób. Przeżyły z nich jedynie dwie, i to tylko dlatego, że przerwała rzeź, by nasycić się krwią. W te pędy pobiegły one do Tahy Akiego, który obradował właśnie z członkami starszyzny, swoimi synami i trzecią żoną.

Usłyszawszy, co się dzieje, Yaha Uta przeobraził się w wilka i poszedł samotnie zmierzyć się z morderczynią. Taha Aki, jego trzecia żona, pozostali synowie oraz członkowie starszyzny podążyli za nim.

Na miejscu nie znaleźli nic prócz śladów ataku. Ścieżkę, którą przyszła Zimna Kobieta, zaściełały zwłoki. Jedne trupy miały przetrącone karki, inne leżały blade bez jednej kropli krwi. Nagle od strony zatoki doleciały ludzkie krzyki. To tam była teraz Zimna Kobieta. Czym prędzej tam pobiegli.

Kilku zlęknionych Quileutów wypłynęło na morze, ale morderczyni popłynęła za nimi i wbiła się w dziób ich łodzi z impetem rekina. Kiedy Taha Aki dojrzał ją ze swoją świtą, zabijała rozbitków jednego po drugim.

Zobaczywszy, że na brzegu czeka na nią wielki wilk, Zimna Kobieta zapomniała o pozostałych przy życiu pływakach i z szybkością błyskawicy wróciła na suchy ląd. Ociekając wodą, oszałamiająca piękność wskazała palcem na Yahę Utę i powtórzyła swoje niezrozumiałe pytanie. A potem zaczęli się bić.

Nie była tak sprawnym wojownikiem jak jej ukochany, ale Yaha Uta nie miał nikogo, kto przyjąłby z nim na siebie jej gniew. Pojedynek trwał długo, ale w końcu to Zimna Kobieta go wygrała.

Taha Aki krzyknął z rozpaczy i w desperacji sam zmienił się w wilka. Wprawdzie zwierzę miało sierść białą ze starości, ale było przecież ucieleśnieniem ducha wielkiego i doświadczonego wodza. Na brzegu rozgorzał kolejny pojedynek.

Trzecia żona Tahy Akiego dopiero co była świadkiem śmierci własnego syna, a teraz przyglądała się, jak walczy jej sędziwy mąż. Nie wierzyła, by był w stanie sam poradzić sobie z morderczynią. Jej dwaj młodsi synowie byli z kolei jeszcze dziećmi. Wiedziała, że jeśli ich ojciec zginie, i oni polegną w starciu z Zimną Kobietą.

Raptem przypomniała jej się historia zgładzenia poprzedniego krwiopijcy. Gdy napastników było dwóch, rozpraszał się i trudniej było mu się bronić. Gdyby tylko napastników było dwóch...

Nie namyślając się długo, trzecia żona wyjęła nóż zza pasa jednego ze swoich synów i wymachując nim, podbiegła do Zimnej Kobiety. Tamta tylko uśmiechnęła się pogardliwie, nie przerywając walki ze starym wilkiem. Miałaby się bać słabej ludzkiej niewiasty, której nóż nawet nie zadrasnąłby jej skóry? Zamachnęła się na Tahę Akiego, pragnąc zadać mu decydujący cios.

I wtedy trzecia żona zrobiła coś, czego nikt się po niej nie spodziewał – padła na kolana u stóp swojej przeciwniczki i wbiła sobie nóż syna w samo serce.

Krew trysnęła spomiędzy jej palców na nogi Zimnej Kobiety: szkarłatna, ciepła, wonna i kusząca. Krwiopijczyni, wciąż głodna, na ułamek sekundy mimowolnie zwróciła się w stronę konającej. W tej samej chwili, korzystając z jej nieuwagi, Taha Aki zatopił zęby w jej szyi.

Nie był to koniec tego straszliwego starcia, ale wódz nie walczył już sam. Zobaczywszy, jak umiera ich matka, dwaj młodzi synowie wpadli w taki gniew, że mimo swojego młodego wieku zmienili się w wilki i w nowej postaci dołączyli do ojca. W trójkę szybko pokonali morderczynię.

Taha Aki został na plaży, nie zmieniwszy się z powrotem w człowieka. Przez jeden dzień czuwał u boku swojej martwej żony, warcząc na każdego, kto próbował się do niego zbliżyć, a potem poszedł w las i już nigdy nie wrócił.

Odtąd to synowie Tahy Akiego strzegli plemienia, a potem ich właśni synowie, a potem synowie synów. Sfora nie liczyła sobie nigdy więcej niż trzy wilki. To wystarczało. Czasami granice naszych ziem przekraczał wprawdzie zbłąkany krwiopijca, ale jako że żaden z nich nie podejrzewał, iż może natrafić na równych sobie przeciwników, atakowano ich z zaskoczenia i zwykle zabijano bez trudu. Zdarzało się, że jeden z wilków ginął w takim pojedynku, ale nigdy nie doszło już do tego, by ich rodowi groziło wymarcie. Wiedzę o tym, jak sprawnie polować na Zimnych Ludzi, przekazywano z pokolenia na pokolenie.

Mijały lata. W końcu potomkowie Tahy Akiego przestali zmieniać się w wilki, osiągnąwszy wiek męski. Przeobrażali się w nie tylko wtedy, kiedy w okolicy pojawiał się nowy krwiopijca. Zimni Ludzie przemieszczali się pojedynczo lub w parach, więc sfora pozostawała niewielka.

Pewnego dnia nad zatokę przybyła cała rodzina Zimnych Ludzi. Wasi pradziadowie byli już gotowi stanąć z przybyszami do walki, kiedy ich przywódca przemówił łagodnie do Ephraima Blacka i przyrzekł, że żadnemu z Quileutów nie stanie się krzywda. Zaufano mu z dwóch powodów: po pierwsze, oczy miał dziwnie żółte, a nie czerwone lub czarne jak inni jego pobratymcy, a po drugie, zamiast pertraktować, mógł zaatakować, korzystając z przewagi liczebnej swojej grupy.

Zawarto umowę i umowy tej przybysze przestrzegali. Jedynym mankamentem osiedlenia się ich w okolicy było to, że ich obecność przyciągała innych przedstawicieli rasy, ale sami postanowień traktatu nie złamali nigdy.

Ich liczba spowodowała, że sfora liczy sobie dziś więcej członków niż kiedykolwiek. – Przez moment wydawało mi się, że Stary Quil patrzy prosto na mnie. – Z wyjątkiem, rzecz jasna, czasów Tahy Akiego – dodał, po czym westchnął. – I tak oto synowie naszego plemienia po raz kolejny muszą dźwigać swoje brzemię i poświęcać się, tak jak ich przodkowie przed wiekami.

Zapadła cisza. Potomkowie bohaterów przepełnionych magią legend spoglądali jeden na drugiego ze smutkiem w oczach. Wszyscy, z wyjątkiem jednego.

– Jakie znowu brzemię – burknął Quil. – Przecież to supersprawa.

Wydął wargi jak obrażone dziecko.

Po przeciwnej stronie dogasającego ogniska Seth Clearwater pokiwał potakująco głową. Wzrok miał pełen uwielbienia dla bractwa obrońców plemienia.

Billy zaśmiał się, co na dobre rozładowało podniosłą atmosferę. Magiczni wojownicy znikli, a ich miejsce zajęło paru kumpli świętujących nadejście lata w towarzystwie swoich krewnych i znajomych. Jared rzucił w Quila kamykiem i wszyscy parsknęli śmiechem, bo chłopak, zaskoczony, podskoczył jak oparzony. Ktoś zaczął się z kimś przekomarzać, a w innym rogu poruszono jakiś mało poważny temat.

Tylko Leah Clearwater nie otworzyła oczu. W pewnej chwili wydało mi się, że na jej policzku błysło coś na kształt łzy, ale kiedy zerknęłam na nią kilka sekund później, diamencik zniknął.

Ja i Jacob także siedzieliśmy w milczeniu. Nadal mnie obejmował, a oddychał przy tym tak miarowo, jakby miał zaraz zasnąć.

Myślami cofnęłam się o kilka wieków wstecz. Nie wspominałam ani Yahy Uty, ani innych wilków, ani oszałamiająco pięknej Zimnej Kobiety – choć ją byłam w stanie wyobrazić sobie aż za dobrze. Nie, wspominałam kogoś, kto nie posiadał żadnych nadprzyrodzonych zdolności: tę nieznaną z imienia kobietę, która ocaliła całe plemię – trzecią żonę Tahy Akiego.

Próbowałam odgadnąć, jak mogła wyglądać. Była zwykłym człowiekiem, powolnym i słabym, po prostu nikim w porównaniu z istotami z indiańskich opowieści. A jednak to właśnie ona znalazła właściwe rozwiązanie. Uratowała swojego męża, dwóch synów i wszystkich pozostałych Quileutów.

Jaka szkoda, że nie zapamiętano jej imienia...

Ktoś mną potrząsnął.

– Hej, hej – szepnął mi Jacob do ucha. – Ziemia do Belli.

Zamrugałam, zdezorientowana. Gdzie się podziało ognisko? Dlaczego jest tak ciemno? Rozejrzałam się dookoła. Dopiero po dłuższej chwili uświadomiłam sobie, że nie jestem już na klifie. Jacob nadal obejmował mnie ramieniem, ale byliśmy sami i nie siedzieliśmy na ziemi.

Jakim cudem znalazłam się w jego samochodzie?

I nagle mnie oświeciło: po prostu zasnęłam!

– Cholera! – jęknęłam. – Która godzina? Gdzie ten durny telefon?

Zaczęłam się macać po kieszeniach. Były puste.

– Spokojnie, Kopciuszku. Dopiero po jedenastej. Już po niego zadzwoniłem. Zobacz sama – tam czeka.

– Czeka? – powtórzyłam ogłupiała.

Wytężyłam wzrok. Kilkadziesiąt metrów dalej rzeczywiście stało srebrne volvo. Na jego widok przyspieszyło mi tętno.

– Masz – powiedział Jacob, wsuwając mi coś w dłoń.

Telefon Edwarda.

– Zadzwoniłeś po niego?

Chłopak szeroko się uśmiechnął.

– Doszedłem do wniosku, że jeśli będę uprzejmy, to pozwoli zostać ci z nami trochę dłużej.

– To bardzo miło z twojej strony. – Byłam szczerze wzruszona. – Naprawdę jestem ci wdzięczna. I jeszcze raz wielkie dzięki za zaproszenie. Te opowieści... – Zabrakło mi słów. – Niesamowite. Nigdy nie byłam na czymś takim.

– Żałuj, że nie doczekałaś tego, jak połykałem tę krowę – zażartował. – Cieszę się, że ci się podobało. Hm... Było mi tak przyjemnie. Że spędzasz ze mną czas.

Coś mignęło na tle czarnej ściany lasu – coś jasnego jak duch. Ktoś przechadzał się nerwowo tam i z powrotem.

– Cierpliwy to on nie jest, prawda? – spytał Jacob, widząc, że zauważyłam Edwarda. – No, idź już, idź. Tylko nie zapomnij niedługo znowu się pojawić!

– Pojawię się – obiecałam, uchylając drzwiczki.

Zadrżałam, bo do wnętrza auta wtargnęło zimne powietrze.

– Słodkich snów. I o nic się nie martw – będę dziś stał na warcie.

Na moment zatrzymałam się.

– Nie, proszę. Wyśpij się. Nic mi nie będzie.

– Dobra, dobra – powiedział, ale chyba bardziej po to, żeby mnie popędzić, niż żeby na cokolwiek się zgodzić.

– Dobranoc. Dzięki za wszystko.

– Dobranoc.

Ruszyłam szybkim krokiem w kierunku volvo.

Edward wziął mnie w ramiona, gdy tylko przekroczyłam granicę.

– Bella – wyszeptał z ulgą w głosie.

– Cześć. Przepraszam, że to tak długo trwało, ale zasnęłam i...

– Jacob mi wszystko wyjaśnił. – Edward zerknął sobie przez ramię. – Zmęczona? Jak chcesz, mogę wziąć cię na ręce.

– Nie trzeba.

– Zaraz będziesz w swoim łóżku. I jak, fajnie było?

– O tak, a najlepiej pod sam koniec. Żałuj, że cię tam nie było. Tata Jake'a opowiadał nam różne plemienne legendy, ale to było coś więcej... Nie umiem tego opisać. Niesamowita rzecz – taka magia w powietrzu...

– Opowiesz mi wszystko jutro rano.

– To nie będzie to samo – powiedziałam, ziewając.

Otworzył dla mnie drzwiczki, pomógł mi wejść do środka i zapiął za mnie pas.

Jacob zapalił światła w swoim samochodzie i ruszył. Pomachałam mu, ale nie wiedziałam, czy to zauważył.

Charlie nie robił mi żadnych wymówek, a to dlatego, że i do niego Jacob zatelefonował. Szybko dał mi spokój i mogłam iść do siebie na górę. Przebrałam się i umyłam, ale zamiast paść na łóżko, oparłam się o parapet otwartego okna, wyglądając Edwarda. Noc była wyjątkowo zimna – dziwne, że wcześniej tego nie zauważyłam. Pewnie nie tyle ogień ochronił mnie przed chłodem, co towarzystwo Jacoba.

Zaczęło padać. Moją twarz pokryły niesione z wiatrem lodowate kropelki.

W ciemnościach widać było tylko czarne trójkąty wyginających się na wszystkie strony świerków, ale uparcie starałam się wypatrzyć coś więcej – czyjąś smukłą sylwetkę poruszającą się jak duch wśród czerni, a może ogromnego szarego wilka... Miałam taki marny wzrok.

A potem coś mignęło mi przed oczami i zanim się obejrzałam, Edward siedział już na parapecie. Jego dłonie były jeszcze zimniejsze niż deszcz.

– Widziałeś może Jacoba? – spytałam, dygocząc.

– Gdzieś tam jest, czułem go. Zwolniłem Esme.

Westchnęłam.

– Taka paskudna pogoda, a wy musicie siedzieć w lesie.

Zachichotał.

– Bello, to tylko tobie jest zimno.

We śnie, który miałam tej nocy, też było mi zimno – może dlatego, że spałam w ramionach Edwarda. Śniło mi się, że byłam na zewnątrz w trakcie nawałnicy. Wiatr plątał mi włosy i w kółko musiałam je odgarniać z twarzy. Znajdowałam się pod klifem na plaży w La Push.

Przy brzegu coś się działo, ale było ciemno i z początku widziałam jedynie białe i czarne plamy. Dwie postacie to zbliżały się do siebie, to od siebie odskakiwały. A potem zza chmur wychynął księżyc i zobaczyłam wszystko jak na dłoni.

Rosalie, z mokrymi złotymi włosami sięgającymi kolan, atakowała olbrzymiego wilka o posiwiałym pysku, w którym intuicyjnie rozpoznałam Billy'ego Blacka.

Rzuciłam się w ich kierunku, ale jak to we śnie, mogłam się poruszać jedynie w nieznośnie zwolnionym tempie. Próbowałam coś krzyknąć, nakazać im, by przestali, ale głos uwiązł mi w gardle, jakby spychał go tam wiatr. Pomachałam rękami, mając nadzieję, że zwrócę tym na siebie ich uwagę, i nagle zdałam sobie sprawę, że trzymam coś w prawej dłoni.

Był to starodawny srebrny nóż o długim ostrzu pokrytym zaschniętą, sczerniałą krwią.

Zszokowana, obudziłam się raptownie. W moim pokoju było cicho i ciemno. Gdy tylko uzmysłowiłam sobie, że nie jestem sama, wtuliłam się w tors Edwarda, szukając pocieszenia. Wiedziałam, że jego zapach skutecznie odgoni koszmary.

– Obudziłem cię? – szepnął.

Usłyszałam szelest, jak przy przerzucaniu kartek książki, a potem coś lekkiego upadło na podłogę.

– Nie – wymamrotałam, wzdychając z zadowolenia. – Miałam zły sen.

– Chcesz mi go opowiedzieć?

Pokręciłam przecząco głową.

– Zmęczona jestem. Może rano, jeśli będę coś pamiętać.

Zaśmiał się bezgłośnie.

– Może rano – powtórzył.

– Czytałeś coś? – zapytałam w półśnie.

– *Wichrowe wzgórza.*

Zmarszczyłam czoło.

– Myślałam, że nie lubisz tej książki.

– Zostawiłaś ją na wierzchu. – Świadomie usypiał mnie swoim monotonnym głosem. – Poza tym im więcej spędzam z tobą czasu, tym więcej ludzkich uczuć zaczynam na nowo rozumieć. Nie spodziewałem się, że będę umiał do tego stopnia wczuć się w położenie Heathcliffa.

– Aha.

Powiedział coś jeszcze, bardzo cicho, ale już wtedy spałam.

Nazajutrz ranek powitał mnie perłową szarością nieba. Edward spytał mnie o mój koszmar, ale nie potrafiłam przywołać żadnych szczegółów. Pamiętałam tylko, że było mi zimno i że bardzo się ucieszyłam, zastając go przy sobie po obudzeniu. Pocałował mnie potem, na tyle mocno, że zabrakło mi tchu, a potem poszedł do domu przebrać się i zabrać samochód.

Ubrałam się szybko, bo nie miałam większego wyboru – kimkolwiek był ten, kto zakradł się do mojego pokoju, mocno uszczuplił moją garderobę. Było to prawie tak samo irytujące, co straszne.

Kiedy miałam już zejść na dół na śniadanie, mój wzrok padł na *Wichrowe wzgórza* leżące na podłodze przy łóżku tam, gdzie porzucił je Edward. Książka była już tak zniszczona, że otwierała się zawsze w miejscu, gdzie zakończono jej czytanie. Tak było i tym razem. Zaciekawiona, podniosłam ją z ziemi, starając się przypomnieć sobie, z czego to Edward zwierzył mi się w nocy. Że potrafi wczuć się w położenie Heathcliffa? Heathcliffa? Nie, niemożliwe. Chyba mi się to przyśniło.

Dwa słowa na otwartej stronie przyciągnęły mój wzrok, więc przeczytałam cały ustęp. Znałam go bardzo dobrze – był to właśnie fragment wypowiedzi Heathcliffa.

„Widzisz, jaka jest różnica między naszymi uczuciami: gdyby on był na moim miejscu, a ja na jego, to choćbym go nienawidził pie-

*kielną nienawiścią, nigdy bym na niego nie podniósł ręki. Możesz mi nie wierzyć, jeśli nie chcesz. Dopóki by jej na nim zależało, byłby bezpieczny. Z chwilą kiedy przestałaby o niego dbać, wydarłbym mu serce i wypił krew! Ale do tego czasu (jeśli mi nie wierzysz, to mnie nie znasz)... do tego czasu wolałbym konać powoli przez lata całe, niż dotknąć jednego włosa na jego głowie"**.

Dwoma słowami, które przykuły moją uwagę, były, rzecz jasna, „wypił krew".

Wzdrygnęłam się.

Tak, coś mi się pomyliło. Edward nie mógł wyrażać się pozytywnie o Heathcliffie. Zresztą, pewnie wcale nie przerwał lektury na tej stronie, która się otworzyła. To mógł być tylko zbieg okoliczności.

12 Czas

– Miałam wizję... – zaczęła Alice złowróżbnym tonem.

Edward chciał dać jej sójkę w bok, ale w porę zrobiła unik.

– Dobra, niech ci będzie – mruknęła obrażonym tonem. – To Edward kazał mi tobie o wszystkim opowiedzieć – wyjaśniła – ale naprawdę miałam wizję, że będziesz robić więcej problemów, jeśli cię zaskoczę.

Skończyliśmy właśnie lekcje i szliśmy do samochodu. Nie miałam zielonego pojęcia, o co im obojgu chodzi.

– Może tak po angielsku? – zaproponowałam.

– Tylko nie rób scen! – uprzedziła mnie Alice.

– Teraz to mnie dopiero nastraszyłaś.

– Widzisz, urządzam... urządzamy imprezę z okazji ukończenia szkoły. Naprawdę skromną. Nie ma się czego bać. Ale mia-

* Fragment *Wichrowych wzgórz* w tłumaczeniu Janiny Sujkowskiej – przyp. tłum.

łam wizję, że zdenerwowałabyś się na mnie, gdybym zrobiła z tej imprezy niespodziankę... – Uciekła zwinnie Edwardowi, który próbował pociągnąć ją za włosy. – ...i Edward kazał mi tobie o wszystkim opowiedzieć. Ale to nie będzie żadna wielka gala, obiecuję.

Westchnęłam.

– Przecież i tak nie mam nic do gadania, prawda?

– Raczej nie.

– Okej, przyjmuję zaproszenie. Ale będę się na czymś takim straszliwie męczyć. Obiecuję.

– I tak trzymać! A przy okazji, muszę przyznać, że wybrałaś dla mnie świetny prezent. Dzięki.

– Przecież nic ci jeszcze nie kupiłam!

– Wiem. Ale kupisz.

Spanikowana, zaczęłam zastanawiać się nad tym, co ja takiego zamierzałam jej właściwie sprawić. Ach, te jej wizje bywały czasem denerwujące.

– Niesamowite – mruknął Edward. – Jak taka mała osóbka może być tak irytująca?

– To wrodzony talent – zaśmiała się Alice.

– Nie mogłaś poczekać z tą wiadomością kilka tygodni? – pożaliłam się. – Teraz będę się tak długo stresować.

Zmarszczyła czoło.

– Bello, czy możesz mi powiedzieć, którego dzisiaj mamy?

– Eee... Na pewno poniedziałek, ale...

Przewróciła oczami.

– Poniedziałek, czwarty czerwca – dopowiedziała. – A teraz patrz!

Złapała mnie za ramiona i obróciła w kierunku sali gimnastycznej. Na jej drzwiach wisiał wielki żółty plakat z wypisaną wyraźnie czarnymi literami datą. Napis głosił: „11.06".

– To już za tydzień? Jesteś pewna, że dziś czwarty?

Żadne z nich nie odpowiedziało. Alice pokręciła tylko głową, udając głęboko rozczarowaną, a Edward uniósł brwi.

– To niemożliwe! Gdzie się podziały te wszystkie dni?

Zaczęłam liczyć w myślach, ale i tak nic mi się nie zgadzało.

Czułam się jak ktoś, kto nagle stracił grunt pod nogami. Tyle tygodni się stresowałam, tyle tygodni się zamartwiałam, że najwyraźniej straciłam kontakt z rzeczywistością. Miałam przecież wszystko zawczasu załatwić, wszystko zaplanować. Nagle okazało się, że o żadnym „zawczasu" nie może być mowy.

A ja zupełnie nie byłam gotowa.

Nie wiedziałam wciąż, jak się do tego wszystkiego zabrać: jak pożegnać się na zawsze z Charliem i Renée, jak pożegnać się z Jacobem, jak pożegnać się z... byciem człowiekiem.

Wiedziałam niby dokładnie, czego chcę od życia, ale gdy przyszło co do czego, uświadomiłam sobie, że okropnie się boję.

Teoretycznie nie marzyłam o niczym więcej – w końcu zostanie istotą nieśmiertelną było dla mnie równoznaczne z życiem z Edwardem już na zawsze. No i nareszcie mogłabym przestać się przejmować trzema różnymi grupami bądź osobami, które dybały na moje życie. Nie miałam zamiaru dłużej czekać, smakowita i bezbronna, na to, aż któreś z nich w końcu mnie dopadnie.

W teorii cała ta operacja miała sens, ale w praktyce...

W praktyce żywot wampira był dla mnie jedną wielką niewiadomą. Dowiedzieć się, jak to naprawdę jest, miałam dopiero po swojej przemianie. Czekał mnie skok w głęboką wodę, ale jej mroczna toń sprawiała, że nie miałam ochoty zanurzyć w niej choćby małego palca.

Czy zapomniałam, którego dziś mamy, właśnie ze strachu – ze strachu, którego dotąd nie dopuszczałam do świadomości? Poznając datę, musiałam też poznać tę skrywaną cząstkę samej siebie. Jedenasty czerwca, ku memu ogromnemu zaskoczeniu, jawił mi się teraz jako dzień, na który wyznaczono moją egzekucję.

Ledwie rejestrowałam to, że Edward otwiera przede mną drzwi samochodu, Alice trajkocze na tylnym siedzeniu, a deszcz wybija werble na przedniej szybie. Mój ukochany zdawał sobie chyba sprawę, że towarzyszę im jedynie ciałem, bo nie starał się wyrwać mnie z zamyślenia. Zresztą, kto wie, może się starał, ale tego nie zauważałam.

Kiedy zajechaliśmy pod mój dom, zaprowadził mnie za rękę do saloniku i posadził koło siebie na kanapie. Wpatrywałam się niewidzącym wzrokiem w rozmytą szarość za oknem, zachodząc w głowę, gdzie się podziało moje zdecydowanie. Dlaczego wpadłam w panikę akurat teraz? Wcześniej sama odliczałam dni.

Nie wiedziałam, jak długo Edward pozwolił mi siedzieć w milczeniu, ale kiedy ściana deszczu znikła w mroku, jego cierpliwość w końcu się wyczerpała. Ujął delikatnie moją twarz w obie dłonie i spojrzał mi prosto w oczy.

– Powiesz mi, o czym myślisz? Zanim oszaleję?

Co miałam mu powiedzieć? Że jestem tchórzem? Brakowało mi słów.

– Boże, dziewczyno, aż ci wargi pobielały. Oddychaj. I odezwij się wreszcie, błagam.

Wypuściłam powietrze z płuc. Jak długo wstrzymywałam oddech?

– Ta data... – szepnęłam. – Nie spodziewałam się, że to już. To wszystko.

Czekał, aż powiem coś jeszcze. Na jego twarzy malowały się troska i niedowierzanie.

Spróbowałam wyjaśnić mu, jak się czuję.

– Nie jestem pewna, jak się do tego zabrać... jaką wersję zaserwować Charliemu... jak wytłumaczyć...

Umilkłam.

– To nie przez tę imprezę?

– Nie. Ale dzięki, że mi o niej przypomniałeś.

Deszcz za oknem przybrał na sile.

– Nie jesteś gotowa – powiedział Edward cicho.

– Bzdura. Jestem jak najbardziej gotowa – skłamałam odruchowo, ale widząc, że mi nie wierzy, dodałam: – Muszę być.

– Niczego nie musisz.

– Tak? A co z Victorią, Jane, Kajuszem i tym kimś, kto zakradł się do mojego pokoju?

Wymieniwszy ich wszystkich, poczułam się jeszcze gorzej. Panika z pewnością sięgnęła już moich oczu.

– Także ze względu na nich wypadałoby jeszcze poczekać.

– Co ty wygadujesz? Chyba na odwrót.

Ścisnął moją twarz jeszcze mocniej i zaczął mówić bardzo powoli i dobitnie.

– Bello, żadne z nas nie miało wyboru. I żadnemu z nas nie było z tym łatwo. Zwłaszcza Rosalie. Wszyscy bardzo cierpieliśmy, starając się pogodzić z czymś, nad czym nie mieliśmy kontroli. Nie pozwolę, żebyś i ty tak się męczyła. Jeśli zrobisz to, co planujesz, zrobisz to dobrowolnie.

– Ależ ja chcę...

– Żadne zewnętrzne okoliczności nie mogą mieć wpływu na twoją decyzję. Postaramy się, żeby żadnych takich okoliczności nie było. Kiedy nam się to uda, będziesz mogła do mnie dołączyć, jeśli będziesz tego jeszcze chciała. Ale nie wcześniej, Bello, nie wcześniej. Nie może kierować tobą strach. Nie możesz myśleć, że to jedyne wyjście.

– Ale Carlisle mi obiecał. Obiecał, że jak tylko skończę szkołę...

– Musisz być w stu procentach gotowa. I nie możesz czuć się zastraszona.

Przestałam protestować. Jakoś brakowało mi argumentów. Nie mogłam wykrzesać z siebie dość zaangażowania.

– Wszystko będzie dobrze. – Pocałował mnie w czoło. – O nic nie musisz się martwić.

– Tak, jasne.

– Zaufaj mi.

– Ufam, ufam.

Wciąż mi się bacznie przyglądał, czekając, aż się rozluźnię.

– Czy mogę cię o coś spytać? – odezwałam się.

– Proszę cię bardzo.

Zawahałam się, przygryzłam dolną wargę, a w końcu zadałam mu zupełnie inne pytanie.
– Co takiego kupię Alice z okazji ukończenia liceum?
Parsknął śmiechem.
– Najwyraźniej chodziło ci po głowie, żeby załatwić nam bilety na pewien koncert.
– Rzeczywiście! – Poczułam taką ulgę, że prawie się uśmiechnęłam. – Koncert w Tacoma! W zeszłym tygodniu widziałam jego reklamę w gazecie i pomyślałam, że to fajny pomysł, bo przecież tak wam się podobał ich ostatni album.
– Tak, to bardzo fajny pomysł.
– Mam nadzieję, że jeszcze nie wykupili biletów.
– Starczy samo to, że na to wpadłaś.
Westchnęłam.
– Nie o to chciałaś mnie spytać – wypomniał mi.
– Niezły jesteś – przyznałam.
– Trening czyni mistrza. No, o co chodzi?
Zamknęłam oczy i wtuliłam twarz w jego pierś.
– Nie chcesz, żebym była wampirem.
– Nie, nie chcę. – Zamilkł na chwilę. – Ale to nie pytanie.
– Smutno mi, że masz jakieś obiekcje. Chciałam... chciałam wiedzieć dlaczego.
– Smutno ci? – powtórzył zaskoczony.
– Powiesz mi dlaczego? Wszystkie przyczyny. Tylko mnie nie oszczędzaj.
Zamyślił się na moment.
– Czy jeśli odpowiem ci na twoje pytanie, to mi je wyjaśnisz?
Nie odsuwając się od jego torsu, pokiwałam głową.
Wziął głęboki wdech.
– To byłaby taka straszliwa strata, Bello. Wiem, że jesteś święcie przekonana, że mam duszę, ale ja nie jestem tego taki pewien, i gdy sobie pomyślę, że miałbym odebrać ci twoją... Gdybym pozwolił ci na zostanie jednym z nas tylko po to, żeby nigdy cię nie stracić... Czy można sobie wyobrazić bardziej egoistyczny postę-

pek? O niczym tak nie marzę, jak o spędzeniu z tobą wieczności, ale chcę tego wyłącznie dla siebie. To taka przyziemna potrzeba. Zasługujesz na o wiele więcej, nie mogę się poddać własnym pragnieniom. We własnym przekonaniu popełniłbym zbrodnię. Byłby to najohydniejszy czyn, jakiego bym się kiedykolwiek dopuścił, nawet jeśli miałbym żyć bez końca. Och, gdybym tylko mógł się stać na powrót człowiekiem... Zapłaciłbym każdą cenę.

Siedziałam nieruchomo, chłonąc jego wyznania. A więc Edward nie chciał jedynie wyjść na egoistę! Poczułam, że na mojej twarzy zakwita szeroki uśmiech.

– I... i nie boisz się, że nie będziesz... że nie będziesz mnie lubił... kiedy się już zmienię? Że ci się nie spodobam, bo nie będę już miękka i zmieni się mój zapach? Będziesz chciał ze mną być, bez względu na to, co ze mnie wyjdzie?

– Co takiego? Martwiłaś się, że cię odrzucę? – spytał. Zanim zdążyłam mu odpowiedzieć, wybuchnął śmiechem. – Bello, jak na osobę obdarzoną wcale niezłą intuicją, potrafisz czasami być wybitnie niedomyślna.

Wiedziałam, że będzie się ze mnie śmiał, więc się nie przejęłam. Liczyło się tylko to, że zyskałam pewność. Jeśli naprawdę chciał ze mną być na dobre i na złe, istniała nadzieja, że można było go jeszcze jakoś przekonać. Egoizm wydał mi się nagle zaletą.

– Chyba nie zdajesz sobie sprawy – ciągnął, nadal nie do końca poważny – o ile łatwiej będzie mi się żyło, jeśli zostaniesz wampirzycą. Nie będę musiał dzień i noc pilnować się, żeby cię nie zabić. Z drugiej strony, z pewnością tego i owego będzie mi brakowało. Na przykład tego...

Zajrzał mi głęboko w oczy i jednocześnie pogłaskał po policzku. Natychmiast oblałam się rumieńcem. Edward zaśmiał się cicho.

– I lubię słuchać bicia twojego serca – powiedział nieco poważniejszym tonem. – To dla mnie najważniejszy odgłos na świecie. Jestem na niego już tak wyczulony, że przysięgam, wyłapałbym go z odległości kilku kilometrów. Ale wszystko to nie ma większego znaczenia. To – powiedział z mocą, znowu ująwszy moją twarz obiema dłońmi – ty. To zostanie. Zawsze będziesz moją Bellą. Tyle że odrobinę mniej kruchą.

Usatysfakcjonowana, przymknęłam powieki.

– A teraz odpowiesz na moje pytanie? – spytał. – Szczegółowo? Tylko mnie nie oszczędzaj – zacytował mnie samą.

Z miejsca otworzyłam oczy.

– Oczywiście.

Zaskoczył mnie. Czego też pragnął się dowiedzieć?

– Nie chcesz zostać moją żoną – oznajmił.

Serce na moment przestało mi bić, a potem przyspieszyło jak szalone. Krew odpłynęła z moich dłoni, pozostawiając dwie lodowate skorupy. Po plecach spłynęła strużka zimnego potu.

Edward czekał cierpliwie, wzrokiem i słuchem oceniając moją reakcję.

– To nie pytanie – wyszeptałam wreszcie.

Spojrzał w dół – długie rzęsy rzuciły jeszcze dłuższe cienie w poprzek jego policzków – i oderwawszy dłonie od mojej głowy, ujął w nie moją zlodowaciałą lewą rękę, by zacząć bawić się moimi palcami.

– Smutno mi, że masz jakieś obiekcje – znowu mnie zacytował.

Spróbowałam przełknąć ślinę.

– To też nie jest pytanie.

– Bello! – zaprotestował błagalnie.

– Całą prawdę i tylko prawdę?

– Bez względu na to, co masz mi do powiedzenia.

Wzięłam głęboki wdech.

– Będziesz się ze mnie śmiał.

– Śmiał? – Wręcz go oburzyłam tą sugestią. – Nie sądzę.

– Sam zobaczysz – mruknęłam, a potem westchnęłam. Nagle zmieszałam się i moja pobladła twarz poczerwieniała. – Okej, prosiłeś, to masz. To pewnie zabrzmi dla ciebie jak dowcip, ale co poradzić. Chodzi o to, że... Kurczę, to takie krępujące!

Znowu wtuliłam głowę w jego pierś.

– Nie nadążam – przyznał.

Zerknęłam na niego z dołu. Ze wstydu zrobiłam się wojownicza.

– Edward, nie jestem tym typem dziewczyny! Nie chcę wyjść za mąż w wieku osiemnastu lat, jak jakaś tępa klępa, która musi lecieć do ołtarza, bo chłopak zrobił jej dziecko po dyskotece! Co sobie ludzie o mnie pomyślą?! Żyjemy w dwudziestym pierwszym wieku! Ludzie nie pobierają się już przed dwudziestką! A przynajmniej nie ci, którzy są naprawdę dojrzali, naprawdę odpowiedzialni! Małżeństwo to nie zabawa!

Przerwałam, bo mój wybuch gniewu minął.

Edward zamyślił się nad moją odpowiedzią z nieprzeniknionym wyrazem twarzy.

– To wszystko? – spytał w końcu.

– A co, to ci nie wystarcza?

– Jesteś pewna, że główną przyczyną twojej odmowy nie jest to, że bardziej palisz się do zostania nieśmiertelną niż do zostania ze mną?

Sądziłam, że rozbawię go tylko swoim wytłumaczeniem, ale stało się inaczej – to ja dostałam ataku śmiechu.

– No, nie! – udało mi się wykrztusić pomiędzy kolejnymi skurczami przepony. – Kto by pomyślał! Taki mądry facet!

Musiałam chwycić się za brzuch, a oczy zaszły mi łzami.

Przytulił mnie do siebie i poczułam, że też się śmieje.

– Och, Edwardzie... – Doszłam już nieco do siebie. – Wieczność bez ciebie nie ma dla mnie najmniejszego sensu. Nie chcę spędzić z dala od ciebie ani jednego dnia.

– Miło to słyszeć – powiedział.

– Tyle że... to niczego nie zmienia.

– Ale lepiej cię teraz rozumiem. Bo naprawdę rozumiem twój punkt widzenia, Bello. I chciałbym, żebyś i ty wzięła pod uwagę mój.

Uspokoiłam się już zupełnie, więc pokiwałam głową, żeby zachęcić go do mówienia.

Spojrzał na mnie z rozrzewnieniem.

– Widzisz, ja zawsze byłem tym typem chłopaka, a właściwie mężczyzny, bo w moim świecie byłem już mężczyzną. Nie rozglądałem się za swoją drugą połówką, o nie. Moim największym marzeniem było zostać żołnierzem, bo głowę miałem pełną wyidealizowanych wizji wojny, którymi karmiono w owym okresie potencjalnych ochotników. Ale gdybym poznał odpowiednią dziewczynę... Nie, to za mało – gdybym spotkał wtedy ciebie – nie mam wątpliwości co do tego, jak bym się zachował. Tak, byłem tym typem chłopaka, który ustaliwszy, że jesteś tą jedyną, padłby zaraz na kolana i poprosił cię o rękę. Chciałbym zagwarantować sobie jak najprędzej, że spędzę z tobą resztę wieczności – chociaż to słowo miałoby dla mnie wówczas nieco inne konotacje.

Wpatrywałam się w niego szeroko otwartymi oczami.

– Oddychaj – przypomniał mi z uśmiechem.

Posłusznie zrobiłam wydech.

– Rozumiesz mnie, Bello? Rozumiesz mnie choć trochę?

Przez ułamek sekundy tak było. Zobaczyłam siebie z włosami upiętymi szpilkami w płaski kok, w sięgającej podłogi spódnicy i ozdobionej koronkami bluzce z wysokim kołnierzem. I Edwarda w kremowym surducie, z bukietem polnych kwiatów w dłoni, siedzącego koło mnie na werandzie drewnianego domu.

Potrzasnęłam głową i przełknęłam ślinę. Jak w *Ani z Zielonego Wzgórza*!

– Problem w tym – powiedziałam, wymigując się od odpowiedzi – że dla mnie „małżeństwo" i „wieczność" niekoniecznie idą z sobą w parze. Poza tym, jakkolwiek by było, żyjemy w moich czasach i to do nich powinniśmy się dostosować.

Edward miał gotową ripostę.

– Nie zapominaj, że „twoje czasy" też już niedługo będą za nami. Czy na nasze decyzje aż tak bardzo muszą wpływać przemijające zwyczaje dominującej w danym miejscu grupy społecznej?

Wydęłam wargi.

– Wiesz, kiedy wejdziesz między wrony...

Zaśmiał się.

– Nie musisz podejmować dziś żadnej decyzji. Uważam tylko, że warto próbować zrozumieć drugą stronę. Chyba się w tym ze mną zgodzisz.

– Więc twój warunek...

– Mój warunek jest nadal aktualny. Przyjmuję twoje argumenty, ale jeśli chcesz, żebym to ja ciebie zmienił...

– *Da da da-dam*... – zanuciłam.

Celowałam w marsz weselny Mendelssohna, ale zabrzmiało to raczej jak marsz żałobny.

Czas nie przestał biec zbyt szybko.

Nie miałam żadnych snów, noc przeleciała mi więc w okamgnieniu, a potem było już rano i tylko sześć dni do końca roku. Leżąc w łóżku i wpatrując się w szary sufit, uświadomiłam sobie, że przed egzaminami końcowymi nie zdążę przeczytać choćby połowy swoich notatek.

Kiedy zeszłam na śniadanie, Charliego już nie było. Pozostawiona przez niego na stole gazeta przypomniała mi, że mam sprawdzić, czy zostały jeszcze jakieś bilety na koncert w Tacoma. Jeśli reklamy koncertu jeszcze się ukazywały, mogłam spisać z jednej z nich numer telefonu. Robiłam to z rozpędu, bo w moim przekonaniu dawanie prezentu, który nie był niespodzianką, mijało się z celem. No ale czy Alice można było w ogóle czymś zaskoczyć?

Miałam zamiar od razu otworzyć gazetę na stronach poświęconych informacjom kulturalnym, ale mój wzrok przyciągnęły wielkie litery nagłówka artykułu na pierwszej stronie. Przeszedł mnie zimny dreszcz.

SEATTLE STERRORYZOWANE

Pochyliłam się nad blatem, żeby przeczytać tekst w całości.

Żaden z amerykańskich seryjnych zabójców nie miał na swoim koncie tylu ofiar, co Gary Ridgway zwany Mordercą znad Green River, który grasował po Seattle niespełna dziesięć lat temu – zarzucono mu ostatecznie zamordowanie czterdziestu ośmiu kobiet.

Niestety, wszystko wskazuje na to, że koszmar wrócił. Oto mieszkańcy Seattle żyją w strachu przed kolejnym zwyrodnialcem, i to jeszcze bardziej potwornym niż jego poprzednik.

Policja zaprzecza wprawdzie, że mamy do czynienia z seryjnym mordercą, ale być może należałoby tu dodać – na razie. Fachowcom z wydziału zabójstw nie mieści się w głowach, że wszystkich zbrodni mógł dokonać jeden człowiek. Przypomnijmy, że w ciągu ostatnich trzech miesięcy zginęło bądź zaginęło w podobnych okolicznościach trzydzieści dziewięć osób – dla porównania, Ridgway kontynuował swój proceder przez okres dwudziestu jeden lat. Jeśli morderca jest jeden, nie może się z nim równać żaden seryjny zabójca w historii Stanów Zjednoczonych.

Policja skłania się ku teorii, że w mieście rozgorzała wojna gangów, a na obronę tej hipotezy wysuwa dwa argumenty: po pierwsze, samą szokująco wysoką liczbę ofiar, po drugie zaś fakt, że za ich doborem nie kryje się najwyraźniej żadna reguła.

Seryjni zabójcy, począwszy od Kuby Rozpruwacza, a na Tedzie Bundym skończywszy, dobierają zazwyczaj ofiary pod względem wieku, płci, rasy lub też kombinacji tych czynników. Tymczasem, w ciągu ostatnich trzech miesięcy, w podobny sposób zginęli zarówno piętnastoletnia prymuska Amanda Reed, jak i sześćdziesięciosiedmioletni emerytowany listonosz Omar Jenks. Wśród ofiar jest osiemnaście kobiet i dwudziestu jeden mężczyzn, Biali, Murzyni, Azjaci i Latynosi.

Nie ma wzorca ofiary, nie ma również wyraźnego motywu. Morderca wydaje się zabijać dla samego zabijania.

Skąd więc przypuszczenie, że w grę wchodzi następca Gary'ego Ridgwaya?

Przede wszystkim zbrodnie łączą te same okoliczności – na tyle wyjątkowe, że łatwo wyróżnić morderstwa nienależące do feralnej serii. Ciało każdej z ofiar spalono, i to tak dokładnie, że przy identyfikacji zwłok musiano wspierać się kartotekami dentystów. Policyjni eksperci twierdzą, że do podpalania ciał złoczyńca musiał zastosować benzynę lub alkohol, jednak do tej pory nie natra-

fiono nigdzie na ślady tego typu substancji. Wszystkie zwłoki porzucono niedbale, nie starając się w żaden sposób ich ukryć.

Kolejną cechą wspólną tajemniczych zbrodni jest ich wyjątkowe okrucieństwo. Ze szczątków wydedukowano, iż wszystkim ofiarom z nieludzką siłą łamano i miażdżono kości – najprawdopodobniej jeszcze przed śmiercią, ale ze względu na stan materiału dowodowego nie jest to potwierdzone.

Jeśli chodzi o materiał dowodowy, należałoby także nadmienić, że jest on niezwykle skąpy, jako że poza szczątkami policyjni technicy nie wykryli zupełnie nic: odcisków palców, obcych włosów, śladów opon. Co dziwniejsze, w przypadku zaginięć potencjalni świadkowie nikogo nie widzieli.

Co do samych zaginięć, ani jedno z nich nie jest typowe. Żadna z osób zaginionych nie przebywała w odludnym miejscu, żadna też nie uciekła wcześniej z domu ani nie była bezdomna. Jedna z ofiar przebywała w zamkniętym na klucz mieszkaniu na trzecim piętrze, inna na terenie kompleksu sportowego, jeszcze inna bawiła się na weselu. Najbardziej zagadkowy jest chyba przypadek trzydziestoletniego boksera amatora, Roberta Walsha, który wybrał się na randkę do kina. Kilka minut po rozpoczęciu seansu jego towarzyszka zorientowała się, że Walsh nie siedzi już obok niej. Jego ciało znaleźli przypadkowo trzy godziny później strażacy wezwani do pożaru kontenera na śmieci na przeciwległym krańcu miasta.

Wszystkie morderstwa popełniono po zapadnięciu zmroku.

Co jest najbardziej przerażające w tej sprawie? To, że zwyrodnialec dopiero się rozkręca. W pierwszym miesiącu jego działalności odnotowano sześć zabójstw z serii, w drugim jedenaście, w trzecim, a dokładnie w ciągu ostatnich dziesięciu dni, aż dwadzieścia jeden. Tymczasem policja nie jest bliższa wyjaśnienia zagadki niż wówczas, kiedy natrafiono na pierwsze zwęglone zwłoki.

Dowody są z sobą sprzeczne, fakty szokujące. Wojna gangów czy nadpobudliwy seryjny zabójca? A może istnieje jeszcze inne wytłumaczenie, na które nie wpadli ani policja, ani mieszkańcy Seattle?

Jedno jest pewne – mamy się czego bać.

Ostatnie zdanie przeczytałam dopiero za trzecim podejściem. Uświadomiłam sobie, że moje problemy wynikają stąd, że trzęsą mi się ręce.

– Bello?

Byłam tak skoncentrowana na lekturze, że chociaż spodziewałam się Edwarda, usłyszawszy jego głos, podskoczyłam i krzyknęłam ze strachu.

Opierał się o framugę drzwi, przyglądając mi się ze ściągniętymi brwiami. Nagle znalazł się u mojego boku i chwycił mnie za rękę.

– Zaskoczyłem cię? Przepraszam. Pukałem przed wejściem.

– Nie, to nie twoja wina – odparłam szybko. – Czytałeś ten artykuł?

Zmarszczył czoło.

– Z dzisiejszej gazety jeszcze nie, ale wiem, że jest coraz gorzej. Musimy coś zrobić, i to jak najszybciej.

Nie podobał mi się ten pomysł. Nie cierpiałam sytuacji, w których moi bliscy musieli podejmować jakiekolwiek ryzyko, a tajemniczego iksa z Seattle zaczynałam się na serio bać. Jednak wizja inspekcji Volturi przerażała mnie o wiele bardziej.

– Co radzi Alice?

– W tym cały problem. – Jeszcze bardziej się zasępił. – Nic nie widzi... a przecież żeby jej pomóc, podejmowaliśmy decyzję o tej wyprawie już ze sześć razy. Zaczyna tracić pewność siebie. Nigdy do tej pory nie miała takich trudności. Podejrzewa, że coś jest nie tak. Że może jej talent słabnie.

– Tak się czasem dzieje? – zdziwiłam się.

– Bóg jeden wie. Nikt nie prowadzi odpowiednich statystyk, prawda? Ale osobiście wątpię. Takie umiejętności raczej się z czasem potęgują. Popatrz na Ara i Jane.

– Więc co jest grane?

– Sądzę, że to błędne koło. Tak naprawdę nie podjęliśmy jeszcze żadnej ostatecznej decyzji, tylko czekamy z tym na wizję Alice, ale ona nic nie zobaczy, bo jej wizje opierają się na podjętych decyzjach właśnie. Więc może będziemy musieli działać po omacku.

Zadrżałam.

– O nie!

– Bardzo chce ci się dziś iść do szkoły? Do egzaminów zostało jeszcze tylko kilka dni: na pewno nie będą przerabiać z nami niczego nowego.

– Myślę, że jeden dzień jakoś przeżyję. A jakie masz plany?

– Chcę porozmawiać z Jasperem.

Znowu ten Jasper. Dziwne to było. Dotąd zawsze trzymał się na uboczu – brał udział we wszystkich wydarzeniach, ale nigdy nie znajdował się w centrum uwagi. Zakładałam, choć nie podzieliłam się z nikim tym spostrzeżeniem, że mieszka z Cullenami tylko ze względu na Alice. Podejrzewałam, że poszedłby za nią w ogień, ale styl życia, jaki dla nich wybrała, nie do końca mu odpowiadał. Reguły wyznaczone przez Carlisle'a zostały mu narzucone, i to dlatego miewał kłopoty z ich przestrzeganiem.

Niezależnie od tego, czy miałam rację w kwestii poglądów Jaspera, jedno było pewne – Edward nigdy jeszcze do tego stopnia na nim nie polegał. Zastanowiłam się raz jeszcze, co miał na myśli, mówiąc, że Jasper jest ekspertem od nowo narodzonych wampirów. O przeszłości partnera Alice wiedziałam tylko tyle, że zanim go znalazła, mieszkał na południu Stanów. Z jakichś powodów Edward nie zdradził mi nic więcej, a ja sama czułam się przy jego najmłodszym bracie zbyt nieswojo, żeby zadać mu jakiekolwiek pytanie. Wysoki i jasnowłosy, onieśmielał mnie niczym gwiazdor filmowy.

Kiedy weszliśmy do salonu Cullenów, zastaliśmy Carlisle'a, Esme i Jaspera oglądających CNN, ale telewizor miał tak ściszony dźwięk, że nie rozumiałam nic z tego, co mówiono na ekranie. Alice siedziała na najniższym stopniu schodów z brodą wspartą na dłoniach i wyglądała na podłamaną.

Z kuchni na nasze spotkanie wyszedł Emmett. Ten z pewnością nie był podłamany. Nigdy nic go nie ruszało.

– Kogóż my tu mamy? – Uśmiechnął się na mój widok. – Wagarujemy?

– Ja też jestem na wagarach – przypomniał mu Edward. – I Alice.

Emmett zaśmiał się.
– Tak, ale to dla Belli pewnie pierwszy raz. Może ominie ją coś ważnego.
Edward przewrócił tylko oczami i podszedł do kanapy. Rzucił Carlisle'owi gazetę.
– Widziałeś? Nie wykluczają już, że to może być seryjny zabójca.
Carlisle westchnął.
– Ci dwaj deliberują nad tym od samego rana.
Wskazał głową dwóch specjalistów w studiu CNN.
– Nie możemy tego dłużej tolerować.
– Jedźmy do Seattle jeszcze dziś – zaproponował Emmett z entuzjazmem. – Straszliwie się nudzę.
Z piętra dobiegł czyjś głośny syk.
– Jak można być taką pesymistką? – mruknął Emmett.
– Prędzej czy później, trzeba będzie się tam wybrać – przyznał mu rację Edward.
U szczytu schodów pojawiła się Rosalie. Schodziła bardzo powoli. Z jej pięknej twarzy nie sposób było cokolwiek wyczytać.
Carlisle pokręcił głową.
– Mam duże wątpliwości. Nigdy przedtem nie angażowaliśmy się w coś podobnego. To nie nasza sprawa. Nie jesteśmy Volturi.
– Nie chcę, żeby tu przyjechali sprowokowani – powiedział Edward. – To by nam bardzo zawęziło pole manewru.
– I ci wszyscy niewinni ludzie w Seattle – zauważyła Esme. – To nie w porządku pozwalać, żeby ginęli tak okrutną śmiercią.
– Wiem. – Carlisle znowu westchnął.
– Och. – Edward odwrócił się w stronę Jaspera. – O tym nie pomyślałem... No tak, wszystko by pasowało. To musi być to. A my w takim razie musimy zastosować zupełnie inną taktykę.
Nie tylko ja wpatrywałam się w niego zbita z tropu, ale byłam chyba jedyną osobą w salonie, która się przy tym nie zirytowała.
– Lepiej sam im o tym powiedz – poradził Edward Jasperowi. – Kurczę, kto za tym stoi?
Zaczął chodzić w tę i z powrotem, drapiąc się po brodzie.

Nie zauważyłam, żeby Alice wstawała, ale nagle pojawiła się tuż przy mnie.

– O czym on bredzi? – spytała Jaspera. – Co takiego wymyśliłeś?

Skrzywił się. Znalazł się pod ostrzałem spojrzeń, co wyraźnie mu nie odpowiadało. Powiódł wzrokiem po twarzach zebranych i zatrzymał się na mojej.

– Jesteś zdezorientowana – powiedział cicho.

Nie było to pytanie, tylko stwierdzenie. Jasper wiedział doskonale, co czuło każde z nas.

– Wszyscy jesteśmy zdezorientowani – pożalił się Emmett.

– Stać was na to, żeby uzbroić się w cierpliwość. Bella też to powinna zrozumieć. Jest teraz członkiem rodziny.

Zaskoczył mnie. Tak mało spędzaliśmy ze sobą czasu, zwłaszcza po tym, jak próbował mnie zaatakować na moim przyjęciu urodzinowym, że nie zdawałam sobie sprawy, jaki ma do mnie stosunek.

– Jak dużo o mnie wiesz, Bello? – spytał.

Emmett westchnął teatralnie i usiadłszy na kanapie, zaczął wystukiwać palcami prawej dłoni nerwowy rytm. Jasper zignorował to przedstawienie.

– Niewiele – przyznałam.

Jasper zerknął na Edwarda, który wyrwany z zamyślenia jego niewypowiedzianym pytaniem, zatrzymał się i podniósł głowę.

– Nie – odpowiedział. – I chyba rozumiesz, dlaczego nie. Ale teraz możesz opowiedzieć jej wszystko.

Jasper skinął głową, a potem zabrał się do podwijania rękawa swojego kremowego swetra. Obserwowałam go uważnie, zastanawiając się, po co to robi.

Obnażywszy nadgarstek, chłopak podsunął go pod stojącą na pobliskim stoliku lampę, tak aby na jego skórę padł snop światła bijącego wprost z żarówki. Opuszkiem palca drugiej dłoni przesunął ponad wypukłą blizną w kształcie łuku, odcinającą się od jego bladej skóry.

Po kilku sekundach zorientowałam się, z czym mi się ona kojarzy.

– Wygląda zupełnie jak moja – wypaliłam bezmyślnie, wyciągając do przodu dłoń. Miałam cieplejszy odcień cery niż Jasper, więc mój własny srebrny półksiężyc był jeszcze lepiej widoczny.

Jasper uśmiechnął się delikatnie.

– Mam o wiele więcej takich blizn, Bello.

Z nieodgadnioną miną podciągnął rękaw wyżej.

Moim oczom ukazała się gęsta siatka z dalszych półksiężyców nakładających się bez ładu i składu. Jasne kreski ginęłyby na jasnym tle, gdyby nie ostre światło lampy, w którym każdy z wypukłych łuków rzucał krótki cień. Z początku przyglądałam im się tylko ciekawie i dopiero z opóźnieniem uzmysłowiłam sobie, że to nadal takie same półksiężyce, jak na nadgarstku Jaspera i na mojej dłoni.

Zszokowana, odruchowo podniosłam ręce do ust.

Zerknęłam w dół na własną bliznę – niewielką, pojedynczą – i sięgnęłam pamięcią do momentu, w którym właśnie w to miejsce ugryzł mnie James. Ślad jego zębów już na zawsze miał pozostać na mojej skórze.

– Boże święty – wyszeptałam. – Co ci się stało, człowieku?

13 Nowo narodzeni

– To samo, co tobie – odparł Jasper cicho. – Tyle że pewnie z tysiąc razy. – Uśmiechnął się smutno i pogłaskał się po ramieniu. – Nasz jad to jedyna rzecz, po której zostają nam blizny.

Nie mogłam oderwać wzroku od jego subtelnie zniekształconej skóry i miałam wyrzuty sumienia.

– Kto ci to zrobił? – odważyłam się zapytać.

– Cóż, zanim pojawiłem się w tym gronie, nie miałem tak cywilizowanych towarzyszy, jak moje przyszywane rodzeństwo, sam również nie byłem tak cywilizowany. Z początku wiodłem zupełnie inne życie...

Wezbrało we mnie obrzydzenie.

– Zanim opowiem ci moje losy – ciągnął – musisz zrozumieć, że są miejsca w naszym świecie, Bello, gdzie długość życia naszych pobratymców odmierza się nie w stuleciach, ale w tygodniach.

Pozostali znali tę historię i wrócili do oglądania CNN. Alice usiadła bezszelestnie u stóp Esme. Tylko Edward pozostał zaabsorbowany tym, co się dzieje, w równym stopniu, jak ja. Czułam jego wzrok na swojej twarzy – chciał dostrzec każdą moją reakcję.

– Aby pojąć w pełni dlaczego, musisz spojrzeć na glob ziemski z innej perspektywy – wyjaśnił mi Jasper. – Musisz spojrzeć oczami istot niezwykle silnych, niezwykle zachłannych i... wiecznie głodnych.

Widzisz, w niektórych miejscach mieszka nam się łatwiej niż w innych. Bierze się to stąd, że nie musimy się tam tak bardzo kontrolować, a mimo to nie dobierają nam się do skóry żadne służby.

Wyobraź sobie mapę zachodniej półkuli, na której każdego żywego człowieka oznaczono czerwonym punkcikiem. Tam, gdzie od punkcików aż się roi, możemy – a przynajmniej inni nasi pobratymcy mogą – żerować do woli bez zwracania na siebie uwagi.

Mimowolnie się wzdrygnęłam. Edward starał się nie używać przy mnie takich słów jak „żerować", ale Jasper nie był tak nadopiekuńczy. Kontynuował:

– Grupy wampirów z południa nie dbają zresztą o to, czy zostaną przez kogokolwiek wykryte. Poza Volturi, rzecz jasna – tylko ich się boją. Przez takich jak oni, gdyby nie Volturi, ludzkość szybko by się o nas dowiedziała.

Nazwisko włoskiego rodu wymawiał z wyraźnym szacunkiem, niemal z wdzięcznością. Volturi jako ci „dobrzy"? Trudno mi się było z tym pogodzić.

– Ci z nas, którzy trzymają się rejonów bardziej wysuniętych na północ, są, dla porównania, o wiele lepiej ułożeni. Większość tutejszych nomadów potrafi funkcjonować zarówno w nocy, jak i w dzień, a wśród ludzi nie zdradza się ze swoją odmiennością. Tak, na północy anonimowość to podstawa.

Południe to inny świat. Nieśmiertelni wychodzą z kryjówek tylko po zmroku, a dni spędzają, planując swoje następne posunięcie bądź starając się przewidzieć kolejny ruch przeciwnika. Jakiego przeciwnika, spytasz? Musisz wiedzieć, że na południu toczy się wojna, nieprzerwanie od wieków, bez choćby kilku lat zawieszenia broni. Wampiry ledwie tam zauważają istnienie ludzi, traktują ich co najwyżej jak oddział żołnierzy stado krów – krowy, wiadomo, czasem wchodzą w drogę, ale przede wszystkim służą za źródło pożywienia. Gdyby nie Volturi, nikt by się tam przed ludźmi nie krył.

– Ale o co oni wszyscy walczą? – spytałam naiwnie.

Uśmiechnął się.

– Pamiętasz mapę z czerwonymi punkcikami?

– Pamiętam.

– Walczą o kontrolę nad tymi miejscami, gdzie punkcików jest najwięcej. To musiało być tak: jeden z nas doszedł do wniosku, że gdyby był jedynym wampirem w jakiejś tamtejszej metropolii, dajmy na to w Mexico City, to mógłby wychodzić na polowanie raz, dwa razy, trzy razy w ciągu jednej nocy i nikt z mieszkańców miasta nie powiązałby zbrodni ze sobą. Pan wygodnicki zaczął się zastanawiać, jak pozbyć się konkurencji, a jego konkurenci, z czasem, jak pozbyć się jego. Obmyślano coraz to skuteczniejsze taktyki.

Najskuteczniejszą ze wszystkich opracował niejaki Benito. Usłyszano o nim po raz pierwszy, kiedy pojawił się znikąd na północ od Dallas i zmasakrował dwie niewielkie grupy dzielące terytorium nieopodal Houston. Dwie noce później zaatakował znacznie silniejszy klan z Monterrey w północnym Meksyku. I tym razem nikt nie ocalał.

– Jak mu się to udało? – spytałam.

– Benito stworzył armię z nowo narodzonych wampirów. Był pierwszym, który wpadł na ten pomysł, i na początku nic nie było w stanie go powstrzymać. Bardzo młode wampiry są wybuchowe i dzikie, niemal nie sposób ich kontrolować. Jednemu można przemówić do rozumu, nauczyć go samokontroli, ale dziesięć, piętnaście naraz to koszmar. Zwracają się przeciwko sobie z równą łatwością, jak przeciwko dowolnemu wskazanemu im wrogowi. Benito musiał tworzyć coraz to nowe osobniki, bo jego starsi żołnierze systematycznie się wymordowywali, a pierwsze starcia z innymi grupami wampirów kosztowały go życie ponad połowy ludzi.

Dlaczego aż tylu? Cóż, nowo narodzeni są niezwykle groźni, ale mimo to można ich pokonać. Mniej więcej przez pierwszy rok są niesamowicie silni fizycznie i potrafią po prostu zmiażdżyć starszego wampira, ale są niewolnikami własnych instynktów, przez co łatwo przewidzieć ich zachowanie. W walce nie wykazują zazwyczaj żadnych specjalnych umiejętności, stawiają na swoje muskuły i zaciekłość. I – w przypadku całej ich armii – oczywiście na przewagę liczebną.

Wampiry z południowego Meksyku szybko zdały sobie sprawę, co się święci. Jako że żadne inne rozwiązanie nie przychodziło im do głowy, odpowiedziały Benitowi pięknym za nadobne – stworzyły własne armie.

Rozpętało się piekło, prawdziwe piekło – trudno to sobie nawet wyobrazić. My, nieśmiertelni, również mamy swoje podania, które przekazujemy sobie z ust do ust, i tej wojny, którą rozpętał Benito, nie zapomnimy nigdy. Mieszkańcy Meksyku też ją pewnie pamiętają – nieciekawy był los człowieka w tamtych czasach.

Wzdrygnęłam się.

– Kiedy liczba ofiar po stronie ludzi sięgnęła takich rozmiarów, że wasi historycy przypisują spadek ludności w owym okresie wybuchowi jakiejś tajemniczej epidemii, na scenę wkroczyli w końcu Volturi. Na miejscu zjawili się wszyscy ich strażnicy i dopadli, jednego po drugim, każdego nowo narodzonego w dolnej połowie kontynentu. Benito okopał się w Pueblo, powiększając swoje wojska tak szybko, jak to tylko było możliwe, aby podbić najludniejszą metropolię w tamtej części świata – Mexico City. Volturi zaczęli właśnie od niego, a potem zajęli się resztą buntowników. Zabijano każdego, kogo zastano w towarzystwie nowo narodzonych, a ponieważ wszyscy starali się bronić przed Benitem, Meksyk praktycznie oczyszczono z wampirów.

Volturi robili porządki przez prawie rok. To następny rozdział naszej historii, którego nigdy nie zapomnimy, chociaż przy życiu pozostała wówczas tylko garstka naocznych świadków tych wydarzeń. Rozmawiałem kiedyś z kimś, kto przyglądał się z oddali, czym skończyła się wizyta Volturi w Culiacán.

Jasper zadrżał. Uświadomiłam sobie nagle, że nigdy wcześniej nie widziałam, żeby się czymś denerwował albo żeby czegoś się bał.

– Gdyby nie zareagowali w porę, gorączka podbojów rozprzestrzeniłaby się pewnie poza południe Ameryki Północnej i także inne wampiry poddałyby się temu szaleństwu. Zawdzięczamy Volturi naszą spokojną egzystencję.

Niestety, kiedy strażnicy wrócili do Włoch, ocaleli z meksykańskiej jatki natychmiast zaczęli wyznaczać granice swoich wpływów, co szybko doprowadziło do pierwszych sporów. Vendetta goniła vendettę. Wszyscy też pamiętali o pomyśle Benita i niektórzy nie potrafili oprzeć się pokusie. Aby nie narazić się Volturi, byli jednak teraz o wiele ostrożniejsi. Kandydatów na nowo narodzonych wybierano spośród śmiertelników z większą starannością, bardziej dbano o ich edukację, a i z ich usług korzystano z umiarem. W większości przypadków ludzka populacja była niczego nieświadoma.

Toczono nowe wojny, ale na mniejszą skalę. Od czasu do czasu wprawdzie ktoś się zapominał, przez co w ludzkich gazetach zaczynały się spekulacje, ale wtedy znowu pojawiali się strażnicy naszej rodziny królewskiej i brutalnie zaprowadzali porządek. Wśród naszych pobratymców byli też jednak tacy, którzy mimo swojej aktywnej działalności, pozostawali dyskretni i nigdy Volturi nie podpadli…

Jasper spojrzał w bok.

Nagle domyśliłam się prawdy.

– I to tacy jak oni cię stworzyli – wyszeptałam.

– Tak – przyznał. – Urodziłem się w Houston w Teksasie, a kiedy w 1861 wybuchła wojna secesyjna, miałem niespełna siedemnaście lat. Zaciągając się na ochotnika do Konfederatów, skłamałem, że mam lat dwadzieścia. Byłem na tyle wysoki, że mi uwierzono.

W wojsku zrobiłem błyskawiczną karierę. Odkąd byłem dzieckiem... Powiedzmy, że byłem powszechnie lubiany, a na pewno zawsze z chęcią mnie słuchano. Mój ojciec zwykł nazywać to wrodzoną charyzmą. Oczywiście, teraz wiem, że było to coś więcej. Niezależnie od przyczyny, szybko mnie awansowano, omijając jednocześnie mężczyzn starszych i bardziej doświadczonych. Armię Konfederatów dopiero z wysiłkiem tworzono i to też dawało większe możliwości niż w zwykłym wojsku. Po mojej pierwszej bitwie, pod Galveston – właściwie była to tylko potyczka – zostałem najmłodszym majorem w Teksasie, i to bez przyznawania się do tego, ile naprawdę mam lat.

Kiedy do portu w Galveston przybiły okręty Unii, powierzono mi kierowanie ewakuacją kobiet i dzieci. Jeden dzień zajęło przygotowanie ich do wymarszu, a potem poprowadziłem pierwszą kolumnę cywili do Houston. Do miasta dotarliśmy po zmroku. Zostałem tylko na tyle długo, żeby upewnić się, że wszyscy z kolumny są bezpieczni, a potem załatwiłem sobie nowego konia i wyruszyłem w drogę powrotną. Nie było czasu do stracenia.

Doskonale pamiętam tamtą noc.

Dwa kilometry na południe od Houston natknąłem się na trzy idące w przeciwnym kierunku kobiety. Myśląc, że to maruderki z mojego własnego konwoju, zsiadłem z konia, żeby zaoferować im pomoc. W tej samej chwili światło księżyca oświetliło ich twarze i stanąłem jak wryty. Bez wątpienia były najpiękniejszymi kobietami, z jakimi kiedykolwiek zdarzyło mi się zetknąć. Uzmysłowiłem sobie, że nie należą do moich podopiecznych, bo z pewnością bym je zapamiętał.

Najbardziej zachwyciła mnie ich alabastrowa skóra. Jedna z kobiet była filigranową brunetką o typowo meksykańskich rysach, ale nawet ona miała karnację porcelanowej lalki. Wszystkie trzy wyglądały bardzo młodo i właściwie powinienem je nazwać dziewczętami, a nie kobietami.

„Zaniemówił", zaszydziła najwyższa z dziewcząt pieszczącym ucho sopranem. Miała jasne włosy i cerę jak świeży śnieg. Jej towarzyszka, prawdziwy anioł o jeszcze jaśniejszych puklach, wyciągnęła szyję w moją stronę i z półprzymkniętymi powiekami zaczerpnęła głęboko powietrza. „Mm...", westchnęła. „Co za piękny zapach". Brunetka położyła jej szybko rękę na ramieniu. „Opanuj się, Nettie", powiedziała melodyjnie i miękko, chociaż była to przecież reprymenda.

Zawsze byłem dobry w dedukowaniu, jakie kto zajmuje miejsce w hierarchii. Tym razem wyczułem, że to brunetka jest przywódczynią blondynek, jeśli oczywiście dwójka dziewcząt mogła mieć przywódczynię.

„Wygląda, jak trzeba – młody, silny, oficer...". Brunetka zamyśliła się. Próbowałem zabrać głos, ale nie byłem w stanie wykrztusić słowa. „I ma w sobie coś jeszcze... Czujecie to, co ja? On tak... hm... Nie można się mu oprzeć".

„Nie można", zgodziła się Nettie, znowu się ku mnie pochylając.

„Weź się w garść", rozkazała jej Meksykanka. „Chcę go zatrzymać. Bardzo mi się podoba".

Nettie, nie wiedzieć czemu, naburmuszyła się.

„Lepiej ty to zrób, Mario, jeśli ci na nim zależy", wtrąciła wyższa blondynka. „Ja tam co drugiego niechcący zabijam".

„Masz rację", zgodziła się Maria. „Ja się nim zajmę. Tylko zabierz, proszę, Nettie, bo nie mam zamiaru skupiać się i na nim, i na jej odpędzaniu".

Chociaż z tego, o czym rozprawiały piękności, nic a nic nie zrozumiałem, włosy na karku stanęły mi dęba. Intuicja podpowiadała mi, że jestem w śmiertelnym niebezpieczeństwie, że kobieta anioł nie żartowała, mówiąc o zabijaniu, ale górę nad instynktem wzięły dobre maniery. Jak mogłem bać się kobiet, kiedy nauczono mnie je chronić?

„Zapolujmy", zaproponowała Nettie, biorąc wyższą blondynkę za rękę, po czym obie rzuciły się biegiem w stronę miasta. Przemieszczały się tak szybko, że zdawały się unosić w powietrzu – a z jaką gracją to robiły! Ich białe sukienki, nadęte wiatrem, przypominały z daleka skrzydła. Nie zdążyłem nawet otworzyć ust ze zdziwienia, a już znikły za horyzontem.

Przeniosłem wzrok na Marię, która przyglądała mi się ciekawie.

Nigdy w życiu nie byłem przesądny. Aż do tamtej chwili uważałem duchy i inne tego typu istoty za wymysł fantastów. Nagle dopadły mnie wątpliwości.

„Jak masz na imię, żołnierzu?", spytała Maria.

„Major Jasper Whitlock, do usług", wyjąkałem odruchowo. Nie potrafiłem być nieuprzejmy w stosunku do kobiety, nawet jeśli miała okazać się strzygą.

„Mam wielką nadzieję, że przeżyjesz, Jasper", powiedziała z roztkliwieniem w głosie. „Sądzę, że jesteś idealnym kandydatem".

Zrobiła kilka kroków do przodu, z pozoru nieśmiało, jakby chciała mnie pocałować. Nogi miałem jak wmurowane w ziemię, chociaż wszystko krzyczało we mnie, żebym uciekał.

Jasper zamilkł na moment.

Nie byłam pewna, czy redaguje swoją opowieść przez wzgląd na mnie, czy wziął pod uwagę sygnały ostrzegawcze wysyłane mu przez Edwarda.

– Kilka dni później – odezwał się wreszcie – zostałem przedstawiony pozostałym dwóm dziewczętom.

Maria, Nettie i Lucy nie znały się zbyt długo, ale wszystkie były niedobitkami ocalałymi z niedawnych wampirzych bitew. To Maria namówiła blondynki, żeby się do niej dołączyły. Potrzebowała ich wsparcia, bo chciała się mścić, a przede wszystkim odzyskać stracone terytoria. Przystały na jej propozycję, bo i im zależało na, nazwijmy to, stałym dostępie do zapasów żywności.

Maria zamierzała stworzyć po kryjomu nową armię, armię wyjątkową, składającą się z samych doborowych żołnierzy. Interesowali ją wyłącznie śmiertelnicy wybitni, a po ich przemianie poświęcała im więcej uwagi niż ktokolwiek przed nią. Trenowała nas w dzień i w nocy: uczyła, jak walczyć, uczyła, jak być niewidzialnym dla ludzkich oczu. Kiedy się dobrze spisywaliśmy, czekały na nas nagrody...

Znowu przerwał, żeby nie powiedzieć zbyt dużo.

– Maria bardzo się spieszyła. Wiedziała, że nowo narodzeni są niezwykle silni tylko przez pierwszy rok, i chciała do tego czasu mieć już wojnę za sobą.

Kiedy dołączyłem do jej oddziału, było w nim nas, młodzików, sześciu – samych mężczyzn, jak na prawdziwe wojsko przystało – a kolejnych czterech Maria stworzyła w ciągu następnych dwóch tygodni. Wszyscy byliśmy bardzo agresywni, więc swoje pierwsze pojedynki toczyliśmy pomiędzy sobą.

Szybko wyszło na jaw, że mam najlepszy refleks w oddziale. Maria była ze mnie zadowolona, chociaż drażniło ją, że musi bez przerwy znajdować kogoś na miejsce tych, których zabijałem. Nagradzała mnie często, przez co robiłem się jeszcze silniejszy.

Maria była dobra w ocenianiu charakterów. Postanowiła, że to ja będę dowodzić oddziałem. No i awansowałem, tak jak u Konfederatów. Bardzo mi to zresztą odpowiadało i szybko przyniosło wymierne efekty. Dzięki swoim zdolnościom, z których jeszcze nie do końca zdawałem sobie sprawę, doprowadziłem do tego, że stan oddziału zaczął utrzymywać się na poziomie dwudziestu osób.

Było to nie lada osiągnięcie. W zwykłych warunkach dwudziestu nowo narodzonych robiło wokół siebie tyle szumu, że ze strachu przed Volturi nikt nie ryzykował tworzeniem tak licznych oddziałów – ja tymczasem, kontrolując wybuchy gniewu swoich kamratów, sprawiłem, że współpracowaliśmy jak zgrana drużyna. Nawet Maria, Nettie i Lucy korzystały na mojej obecności.

Maria coraz bardziej mnie lubiła i coraz częściej powierzała mi odpowiedzialne zadania, a ja wielbiłem ziemię, po której stąpała. Nie miałem pojęcia, że można wieść inne życie. Mówiła nam, że inaczej się nie da, a my wierzyliśmy w każde jej słowo.

Poprosiła mnie, żebym powiadomił ją, kiedy będziemy gotowi do walki, a ja o niczym tak nie marzyłem, jak o tym, żeby jej prośbę spełnić. W końcu zebrałem oddział złożony z dwudziestu trzech żołnierzy – dwudziestu trzech porażająco silnych wampirów, karnych, wyszkolonych i gotowych na wszystko. Maria, rzecz jasna, była w siódmym niebie.

Podkradliśmy się pod Monterrey, skąd pochodziła. W mieście rezydowała para starszych wampirów z dziewięcioma nowo narodzonymi do obrony. Nie mieli szans. Nie dość, że pokonaliśmy ich bardzo szybko, to jeszcze straciliśmy tylko czterech naszych. Nawet Maria była zaskoczona, że poszło nam tak łatwo.

Ważne też, że dzięki starannemu treningowi odnieśliśmy zwycięstwo bez zwracania na siebie uwagi ludzi. Nikt spośród mieszkańców Monterrey nie był świadom, że miasto przeszło w inne ręce.

Sukces uderzył Marii do głowy. Wkrótce zapragnęła podbić inne miasta. Przed końcem roku kontrolowała już większość Teksasu i północnego Meksyku. Dopiero wtedy z południa przybyła konkurencja.

Jasper pogładził się po okaleczonym ramieniu.

– Rozgorzały tak ciężkie walki, że zaczęto obawiać się wizyty Volturi. Po półtora roku z mojego oddziału zostałem tylko ja. Nettie i Lucy obróciły się pod koniec przeciwko Marii, ale udało nam się je zabić. Wygraliśmy i przegraliśmy zarazem.

Udało nam się utrzymać Monterrey. Zawierucha wojenna nieco ucichła, ale bynajmniej nie zawarto nigdzie rozejmu: większość wampirów porzuciła wprawdzie myśl o podbojach, ale po tylu krwawych starciach miały się za co mścić. Wiele z nich straciło swoich partnerów, a tego przedstawiciele naszej rasy nikomu nie wybaczają.

Z Marią mieliśmy zawsze pod ręką około tuzina nowo narodzonych. Byli jedynie pionkami w grze i nic dla nas nie znaczyli. Kiedy mijał rok od ich przeobrażenia i ich możliwości raptownie malały, to my sami się ich pozbywaliśmy. Mijały lata – lata wypełnione agresją i okrucieństwem. Miałem takiego życia po dziurki w nosie na długo przed tym, zanim cokolwiek się zmieniło.

Kilkadziesiąt lat później zaprzyjaźniłem się z jednym z naszych żołnierzy, który okazał się bardzo przydatny i mimo licznych przeciwności losu przeżył aż trzy lata. Miał na imię Peter. Naprawdę go lubiłem. Był taki... kulturalny – tak, to chyba odpowiednie słowo. Choć wychodziło mu to znakomicie, nie lubił się bić. Jego obowiązkiem było zajmowanie się nowo narodzonymi – niańczenie ich, można by powiedzieć. Nic więcej, bo samo to zajmowało masę czasu.

Pewnego dnia przyszła pora czystki – zbliżał się rok, odkąd odtworzyliśmy oddział, więc trzeba go było zlikwidować i wybrać się na nowe polowanie. Peter miał mi pomóc, bo załatwiało się jednego po drugim, na osobności, i ciągnęło się to bez końca – to zawsze była bardzo długa noc. Nigdy wcześniej nie protestował, ale tym razem zaczął się upierać, że kilku żołnierzy ma potencjał i należałoby ich zatrzymać. Odmówiłem, bo Maria nakazała mi pozbyć się wszystkich.

Połowę roboty mieliśmy już za sobą, ale Peter, zamiast zapomnieć o sprawie, robił się coraz bardziej nerwowy. Zastanawiałem się już, czy nie powinienem go odesłać i zakończyć wszystko samemu, ale wezwałem jeszcze jedną ofiarę. Ku mojemu zdziwieniu wyczułem nagle, że w Peterze rozgorzał wielki gniew. Na wszelki wypadek przygotowałem się na jego atak, pocieszając się, że w pojedynkach nadal nie miałem sobie równych.

W szeregach nowo narodzonych miewaliśmy teraz także kobiety i ofiara, którą wywołałem, była właśnie jedną z nich. Miała na imię Charlotte. Gdy tylko ukazała się naszym oczom, wszystko stało się jasne. Peter krzyknął, żeby uciekała, a sam rzucił się biegiem w ślad za nią. Mogłem zacząć ich gonić, ale tego nie zrobiłem. Nie mogłem... nie chciałem odebrać Peterowi życia. Maria była na mnie bardzo zła za ten incydent.

Peter odwiedził mnie w tajemnicy pięć lat później. Wybrał na swoje odwiedziny idealny moment.

Maria nie mogła pojąć, dlaczego psychicznie czuję się coraz gorzej – sama nigdy nie miała depresji ani nawet chandry. Nie wiedziałem, czemu jestem odmieńcem, ale niezależnie od przyczyn przestawało jej się to podobać. Kiedy przebywała w moim towarzystwie, wyczuwałem u niej nowe emocje – czasami strach, czasami wstręt – te same, które ostrzegły mnie, że Nettie i Lucy mają wobec nas złe zamiary. W konsekwencji szykowałem się do uśmiercenia swojego jedynego sojusznika, jedynego kompana, centrum mojego wszechświata. I wtedy wrócił Peter.

Opowiedział mi o swoim nowym życiu z Charlotte, o możliwościach, których wcześniej nie brałem pod uwagę. Przez tych pięć lat nigdy z nikim się nie bili, chociaż na północy spotkali wielu naszych – wampirów, które potrafiły z sobą pokojowo współegzystować.

Podczas jednej rozmowy zdołał przekonać mnie do swoich racji – zapragnąłem wszystko rzucić i do niego dołączyć. Ucieszyłem się poniekąd, że nie będę musiał zabić Marii, chociaż łącząca nas więź nie była specjalnie silna. Byłem jej towarzyszem przez tyle samo lat, co Carlisle i Edward, ale kiedy żyje się od zbrodni do zbrodni, brak czasu i chęci na cieplejsze uczucia. Opuściłem ją bez słowa, nawet się za siebie nie oglądając.

Przez kilka lat wędrowałem z Peterem i Charlotte, powoli przyzwyczajając się do nowego, pokojowego stylu życia. Wszystko byłoby pięknie, tyle że moja depresja nie znikła. Nie rozumiałem, co jest ze mną nie tak, dopóki Peter nie zauważył, że zawsze jest mi gorzej po polowaniu.

Zastanowiłem się nad jego słowami. Po tylu latach nieprzerwanych rzezi zmarło we mnie niemal całe moje człowieczeństwo. Bez wątpienia zasługiwałem na miano mordercy i potwora. Mimo to za każdym razem, kiedy stawałem przed swoją kolejną ofiarą, wracały do mnie skrawki wspomnień związanych z moim dawnym życiem. Spoglądałem w szeroko otwarte oczy ludzi zdumionych moją urodą i przypominało mi się, że tak samo zareagowałem na Marię i jej towarzyszki, kiedy spotkałem je tamtej nocy pod Houston. Przeżywałem to tym silniej, że przecież doskonale orientowałem się w emocjach swoich ofiar. Zabijając je, chcąc nie chcąc, doświadczałem tego, co czuły.

Wiesz o tym, że potrafię wpływać na uczucia innych, Bello, ale pewnie nie zdajesz sobie sprawy, jak te uczucia wpływają na mnie. A tyle ich wokół... W dodatku przez pierwsze sto lat życia jako wampir miałem do czynienia głównie z żądzą mordu, wrogością, pamiętliwością. Skończyło się to wraz z opuszczeniem Marii, ale nadal musiałem doznawać cierpień własnych ofiar.

Bardzo mi to ciążyło. Moja depresja się pogłębiała i w końcu musiałem odłączyć się od Petera i Charlotte. Obrzydzenie wzbudzały już we mnie nawet same polowania, a moi towarzysze nie zamierzali zmieniać przyzwyczajeń. Może i byli cywilizowani, ale awersję odczuwali tylko do wojen, ja z kolei, zmęczony i zniesmaczony, nie chciałem już zabijać ani wampirów, ani ludzi.

A mimo to zabijać musiałem. Nie miałem wyboru. Kiedy starałem się polować rzadziej, mój głód potęgował się do tego stopnia, że w końcu się poddawałem. Po stu latach natychmiastowych gratyfikacji samodyscyplina była dla mnie prawdziwym wyzwaniem. Nie udało mi się opanować tej sztuki do perfekcji.

Jasper był tak samo zatracony w tej opowieści, jak ja. Poczułam się zbita z tropu, kiedy znienacka jego ponurą minę zastąpił pogodny uśmiech.

– Byłem wtedy w Filadelfii. Włóczyłem się po mieście za dnia, do czego nie byłem jeszcze przyzwyczajony, i nagle strasznie się rozpadało. Deszcz mi nie przeszkadzał, ale wiedziałem, że zwróciłbym na siebie uwagę, zostając na ulicy, więc wślizgnąłem się do pobliskiej taniej jadłodajni. Oczy miałem dostatecznie ciemne, żeby ich barwą nikogo nie przestraszyć, ale oznaczało to, że byłem bardzo głodny, i martwiłem się, czy wytrwam grzecznie wśród ludzi do końca burzy.

I tam się właśnie spotkaliśmy. Oczywiście doskonale wiedziała, że tam wejdę. – Jasper zachichotał. – Gdy tylko zamknęły się za mną drzwi, zeskoczyła z wysokiego stołka przy kontuarze i podeszła do mnie, żeby się przywitać.

Byłem w szoku. Czyżby zamierzała mnie zaatakować? Tylko taka interpretacja jej zachowania mi się nasunęła, tego nauczyło mnie życie. Ale ona się uśmiechała. A emocje, które od niej biły, nie dawały się porównać z niczym, czego do tej pory doświadczyłem. „Kazałeś mi na siebie długo czekać", powiedziała.

Dopiero teraz uświadomiłam sobie, że Alice znowu za mną stoi.

– A ty skłoniłeś się szarmancko, jak na dżentelmena z południa przystało, i wybąkałeś: „Przykro mi to słyszeć".

Parsknęła śmiechem.

Jasper posłał jej ciepły uśmiech.

– Podałaś mi rękę, a ja, zamiast wietrzyć podstęp, po prostu ją ująłem. – Teraz uczynił to samo. – Po raz pierwszy od niemal stu lat do mojego serca zawitała nadzieja.

– A ja poczułam wielką ulgę – wyznała Alice. – Bałam się, że już nigdy się nie zjawisz.

Na moment zatonęli w swoich spojrzeniach, a potem Jasper przeniósł wzrok z powrotem na mnie. Nadal kryła się w nim czułość.

– Alice powiedziała mi, że widziała w swoich wizjach Carlisle'a i jego rodzinę. Nie wierzyłem, że można być wampirem i funkcjonować w taki sposób, ale udzielił mi się jej optymizm. No i poszliśmy do nich dołączyć.

– Tak, tak. A oni o mało nie umarli ze strachu – wtrącił Edward, zanim jego brat zaczął kolejne zdanie. – Sama pomyśl, Bello, jak to wyglądało. Mnie i Emmetta nie ma w domu, bo jesteśmy akurat na polowaniu, a tu ładuje im się do domu dwójka obcych wampirów: facet cały pokryty bitewnymi bliznami i jakiś narwany chochlik, który zna imiona domowników i wiele innych szczegółów, i dopytuje się, który pokój może zająć! Kiedy wróciłem, wszystkie moje rzeczy były w garażu!

Alice wzruszyła ramionami.

– Z twojego pokoju był najładniejszy widok.

Edward dał jej sójkę w bok.

– Ale fajna historia – stwierdziłam.

Sądząc po minach Cullenów, zwątpili w moje zdrowie psychiczne.

– To znaczy, ten ostatni fragment – wyjaśniłam. – Szczęśliwe zakończenie.

– Tak – zgodził się Jasper. – Alice odmieniła moje życie na lepsze. I niech tak już zostanie.

Nagle wszyscy spochmurnieliśmy, bo przypomnieliśmy sobie o nowo narodzonych.

– Cała armia – wyszeptała Alice. – Dlaczego mi nie powiedziałeś?

Oczy wszystkich na powrót zwróciły się ku Jasperowi.

– Sądziłem, że źle interpretuję płynące z Seattle sygnały. No bo jaki ten ktoś może mieć motyw? Na co komu taka armia, tu, na północy? Tutejsze wampiry nie toczą ze sobą wojen. Zresztą, nawet jeśli ktoś miałby chrapkę na Seattle, nikt tam przecież nie mieszka na stałe, nie ma od kogo miasta odbić, więc na co komu od razu armia? Do walki z jakimiś przypadkowymi nomadami? Dziwię się, ale z drugiej strony, nie mam żadnego innego wytłumaczenia. Zbyt wiele razy to już przerabiałem. Po Seattle grasuje oddział nowo narodzonych. Podejrzewam, żc jest ich mniej niż dwudziestu – niby niewielu, ale problem w tym, że nikt ich nie wychował. Ktokolwiek ich stworzył, potem zostawił samym sobie. Będzie coraz gorzej. Wizyta Volturi to tylko kwestia czasu. Prawdę mówiąc, dziwię się, że jeszcze się tu nie zjawili.

– Jak możemy temu zaradzić? – spytał Carlisle.

– Jeśli chcemy uniknąć inspekcji z Włoch, musimy zlikwidować tych wszystkich młodych żołnierzy jak najszybciej. – Jasper zacisnął zęby. Poznawszy jego historię, wiedziałam już, że nie uśmiecha mu się powrót do przeszłości. – Nauczę was, jak to się robi, ale uprzedzam, że na terenie zabudowanym nie będzie łatwo.

To nam, a nie im, zależy na dyskrecji. Będą przez to mieli nad nami przewagę. Ale może uda się wywabić ich z miasta.

– Może nie będziemy musieli – zauważył Edward ponurym tonem. – Czy komuś jeszcze oprócz mnie przyszło na myśl, że powód, dla którego stworzono tę armię, to... my sami?

Jasper zmarszczył czoło. Carlisle mimowolnie podniósł dłoń do ust.

– Rodzina Tanyi też mieszka niedaleko – odezwała się Esme, nieskora do zaakceptowania hipotezy przyszywanego syna.

– Nowo narodzeni pojawili się w Seattle, a nie w Anchorage*, Esme. Uważam, że powinniśmy wziąć takie wytłumaczenie pod uwagę. To my jesteśmy tak naprawdę celem tych ataków.

– Przecież wiedziałabym, gdyby o nas myśleli! – zaprotestowała Alice. – Chyba że... nic nie wiedzą o swojej misji. Jeszcze nic nie wiedzą.

– Co jest? – Edward wyłapał coś w jej myślach. – Co ty wspominasz?

– To takie przebłyski – powiedziała. – Kiedy się koncentruję na sytuacji w Seattle, nie widzę nic konkretnego, tylko te przebłyski właśnie. Nie dają się ani zanalizować, ani ułożyć w żaden logiczny ciąg. Jakby ktoś bez przerwy zmieniał zdanie, o wiele szybciej, niż to się zwykle robi.

– Nie podjął jeszcze decyzji? – zdziwił się Jasper.

– Sama nie wiem...

– To nie niezdecydowanie – jęknął Edward. – To wiedza. Ten ktoś jest świadomy, na czym polega twój dar, Alice. I igra z tobą. Ukrywa się przed nami, wykorzystując to, że nie zobaczysz go, póki czegoś nie postanowi.

– Kto tyle o mnie wie?

– Aro zna cię lepiej niż ty samą siebie, nieprawdaż?

– Ależ zobaczyłabym w wizji, że zawitał do Stanów...

– Chyba że nie chciał brudzić sobie rąk.

– To przysługa – zasugerowała Rosalie. Po raz pierwszy zabrała dziś głos. – Volturi wykorzystali kogoś z południa, kogoś, komu po-

* Anchorage – największe miasto stanu Alaska – przyp. tłum.

winęła się noga i powinien zostać zlikwidowany. Powiedzieli mu: „Okej, tym razem ci darujemy, ale mamy taką małą sprawę do załatwienia...". To by wyjaśniało, dlaczego tak zwlekają z wizytą.

– Ale dlaczego? – Carlisle nadal był w szoku. – Volturi nie mają powodu...

– Niestety, mają – przerwał mu Edward cicho. – Jestem zaskoczony, że Aro zaczął wcielać ten plan w życie tak szybko, bo wyczytałem przecież z jego myśli, że chodzą mu po głowie inne, ważniejsze. Przede wszystkim, kiedy nas poznał, mnie i Alice, i dowiedział się o naszych umiejętnościach, natychmiast zapragnął włączyć nas do swojej świty. Ja odpowiadałbym za teraźniejszość, a Alice za przyszłość – idealne połączenie. Z nami u boku byłby nieomylny niczym sam Bóg Wszechmogący. Co za wizja! Nie sądziłem, że tak łatwo z tego zrezygnuje. A jednak... Zazdrość i strach okazały się silniejsze. Czego nam zazdrości, spytacie? Czego się obawia z naszej strony? Chyba nietrudno się domyślić. Z roku na rok nasza rodzina staje się coraz liczniejsza, a co za tym idzie, coraz silniejsza. Pamiętajcie, że tylko w Volterze mieszka więcej wampirów niż w Forks. Chcąc nie chcąc, stanowimy dla nich konkurencję. Aro starał się przy mnie ukryć tę myśl, ale nie do końca mu się to udało: jest władcą absolutnym, a tacy jak on konkurencję niszczą...

Nigdy nie mówił mi o swoim odkryciu, ale chyba wiedziałam dlaczego. Wizja Ara i dla mnie była niezwykle sugestywna. Wyobraziłam sobie Edwarda i Alice stojących po bokach Ara w czarnych pelerynach, z oczami czerwonymi jak krew...

Z rozmyślań wyrwał mnie głos Carlisle'a:

– Ale co z ich misją? Mieliby złamać ustanowione przez samych siebie zasady? Wystąpiliby przeciwko temu, na co sami pracowali tyle stuleci?

– Przecież nie pozwolą temu komuś z południa ujść z życiem – wyjaśnił Edward. – Podwójna zdrada. Nikt się o niczym nie dowie. Jak w filmach o mafii.

Jasper pokręcił głową. Był sceptycznie nastawiony do całej koncepcji.

– Nie, to niemożliwe. Carlisle ma rację – Volturi nie łamią reguł. Poza tym ten ktoś w Seattle jest bardzo nieporadny. Jego własne wojsko wymyka mu się spod kontroli. Założę się o wszystko, że to jego pierwszy raz. Nie, nie wierzę, że to spisek Ara. Ale bez inspekcji z Włoch się nie obejdzie, to pewne.

Zapadła cisza. Byliśmy zestresowani jak nigdy.

– Kurczę, jedźmy do tego cholernego Seattle i tyle! – wybuchł Emmett. – Na co jeszcze czekamy?!

Carlisle spojrzał znacząco na Edwarda – tamten skinął głową.

– Będziesz musiał dać nam kilka lekcji, Jasper – oświadczył Carlisle. – Nauczyć nas, jak się ich... likwiduje.

W jego oczach zobaczyłam ból. Czując się odpowiedzialnym za resztę, mówił zdecydowanym tonem, ale przecież nikt tak jak on nie brzydził się przemocy.

Coś mnie dręczyło, ale nie potrafiłam określić co. Oczywiście okropnie się bałam, byłam wręcz sparaliżowana strachem, jednak pod jego grubą warstwą kryło się coś więcej. Miałam wrażenie, że umyka mi jakiś istotny element układanki, dzięki któremu otaczający mnie chaos zyskałby na spójności.

– Będziemy potrzebować posiłków – powiedział Jasper. – Jak sądzicie, czy możemy liczyć na wsparcie od Tanyi? Pięciu dodatkowych sojuszników piechotą nie chodzi. Zależałoby mi zwłaszcza na Kate i Eleazarze.

– Zapytamy, zobaczymy – odparł doktor.

Jasper sięgnął po komórkę.

– Nie mamy czasu do stracenia.

Nigdy nie widziałam Carlisle'a tak wytrąconego z równowagi. Wziął od Jaspera telefon i podszedł do okna. Wybrawszy numer, przytknął sobie aparat do ucha, a drugą dłoń przyłożył do zimnej szyby, rozcapierzając palce. Wpatrywał się w mgły poranka z niejednoznaczną miną.

Edward wziął mnie za rękę i pociągnął w stronę dwuosobowej kanapy. Usiadłam obok, nie odrywając od niego wzroku, on zaś wpatrywał się w swojego przyszywanego ojca.

Carlisle mówił po wampirzemu – szybko i cicho. Zaraz po przywitaniu się z Tanyą przeszedł do sedna sprawy. Zdołałam wyłapać tylko tyle, by domyślić się, że znajomym Cullenów z Alaski sytuacja w Seattle jest dość dobrze znana.

Nagle ton głosu doktora uległ zmianie.

– Och – wyrwało mu się. – Nie wiedziałem... Nie zdawałem sobie sprawy, że Irina...

Edward jęknął głośno i zamknął oczy.

– A niech to szlag trafi! Przeklęty Laurent. Oby smażył się teraz w piekle.

– Laurent? – wyszeptałam, gwałtownie blednąc, ale mój ukochany na powrót skoncentrował się na myślach Carlisle'a.

Chociaż do mojego przypadkowego spotkania z przebiegłym wampirem doszło kilka miesięcy wcześniej, pamiętałam każdy szczegół. Tuż przed tym, jak zjawił się Jacob z resztą sfory, Laurent wyznał mi w sekrecie: „Tak właściwie przybyłem tutaj, żeby wyświadczyć jej przysługę"...

Victoria. Zaczęła właśnie od Laurenta – przysłała go do Forks, żeby wybadał, jak trudno będzie się do mnie dostać. Cóż, nie przeżył ataku wilków, więc i nie złożył jej raportu.

Po śmierci Jamesa Laurent nie zerwał znajomości z Victorią, ale nawiązał też nowe, dołączył bowiem do rodziny Tanyi, owej blondynki „o włosach tak żółtych, że niemal pomarańczowych", najlepszej przyjaciółki Cullenów w wampirzym świecie. W jej domu na Alasce mieszkał prawie rok.

Carlisle ciągle rozmawiał przez telefon. Wpierw zdawało mi się, że o coś Tanyę błaga, a potem, że próbuje ją do czegoś przekonać, coraz bardziej podenerwowany. Wreszcie owo podenerwowanie wzięło nad nim górę.

– Nie ma mowy – oznajmił hardo. – Mamy pakt i żadna z jego stron go nie złamała. – Wysłuchał odpowiedzi. – Trudno. W takim razie będziemy musieli poradzić sobie sami.

To powiedziawszy, wyłączył telefon bez słowa pożegnania.

Czekaliśmy, aż zda nam relację, ale nie ruszył się spod okna ani nawet nie odwrócił.

– W czym problem? – mruknął Emmett do Edwarda.

– Irina polubiła najwyraźniej naszego drogiego Laurenta bardziej, niżby się można było tego spodziewać. Jest wściekła na wilki, że go zabiły tylko po to, żeby ocalić Bellę. Chce...

Zatrzymał się, zerkając w moją stronę.

– Mów dalej – zachęciłam go, pilnując się, żeby nie zadrżał mi głos.

Edward ściągnął brwi.

– Irina chce się mścić. Wybić całą sforę. Pomogą nam w Seattle tylko wtedy, jeśli im na to pozwolimy.

– Nie! – krzyknęłam.

– O nic się nie martw – pocieszył mnie. – Carlisle za nic się na to nie zgodzi. – Westchnął ciężko. – Mścić się za Laurenta! Za tę gadzinę! Cały czas jestem dłużny wilkom za to, że go dorwały.

– To zła wiadomość – stwierdził Jasper. – Walka będzie zbyt wyrównana. Jesteśmy wprawdzie bardziej uzdolnieni, ale nie będziemy mieli przewagi liczebnej. Wygramy, ale jakim kosztem?

Zmroziło mnie, kiedy zrozumiałam, co ma na myśli.

Cullenowie mieli zwyciężyć, ale i zarazem przegrać. Nie było pewne, ilu członków rodziny wróci z Seattle żywych.

Powiodłam wzrokiem po twarzach zebranych – Jaspera, Alice, Emmetta, Rose, Esme, Carlisle'a...

Edwarda.

Już niedługo któraś z najdroższych mi osób miała zginąć.

14 Deklaracja

– Chyba żartujesz – oburzyłam się w środowe popołudnie. – Zupełnie ci odbiło?

– Możesz mnie sobie wyzywać, jeśli chcesz – oświadczyła Alice – ale imprezy i tak nie odwołam.

Wpatrywałam się w nią z niedowierzaniem. Oczy miałam tak wytrzeszczone, że lada chwila mogły mi wypaść na stojącą przede mną na blacie stołu stołówkową tacę.

– Uspokój się, Bello. Nie ma powodu, dla którego miałabym ją odwołać. Poza tym rozesłałam już zaproszenia.

– Ale... tam... wy... nie... wariatka – wybełkotałam.

– Prezent już mi kupiłaś – przypomniała Alice – więc będzie cię to kosztować zero wysiłku. Musisz tylko przyjść.

Z trudem opanowałam drżenie warg.

– Ale urządzać przyjęcie w takich okolicznościach! To nie przystoi!

– Okoliczności są takie, że kończymy liceum. Wszyscy urządzają wtedy imprezy. To tak popularne, że już niemal niemodne.

– Alice! Przestań!

Z westchnieniem przeszła do poważniejszych tematów.

– Pozostali mają jeszcze do załatwienia parę rzeczy, trochę to potrwa, więc skoro już siedzimy w trójkę bezczynnie w Forks, możemy równie dobrze trochę poświętować, póki jest co. Tylko raz kończy się liceum, Bello, a przynajmniej tylko raz kończy się je po raz pierwszy. Naprawdę warto to uczcić. Nie pójdziesz już nigdy do szkoły jako człowiek.

Edward, który do tej pory milczał, rzucił jej ostrzegawcze spojrzenie. Pokazała mu język. Miała rację – jej słodki głos nie miał szans przebić się przez stołówkowy gwar, a nawet gdyby ktoś ją podsłuchał, nic by z jej słów nie zrozumiał.

– Co to za parę rzeczy, które mają do załatwienia pozostali? – spytałam, nie pozwalając Alice odbiec od najważniejszego dla mnie tematu.

– Jasper uważa, że musi nas być więcej – odpowiedział Edward cicho. – Na szczęście na Tanyi i jej rodzinie świat się nie kończy. Carlisle próbuje namierzyć kilkoro swoich starych znajomych, a Jasper szuka Petera i Charlotte. Zastanawia się nawet nad Marią... ale tak naprawdę żadne z nas nie chce angażować południowców.

Alice zadrżała.

– Jeśli tylko ich znajdziemy – ciągnął Edward – raczej nie powinniśmy mieć kłopotów z namówieniem ich do wzięcia udziału w całej operacji. Nikt na tym kontynencie nie tęskni za wizytą Volturi.

– Ale ci znajomi... – przeraziłam się. – Przecież to nie będą „wegetarianie", prawda?

Tym eufemistycznym wyrażeniem Carlisle określał sobie podobnych.

– Nie – potwierdził Edward.

Widać było, że i jemu jest z tą myślą ciężko.

– Tutaj? W Forks?

– To nie będą jacyś przypadkowi ludzie – pocieszyła mnie Alice. – Nie martw się, wszystko będzie dobrze. No i Jasper musi nam dać jeszcze kilka lekcji z likwidowania nowo narodzonych.

Edwardowi rozbłysły oczy, a jego wargi wykrzywiły się na chwilę w mimowolnym uśmiechu. Poczułam się tak, jakby w ścianki mojego żołądka wbiły się tysiące lodowych drzazg.

– Kiedy wyruszacie? – spytałam zduszonym głosem.

Myśl, że któreś z nich może z Seattle nie wrócić, była dla mnie nie do zniesienia. Może to Emmett miał zginąć? Był tak odważny i lekkomyślny zarazem, że nigdy nie dbał o własne bezpieczeństwo. A może Esme? Nie potrafiłam sobie jej wyobrazić rozrywającej kogoś na strzępy. A może Alice, która była przecież taka drobna i krucha? A może... Nie, o tym wolałam nawet nie myśleć.

– Tak, za tydzień – odparł Edward takim tonem, jakby chodziło o jakąś wycieczkę. – Do tego czasu chyba ze wszystkim zdążymy.

Lodowe drzazgi zagłębiły się. Nagle zrobiło mi się niedobrze.

– Coś pozieleniałaś – skomentowała Alice.

Edward objął mnie ramieniem i przycisnął mocno do swojego boku.

– Zaufaj nam, Bello. Wszystko będzie dobrze.

Jasne, pomyślałam. To nie ty będziesz musiał zostać w domu i zastanawiać się godzinami, czy jeszcze kiedykolwiek zobaczysz miłość swojego życia.

I wtedy mnie olśniło. Może wcale nie musiałam zostać w domu! Potrzebowałam przecież tylko trzech dni, a nie całego tygodnia.

– Czyli szukacie ludzi, którzy mogliby wam pomóc?

– No tak.

Alice przekrzywiła głowę, zaintrygowana zmianą, która we mnie zaszła.

– Ja mogłabym wam pomóc – oznajmiłam szeptem.

Poczułam, że Edward zesztywniał. Chyba cicho syknął.

Ale to jego siostra zareagowała pierwsza.

– Mielibyśmy z ciebie pociechę – stwierdziła z sarkazmem.

– Dlaczego się nabijasz? – obruszyłam się. Słychać było, że jestem zdesperowana. – Zawsze to jeden sojusznik więcej. I mamy dostatecznie dużo czasu, żebym zdążyła przejść przemianę!

– Przemianę może przejdziesz, ale będziesz dla nas bezużyteczna – oświadczyła chłodno. – Nie pamiętasz, co Jasper mówił o nowo narodzonych? Nie nadają się do walki. Ty też byś się nie nadawała. Nie kontrolując swoich odruchów, mogłabyś łatwo stać się celem ataku. A wtedy Edward rzuciłby ci się na pomoc i jeszcze jemu coś by się stało.

Splotła ręce na piersi, zadowolona z tego, że jej rozumowaniu niczego nie da się zarzucić.

Wiedziałam, że ma rację. Nie było już dla mnie żadnej nadziei. Zgarbiłam się zrezygnowana, chociaż Edward, przeciwnie, rozluźnił się.

– Nie, kiedy się boisz – przypomniał mi szeptem swój warunek.

– Och – powiedziała nagle Alice, patrząc gdzieś w dal, a potem się skrzywiła. – Nie cierpię, jak ktoś rezygnuje w ostatnim momencie! W takim razie będzie sześćdziesiąt pięć osób, a nie sześćdziesiąt sześć.

– Sześćdziesiąt pięć osób!

Skąd tyle ich wytrzasnęła?! Ja nie miałam tylu znajomych – chyba nawet nie znałam tylu ludzi z imienia!

– Kto zrezygnował? – spytał Edward, ignorując moje zdumienie.

– Renée.

– Co... co takiego?! – wyjąkałam.

– Zamierzała zrobić ci niespodziankę, ale coś się wydarzyło i nie będzie mogła przyjechać. Jak wrócisz do domu, będzie czekała na ciebie wiadomość na automatycznej sekretarce.

Odetchnęłam z ulgą. Nie miałam pojęcia, co się przydarzyło Renée, ale i tak dziękowałam Bogu za ten splot okoliczności. Jeszcze tego brakowało, żebym i o nią miała się bać! Nie, nie wytrzymałabym tego – ze stresu dostałabym pewnie ataku serca.

Rzeczywiście, kiedy wróciłam do domu, na aparacie telefonicznym migało światełko oznaczające nową wiadomość głosową. Od razu ją odsłuchałam. Okazało się, że Renée nie może przyjechać przez Phila, który demonstrując jakiś manewr na boisku, wpadł na jednego z zawodników i złamał kość udową. Musiała go teraz doglądać jak niemowlę i nie miała serca zostawiać go w takim stanie. Kiedy się tak usprawiedliwiała, w jej głosie pobrzmiewały wyrzuty sumienia – zupełnie niepotrzebnie, bo nadal byłam wniebowzięta, że odwołała swój przyjazd.

– No, to jedna mniej na liście – westchnęłam, kiedy nagranie dobiegło końca.

– Na liście gości? – spytał Edward.

– Nie, na liście bliskich mi osób, które mogą zginąć w tym tygodniu.

Przewrócił oczami.

– Dlaczego tak do tego podchodzicie? – zdenerwowałam się. – To poważna sprawa.

Uśmiechnął się.

– To się nazywa „pewność siebie”.

– Świetnie – mruknęłam.

Sięgnęłam po słuchawkę i wybrałam numer Renée. Wiedziałam, że przyjdzie mi spędzić przy telefonie co najmniej dwadzieścia minut, ale z drugiej strony, wiedziałam też, że nie będę musiała dużo mówić.

Wysłuchałam jej cierpliwie, wtrącając gdzieniegdzie zapewnienia, że nie jestem ani rozgoryczona, ani urażona, ani wściekła. Oczywiście, jak najbardziej powinna się skoncentrować na Philu, powtórzyłam dziesięć razy. Pięć razy kazałam przekazać mu życzenia szybkiego powrotu do zdrowia. Trzy razy obiecałam zadzwonić ze szczegółową relacją z zakończenia roku. Wreszcie, żeby oderwać się od telefonu, musiałam przypomnieć Renée, że przed egzaminami końcowymi mam jeszcze dużo pracy.

Edward czekał grzecznie, aż skończę rozmawiać, ani razu nam nie przerywając – bawił się jedynie moimi włosami i uśmiechał anielsko, gdy tylko podnosiłam wzrok. Głupiałam od tego uśmiechu. Nie powinnam była zwracać uwagi na takie przyziemne błahostki na kilka dni przed bitwą, która miała odmienić moje życie, ale uroda mojego ukochanego nadal zapierała mi dech w piersiach. Czasem w jego obecności trudno było mi myśleć o czymkolwiek innym, nawet jeśli tym czymś były kłopoty mojej własnej matki czy wrogie armie nowo narodzonych wampirów.

Cóż, byłam tylko słabym człowiekiem.

Odłożywszy słuchawkę, wspięłam się na palce i pocałowałam Edwarda prosto w usta. Żebym się tak nie męczyła, ujął mnie w pasie i posadził na kuchennym blacie. Mogłam teraz zarzucić mu ramiona na szyję i przytulić się mocno do jego chłodnego torsu.

Jak zwykle, odsunął mnie od siebie zbyt szybko. Poczułam, że robię minę obrażonego dziecka. Parsknął śmiechem. Wyplątawszy się z moich kończyn, oparł się o blat koło mnie i objął mnie ramieniem.

– Wiem, że uważasz, iż moja samokontrola nie ma granic, ale prawda wygląda nieco inaczej.

– Jaka szkoda.

Westchnęliśmy oboje.

– Jutro po szkole – zmienił temat – wybieram się na polowanie z Carlisle'em, Esme i Rosalie. Tylko na kilka godzin, nie będziemy się zbytnio oddalać. Alice, Jasper i Emmett będą cię mieli na oku.

Jęknęłam głośno. Następnego dnia czekały mnie dwa egzaminy, i to te najgorsze, z historii i z matmy. Co gorsza, miały się skończyć wcześniej niż zwykłe lekcje, więc bez Edwarda miałam spędzić prawie cały dzień. Cały dzień na zamartwianie się.

– Nie cierpię tego, że pilnuje się mnie jak małe dziecko – pożaliłam się.

– Jeszcze tylko trochę – obiecał.

– Jasper zanudzi się na śmierć. A Emmett będzie robił mi przytyki.

– Przyrzekam, że obaj będą zachowywać się bez zarzutu.

– Jasne – burknęłam.

A potem przyszło mi do głowy, że mam więcej nianiek do wyboru.

– Hm... Wiesz, że nie byłam w La Push od ogniska?

Przyjrzałam mu się uważnie, żeby nie umknął mi żaden szczegół. Ociupinkę, ociupineczkę ściągnął brwi.

– Sfora też potrafi zadbać o moje bezpieczeństwo – przypomniałam.

Zamyślił się na parę sekund.

– Chyba masz rację – przyznał.

Wydawał się spokojny, ale jednak trochę za spokojny. Mało brakowało, a spytałabym go, czy nie wolałby, żebym została w Forks, tyle że wtedy przypomniały mi się odzywki Emmetta i czym prędzej zmieniłam temat.

– Jesteś już głodny?

Przesunęłam palcami po sinej skórze pod jego lewym okiem. Tęczówki miał nadal soczyście złote.

– Nie za bardzo.

Trochę się zmieszał, co mnie zdziwiło. Zaczekałam na wyjaśnienie.

– Chcemy być tak silni, jak to tylko możliwe – dodał, nadal coś przede mną ukrywając. – Zapolujemy pewnie jeszcze raz po drodze, na coś naprawdę dużego.

– Im większe zwierzę, tym robicie się silniejsi?

Rzucił mi podejrzliwe spojrzenie, ale nie dopatrzył się w moich oczach niczego prócz ciekawości.

– Tak – powiedział w końcu. – A najsilniejsi robimy się po skosztowaniu ludzkiej krwi. Pomiędzy działaniem krwi człowieka a niedźwiedzia czy pumy jest właściwie niewielka różnica, ale Jasper zastanawia się, czy nie byłoby rozsądniej odejść na trochę od naszej diety. Oczywiście nikomu tego nie zaproponuje – wie, co powiedziałby Carlisle, no i jego samego też to odrzuca.

– Mielibyście wtedy większą przewagę? – spytałam cicho.

– To nie ma znaczenia. Nie złamiemy naszych zasad.

Zasępiłam się. Skoro coś mogło im pomóc... Wzdrygnęłam się, bo uświadomiłam sobie, że jestem gotowa skazać jakiegoś obcego niewinnego człowieka na śmierć, byle tylko uratować swoich bliskich. Przeraziło mnie to odkrycie.

Edward znowu skierował naszą rozmowę na inne tory.

– Rzecz jasna, to dlatego nowo narodzeni są tacy silni. Są pełni ludzkiej krwi – swojej własnej krwi. Tę zalegającą w tkankach zużywają bardzo powoli. Tak jak mówił Jasper, jej zapasy wyczerpują się mniej więcej po roku.

– I ja też będę taka silna?

Uśmiechnął się.

– Silniejsza ode mnie.

– Silniejsza od Emmetta?

Uśmiechnął się jeszcze szerzej.

– Od Emmetta też. Wiesz co, wyświadcz mi przysługę i po swojej przemianie poproś go, żeby posiłował się z tobą na rękę. Przytrzemy mu nosa.

Zaśmiałam się. Nie mogłam sobie wyobrazić tej sceny.

A potem westchnęłam i zeskoczyłam na podłogę, bo tego, co miałam do zrobienia, nie mogłam już odkładać na później. Musiałam kuć do egzaminów.

Na szczęście mogłam liczyć na pomoc Edwarda, a był on najlepszym korepetytorem pod słońcem. Nie było rzeczy, której by nie wiedział. Doszłam do wniosku, że największym problemem podczas egzaminów będzie dla mnie skoncentrowanie się na treści pytań. Mogłam przecież odpłynąć i w eseju z historii opisać wojny wampirów z południa!

Zrobiłam sobie przerwę, żeby zadzwonić do Jacoba. Kiedy z nim rozmawiałam, Edward był równie grzeczny, jak przy mojej rozmowie z Renée. Znów bawił się moimi włosami.

Chociaż był środek popołudnia, Jacob spał i z początku narzekał, że go obudziłam. Rozchmurzył się dopiero wtedy, gdy spytałam, czy mogę go odwiedzić następnego dnia. Sam nie miał już lekcji, bo w rezerwacie rok szkolny kończył się wcześniej, więc zachęcił mnie, żebym przyjechała zaraz po zajęciach. Ucieszyłam się, że nie będę jednak musiała siedzieć w Forks pod kluczem. Spędzając dzień z Jacobem, zachowywałam godność.

Trochę z tej godności zostało mi nazajutrz odebrane, bo Edward znowu się uparł, że odwiezie mnie pod samą granicę, żeby „przekazać" mnie niczym dziecko rozwiedzionych rodziców.

– I jak ci poszło na egzaminach? – spytał mnie po drodze.

– Historia była łatwa, ale nie jestem pewna co do matmy. Wydawało mi się, że to, co piszę, ma sens, a to chyba zły znak.

– Jestem pewien, że dobrze ci poszło. A jeśli naprawdę się boisz o swój wynik, mogę zawsze przekupić pana Varnera, prawda?

– Nie, dziękuję – mruknęłam.

Miał jakąś obsesję z tymi łapówkami.

Kiedy wyjechaliśmy zza zakrętu, czerwony volkswagen stał już na swoim miejscu. Edward skoncentrował się na czymś, marszcząc czoło. Parkując, westchnął.

Zawahałam się. Dłoń miałam już na klamce.

– Coś nie tak?

Pokręcił przecząco głową.

– Nic takiego.

Znowu się na czymś skupił. Dobrze znałam tę minę.

– Chyba nie podsłuchujesz Jacoba? – spytałam z wyrzutem.

– Nie tak łatwo ignorować kogoś, kto głośno krzyczy.

– Och. – To zmieniało nieco stan rzeczy. – A co on krzyczy? – szepnęłam.

– Jestem w stu procentach pewny, że sam ci o tym powie – oświadczył Edward zjadliwym tonem.

Drążyłabym temat dalej, ale w tym samym momencie Jacob dwukrotnie zatrąbił, żeby okazać swoje narastające zniecierpliwienie.

– To już przesada – obruszył się Edward.

– To cały on – stwierdziłam.

Wysiadłam pospiesznie, żeby nie zdążył rozdrażnić mojego chłopaka ani odrobinę bardziej.

Podszedłszy do rabbita, pomachałam Edwardowi na pożegnanie. Z tej odległości wyglądał na jeszcze bardziej zdenerwowanego – a może tylko mi się zdawało? Miałam słaby wzrok i w kółko mylnie interpretowałam to, co widziałam.

Marzyłam o tym, żeby takie spotkania przebiegały zupełnie inaczej. Obaj powinni byli wysiąść z aut i uścisnąć sobie ręce, a potem spróbować się zaprzyjaźnić. Tak bardzo chciałam, żeby byli dla siebie Jacobem i Edwardem, a nie tylko „tamtym wilkołakiem" i „tamtym wampirem". Przypominali mi uparte magnesy z lodówki, a ja starałam się zbliżyć ich do siebie, dążąc w gruncie rzeczy do tego, by odwróciły się prawa natury.

Westchnęłam i wgramoliłam się do volkswagena.

– Cześć, Bells – przywitał mnie Jacob wesoło, ale bardzo zmęczonym głosem.

Ruszyliśmy w stronę La Push. Prowadził, nie odrywając wzroku od szosy. Jeździł szybciej ode mnie, ale wolniej niż Edward.

Przyjrzałam mu się uważniej. Nie tylko z jego głosem było coś nie tak. Naprawdę kiepsko wyglądał: twarz miał poszarzałą, opadały mu powieki, a nieprzycinane od dawna włosy sterczały na boki pod najróżniejszymi kątami. Czyżby był chory?

– Nic ci nie jest, Jake?

– Padnięty jestem i tyle. – Ledwie udało mu się odpowiedzieć, bo zaraz potem zebrało mu się na porządne ziewanie. – Na co masz dziś ochotę? – spytał, kiedy wreszcie skończył.

Był w takim stanie, że nie śmiałam sugerować nic zbytnio forsownego.

– Posiedźmy po prostu u ciebie w domu – zaproponowałam. – Motocykle mogą poczekać.

– Okej.

Znowu się rozziewał.

W domu Blacków nie zastaliśmy nikogo i poczułam się dziwnie. Uzmysłowiłam sobie, że uważałam do tej pory Billy'ego za coś w rodzaju elementu wyposażenia.

– Gdzie twój tata?

– U Clearwaterów. Często tam przesiaduje od śmierci Harry'ego. Sue doskwiera samotność.

Usiadł na ich starej kanapie. Była taka wąska, że musiał się skulić, żebym też się na niej zmieściła.

– To miło z jego strony. Biedna Sue.

– Tak... Widzisz, ma ostatnio trochę kłopotów... – Zawahał się. – Kłopotów z dziećmi.

– Pewnie im też jest ciężko po stracie ojca.

– Pewnie tak – mruknął, myślami będąc już gdzieś indziej.

Wziął do ręki pilota i zaczął skakać z kanału na kanał, nie zwracając większej uwagi na to, co robi. Znowu ziewnął.

– Powiedz, co się stało – ponowiłam prośbę. – Przypominasz zombie.

– Nic się nie stało. Po prostu dzisiaj spałem dwie godziny, a wczoraj cztery.

Wyprostował powoli ramiona i usłyszałam, jak strzelają mu stawy. Lewą rękę położył za mną na oparciu, a głową oparł się o ścianę.

– Ledwo żyję – dodał.

– Czemu tak mało sypiasz?

Skrzywił się.

– To wszystko przez Sama. Nie ufa twoim pijawkom. Od dwóch tygodni pilnuję cię na dwie zmiany i nikt mnie jeszcze nie tknął, ale on tego wciąż nie kupuje. No więc na razie chronię cię tylko ja.

– Na dwie zmiany? Żeby dbać o moje bezpieczeństwo? Jake, tak nie można! Potrzebny ci wypoczynek. Nic mi nie będzie.

– Mną się nie przejmuj – burknął. Nagle się ożywił. – Hej, ustaliliście już, kto się zakradł do twojego pokoju? Macie jakieś nowe informacje?

To drugie pytanie puściłam mimo uszu.

– Nie, nie wiemy jeszcze, kto to był.

– W takim razie będę dalej stał na warcie – oznajmił, przymykając powieki.

– Jake… – zaczęłam protestować.

– Wcale tak bardzo się nie poświęcam – wszedł mi w słowo. – Zapomniałaś już, że przyrzekłem ci niewolnicze oddanie? Jestem na twoje rozkazy.

– Nie chcę niewolnika!

Otworzył oczy.

– A czego chcesz?

– Chcę swojego najlepszego kumpla, a nie półprzytomne zombie, które lada chwila zrobi sobie krzywdę, pakując się nierozsądnie…

– Spójrz na to z innej strony – przerwał mi. – Jeśli uda mi się namierzyć jednego z twoich wrogów, będę mógł nareszcie zabić z czystym sumieniem jakiegoś wampira.

Odrzuciło mnie. Wbiłam wzrok w telewizor.

– Bella! Tylko żartowałem!

Nie odpowiedziałam.

– Masz już jakieś plany na następny tydzień? – zaczął z innej beczki. – Kurczę, kończysz liceum. Poważna sprawa.

Powiedział to dziwnie bezbarwnym głosem, więc zerknęłam na niego, by sprawdzić, co jest grane. Znowu miał zamknięte oczy. Pomyślałam najpierw, że już zasypia, ale zaraz potem zdałam sobie sprawę, że jest inaczej – starał się w ten sposób ukryć przede mną to, co czuł. Nadal sądził, że tuż po zakończeniu roku szkolnego stanę się przedstawicielką innej rasy. Nie wiedział, że moja przemiana została przesunięta w czasie.

– Nie planuję nic specjalnego – odpowiedziałam znacząco, mając nadzieję, że zdołam go pocieszyć, bez udzielania szczegółowych wyjaśnień. Nie chciałam kierować rozmowy na ten trudny temat z dwóch powodów – po pierwsze, Jacob był zbyt wyczerpany, żeby się z nim zmierzyć, po drugie, wiedziałam, że przypisze moim rozterkom zbyt wielkie znaczenie.

– Szykuje się wprawdzie impreza u Cullenów, której niby jestem gospodynią – ciągnęłam – ale tak naprawdę to pomysł Alice. Ona uwielbia przyjęcia. Sprosiła ludzi jak na wesele. – Wzniosłam oczy ku niebu. – Super. Już się nie mogę doczekać.

Kiedy mówiłam, Jacob uniósł powieki i uśmiechnął się. Moja aluzja została zrozumiana.

– Nie dostałem zaproszenia – udał urażonego. – Czuję się dotknięty.

– Cóż, skoro to niby moja impreza, to chyba mogę cię zaprosić, choćby teraz.

– Dzięki – powiedział z sarkazmem, znowu odpływając w niebyt.

– Szkoda, że nie możesz przyjść. Z tobą to na pewno bym się dobrze bawiła.

– Tak, tak. – Mówił coraz ciszej. – Gorzej... z Cullenami...

Sekundę później już pochrapywał.

Biedny Jacob...

Patrzyłam na niego przez kilka minut. Pogrążony we śnie wyglądał tak uroczo. Znikały wtedy z jego twarzy wszelkie oznaki agresji czy zgorzknienia i nagle stawał się na powrót nastoletnim chłopcem – tym samym chłopcem, z którym majstrowałam przy motorach, kiedy obojgu nam o wilkołakach nawet się nie śniło. Wpatrując się w niego w takim stanie, mogłam się oszukiwać, że wydarzenia ostatnich miesięcy nie miały miejsca.

Chciałam, żeby choć trochę nadrobił zarwane noce, więc nie zamierzałam mu przeszkadzać. Szykując się do przeczekania jego drzemki, zmieniłam ostrożnie pozycję na wygodniejszą, po czym sięgnęłam po pilota. Jakoś trzeba było zabić czas.

W telewizji nie leciało nic ciekawego. W końcu zatrzymałam się na programie o gotowaniu, ale obserwując poczynania prezenterki, doszłam do wniosku, że nigdy nie będzie mi się chciało tak wysilać. Kiedy chrapanie Jacoba zaczęło zagłuszać fonię, bez żalu wyłączyłam odbiornik.

Byłam dziwnie zrelaksowana i też trochę chciało mi się spać. Czułam się u Blacków bezpieczniej niż u siebie w domu, najprawdopodobniej dlatego, że nikt wrogo do mnie nastawiony nigdy mnie tutaj nie szukał. Podciągnęłam kolana pod brodę z postanowieniem, że też utnę sobie krótką drzemkę.

Ledwie zamknęłam oczy, uświadomiłam sobie, że nic z tego. Donośne chrapanie mojego kompana skutecznie odpędzało sen. W rezultacie, zamiast przenieść się w objęcia Morfeusza, zanurzyłam się w strumieniu własnych myśli.

Egzaminy miałam za sobą, a rozwiązanie większości testów nie przysporzyło mi większych problemów. Matematyka, jedyny wyjątek, zdana czy nie, też należała już do przeszłości. Moja edukacja na poziomie licealnym dobiegła końca. Nie wiedziałam, co o tym sądzić. Nie potrafiłam spojrzeć obiektywnie, bo ukończenie szkoły wiązało się dla mnie z zakończeniem ludzkiego życia.

Byłam ciekawa, jak długo jeszcze Edward zamierza używać jako wymówki mojego strachu. Chyba musiałam zaczekać na odpowiedni moment i tupnąć nogą.

Gdybym kierowała się w tej sprawie rozsądkiem, o zmienienie mnie poprosiłabym Carlisle'a. Pewnie by się zgodził. W Forks zrobiło się ostatnio niebezpiecznie niczym w strefie działań wojennych. Ba, była tu teraz strefa działań wojennych. Poza tym nie musiałabym wtedy iść na tę nieszczęsną imprezę Alice. Uśmiechnęłam się do siebie, rozmyślając o tym najbardziej trywialnym z powodów, by zostać wampirem. Tak, był idiotyczny... ale jakże kuszący!

Ale Edward miał rację – naprawdę nie byłam jeszcze gotowa.

I nie chciałam kierować się rozsądkiem. Chciałam, żeby to mój ukochany mnie zmienił. Pewnie po kilku sekundach od ugryzienia miałam zapomnieć z bólu, jak mam na imię, a co dopiero o tym, kto mnie tak właściwie ugryzł, ale i tak upierałam się przy swoim. Zupełnie irracjonalnie.

Trudno mi było wyjaśnić, nawet samej sobie, dlaczego to dla mnie takie ważne. Może chodziło o to, żeby pokazał, jak bardzo mu na mnie zależy – żeby to on sam dokonał ostatecznego wyboru, a nie tylko pasywnie wyraził zgodę na moją przemianę. Podobało mi się też (choć wiedziałam, że to dziecinne), że ostatnią rzeczą, jaką poczułabym jako człowiek, byłby chłód jego warg. No i miałam jeszcze bardziej wstydliwe pragnienie – takie, do którego nigdy bym się głośno nie przyznała. Uważałam mianowicie, że jeśliby wypełnił mnie jad Edwarda, w romantyczny i zarazem całkiem namacalny sposób stałabym się kimś, kto do Edwarda przynależał.

Cóż z tego, skoro oprócz mojego strachu miał jeszcze jedną wymówkę – moją niechęć do małżeństwa. Co jak co, ale dobrze sobie obmyślił ten warunek. Chciał grać na zwłokę i na razie jego strategia się sprawdzała. Spróbowałam sobie wyobrazić, jak informuję rodziców, że jeszcze tego lata zamierzam wyjść za mąż. Jak mówię o tym Angeli, Benowi, Mike'owi... O nie! Zapadłabym się pod ziemię! Wolałabym już im oznajmić, że zostaję wampirem. Zresztą w przypadku Renée byłam przekonana, że na wampira zgodziłaby się szybciej niż na ślub. Skrzywiłam się, kiedy przed oczami stanęła mi jej zszokowana mina.

A potem, tylko na ułamek sekundy, zobaczyłam raz jeszcze tę dziwaczną wizję rodem z *Ani z Zielonego Wzgórza*, w której siedzimy z Edwardem na werandzie drewnianego domu, ubrani w stroje z minionej epoki. W tamtym świecie obrączka na moim palcu nikogo by nie zaskoczyła – jeśli dwoje ludzi chciało być razem, wręcz musieli się pobrać. Wszystko było wtedy poniekąd o wiele prostsze.

Chrząknąwszy, Jacob zmienił nieco pozycję i jego umięśniona ręka ześlizgnęła się z oparcia kanapy, przyciskając mnie swoim ciężarem do jego rozgrzanego ciała. Dobry Boże, jakież ono było gorące! Na czoło wystąpiły mi natychmiast kropelki potu.

Spróbowałam się wyślizgnąć spod zawadzającej mi kończyny, ale kiedy z wysiłkiem odrzuciłam ją na bok niczym sztangę, jej właściciel wzdrygnął się, jakby usłyszał salwę armatnią, i otworzywszy oczy, zerwał się na równe nogi.

– Co jest? Co się dzieje? – zawołał zdezorientowany.

– To tylko ja. Przepraszam, że cię obudziłam.

Spojrzał na mnie zdziwiony.

– Bella? Ty tutaj?

– Cześć, śpiochu.

– O, cholera! Naprawdę zasnąłem? Kurczę, to ja przepraszam. Długo spałem?

– Zdążyłam obejrzeć kilka odcinków „Emeril". Straciłam już rachubę.

Opadł ciężko z powrotem na kanapę.

– Ale się popisałem...

Pogłaskałam go po głowie, doprowadzając przy okazji jego fryzurę do porządku.

– Nie załamuj się. Cieszę się, że mogłeś wreszcie trochę pospać.

Przeciągnął się i ziewnął.

– Ostatnio jestem do niczego. Nic dziwnego, że Billy'ego w kółko nie ma. Zanudziłby się przy mnie na śmierć.

– Wszystko z tobą w porządku. Niepotrzebnie się przejmujesz.

– Wiesz co, chodźmy się lepiej przejść, bo jeszcze znowu odpłynę.

– Jake, musisz się wyspać. Nic mi nie będzie. Zadzwonię do Edwarda, żeby po mnie podjechał. – Pomacałam kieszenie, ale były puste. – Oj, chyba muszę skorzystać z waszego telefonu. Zostawiłam komórkę Edwarda w samochodzie.

Chciałam wstać z kanapy, ale Jacob chwycił mnie za rękę.

– Nie idź jeszcze, proszę. Jak dla mnie, dopiero co przyjechałaś, a przecież nie bywasz tu znowu tak często. Boże, nie wierzę, że zmarnowałem tyle czasu!

Wstał z kanapy, podrywając mnie za sobą, po czym wyprowadził mnie przez frontowe drzwi, schylając się na progu, żeby nie uderzyć głową o framugę. Kiedy spał, na zewnątrz bardzo się ochłodziło – być może zbierało się na burzę. Można było pomyśleć, że to luty, a nie czerwiec.

Lodowate powietrze najwyraźniej orzeźwiło Jacoba, bo zaczął przechadzać się energicznie w tę i z powrotem po podjeździe, ciągnąc mnie wciąż za sobą niczym psa na przykrótkiej smyczy.

– Co za kretyn ze mnie – mruknął.

– O co ci chodzi? Po prostu zasnąłeś.

– A miałem z tobą porozmawiać... Nie mogę uwierzyć, że tak to się skończyło.

– Jeszcze tu jestem – zauważyłam. – Porozmawiajmy.

Zerknął na mnie, a potem na rosnące wkoło drzewa. Wydało mi się, że się zarumienił, ale miał na tyle ciemną cerę, że trudno było ocenić.

Nagle przypomniało mi się, co powiedział Edward, kiedy podwiózł mnie pod granicę – że nie zdradzi mi, o czym krzyczy w myślach mój przyjaciel, bo ten sam do tego dojdzie. Zaczęłam nerwowo skubać sobie zębami dolną wargę.

– To nie tak miało być. – Jacob pokręcił głową i zaśmiał się, jakby z samego siebie. – Zamierzałem dyskretnie skierować rozmowę na ten temat, a nie walić tak prosto z mostu, ale, cholera... – Spojrzał na ciemniejące chmury. – Nie mam już czasu na takie gierki.

Nadal krążyliśmy po podwórku, tyle że nieco wolniej. Moje zapasy cierpliwości powoli się wyczerpywały.

– Jakie gierki? – nie wytrzymałam. – Jaki temat? O co ci chodzi?

Wziął głęboki wdech.

– Chcę ci coś oznajmić. Już o tym wiesz, ale... ale uważam, że powinienem powiedzieć to głośno. Żeby wszystko było jasne. Żadnych niedomówień.

Zaparłam się nogami o ziemię, żebyśmy wreszcie się zatrzymali, a potem wyszarpnęłam dłoń z jego uścisku i splotłam ręce na piersi. Wiedziałam już, co się święci, więc całą sobą okazałam mu wyraźnie, jaki mam stosunek do jego rewelacji.

Ściągnął brwi, ale moja reakcja go nie zniechęciła. Spojrzał mi hardo prosto w oczy. Jego własne były czarne jak dwa węgle.

– Jestem w tobie zakochany – oświadczył pewnym siebie tonem. – Kocham cię, Bello. I chcę, żebyś wybrała mnie zamiast jego. Wiem, że nie czujesz do mnie tego, co ja do ciebie, ale zawsze łatwiej podjąć decyzję, jeśli ma się pewność co do różnych opcji. Może moja szczerość coś tu zmieni.

15 Zakład

Wpatrywałam się w niego w milczeniu dobrą minutę. Nie miałam pojęcia, co mu odpowiedzieć.

Czekając na moją reakcję, powoli się rozluźniał. W końcu z jego twarzy znikły resztki powagi.

– Okej. – Wyszczerzył zęby w uśmiechu. – To by było na tyle.

– Jake... – Miałam wrażenie, że w gardle stanęło mi coś wielkiego i lepkiego. Spróbowałam owo coś przełknąć. – Wiesz, że... Nie mogę tak... Muszę już iść.

Odwróciłam się na pięcie, ale złapał mnie za ramiona, zmuszając do tego, żebym na niego spojrzała.

– Nie, zaczekaj. Bella, ja wszystko rozumiem. Ale odpowiedz mi na jedno pytanie, dobra? Tylko szczerze. Czy chcesz, żebym teraz cię zostawił i już nigdy się z tobą nie spotkał?

Byłam tak wzburzona, że trudno mi się było skupić, i znowu potrzebowałam minuty, żeby mu odpowiedzieć.

– Nie. To byłoby straszne – przyznałam.

– A widzisz – ucieszył się.

– Ale nie chcę się z tobą widywać z tych samych powodów, dla których ty chcesz się widywać ze mną – zaoponowałam.

– No to wyjaśnij mi, dlaczego tak właściwie chcesz się ze mną dalej spotykać.

Zamyśliłam się.

– Hm... Dość szybko zaczynam za tobą tęsknić. A kiedy jesteś szczęśliwy, też się robię szczęśliwa. Ale, Jacob, to samo mogłabym powiedzieć o Charliem. Jesteś dla mnie jak członek rodziny, jak brat. Kocham cię, ale nie jestem w tobie zakochana.

– Ale lubisz przebywać w moim towarzystwie.

Westchnęłam. Niczym nie dawało się go zniechęcić.

– Lubię.

– Więc będę łaził za tobą jak pies.

– Boże, ale z ciebie upierdliwy masochista...

– Do usług.

Sięgnął do mojego policzka, żeby mnie po nim pogłaskać, ale odepchnęłam jego dłoń.

– Nie mógłbyś się przynajmniej wstrzymać z takimi zagraniami? – spytałam poirytowana.

– Nie. Decyzja należy do ciebie, Bello. Albo się ze mną widujesz i akceptujesz cały pakiet, albo do widzenia.

Zatkało mnie.

– Wredny jesteś.

– Sama jesteś wredna.

Odruchowo cofnęłam się o krok, ale ta obelga dała mi do myślenia. Miał rację. Gdybym nie była wredna – i zachłanna – powiedziałabym mu, że nie możemy być dłużej przyjaciółmi, i wróciła do Forks. Nie powinnam była tak go wykorzystywać. Co ja tu w ogóle robiłam?

– Rzeczywiście – szepnęłam.

Zaśmiał się.

– Wybaczam ci. Postaraj się tylko za bardzo na mnie nie wściekać, bo nie zamierzam się poddać. Taka walka do końca to jest to. Choćby się było z góry skazanym na przegraną.

– Jacob... – Posłałam mu błagalne spojrzenie, żeby choć trochę spoważniał. – Ja go kocham. On jest całym moim życiem.

– Mnie też kochasz – przypomniał mi.

Chciałam zaprotestować, ale uciszył mnie stanowczym gestem.

– Okej, nie w ten sam sposób, wiem, wiem. Ale nie gadaj bzdur, że facet jest całym twoim życiem. Już nie. Może i kiedyś był, ale potem cię zostawił. I teraz musi się pogodzić z konsekwencjami swojego postępku. Z tym, że na scenie pojawiłem się ja.

Pokręciłam głową.

– To niemożliwe.

Nagle Jacob naprawdę spoważniał. Ujął mnie pod brodę, żebym nie mogła odwrócić wzroku.

– Bella, będę o ciebie walczył, dopóki bije w tobie serce. Nie zapominaj, że masz wybór.

– Nie chcę mieć wyboru – syknęłam, usiłując się wyswobodzić. – A poza tym moje serce przestanie bić już bardzo niedługo. Masz coraz mniej czasu.

Cały się najeżył.

– Tym bardziej warto walczyć. Póki jeszcze jest o co.

Nadal trzymał moją brodę – jego palce wpijały się boleśnie w skórę – więc zobaczyłam w jego oczach, że podejmuje pewną decyzję.

– N... – zaczęłam, ale było już za późno.

Poczułam jego wargi na swoich. Całował mnie gwałtownie, wręcz brutalnie, przytrzymując mnie drugą ręką za szyję, żebym mu się nie wyrwała. Okładałam go z całej siły pięściami, ale zdawało mu się to zupełnie nie przeszkadzać. Wargi miał miękkie i ciepłe, do czego nie byłam przyzwyczajona.

Chwyciłam go za policzki, żeby odepchnąć go od siebie, ale to też mi się nie udało. Tym razem zwrócił jednak chyba uwagę na moje protesty, bo rozbestwił się jeszcze bardziej i rozwarł mi wargi językiem. Poczułam w ustach jego gorący oddech.

Reagując instynktownie, zwiesiłam luźno ręce i wyłączyłam się. Już się nie szarpałam – po prostu czekałam, aż wreszcie przestanie.

Podziałało. Spacyfikowałam go tą swoją bezradnością. Odsunął mnie od siebie, żeby mi się przyjrzeć, a potem pocałował mnie znacznie delikatniej – jeden raz, drugi, trzeci... Udawałam, że jestem posągiem.

W końcu zostawił mnie w spokoju.

– Skończyłeś już? – spytałam obojętnym tonem.

– Tak – powiedział z lubością.

Przymknął oczy. Wyglądał na rozmarzonego.

Tak mnie to rozgniewało, że zebrałam wszystkie siły i zamachnąwszy się potężnie, uderzyłam go w twarz.

Rozległo się głośne chrupnięcie.

– Auć! Au! – wrzasnęłam.

Zgięta wpół z bólu, zaczęłam skakać na jednej nodze, przyciskając prawą dłoń do piersi. Coś mi w niej pękło, czułam to.

Jacob był w szoku.

– Nic ci jest?

– Wszystko mi jest, chamie jeden! Złamałeś mi jakąś kość w dłoni!

– Bella, to ty sama ją sobie złamałaś. A teraz przestań tańczyć i pozwól mi ją zbadać.

– Łapy przy sobie! Wracam do domu!

– Odwiozę cię – powiedział spokojnie.

Nawet nie pocierał sobie podbródka, jak na filmach. Byłam żałosna.

– Dzięki – warknęłam. – Wolę pójść pieszo.

Odwróciłam się i ruszyłam w stronę szosy. Od granicy dzieliło mnie tylko kilka kilometrów. Wiedziałam, że wystarczy, że odłączę się od Jacoba, a zobaczy mnie Alice i kogoś po mnie przyśle.

– Nie bądź taka. Odwiozę cię – powtórzył.

Był na tyle bezczelny, żeby po tym wszystkim próbować mnie złapać.

Tym razem mu się wyrwałam.

– Super! – wydarłam się. – Odwieź mnie! Proszę bardzo! Mam nadzieję, że Edward skręci ci od razu kark, ty podły, obleśny kundlu!

Tylko przewrócił oczami. Doprowadził mnie do auta, otworzył przede mną drzwiczki i pomógł wsiąść do środka. Kiedy zajął miejsce za kierownicą, wesoło pogwizdywał.

– Poczułeś chociaż cokolwiek? – spytałam rozdrażniona.

– Chyba żartujesz. Gdybyś się nie zamachnęła z wrzaskiem, może i bym się nie połapał, że chcesz mnie uderzyć, ale tak? Przecież ja mogę walczyć z wampirami.

– Nienawidzę cię, Black.

– To dobrze. Zawsze to jakieś gorące uczucie.

– Ja ci dam gorące uczucie! Zamorduję cię w afekcie, ot co!

– Przestań – powiedział z uśmiechem, przeciągając akcentowaną samogłoskę. – To musiało być lepsze od całowania się z kawałem granitu.

– W sztuce całowania nie dorastasz mu do pięt.

– Będziesz mi teraz takie wciskać.

– Wcale nie!

Posmutniał na chwilę, ale zaraz się rozchmurzył.

– Uparciuch z ciebie i tyle. Ja tam może nie mam z czym tego porównywać, ale bardzo, bardzo mi się podobało.

– A idź mi – prychnęłam.

– Zobaczysz, przypomnisz sobie o mnie dziś w nocy. Pan wampir będzie sądził, że sobie smacznie śpisz, a ty będziesz zastanawiać się, jakiego dokonać wyboru.

– Jeśli przypomnę sobie o tobie dziś w nocy, to tylko dlatego, że nawiedzisz mnie w koszmarze!

Zwolnił, żeby móc na mnie spojrzeć. Jego mina świadczyła o tym, że wcale nie żartuje.

– Tylko pomyśl, Bella – zachęcił mnie z entuzjazmem – jak by to było, gdybyśmy zostali parą. Dla mnie nie musiałabyś niczego w swoim życiu zmieniać. I Charlie byłby zadowolony, że to ze mną się związałaś. Chroniłbym cię równie dobrze, jak wampiry, a może nawet lepiej. Wierz mi, byłabyś ze mną szczęśliwa. Tyle ci mogę dać, czego on nie jest w stanie. Choćby to całowanie – założę się, że gość nie może się tak zatracić, bo jeszcze zrobiłby ci krzywdę. A ja cię nigdy nie skrzywdzę.

– Jasne. A to niby co?

Wskazałam podbródkiem swoją ranną dłoń.

Westchnął.

– To nie moja wina. To efekt twojej niedomyślności.

– Jacob, ja nie mogę być szczęśliwa bez niego.

– Skąd wiesz, skoro nigdy nie próbowałaś? Kiedy cię zostawił, wpakowywałaś całą swoją energię w to, żeby o nim nie zapomnieć. Gdybyś się tak kurczowo nie czepiała tego uczucia, nie wpadłabyś wtedy w tę depresję.

– Nie chcę być szczęśliwa z nikim oprócz niego – upierałam się.

– Raz cię już zawiódł. Ja tam cię nigdy nie zawiodę. Co, jeśli znowu cię porzuci?

– Nie zrobi tego – wycedziłam przez zaciśnięte zęby.

Wspomnienia, które Jake wydobywał na światło dzienne, były dla mnie bardzo bolesne. Zapragnęłam się za to zemścić.

– Ty też mnie raz zostawiłeś – wypomniałam mu lodowatym tonem.

Miałam na myśli te tygodnie, kiedy się przede mną ukrywał, i to, co zakomunikował mi wtedy w lesie, w La Push.

– Wcale cię nie zostawiłem! – oburzył się. – Powiedzieli mi, że nie wolno mi tobie powiedzieć... że może ci się coś stać, jeśli nadal będziemy się widywać. Ale nigdy cię nie zostawiłem, nigdy! Nocami kręciłem się koło twojego domu – tak jak to robię teraz. Żeby się upewnić, że nic ci nie grozi.

Nie miałam zamiaru pozwolić, żeby przekonał mnie, jak bardzo wtedy cierpiał.

– Nie moglibyśmy jechać trochę szybciej? Bardzo mnie boli.

Znowu westchnął i docisnąwszy pedał gazu, przeniósł wzrok na szosę.

– Przemyśl to, Bella.

– Po moim trupie – burknęłam.

– Zobaczysz. Dziś w nocy. A gdy będziesz o mnie myśleć, ja też będę myślał o tobie.

– Jakoś przeżyję ten koszmar.

Uśmiechnął się nagle.

– Podobało ci się. Pod koniec wyraźnie poddałaś się przyjemności.

Jego bezczelność nie znała granic! Odruchowo zacisnęłam dłonie w pięści i zaraz jęknęłam z bólu, bo przecież w jednej z nich była złamana kość.

– Wszystko w porządku?

– Nie poddałam się żadnej przyjemności!

– Chyba potrafię to wyczuć, nie?

– Nic mi się nie podobało, kretynie! Udawałam trupa, żebyś zostawił mnie w spokoju!

Zaśmiał się gardłowo.

– Och, widzę, że trafiłem w czuły punkt. Nie wściekałabyś się tak, gdybym nie miał racji.

Wzięłam głęboki oddech, żeby znowu go nie zaatakować. Dalsza dyskusja nie miała sensu – i tak dopasowywał wszystko do swojej wersji zdarzeń. Skoncentrowałam się w zamian na swojej dłoni – spróbowałam wyprostować palce, żeby ocenić, w którym miejscu dokładnie doszło do złamania, i od razu głośno jęknęłam. Wrażenie było takie, jakby w kłykcie wbijano mi tysiące gwoździ.

– Naprawdę mi przykro, że sobie tak rozwaliłaś tę dłoń – odezwał się. Zabrzmiało to niemal szczerze. – Następnym razem, kiedy będziesz się chciała na mnie rzucić, zaopatrz się lepiej w kij baseballowy albo łom.

– Obyś nie żałował, że mi to doradziłeś – mruknęłam.

Ze zdenerwowania nie zwracałam uwagi, którędy jedziemy, i dopiero teraz zorientowałam się, że jesteśmy już na mojej ulicy.

– Dokąd ty mnie wieziesz, do cholery?

– Mówiłaś, że mam cię zabrać do domu? – zdziwił się.

– Ech... I tak masz pewnie zakaz pojawiania się na terenie posesji Cullenów, prawda?

Jego twarz wykrzywił ból. Widać było jak na dłoni, że nic, co dziś mu powiedziałam, nie zraniło go tak, jak kryjąca się za moim ostatnim pytaniem deklaracja.

– To tu jest twój dom – powiedział cicho.

– Tak, ale czy mieszka w nim jakiś lekarz?

Znów wskazałam brodą na moją dłoń.

– No tak – zreflektował się. – Zaraz zabiorę cię do szpitala. Albo Charlie cię tam zabierze.

– Nie chcę żadnego szpitala. To zbyt krępujące i absolutnie zbędne.

Zaparkował na podjeździe z niezdecydowaną miną. Stał już tam radiowóz Charliego.

– Żegnam – rzuciłam, wysiadając niezdarnie z auta.

Usłyszałam, że gasi silnik. Ku mojej irytacji szybko mnie dogonił.

– A co z twoją ręką?

– Obłożę ją na razie lodem i zadzwonię po Edwarda, żeby zawiózł mnie do Carlisle'a, a kiedy doktor mi ją nastawi i opatrzy, wrócę do domu. Ostrzegam, że jeśli cię tu wtedy zastanę, pójdę prosto do składziku po łom.

Nie odpowiedział. Otworzył przede mną frontowe drzwi i puścił mnie przodem.

Minęliśmy w milczeniu drzwi do saloniku. Ojciec leżał na kanapie.

– Cześć, dzieciaki – przywitał się, siadając. – Miło cię tu widzieć, Jake.

– Cześć, Charlie – odpowiedział mu Jacob, jak gdyby nigdy nic.

Przystanął na progu pokoju, a ja powlokłam się do kuchni.

– Co z nią? – zaniepokoił się Charlie.

– Chyba złamała jakąś kość w dłoni.

Przysłuchując się ich rozmowie, podeszłam do zamrażarki i wyjęłam ze środka tackę pełną kostek lodu.

– Jak? – spytał Charlie. – Gdzie?

Byłam zdania, że jako mój rodzony ojciec nie powinien być tym faktem taki rozbawiony.

Jacob zachichotał

– Uderzyła mnie.

Charlie też zachichotał. Zazgrzytałam zębami. Trzymając tackę zdrową ręką, uderzyłam nią o kant stołu, żeby kostki się z niej wysypały, a potem zebrałam je w leżącą na blacie ściereczkę.

– Czemu cię uderzyła?

– Bo ją pocałowałem – wyznał Jacob śmiało.

– Punkt dla ciebie – pogratulował mu Charlie.

Z ręką owiniętą ściereczką wybrałam numer komórki Edwarda.

– Bella? – Odebrał po pierwszym sygnale. W jego głosie słychać było nie tyle ulgę, co ogromną radość. W tle mruczał silnik volvo – świetnie, był już w samochodzie. – Zostawiłaś telefon... Czy Jacob cię odwiózł?

– Tak, jestem już w domu. Przyjedziesz po mnie?

– Będę za kilka minut. Czy coś się stało?

– Chcę, żeby Carlisle obejrzał moją dłoń. Chyba trzeba ją nastawić.

W saloniku zapadła głucha cisza. Ciekawa byłam, kiedy Jacob wpadnie do kuchni. Uśmiechnęłam się złośliwie, wyobrażając sobie, jak nieswojo musi się czuć.

– Jak do tego doszło? – zapytał Edward wypranym z emocji głosem. Starał się chyba nie wyciągać pochopnych wniosków.

– Uderzyłam Jacoba – wyjaśniłam.

– Ach, tak. No to dobrze. – Wydawał się jeszcze bardziej zadowolony niż Charlie. – Szkoda tylko, że zrobiłaś przy tym sobie krzywdę.

– Szkoda tylko, że jemu nie zrobiłam przy tym krzywdy.

– Tym to już ja się zajmę – zaoferował się.

– Miałam nadzieję, że tak powiesz.

Zamilkł na chwilę.

– To do ciebie niepodobne – zauważył ostrożnie. – Czym ci się naraził?

– Pocałował mnie! – pożaliłam się.

Silnik volvo wyraźnie zwiększył obroty.

Z saloniku doszedł głos Charliego:

– Chyba powinieneś już sobie pójść.

– Zostanę jeszcze trochę, jeśli nie masz nic przeciwko temu.

– Skoro ci spieszno na cmentarz.

– Czy ten kundel jeszcze tam jest? – odezwał się wreszcie Edward.

– Tak.

– Już skręcam w waszą ulicę – oznajmił złowróżbnie.

Rozłączyłam się z uśmiechem. Jego auto słychać już było za oknem. Zahamował z piskiem opon. Ruszyłam w kierunku wejścia.

– Jak tam twoja ręka? – spytał Charlie, kiedy go mijałam.

Wyglądał na podenerwowanego. Jacob siedział koło niego na kanapie, zupełnie rozluźniony.

Uniosłam kompres, żeby ją odsłonić.

– Puchnie – oświadczyłam.

– Może powinnaś ograniczać się do ludzi twojego wzrostu – zasugerował ojciec.

– Może.

Otworzyłam drzwi. Edward stał już na ganku.

– Pokaż no mi ją – poprosił.

Zbadał moją dłoń tak delikatnie, że ani razu mnie nie zabolało. Skórę miał prawie tak samo zimną jak lód, więc jej dotyk przynosił mi ulgę.

– Chyba to naprawdę złamanie – stwierdził. – Jestem z ciebie dumny. Musiałaś się porządnie zamachnąć.

– Walnęłam go z całej siły – przyznałam. – Ale, jak widać, to nie wystarczyło.

Pocałował mnie w palce.

– Zdaj się na mnie – obiecał. – Jacob! – zawołał.

– Tylko bez nerwów – odkrzyknął Charlie.

Brzdęknęły sprężyny odciążanej kanapy. Jacob zjawił się w przedpokoju pierwszy, ale ojciec szedł tuż za nim.

– Nie chcę tu żadnych bójek, zrozumiano? – zwrócił się do Edwarda, chociaż to Jacob wyglądał na bardziej skorego.

– Obejdzie się bez użycia siły – zapewnił mój ukochany.

– Czemu mnie nie zaaresztujesz, tato? – zaszydziłam. – W końcu to ja jestem winna próby pobicia.

Uniósł jedną brew.

– Chcesz ją zaskarżyć, Jake?

– Nie muszę – odparł chłopak z niepoprawnym uśmiechem. – Już niedługo to sobie odbiję.

Edward się nastroszył.

– Tato, nie masz przypadkiem u siebie na górze kija baseballowego? Pożyczyłabym go na minutkę.

Charlie przekrzywił głowę.

– Starczy już, Bella.

– Chodź – powiedział Edward. – Lepiej zawiozę cię do Carlisle'a, bo jeszcze wylądujesz w areszcie.

Objął mnie ramieniem i pociągnął ku drzwiom.

– Okej – zgodziłam się, opierając się o jego bok.

Odkąd się pojawił, czułam się znacznie lepiej – nie byłam już ani taka rozgniewana, ani cierpiąca.

Wyszliśmy na dwór.

– Co ty wyrabiasz?! – doszedł moich uszu nerwowy szept ojca. – Oszalałeś?

– Nie martw się – odpowiedział Jacob. – Poradzę sobie. Zaraz wracam.

Odwróciłam głowę. Zamykał właśnie za sobą drzwi, zmuszając Charliego do wejścia do domu.

Edward z początku go zignorował. Podprowadziwszy mnie do samochodu, pomógł wsiąść i zamknął za mną drzwiczki. Dopiero wtedy zwrócił się przodem do swojego rywala.

Zaniepokojona, wychyliłam się przez boczne okno. Charlie też się bał ich konfrontacji, bo obserwował podjazd zza firanek saloniku.

Jacob stał z pozoru niedbale, z założonymi rękami, ale mięśnie szczęki miał napięte.

Edward przemówił do niego tonem tak łagodnym i uprzejmym, że, paradoksalnie, wypowiedziane w ten sposób słowa zabrzmiały jeszcze groźniej:

– Nie zabiję cię teraz tylko dlatego, że Bella wpadłaby w rozpacz.

– W rozpacz? – zdziwiłam się.

Zerknął na mnie z uśmiechem i pogłaskał mnie po policzku.

– Może nie dziś – powiedział – ale jutro rano...

Znów zwrócił się do Jacoba.

– Ale jeśli jeszcze kiedykolwiek dostarczysz ją do domu kontuzjowaną – i wszystko mi jedno, czyja to będzie wina: czy po prostu się potknie, czy spadnie na nią meteoryt – jeśli jeszcze raz przywieziesz ją w gorszym stanie niż ten, w jakim do ciebie pojechała, to przyrzekam, że już następnego dnia będziesz biegał po lesie na trzech łapach. Rozumiesz mnie, kundlu?

Jacob wzniósł oczu ku niebu.

– Akurat tam jeszcze kiedyś pojadę – mruknęłam.

– A jeśli jeszcze raz ją pocałujesz – ciągnął Edward – to gdy tylko się o tym dowiem, złamię ci w jej imieniu szczękę.

– Co, jeśli sama będzie tego chciała? – spytał Jacob arogancko.

– Ha! – prychnęłam.

Edward miał już gotową odpowiedź:

– Jeśli zrobi to z własnej woli, nie będę miał prawa się wtrącać. Tylko jedna mała rada: zaczekaj, aż cię sama o to poprosi, bo z odczytywaniem mowy ciała nie jest chyba u ciebie najlepiej.

Jacob uśmiechnął się triumfalnie.

– Marzenie ściętej głowy! – zawołałam.

– Oj, marzy chłopak, marzy – potwierdził Edward, kręcąc głową.

– Skoro już nasłuchałeś się moich myśli – stwierdził Jacob lekko poirytowany – to może wreszcie zawieziesz ją do lekarza?

– Jeszcze jedna sprawa – oświadczył Edward wolno. – Będę o nią walczył. Powinieneś to wiedzieć. Nie biorę nic za pewnik, uczuć Belli także, więc będę walczył, i to dwa razy ciężej od ciebie.

– Świetnie – skomentował Jacob. – Żadna przyjemność pokonać kogoś walkowerem.

– Ale nie obiecuję, że będę przestrzegał reguł gry – zaznaczył Edward. Jego głos zrobił się nagle mroczniejszy niż przed sekundą. – Ona jest moja.

Ich wymiana zdań była coraz ostrzejsza.

– Ja też niczego nie obiecuję.

– W takim razie powodzenia.

– Tak. Niech zwycięży lepszy.

– To mi odpowiada. Byle szczeniak nie ma przy mnie szans.

Jacob skrzywił się, ale zaraz się opanował i wychylił zza Edwarda, żeby posłać mi uśmiech. Spojrzałam na niego spode łba.

– Mam nadzieję, że kość szybko ci się zrośnie – powiedział. – Naprawdę mi przykro, że tak się załatwiłaś.

Żeby go nie widzieć, obróciłam się twarzą do zagłówka jak obrażone dziecko.

Nie zmieniłam pozycji nawet wtedy, gdy Edward wsiadł do samochodu, więc nie wiedziałam, czy Jacob stoi jeszcze przed domem i na mnie patrzy, czy nie.

– Jak się czujesz? – spytał Edward, zapuszczając silnik.

– Wszystko się we mnie gotuje.

Parsknął śmiechem.

– Chodziło mi o twoją dłoń.

Wzruszyłam ramionami.

– Bywało gorzej.

– Co prawda, to prawda.

W garażu Cullenów zastaliśmy Rosalie i Emmetta. Nogi dziewczyny, rozpoznawalne dzięki idealnym proporcjom, wystawały spod należącego do brata Edwarda masywnego jeepa. Właściciel pojazdu kucał pochylony tuż obok z rękami schowanymi pod karoserią auta – po kilku sekundach uzmysłowiłam sobie, że zastępuje Rosalie lewarek.

Edward pomógł mi wysiąść, a i Emmett, zaintrygowany, podniósł głowę. Kiedy zobaczył, że przyciskam do piersi ranną dłoń, szeroko się uśmiechnął.

– Czyżbyś się znowu potknęła, Bello? – spytał.

Zmroziłam go wzrokiem.

– Nie, Emmett. Tym razem dałam wilkołakowi w twarz.

Na chwilę zbiłam go z pantałyku, ale zaraz wybuchnął tubalnym śmiechem.

Kiedy mijaliśmy jeepa, dobiegł nas spod niego głos Rosalie:

– Oj, widzę, że Jasper jednak wygra zakład.

Emmett natychmiast spoważniał i przyjrzał mi się badawczo.

Zatrzymałam się.

– Co znowu za zakład?

Byłam też ciekawa, o ile albo o co się założyli. Co mogło wydawać się kuszące komuś, kto miał już wszystko?

– Carlisle musi cię jak najszybciej zbadać – popędził mnie Edward.

Patrząc na Emmetta, ledwie zauważalnie pokręcił przecząco głową. Nie uszło to mojej uwagi. Podparłam się pod boki.

– Co to za zakład?

– Wielkie dzięki, Rose – mruknął Edward.

Objąwszy moją talię, spróbował pociągnąć mnie w kierunku domu.

– Hej! Chcę wiedzieć! – zaprotestowałam.

– Takie tam dziecinne zabawy – wyjaśnił oględnie. – Emmett i Jasper kochają hazard.

– Jak ty mi nie powiesz, to Emmett mi powie.

Spróbowałam się cofnąć, ale trzymał mnie w żelaznych kleszczach. Westchnął ciężko.

– Założyli się o to, ile razy w ciągu pierwszego roku... powinie ci się noga.

– Och. – Zrozumiałam, co ma na myśli, i przeszedł mnie zimny dreszcz. – O to, ilu ludzi zabiję, tak?

– Tak – przyznał z niechęcią. – Rosalie uważa, że twój wybuchowy temperament przeważy szalę na korzyść Jaspera.

Zakręciło mi się w głowie.

– Skąd u niego to przekonanie, że... popełnię jakiś błąd?

– Gdybyś miała problemy z dostosowaniem się do naszego stylu życia, pewnie poczułby się dużo lepiej. Ma dość bycia czarną owcą rodziny.

– Jasne. Rozumiem. Cóż, skoro ma go to uszczęśliwić, to mogę się dopuścić kilku morderstw, czemu nie.

Nie byłam sarkastyczna, tylko rozhisteryzowana. Przed oczami przesuwały mi się nagłówki gazet i listy ofiar...

Edward przycisnął mnie do siebie.

– Nie musisz się teraz tym zadręczać. Tak na dobrą sprawę, to nigdy nie będziesz musiała się tym zadręczać.

Jęknęłam, a on, myśląc, że to z bólu, z jeszcze większą stanowczością pociągnął mnie ku domowi.

Rzeczywiście, złamałam sobie coś w dłoni, na szczęście tylko jedną małą kostkę. Nie chciałam gipsu, ale Carlisle powiedział, że usztywnienie powinno wystarczyć, jeśli tylko będę je nosić. Obiecałam, że będę grzeczna.

Kiedy doktor je dopasowywał, musiałam mocno zacisnąć zęby. Edward dopytywał się, czy bardzo cierpię, ale zapewniałam go, że nic mi nie będzie.

Nie miałam głowy do myślenia o czymś tak banalnym jak ból.

Odkąd Jasper opowiedział mi o swojej przeszłości, jego historie o nowo narodzonych wampirach chodziły mi po głowie, ale dopiero teraz, dowiedziawszy się o zakładzie, powiązałam je w pełni świadomie ze swoją przyszłością.

Odkąd postanowiłam zostać wampirem, zdawałam sobie sprawę, że wiele się we mnie zmieni. Miałam chociażby nadzieję, że będę nadludzko silna, tak jak mi to obiecał Edward. Silna, szybka, i co najważniejsze, piękna – na tyle piękna, by nie wyglądać przy nim jak ktoś z innej bajki.

Do tej pory starałam się jednak nie myśleć o innych cechach, które miałam zyskać: o tym, że stanę się dzika, krwiożercza, agresywna. Może naprawdę miałam zabijać ludzi, i to nie bandytów, ale zwykłych nieznajomych, którzy niczym mi się nie narazili? Ludzi, jak tamte ofiary z Seattle, z których każda miała rodzinę, przyjaciół i plany – z których każda miała swoje życie. A ja miałam stać się potworem, by je odebrać.

Wprawdzie potrafiłam się pogodzić z tą wizją, ale tylko dlatego, że w stu procentach ufałam Edwardowi. Wierzyłam, że nie pozwoli mi na nic, czego później miałabym gorzko żałować. Zawsze mógł wywieźć mnie na Antarktydę, żebym polowała na pingwiny.

Chciałam też móc sama nad sobą pracować – dokładać wszelkich starań, żeby stać się dobrym człowiekiem... dobrym wampirem. Kiedyś treść tego postanowienia wywołałaby u mnie śmiech, ale teraz…

Wszystko dlatego, że nie wiedziałam, czy będąc nowo narodzoną – taką nowo narodzoną, jak te z mrożących krew w żyłach opowieści Jaspera – będę mogła nadal być po prostu sobą. Skoro mogłam zapragnąć zabijać ludzi, co miało się stać z moimi obecnymi pragnieniami?

Kiedy Edward martwił się, że przegapię zbyt wiele podstawowych aspektów ludzkiego życia, myślałam zazwyczaj, że mocno przesadza. Nie zależało mi na żadnych nowych doświadczeniach – to, że miałam spędzić z nim resztę wieczności, w pełni mnie satysfakcjonowało.

Przyglądał się, jak Carlisle opatruje mi dłoń, ale ja nie spuszczałam go z oczu. Niczego w świecie nie pragnęłam tak bardzo jak jego. Czy miało się to… czy w ogóle mogło się to zmienić?

Czyżby istniał jeden aspekt ludzkiego życia, z którego utratą nie miałam najmniejszego zamiaru się pogodzić?

16 *Epoka*

– Nie mam co na siebie włożyć! – jęknęłam sama do siebie.

Wszystkie moje ubrania, co do sztuki, leżały na wielkiej kupie na łóżku. Szafa i szuflady komody były zupełnie puste – wpatrywałam się w ich przykurzone narożniki, licząc na to, że jakimś cudem coś jednak przeoczyłam.

Na oparciu bujanego fotela wisiała moja spódnica koloru khaki, czekając, aż wynajdę coś, co by do niej pasowało. Coś, w czym wyglądałabym ładnie i dorośle. Coś, co wypadałoby wkładać wyłącznie na specjalne okazje.

Niestety, nic takiego nie posiadałam.

Właściwie powinnam już była wychodzić, a nadal miałam na sobie ulubiony stary dres. Na razie wszystko wskazywało na to, że to właśnie w nim miałam odebrać z rąk dyrektora świadectwo ukończenia szkoły średniej.

Spojrzałam wilkiem na stertę ciuchów.

Najgorsze było to, że miałam kiedyś rzecz, która idealnie pasowała do tej nieszczęsnej spódnicy. Dlaczego ten cholerny tajemniczy gość musiał ukraść właśnie tamtą czerwoną bluzkę?! Ze złości uderzyłam pięścią o ścianę.

– Nie dość, że włażą nieproszone, to jeszcze kradną! – zaczęłam psioczyć na obce wampiry.

– Na razie jeszcze nic nie ukradłam – usłyszałam za sobą znajomy głos.

Alice siedziała na parapecie otwartego okna i wesoło machała nogami.

– Puk, puk – dodała z łobuzerskim uśmiechem.

– Czy naprawdę tak trudno zaczekać, aż zejdę na dół i otworzę drzwi?

Rzuciła na stertę na łóżku płaskie białe pudło.

– Wpadłam tylko na sekundkę. Pomyślałam, że pewnie nie masz co na siebie włożyć.

Zerknęłam na pakunek i skrzywiłam się.

– Przyznaj – powiedziała – nie poradziłabyś sobie beze mnie, prawda?

– Nie – mruknęłam. – Rzeczywiście, byłam w rozsypce. Dzięki.

– Miło wreszcie się do czegoś przydać. Nawet nie wiesz, jakie to irytujące – to, że nie mam odpowiednich wizji. Czuję się taka bezużyteczna. Taka... normalna.

Wzdrygnęła się, wymawiając to słowo.

– Tak – przyznałam z sarkazmem – nie mam pojęcia, jak to jest być normalną. Brr... Szczerze ci współczuję.

Parsknęła śmiechem.

– Podsumujmy: skoro przyniosłam ci kreację, nie muszę się już zadręczać, że nie jestem w stanie namierzyć złodzieja twoich ubrań, prawda? No to teraz pozostaje mi tylko dojść samodzielnie do tego, czego tak właściwie nie widzę w Seattle.

Gdy tylko wymieniła te dwie kwestie za jednym zamachem, nagle mnie olśniło. Od wielu dni odnosiłam wrażenie, że coś mi umyka – że nie dostrzegam najistotniejszego fragmentu układanki – i oto, zupełnie nieświadomie, dostarczyła mi go Alice.

Zmroziło mnie. Opadły mi ręce.

– Nie otworzysz? – spytała.

Nie doczekawszy się z mojej strony żadnej reakcji, westchnęła ciężko i sama zdjęła z pudła pokrywkę. Wyciągnąwszy coś ze środka, pomachała mi tym czymś przed nosem, ale byłam w takim szoku, że nie zwracałam uwagi na to, co to jest.

– Fajne, co? Wybrałam niebieskie, bo Edward uważa, że w tym kolorze jest ci najlepiej.

Zupełnie ją zignorowałam.

– To jedno i to samo – wyszeptałam.

– Co? – zdziwiła się. – Niemożliwe, na pewno nie masz czegoś takiego. Przecież ta na fotelu to twoja jedyna spódnica.

– Na miłość boską, Alice, tylko ciuchy ci w głowie!

– Nie podoba ci się?

Posmutniała.

– Posłuchaj mnie uważnie! To jedna i ta sama sprawa – ten ktoś, kto się tu włamał i zabrał moje rzeczy, i te nowe wampiry w Seattle! To był jeden z nich!

Trzymana przez Alice kreacja wyślizgnęła jej się z palców i opadła z powrotem na dno pudła.

– Z czego wnioskujesz? – zapytała ostrym tonem.

– Pamiętasz, co powiedział Edward? Że ten ktoś igra sobie z tobą. Działa tak, żebyś nie zobaczyła nowo narodzonych. A wcześniej, po tym włamaniu, sama mówiłaś, że to nie mógł być zbieg okoliczności, bo pora była zbyt idealnie dobrana. I że złodziej bardzo uważał, żeby nikt go nie zobaczył, zupełnie jakby wiedział o twoich zdolnościach. Sądzę, że miałaś rację, Alice. Ten ktoś naprawdę o nich wie i wie też, jak do twoich wizji nie trafić. A jeśli tak jest, to musi być to jedna i ta sama osoba, bo to zbyt nieprawdopodobne, żeby istniały dwie z taką wiedzą, i to jeszcze żeby kręciły się po tej samej okolicy. To jedna i ta sama osoba tworzy nowo narodzonych w Seattle i zakradła się do tego pokoju, żeby wykraść coś, co by pachniało mną.

Nie była przyzwyczajona do niespodzianek. Stała nieruchomo tak długo, że zaczęłam w myślach odliczać kolejne sekundy. Kiedy doszłam do stu dwudziestu, wróciła do świata żywych i spojrzała mi prosto w oczy.

– Wszystko pasuje – powiedziała zmęczonym głosem. – Jakkolwiek by patrzeć, wszystko pasuje...

– Edward się pomylił – dodałam. – Ta wizyta to test. Taka próba generalna, żeby sprawdzić, czy taka taktyka sprawdza się w praktyce. Taktyka polegająca na tym, że robi się coś, czego ty się nie spodziewasz, a więc i nie wypatrujesz. To dlatego nie usiłował mnie wtedy zabić – bobyś go zobaczyła. A zabrał z sobą mój zapach nie po to, żeby udowodnić komuś, że mnie znalazł, tylko żeby inni mogli mnie łatwo znaleźć.

Nigdy nie widziałam jej tak zszokowanej – oczy miała jak dwa spodki. Był to najlepszy dowód na to, że moja hipoteza jest słuszna.

– O, nie – wyrwało się jej.

Przywykłam już, że władające mną emocje nie kierują się powszechnie przyjętymi prawami logiki. Kiedy dotarło do mnie, że ktoś tworzy w Seattle armię wampirów – armię, której członkowie polowali na mieszkańców miasta – tylko po to, żeby w końcu dorwać i zabić mnie, poczułam ogromną ulgę.

Częściowo stało się tak dlatego, że nie zadręczałam się wreszcie tym, co było owym brakującym ogniwem.

Ale główny powód był zupełnie inny.

– No to możecie się rozluźnić – stwierdziłam. – Nikt nie próbuje zlikwidować z zazdrości waszej rodziny.

– Jeśli uważasz, że to cokolwiek zmienia w naszym nastawieniu, to się grubo mylisz – wycedziła. – Jeśli ktoś chce jedno z nas, będzie najpierw musiał zmierzyć się z całą resztą.

– To bardzo szlachetne z waszej strony. Ale przynajmniej wiemy teraz, kogo chcą. To wiele ułatwi.

– Może tak, może nie.

Zaczęła przechadzać się nerwowo po pokoju.

Ktoś zapukał głośno do drzwi. O mało nie dostałam zawału. Alice, przeciwnie, nawet się nie zatrzymała.

– Długo jeszcze? – odezwał się zza drzwi Charlie. – Spóźnimy się.

Wiedziałam, że jest zdenerwowany nie tyle późną porą, co tym, co go czeka później. Szczerze nienawidził takich uroczystych okazji – było to u nas dziedziczne – tyle że jemu najbardziej w tym wszystkim przeszkadzał garnitur i krawat.

– Jeszcze chwilka – odpowiedziałam ochryple.

Na moment zapadła cisza.
– Płaczesz? – spytał z troską.
– Nie, to tylko stres. Idź już na dół, zaraz zejdę.
Sądząc po odgłosach, spełnił moją prośbę.
– Muszę iść – oświadczyła Alice.
– Czemu?
– Edward już tu jedzie. Jeśli usłyszy w moich myślach, że...
– No to tempo, tempo! – popędziłam ją.
W końcu trzeba będzie go o wszystkim poinformować, bez dwóch zdań, ale może lepiej nie przed ceremonią. Jak nic mógł wpaść w szał.
– Tylko włóż to, co przyniosłam! – nakazała mi, wymykając się przez okno.
Nie miałam wyboru – musiałam jej posłuchać. Ubrałam się prędko, ledwie wiedząc, co robię.
Planowałam uczesać się w jakiś wyrafinowany sposób, ale z braku czasu zostawiłam włosy rozpuszczone, jak zwykle. Było mi zresztą wszystko jedno. Nie zerknęłam nawet w lustro, żeby sprawdzić, jak się prezentuję w sweterku i spódniczce od Alice. Zbiegłam po schodach, ohydną togę z żółtego poliestru przerzuciwszy sobie przez ramię.
– Ładnie wyglądasz – stwierdził Charlie, i bez tego dostatecznie wzruszony.
– Dziękuję – odpowiedziałam odruchowo. Myślami byłam daleko stąd.
– To coś nowego?
– Eee... – Trudno mi się było skoncentrować na tym, co mówił. – Tak. Alice mi to dała.
Edward pojawił się zaledwie kilka minut po tym, jak opuściła mnie jego siostra, nie zdążyłam się więc uspokoić. Pocieszałam się jednak, że skoro mieliśmy jechać samochodem Charliego, mój ukochany, chcąc nie chcąc, musiał odłożyć przesłuchanie na później – miałam siedzieć koło kierowcy, a w radiowozie szoferkę oddzielała od tylnych siedzeń szyba z włókna szklanego.

Radiowóz wziął się stąd, że Charlie poczuł się bardzo dotknięty, kiedy dowiedział się, że mam zamiar jechać na ceremonię autem Edwarda, i najzwyczajniej w świecie nie wyraził na to zgody. Ustąpiłam, uznawszy, że rzeczywiście, jako rodzic zasługuje na pewne przywileje. No i wtedy Edward poprosił sprytnie, czy w takim razie nie mógłby się zabrać z nami. Ponieważ Carlisle i Esme nie mieli nic przeciwko temu, ojcu zabrakło argumentów i musiał zacisnąć zęby. Siedzieli teraz obaj po przeciwnych stronach szyby i obaj mieli podobnie rozbawione miny – Edward zapewne dlatego, że śmieszyła go reakcja Charliego, Charlie zaś, bo zerkając na odbicie Edwarda w lusterku, wyobrażał sobie rzeczy, za wypowiedzenie których na głos jak nic zrobiłabym mu awanturę.

– Nic ci nie jest? – szepnął mi Edward do ucha, pomagając mi wysiąść na szkolnym parkingu.

– Zjadają mnie nerwy.

Poniekąd nie było to nawet kłamstwo.

– Jesteś śliczna jak z obrazka.

Chciał chyba powiedzieć coś więcej, ale Charlie wepchnął się bezceremonialnie pomiędzy nas i objął mnie ramieniem. Z jego punktu widzenia był to zapewne „dyskretny manewr".

– Podekscytowana?

– Nie za bardzo – przyznałam.

– Bello, to wielki dzień. Kończysz szkołę średnią. Przed tobą otwiera się prawdziwie dorosłe życie: studia, mieszkanie poza domem... Nie jesteś już moją małą dziewczynką.

Przy tym ostatnim zdaniu zadrżał mu głos.

– Tato – jęknęłam. – Tylko mi się tu nie rozklej.

– Kto się rozkleja? – obruszył się. – Czemu nie jesteś podekscytowana?

– Nie wiem. Może to jeszcze do mnie nie dotarło.

– Dobrze się składa, że Alice wyprawia to przyjęcie. Ożywisz się trochę, rozluźnisz po egzaminach...

– Jasne. Już się nie mogę doczekać.

Zaśmiał się z mojego ponurego tonu i ścisnął mnie za ramię. Edward spojrzał w niebo z zamyśloną miną.

Ojciec musiał nas zostawić przy bocznych drzwiach do sali gimnastycznej i wejść głównym wejściem z innymi rodzicami. Na zapleczu zastaliśmy pandemonium. Pani Cope z sekretariatu i pan Varner od matmy usiłowali poustawiać uczniów alfabetycznie.

– Twoje miejsce jest z przodu, Cullen – warknął pan Varner na nasz widok.

– Hej, Bella!

Podniosłam wzrok. Jessica Stanley machała do mnie z tyłu kolejki, promiennie się uśmiechając.

Edward pocałował mnie szybko, westchnął i poszedł stanąć wśród osób z nazwiskami na literę c. Alice tam nie było. Co zamierzała zrobić? Nie przyjść na rozdanie świadectw? Ależ sobie moment znalazłam. Powinnam była zostawić sobie zadręczanie się myślami po ceremonii.

– Tutaj, Bello! – zawołała Jessica.

Podeszłam, żeby się za nią ustawić, zaciekawiona nieco, dlaczego nagle zrobiła się dla mnie taka miła. Po kilku krokach, pięć osób za Jess, zauważyłam Angelę. Przyglądała się jej podobnie zaintrygowana.

Jessica paplała jak najęta, jeszcze zanim znalazłam się na tyle blisko, żeby słyszeć, co mówi.

– ...takie niesamowite – wydaje się, że dopiero co się poznałyśmy, a teraz razem kończymy szkołę – nawijała. – Wierzysz, że to już koniec? Ja tam chyba zaraz wpadnę w histerię i zacznę krzyczeć!

– Ja chyba też – mruknęłam.

– Po prostu w głowie się nie mieści. Pamiętasz swój pierwszy dzień tutaj? Od razu przypadłyśmy sobie do gustu – spojrzałyśmy tylko na siebie i bach, już byłyśmy dobrymi przyjaciółkami. Niesamowite. A teraz ja wyjeżdżam do Kalifornii, a ty będziesz aż na Alasce i będę za tobą tak strasznie tęsknić! Musisz mi obiecać, że będziemy się odwiedzać od czasu do czasu! Tak się cieszę, że wyprawiasz to przyjęcie. To się świetnie składa, bo ostatnio nie spędzałyśmy razem za dużo czasu, prawda, a lada dzień się rozjeżdżamy...

Jej monolog ciągnął się bez końca i doszłam do wniosku, że przywróciła mnie do łask, bo udzielił jej się nostalgiczny nastrój i była wdzięczna za zaproszenie, ja sama zaś nie miałam z ociepleniem jej uczuć nic wspólnego. Słuchałam jej na tyle uważnie, na ile było to możliwe, zważywszy, że jednocześnie wciskałam się w togę. A potem uświadomiłam sobie, że szczerze się cieszę, iż mamy się jednak rozstać w zgodzie.

Dlaczego? Bo to naprawdę był koniec. Wygłaszający mowę pożegnalną Eric mógł powtarzać oklepane frazesy o rozpoczynaniu nowego etapu życia* i tym podobne bzdury, ale prawda była taka, że wszyscy uczniowie z mojego rocznika zostawiali tego dnia coś za sobą – może ja w większym stopniu niż pozostali, ale oni również.

Poszło tak szybko. Czułam się, jakbym nacisnęła na wideo przycisk przewijania. Najpierw wmaszerowaliśmy na salę w takim tempie, jakbyśmy byli bohaterami slapstickowej komedii, potem Eric połykał z nerwów całe wyrazy i ledwie go można było zrozumieć, a wreszcie pan dyrektor Greene zapomniał o robieniu dłuższych pauz pomiędzy wyczytywanymi przez siebie nazwiskami i uczniowie z pierwszego rzędu ledwie nadążali z wdrapywaniem się na scenę. Biedna pani Cope prawie się trzęsła, usiłując się nie pomylić przy podawaniu dyrektorowi dyplomów.

Alice, która pojawiła się na sali nie wiadomo kiedy, podeszła po swoje świadectwo, poruszając się z właściwą sobie gracją i z bardzo skupioną miną. Następny był Edward – on z kolei wyglądał na ździebko zdezorientowanego, ale, na szczęście, nie na zmartwionego. Tylko oni dwoje z całego rocznika prezentowali się znakomicie nawet w swoich szkaradnych żółtych togach. Ich nieziemska uroda i wdzięk, jak zwykle, wyróżniały ich z tłumu.

* W oryginale Eric tłumaczy zebranym, że słowo *commencement* (ang. rozdanie świadectw) oznacza także „początek” – przyp. tłum.

Trudno było uwierzyć, że kiedykolwiek brałam ich za zwykłych ludzi. Już para skrzydlatych aniołów mniej rzucałaby się w oczy.

Dyrektor wyczytał moje nazwisko i wstałam z krzesła, czekając, aż kolejka się przesunie. W tyle sali rozległ się głośny aplauz, więc na moment się odwróciłam i zobaczyłam Jacoba, który zachęcał właśnie Charliego, żeby i on wstał. Obaj z entuzjazmem mi dopingowali. Koło łokcia Jake'a było widać niewyraźnie czubek głowy Billy'ego. Udało mi się posłać w ich kierunku coś na kształt uśmiechu.

Pan Greene skończył wyczytywać listę nazwisk i z zażenowanym uśmiechem powrócił do wręczania świadectw przesuwającemu się przed nim ogonkowi uczniów.

– Gratulacje, panno Stanley – wymamrotał do Jessiki. – Gratulacje, panno Swan.

Wcisnął mi dyplom w zdrową dłoń.

– Dziękuję – bąknęłam.

I już było po wszystkim.

Poszłam stanąć koło Jess wśród pozostałych absolwentów. Miała zaczerwienione oczy i przecierała twarz skrawkiem rękawa togi. Minęła sekunda, zanim zrozumiałam, że płacze.

Dyrektor powiedział coś, czego nie usłyszałam, i wszyscy wokół mnie zaczęli podskakiwać i krzyczeć. W powietrze wystrzeliły żółte birety. Pospiesznie ściągnęłam własny, ale ponieważ się spóźniłam, upuściłam go tylko na podłogę.

– Och, Bella! – Głos Jess z trudem przebijał się przez harmider, który nagle zajął miejsce podniosłej ciszy. – Nie mogę uwierzyć, że to już za nami.

– Nie mogę uwierzyć, że to już koniec – zawtórowałam jej z grzeczności, ale zupełnie bez uczucia.

Zarzuciła mi ręce na szyję.

– Musisz mi obiecać, że nie stracimy kontaktu.

Uściskałam ją, czując się trochę niezręcznie, bo musiałam odpowiedzieć jej wymijająco.

– Tak się cieszę, że było nam dane się poznać. To były fajne dwa lata.

– O tak – westchnęła, a potem pociągnęła nosem i odsunęła się ode mnie, rozglądając się na boki. – Lauren! – pisnęła znienacka. Pomachała energicznie w stronę koleżanki i zaczęła przepychać się przez odziany żółto tłum. Powoli dołączali do nas członkowie naszych rodzin i robiło się coraz ciaśniej.

Zauważyłam Angelę i Bena, ale rozmawiali już ze swoimi najbliższymi, więc postanowiłam, że złożę im gratulacje później, i wyciągnęłam szyję ponad morze głów, żeby namierzyć Alice.

– Gratuluję – szepnął mi do ucha Edward, obejmując mnie w talii.

Powiedział to bez większego entuzjazmu: nie wyczekiwał tego wydarzenia z utęsknieniem.

– Ehm... dzięki.

– Widzę, że stres jeszcze cię trzyma.

– Chyba tak.

– Czym się tu jeszcze przejmować? Bo chyba nie przyjęciem? Nie martw się, nie będzie tak źle.

– Pewnie masz rację.

– Za kim się tak rozglądałaś?

Najwyraźniej nie robiłam tego tak dyskretnie, jak mi się wydawało.

– Za Alice. Jest gdzieś tu jeszcze?

– Poszła sobie, gdy tylko wręczono jej dyplom.

W jego głosie pojawiła się nowa nuta. Podniosłam wzrok. Wpatrywał się w tylne wyjście z sali i nadal wyglądał na zdezorientowanego. To mnie zmotywowało – podjęłam spontaniczną decyzję, choć wiedziałam, że powinnam była to przemyśleć.

– Martwisz się o nią? – spytałam.

– Eee...

Nie był skłonny udzielić mi odpowiedzi.

– Wyjawisz mi, co zrobiła, żeby zagłuszyć przed tobą swoje myśli?

Rzucił mi podejrzliwe spojrzenie.

– Tłumaczyła słowa do „Glory, glory, hallelujah" na arabski. A kiedy skończyła, zaczęła od początku, tyle że przeszła na koreański język migowy.

Zaśmiałam się nerwowo.

– Co jak co, ale to musiało się sprawdzić.

– Wiesz, co przede mną ukrywa – wypomniał mi.

– Co poradzić. – Uśmiechnęłam się blado. – Sama wpadłam na to, co teraz chodzi jej po głowie.

Zbity z pantałyku, czekał na dalsze wyjaśnienia.

Rozejrzałam się. Charlie jak nic przedzierał się już w naszym kierunku.

– Znając Alice – powiedziałam szybko – będzie próbowała utrzymać to przed tobą w sekrecie aż do końca przyjęcia. Ale skoro jestem jak najbardziej za tym, żeby odwołać tę nieszczęsną imprezę... Tylko nie dostań ataku szału, niezależnie od tego, co powiem, okej? Zawsze lepiej wiedzieć jak najwięcej. Wiedza musi się do czegoś przydać.

– O czym ty w ogóle mówisz?

W oddali zobaczyłam Charliego. Szukał mnie wzrokiem. Kiedy mnie dostrzegł, pomachał mi.

– Tylko zachowaj spokój, dobrze?

Edward skinął głową. Usta miał zaciśnięte.

Zaczęłam mu tłumaczyć szeptem swój tok rozumowania.

– Myślę, że się mylisz, twierdząc, że mamy kilku różnych przeciwników. Tak naprawdę to przeciwnik jest tylko jeden. I nie chodzi mu o was czy o nas, tylko wyłącznie o mnie. Te wszystkie wydarzenia z ostatnich tygodni są ze sobą powiązane, muszą być ze sobą powiązane. To jedna i ta sama osoba korzysta z niedoskonałości daru Alice. Włamanie do mojego pokoju to był test, czy da się Alice wykiwać. Ta sama osoba zmienia w kółko zdanie, tworzy nowo narodzonych i ukradła moja ubrania. Wszystko do siebie pasuje – musiała zanieść im coś, co mną pachniało, żeby mogli złapać mój trop.

Edward zrobił się tak blady, że trudno mi było skończyć.

– Ale po ciebie nikt nie przyjdzie! Rozumiesz? To dobra wiadomość. Ani po Esme, ani po Alice, ani po Carlisle'a. Nikt nie chce was skrzywdzić!

W jego oczach pojawiła się panika. Był oszołomiony. Tak jak wcześniej Alice, uwierzył mi od razu.

Przyłożyłam mu dłoń do policzka.

– Tylko spokojnie – poprosiłam.

– Bella! – zawołał Charlie, przepchawszy się przez otaczające naszą dwójkę rodziny. – Moje gratulacje, skarbie!

Nadal krzyczał, chociaż od moich uszu dzieliło go już tylko kilkanaście centymetrów. Przytulił mnie, niby niechcący odsuwając Edwarda na bok.

– Dzięki – powiedziałam odruchowo, nie zwracając na niego większej uwagi. Byłam głęboko poruszona tym, jak duże wrażenie wywarły na Edwardzie moje rewelacje. Wciąż nad sobą nie panował. Ręce zamarły mu w połowie drogi, więc wyglądał, jakby chciał mnie złapać i dokądś ze mną uciec. Byłam prawie tak samo przerażona, jak on, więc natychmiastowa ucieczka wydawała mi się całkiem rozsądnym pomysłem.

– Jacob i Billy musieli już iść – widziałaś, że przyszli? – spytał Charlie, odsuwając się, ale nie zdejmując mi dłoni z ramion.

Stał tyłem do Edwarda, zapewne celowo, co w innych okolicznościach miałabym mu może za złe, ale za co teraz dziękowałam Bogu, bo mój ukochany miał rozdziawione usta i oczy wciąż pełne strachu.

– Tak, tak – zapewniłam ojca, usiłując być na tyle przytomna, by móc podtrzymać rozmowę. – Widziałam i słyszałam.

– Miło z ich strony – stwierdził Charlie.

– Aha.

Cóż, wyjawienie prawdy Edwardowi było fatalnym posunięciem. Alice dobrze wiedziała, co robi, ukrywając ją przed nim podczas uroczystości. Powinnam była mu powiedzieć dopiero, znalazłszy się z nim sam na sam albo przynajmniej w obecności pozostałych Cullenów. I w jakimś miejscu, gdzie nie było nic, co można było zniszczyć: żadnych okien, żadnych aut... żadnych budynków szkolnych. Jego mina przypomniała mi o wszystkich moich lękach, a i trafiło się kilka nowych. Teraz tylko ja się bałam, bo u niego przerażenie wyparł straszliwy gniew.

– Dokąd chcesz się wybrać na uroczysty obiad? – spytał Charlie. – Koszty nie grają roli.

– Mogę coś ugotować.

– Nie bądź niemądra. Może pojedziemy do Lodge? – zaproponował, uśmiechając się zachęcająco.

Nie przepadałam za jego ulubioną restauracją, ale w tej sytuacji było mi wszystko jedno. I tak nie byłam w stanie nic przełknąć.

– Okej, może być Lodge – zgodziłam się. – Będzie fajnie.

Charlie uśmiechnął się jeszcze szerzej, po czym spochmurniał nagle i westchnął. Odwrócił głowę w kierunku Edwarda, ale tylko odrobinę, żeby nie musieć na niego patrzeć.

– Pojedziesz z nami?

Rzuciłam Edwardowi ostrzegawcze spojrzenie. Zdążył doprowadzić się do porządku na ułamek sekundy przed tym, jak Charlie obrócił się o sto osiemdziesiąt stopni, żeby sprawdzić, czemu nie uzyskał odpowiedzi.

– Nie, dziękuję – odparł sztywno, z twarzą niczym kamienna maska.

– Masz coś zaplanowane z rodzicami? – spytał ojciec, marszcząc czoło.

Był zaskoczony tym wrogim tonem, bo mój chłopak zawsze odnosił się do niego bardzo grzecznie.

– Tak. Proszę mi wybaczyć, ale muszę już iść.

Edward obrócił się na pięcie i znikł w rzedniejącym tłumie. Poruszał się odrobinę za szybko jak na zwykłego śmiertelnika, zbyt zdenerwowany, żeby się kontrolować.

– Czy powiedziałem coś nie tak? – spytał Charlie ze strapioną miną.

– Nie przejmuj się nim – pocieszyłam go. – To na pewno nie przez ciebie.

– Pokłóciliście się znowu?

– Skąd. Zresztą to nie twój interes.

– Jesteś moją córką.

Przewróciłam oczami.

– Lepiej chodźmy już na ten obiad.

Prawie wszystkie miejsca w Lodge zastaliśmy zajęte. Uważałam, że mają tam przesadnie wysokie ceny i kiczowaty wystrój, ale był to jedyny lokal w miasteczku zasługujący na miano restauracji, więc wśród ludzi pragnących coś świętować cieszył się dużą popularnością. Wpatrywałam się ponuro w wiszącą na ścianie głowę łosia, a Charlie zajadał się antrykotem i gwarzył wesoło z rodzicami Tylera Crowleya siedzącymi przy sąsiednim stoliku. Było głośno – większość gości, podobnie jak my, przyjechała tu prosto ze szkoły i teraz dzieliła się wrażeniami z innymi uczestnikami uroczystości. Rozmawiano ponad oparciami krzeseł i ściankami przepierzeń.

Siedziałam tyłem do okien wychodzących na ulicę, ale opierałam się skutecznie pokusie i nie zerkałam sobie przez ramię, żeby sprawdzić, czy jestem w stanie wypatrzyć swojego obrońcę. Wiedziałam, że i tak nic bym nie zobaczyła, tak samo jak wiedziałam, że nie spuszczał mnie z oczu ani na sekundę. Nie po tym, co mu niedawno przekazałam.

Obiad się przedłużał, bo rozgadany Charlie jadł bardzo powoli. Gmerałam widelcem w hamburgerze i kiedy byłam pewna, że ojciec na mnie nie patrzy, upychałam kawałki mięsa w serwetkę. Wydawało mi się, że zabiera mi to strasznie dużo czasu, ale wskazówki restauracyjnego zegara, których położenie sprawdzałam stanowczo zbyt często, przesuwały się za każdym razem tylko o maleńki wycinek łuku.

W końcu Charlie dostał resztę i odliczył napiwek.

Wstałam.

– Spieszysz się gdzieś? – spytał.

– Chcę pomóc Alice w przygotowaniach – skłamałam.

– No dobra.

Odwrócił się, żeby się ze wszystkimi pożegnać – nasz prywatny obiad przerodził się poniekąd w coś na kształt pełnowymiarowego przyjęcia. Wiedziałam, że zajmie mu to trochę czasu, więc wyszłam na zewnątrz, by zaczekać na niego przy radiowozie.

Oparłam się o drzwi od strony pasażera. Na parkingu było już prawie zupełnie ciemno. Chmury zalegały na niebie tak gęsto, że nie sposób było ocenić, czy słońce już zaszło, czy nie. W powietrzu czuło się dziwny do określenia ciężar, jakby zbierało się na deszcz.

Coś przemknęło w cieniu.

W moje żyły wystrzeliła adrenalina, ale zaraz potem odetchnęłam z ulgą, bo z mroku wynurzył się Edward.

Bez słowa przytulił mnie mocno do piersi, po czym chłodną dłonią odszukał mój podbródek i pociągnął go delikatnie do góry, żeby przycisnąć łapczywie swoje wargi do moich. Mięśnie szczęki miał napięte jak struny.

– Już ci lepiej? – spytałam, gdy tylko pozwolił mi zaczerpnąć powietrza.

– Nie bardzo – mruknął. – Ale przynajmniej wziąłem się w garść. Przepraszam, że wcześniej straciłem nad sobą panowanie.

– Moja wina. Mogłam wybrać lepszy moment.

– Nie, nie. Musiałem się dowiedzieć jak najszybciej. Nie potrafię tylko uwierzyć, że sam do tego nie doszedłem!

– Dość miałeś na głowie.

– A ty nie?

Nie dając mi odpowiedzieć, znienacka znowu mnie pocałował, tym razem jednak oderwał się ode mnie już po sekundzie.

– Charlie już tu idzie.

– Poprosiłam go, żeby podrzucił mnie do was do domu.

– Pojadę za wami.

– Naprawdę...

Zamierzałam powiedzieć, że nie musi, ale zniknął, zanim otworzyłam usta.

– Bella? – zawołał Charlie z progu restauracji, mrużąc oczy, żeby mnie wypatrzyć w ciemnościach.

– Tu jestem.

Podszedł do auta, mamrocząc coś o zniecierpliwieniu.

– No powiedz, jak się czujesz? – zagadał, kiedy wyjechaliśmy z miasteczka, kierując się na północ. – Twój wielki dzień dobiega końca.

– Normalnie się czuję – skłamałam.

Zaśmiał się. Nawet jego nie potrafiłam wywieść w pole.

– Przejmujesz się przyjęciem Alice, prawda?

– No...

Było to kolejne kłamstwo, ale tym razem połknął haczyk.

– Nigdy nie przepadałaś za imprezami.

– Ciekawa jestem, po kim to – mruknęłam.

Zachichotał.

– Cóż, wyglądasz naprawdę ładnie. Też powinienem ci coś kupić. Wybacz, że na to nie wpadłem wcześniej.

– Nie przesadzaj, tato.

– Nie przesadzam, po prostu jestem zdania, że zdarza mi się ciebie zaniedbywać.

– Głupoty gadasz. Świetnie sobie radzisz. Jesteś najlepszym ojcem na świecie. Tak bardzo... – Niełatwo mi było poruszać przy nim temat uczuć, ale odchrząknęłam i się przemogłam. – Tak bardzo się cieszę, że się do ciebie przeprowadziłam. To było najlepsze posunięcie w moim życiu. Więc niczym się nie zadręczaj. Jak się kończy jakiś etap, zawsze ogarniają człowieka wątpliwości, czy dał z siebie wszystko.

– Hm, może i masz rację. Ale kilka błędów na pewno popełniłem. Choćby to twoje złamanie.

Spojrzałam na swoje dłonie. Lewa spoczywała na ciemnym usztywnieniu. Sprawdziło się i złamana kostka już mnie nie pobolewała, więc rzadko ostatnio o niej myślałam.

– Nie sądziłem, że wypadało nauczyć cię porządnego prawego sierpowego, a jak widać, jednak było trzeba.

– Myślałam, że jesteś po stronie Jacoba?

– Bez względu na to, po czyjej jestem stronie, jeśli ktoś całuje cię bez pozwolenia, powinnaś umieć okazać mu sprzeciw, nie robiąc sobie przy tym krzywdy. Pewnie trzymałaś kciuk w środku pięści, co?

– Nie, nie trzymałam. To słodkie, że udzielasz mi takiej lekcji, ale żadne instrukcje tu chyba nie pomogą. Wierz mi, Jacob ma okropnie twardą czaszkę.

Parsknął śmiechem.

– Następnym razem uderz go w brzuch.

– Następnym razem? – spytałam z niedowierzaniem.

– Och, nie bądź dla niego zbyt surowa. To jeszcze dzieciak.

– Jest wstrętny.

– Ale nadal jest twoim przyjacielem.

– Wiem – westchnęłam. – Nie mam pojęcia, jak to rozegrać, żeby nie zachować się jak świnia.

Pokiwał wolno głową.

– Tak... Rozwiązanie słuszne to nie zawsze rozwiązanie oczywiste. A czasami coś, co jednym wydaje się słuszne, innych rani. Hm... Mogę ci tylko życzyć powodzenia.

– Dzięki – mruknęłam, odrobinę zawiedziona.

Znowu się zaśmiał, a potem nastroszył brwi.

– Jeśli ta impreza wymknie wam się spod kontroli... – zaczął.

– O nic się nie martw, tato. Będą Carlisle i Esme. Też możesz przyjść, jeśli tylko masz ochotę.

Skrzywił się, nie odrywając wzroku od szosy. Był tak samo wielkim fanem przyjęć, jak ja.

– A tak w ogóle, to gdzie jest dokładnie ten zjazd? – spytał. – Cullenowie powinni tam postawić jakąś podświetlaną tabliczkę czy coś w tym stylu. O tej porze nie sposób go zauważyć.

– Chyba zaraz za następnym zakrętem. – Zacisnęłam wargi. – Masz rację, bardzo trudno go znaleźć. Alice mówiła mi, że dołączyła do zaproszeń mapkę, ale mimo to nie jestem pewna, czy wszyscy trafią.

Dopiero teraz pomyślałam o tej ewentualności i trochę poprawiło mi to humor.

– Może komuś się uda – powiedział Charlie.

Droga skręciła na wschód. Kiedy pokonaliśmy zakręt, naszym oczom ukazało się niecodzienne zjawisko. W miejscu, w którym miał być zjazd prowadzący do Cullenów, od aksamitnej czerni lasu odcinały się tysiące migających choinkowych lampek, niemożliwych do przeoczenia. Ktoś porozwieszał je na drzewach po obu stronach odgałęzienia.

– Wow – szepnął Charlie.

Zrzedła mi mina.

– Przeklęta Alice.

Skręciliśmy. Okazało się, że podświetlono nie tylko sam zjazd – co kilkanaście metrów mijaliśmy kolejną instalację, i tak aż pod sam dom, przez prawie pięć kilometrów.

– Ta mała nigdy nie bawi się w półśrodki, prawda?

Ojciec był pod wrażeniem.

– Jesteś pewien, że nie wejdziesz choć na chwilę?

– W stu procentach. Baw się dobrze, kochanie.

– Wielkie dzięki, tato.

Przyglądał mi się rozbawiony, jak wysiadam i zatrzaskuję drzwiczki. Odprowadziłam go wzrokiem. Nie przestawał się szeroko uśmiechać.

Z westchnieniem pomaszerowałam na swoje przyjęcie.

17 *Sojusznicy*

– Bella?

Aksamitny głos Edwarda dobiegł zza moich pleców, więc natychmiast się odwróciłam. Dwoma susami pokonywał właśnie stopnie werandy. Włosy miał zmierzwione od biegu. Przyciągnął mnie do siebie, tak jak na parkingu, i znowu pocałował.

Przestraszył mnie tym pocałunkiem. Było w nim zbyt dużo napięcia, zbyt dużo łapczywości – wręcz miażdżył mi wargi. Jakby bał się, że to już ostatni raz.

Nie mogłam pozwolić sobie na takie niepokojące myśli – przez następnych kilka godzin musiałam przecież jakoś funkcjonować wśród ludzi. Wyplątałam się z jego objęć.

– Miejmy już to durne przyjęcie za sobą – wymamrotałam, nie patrząc mu w oczy.

Ująwszy delikatnie moją twarz w dłonie, odczekał chwilę, aż podniosłam wzrok.

– Nie pozwolę, żeby cokolwiek ci się stało.

Dotknęłam jego ust opuszkami palców zdrowej dłoni.

– O siebie to się tak bardzo nie martwię.

– Dlaczego mnie to nie dziwi? – mruknął pod nosem. Wziął głęboki wdech, a potem spróbował się uśmiechnąć. – Gotowa na świętowanie?

Jęknęłam głośno.

Nie przestając obejmować mnie w talii, otworzył przede mną drzwi. Zamurowało mnie na dobrą minutę. W końcu pokręciłam wolno głową.

– Niesamowite.

Wzruszył ramionami.

– Z Alice inaczej się nie da.

Ogromny salon Cullenów został przeobrażony w klub nocny – jeden z tych, które rzadko trafiają się w prawdziwym świecie, co najwyżej widuje się je w telewizji.

– Edward! – zawołała Alice spod wielkiego głośnika. – Potrzebuję twojej rady. – Wskazała na piętrzące się przed nią dwa imponujące stosy płyt kompaktowych.– Czy zaserwować gościom to, co znają i lubią, czy raczej zadbać o ich edukację muzyczną?

– To, co znają i lubią – zakomenderował. – I tak nie nawrócisz ich w jeden wieczór.

Bez protestów zabrała się do pakowania jednej ze stert do pudła. Zauważyłam, że przebrała się w wyszywany cekinami top bez rękawów i szkarłatne skórzane spodnie. Jej naga skóra reagowała dziwnie na pulsujące czerwienią i fioletem dyskotekowe światła.

– Chyba tu nie pasuję z tym błękitnym sweterkiem – stwierdziłam.

– Wyglądasz bombowo – zaoponował Edward.

– Zupełnie normalnie – poprawiła go jego siostra.

– Dzięki. – Westchnęłam. – Sądzicie, że ktoś w ogóle przyjdzie? W moim głosie wyraźnie słuchać było nadzieję. Alice pokazała mi język.

– Stawią się w komplecie, zobaczysz – odpowiedział mi Edward. – Nikt z nich tu jeszcze nie był. Umierają z ciekawości.

– Super – jęknęłam.

Nie było dla mnie nic do roboty. Zresztą, nawet gdybym nie musiała spać i poruszała się z prędkością światła, i tak nie zdołałabym się dopasować do wysokich standardów Alice.

Edward nie pozwolił mi się oddalić ani na sekundę, więc musiałam odszukać z nim Jaspera, a następnie Carlisle'a, żeby poinformować ich o tym, co sobie uświadomiłam. Przysłuchiwałam się z przerażeniem, jak omawiają swój atak na armię nowo narodzonych. Widać było, że Jasper, dla lepszej proporcji, wolałby zwerbować wpierw kilkoro sojuszników, ale od czasu przykrej rozmowy z Tanyą nie udało im się z nikim skontaktować. Jasper nie ukrywał swojej desperacji, tak jak na jego miejscu zrobiłby to Edward. Było widać jak na dłoni, że nie podoba mu się podejmowanie aż takiego ryzyka.

Już niedługo miałam siedzieć bezczynnie w domu i wyczekiwać ich powrotu. Boże, ja przecież od tego zwariuję, pomyślałam.

Nagle ktoś zadzwonił do drzwi.

Wszyscy jak na rozkaz porzucili bitewne plany. Ta normalność wydała mi się surrealistyczna. Carlisle, który jeszcze przed sekundą dyskutował o metodach zabijania, przestał marszczyć czoło i uśmiechnął się ciepło, jak na pana domu przystało. Alice podkręciła muzykę i w podskokach pobiegła otworzyć.

Była to spora grupka moich znajomych ze szkoły. Nie mieli śmiałości pojawić się pojedynczo, więc zabrali się wszyscy chevroletem Mike'a. Pierwsza weszła Jessica, zaraz za nią sam Mike, przyjechali też Tyler, Conner, Austin, Lee, Samantha... nawet Lauren. Ta weszła ostatnia i, jak ją znałam, już się rozglądała za czymś, co mogłaby skrytykować. Wszyscy się zresztą rozglądali – wpierw zaciekawieni, a później oszołomieni klubowym wystrojem. Salon nie był pusty – Cullenowie zajęli już miejsca, gotowi odstawiać swoją komedię. Czułam, że tego wieczoru będę grać równie dużo, jak oni.

Mając nadzieję, że moje zdenerwowanie odczytają tak, jak mi na tym zależało, poszłam przywitać się z Jessicą i Mikiem. Zanim zdążyłam podejść do kogoś innego, znowu rozległ się dzwonek. Wpuściłam do środka Angelę i Bena, zostawiając drzwi szeroko otwarte, bo do stopni dochodzili już Eric i Katie.

Nie miałam kiedy wpaść w panikę – musiałam ze wszystkimi porozmawiać, zmuszać się do uśmiechu, koncentrować się na byciu dobrą gospodynią. Chociaż teoretycznie wyprawiałam to przyjęcie z Alice i Edwardem, nie dało się ukryć, że to mnie głównie składano gratulacje i dziękowano za zaproszenie. Może powodem było to, że Cullenowie wyglądali trochę dziwnie w przygotowanych przez Alice dyskotekowych światłach? A może to, że przez owe światła cały salon prezentował się dość mrocznie i tajemniczo? Trudno było w takich warunkach zrelaksować się obok kogoś takiego jak Emmett. Zauważyłam kątem oka, że gdy uśmiechnął się do Mike'a ponad stołem z zakąskami, a czerwone światło odbiło się od jego lśniących zębów, mój kolega odruchowo cofnął się o krok.

Może to Alice zaplanowała wszystko tak, żebym znalazła się w centrum uwagi? Może sądziła, że sprawi mi tym przyjemność? Zawsze starała się, żebym „zachowywała się jak człowiek", zgodnie z tym, jak sobie owo „człowiecze zachowanie" wyobrażała.

Pomimo nieco niepokojącej obecności Cullenów – a może i dzięki niej, bo zapewniała dreszczyk emocji – przyjęcie z pewnością można było uznać za udane. Muzyka porywała, światła niemalże wprowadzały trans, a wystawione jedzenie znikało w szybkim tempie. Salon zapełnił się gośćmi, lecz wcale nie zrobiło się klaustrofobicznie ciasno: przyszedł chyba cały mój rocznik, a także większość trzecioklasistów. Choć nie tańczono, tylko głównie rozmawiano, wszyscy podrygiwali w tym samym rytmie, w którym drżała podłoga pod moimi stopami, i wydawało się, że w każdej chwila impreza może zmienić się w dziki rave.

Drżałam wcześniej na samą myśl o tym przyjęciu, ale nie było tak źle. Zgodnie z niewypowiedzianym nakazem Alice stale krążyłam po pokoju, starając się poświęcić każdemu około minuty i z tego, co widziałam, wszyscy wyglądali na usatysfakcjonowanych. Byłam pewna, że do tej pory nie odbyła się w Forks impreza tego formatu. Alice prawie mruczała z zadowolenia – tego wieczoru nie miał zapomnieć nikt z obecnych.

Zatoczywszy pełne koło, wróciłam do Jessiki. Jak to miała w zwyczaju, paplała podekscytowana, więc nie trzeba jej było uważnie słuchać, żeby podtrzymywać rozmowę. Edward stał koło mnie, bo nadal upierał się, że muszę mieć ochroniarza. Kiedy chodziliśmy wśród gości, obejmował mnie non stop w talii, przyciągając od czasu do czasu do siebie w reakcji na jakąś wychwyconą przez siebie myśl, której prawdopodobnie nie chciałabym poznać.

Nic dziwnego, że gdy nagle mnie puścił, od razu wydało mi się to podejrzane.

– Nie odchodź nigdzie, okej? – szepnął mi do ucha. – Zaraz wracam.

Wmieszał się w tłum z taką gracją, jakby ten sam się przed nim rozstępował. Nie zdążyłam go nawet spytać, dokąd idzie. Z nieświadomą mojego stanu Jess uwieszoną u łokcia obserwowałam, jak się oddala.

Doszedłszy do zalegających u progu kuchni cieni, które wiązki świateł rozświetlały w równych odstępach czasu, pochylił się nad jakąś niewidoczną postacią, zasłanianą przez dzielące nas morze głów.

Wspięłam się na palce i wyciągnęłam szyję. W tym samym momencie na parę stojącą przy kuchni padło czerwone światło i coś w nim zalśniło: cekiny na topie Alice. Jej twarz tylko mi mignęła, ale więcej nie było mi trzeba.

– Zaraz wrócę, Jess – wymamrotałam, wyzwalając się z jej uścisku.

Nawet nie odwróciłam głowy, żeby sprawdzić, czy nie uraziłam jej swoją obcesowością – dałam nurka w plątaninę ciał i zaczęłam się energicznie przepychać. Kilkoro gości już tańczyło. Po chwili dotarłam na miejsce.

Edward zniknął, ale Alice wciąż tam stała, pobladła i osłupiała. Miała minę kogoś, kto właśnie był świadkiem jakiegoś okropnego wypadku. Jedną ręką trzymała się kurczowo framugi drzwi, jakby obawiała się, że się przewróci.

– Alice? Coś zobaczyłaś? Co zobaczyłaś? Alice!

Odruchowo złożyłam dłonie w błagalnym geście, jak do pacierza.

Nawet na mnie nie spojrzała – patrzyła gdzieś w bok. Podążyłam za jej wzrokiem i zobaczyłam, że wpatruje się w Edwarda, znajdującego się po przeciwnej stronie pokoju. Miał nieodgadniony wyraz twarzy. Na ułamek sekundy ich oczy się spotkały, a potem Edward odwrócił się i zniknął w cieniu pod schodami.

Ledwie to zrobił, rozległ się dzwonek do drzwi – pierwszy po kilkugodzinnej przerwie.

Alice wzdrygnęła się, zaskoczona, a zaraz potem skrzywiła z obrzydzenia.

– Kto tu zaprosił tego wilkołaka? – jęknęła.

Zacisnęłam wargi.

– Ja, oczywiście.

Sądziłam, że anulowałam to zaproszenie – no i przede wszystkim nawet mi się nie śniło, że Jacob je przyjmie.

– Cóż, w takim razie idź i się nim zajmij. Ja mam coś do omówienia z Carlisle'em.

– Nie, Alice, zaczekaj! – Chciałam złapać ją za rękę, ale już jej nie było. Moje palce zacisnęły się w powietrzu. – Cholera jasna! – mruknęłam.

Wiedziałam, że to było to – Alice nawiedziła nareszcie wizja, na którą tak długo czekała. Chciałam się jak najszybciej dowiedzieć, co w niej było, a nie witać nowego gościa. Przycisnął guzik dzwonka raz jeszcze, tym razem o wiele dłużej, ale odwróciłam się do drzwi plecami i zaczęłam szukać wzrokiem przyjaciółki.

W panującym w salonie półmroku nie sposób było ją namierzyć. Postanowiłam przedrzeć się do schodów i ruszyłam przed siebie.

Muzyka na chwilę ucichła.

– Hej, hej! Bella! – usłyszałam za sobą głos Jacoba.

Miałam zamiar go zignorować, ale zdradziło mnie własne ciało i mimowolnie odwróciłam głowę.

Przewróciłam oczami.

Przy drzwiach stał nie jeden, a trzech wilkołaków, Jacob przyprowadził bowiem ze sobą Embry'ego i Quila. Obaj byli wyraźnie spięci i rozglądali się nerwowo, jakby znaleźli się w nawiedzanej przez duchy krypcie. Embry trzymał wciąż rozedrganą dłoń na klamce, gotowy rzucić się do ucieczki.

Jacob pomachał do mnie. Wyglądał na bardziej rozluźnionego od swoich kolegów, ale marszczył nos. Pomachałam mu i ja – tyle że na pożegnanie – a potem przecisnęłam się pomiędzy Lauren a Connerem, żeby dalej szukać Alice.

Zjawił się znikąd – położył mi dłoń na ramieniu i pchnął w kierunku cienia przy kuchni. Próbowałam zrobić unik, ale chwycił mnie za zdrowy nadgarstek i siłą wyprowadził z tłumu.

– Wszystkich gości tak traktujesz? – spytał.

Uwolniłam rękę i spojrzałam na niego spode łba.

– Po co tu przyszedłeś?

– Sama mnie zaprosiłaś. Nie pamiętasz?

– Ale później dałam ci w twarz i to oznaczało, że anuluję zaproszenie.

– Nie irytuj się. Przyniosłem ci prezent, i w ogóle.

Splotłam ręce na piersi. Nie chciałam się z nim teraz kłócić – chciałam dowiedzieć się, co widziała Alice i jak na jej rewelacje zareagowali Edward i Carlisle. Wyciągnęłam szyję, żeby móc zobaczyć ponad ramieniem Jacoba, czy nie ma ich gdzieś w pokoju.

– Możesz go odnieść do sklepu. Mam coś ważnego do załatwienia.

Zrobił krok w bok, żeby przesłonić mi widok i zwrócić tym na siebie uwagę.

– Nie mogę go oddać, bo nie kupiłem go w sklepie. Sam go zrobiłem. Kupę czasu mi to zabrało.

Przechyliłam się w drugą stronę, ale wszyscy Cullenowie jakby zapadli się pod ziemię. Gdzie oni się podziewali? Po raz kolejny przeczesywałam wzrokiem tłum.

– Bell! Przestań. Nie udawaj, że mnie tu nie ma!

– Niczego nie udaję. – Dalej się rozglądałam, ale bez rezultatu. – Słuchaj, Jake, jestem teraz bardzo zajęta.

Wziął mnie pod brodę i zmusił do spojrzenia sobie w oczy.

– Czy mógłbym prosić o poświęcenie mi chociaż kilku sekund, panno Swan?

Odskoczyłam jak oparzona.

– Łapy przy sobie, Jacob! – syknęłam.

– Okej, okej! – Podniósł obie ręce do góry. – Przepraszam. I za tamto też przepraszam. No wiesz – za to, że cię pocałowałem. Nie powinienem się tak narzucać. Zachowałem się jak ostatni cham. Po prostu... chyba po prostu wmówiłem sobie, że ty też tego chcesz.

– Wmówił sobie! Co za urocze usprawiedliwienie!

– Hej, bądź milsza. Przecież cię przeprosiłem.

– Dobra, przeprosiny przyjęte. A teraz pozwól, że wrócę do swoich spraw.

– Jasne – mruknął.

Nowa nuta w jego głosie sprawiła, że zatrzymałam się i przyjrzałam mu się uważniej. Wpatrywał się w podłogę, żebym nie widziała wyrazu jego oczu. Jego dolna warga zachodziła nieco na górną.

– Pewnie wolisz się bawić ze swoimi prawdziwymi przyjaciółmi – powiedział tym samym zrezygnowanym tonem. – Wszystko rozumiem.

Jęknęłam.

– Jake! Wiesz, że to nie fair!

– Wiem?

– Przynajmniej powinieneś.

Pochyliłam się, patrząc w górę, żeby spojrzeć mu w oczy. Podniósł głowę, unikając mojego wzroku.

– Jake?

Nadal na chciał na mnie patrzeć.

– Ponoć coś dla mnie zrobiłeś, tak? A może tylko się przechwalałeś? To gdzie jest ten mój prezent?

Mój wymuszony entuzjazm był żałosny, ale działał. Jacob przewrócił oczami, a potem spojrzał na mnie i się skrzywił.

Grałam dalej. Nadstawiłam otwartą dłoń.

– Czekam – oznajmiłam.

– Świetnie – mruknął.

Mimo to sięgnął jednocześnie do tylnej kieszeni dżinsów i wyciągnął z niej zawiązany rzemieniem, luźno pleciony woreczek z wielobarwnego materiału. Położył mi go na dłoni.

– Jest śliczny – powiedziałam. – Dziękuję.

Westchnął.

– Bella, prezent jest w środku.

– Och.

Zaczęłam majstrować przy suple. Jacob znowu westchnął, odebrał mi mieszek i rozwiązał rzemień jednym pociągnięciem za właściwy jego koniec. Wyciągnęłam rękę, żeby wyjąć upominek, ale mnie uprzedził. Kiedy obrócił woreczek do góry dnem, na moją dłoń wypadło coś srebrnego. Metalowe ogniwa łańcuszka cicho zabrzęczały.

– Bransoletki nie zrobiłem – wyznał. – Tylko zawieszkę.

Do jednego z ogniw srebrnej bransoletki była przyczepiona malutka drewniana figurka. Wzięłam ją w dwa palce, żeby móc się jej lepiej przyjrzeć. Nie mogłam się nadziwić, że zmieściło się na niej tyle detali – miniaturowy wilk wyglądał jak żywy. Wyrzeźbiono go nawet z jakiegoś rdzawego drewna, żeby miał odpowiednią barwę sierści.

– Jaki piękny – wyszeptałam. – I ty to sam zrobiłeś? Jak?

Wzruszył ramionami.

– Billy mnie kiedyś nauczył. On to dopiero rzeźbi!

– Trudno uwierzyć, że jest w tym lepszy od ciebie.

Obracałam wilczka w palcach.

– Naprawdę ci się podoba?

– Bardzo. Jest niesamowity.

Uśmiechnął się – najpierw radośnie, a potem kwaśno.

– Pomyślałem sobie, że może wspomnisz mnie czasem, kiedy na niego popatrzysz. Wiesz, jak to jest: jak się traci z kimś kontakt, to i nie myśli się o nim za często.

Postanowiłam zignorować jego nastawienie.

– Daj, pomożesz mi ją zapiąć.

Wyciągnęłam przed siebie lewy nadgarstek, bo prawy miałam zakryty opatrunkiem. Jacob zapiął bransoletkę za pierwszym podejściem, chociaż jego grube palce wydawały się nie nadawać do takiej precyzyjnej czynności.

– Będziesz ją nosić? – spytał.

– Ma się rozumieć.

Obdarzył mnie jednym ze swoich szerokich uśmiechów, które tak uwielbiałam.

Na moment i ja się uśmiechnęłam, ale zaraz powróciłam do szukania wzrokiem Edwarda i Alice.

– Co cię tak w kółko rozprasza? – zaciekawił się.

– Nic takiego – skłamałam, usiłując się skupić. – Jeszcze raz dziękuję za prezent. Jest cudowny, naprawdę.

Ściągnął brwi.

– Bella, co jest grane? Coś jest nie tak, prawda?

– Nie, nie. Nic, zupełnie...

– Przestań, marny z ciebie kłamca. Powinnaś mi powiedzieć, o co chodzi. Musimy być na bieżąco – dodał, przechodząc na liczbę mnogą.

Chyba miał rację – dobre rozeznanie w sytuacji jak najbardziej leżało w interesie sfory – tyle że ja jeszcze nie byłam pewna, co jest grane. Miałam być dopiero po konfrontacji z Alice.

– Jacob, powiem ci, jak tylko sama się dowiem czegoś więcej, dobra? Na razie muszę porozmawiać z Alice.

Od razu skojarzył.

– Ta wasza wróżbitka coś zobaczyła, tak?

– Tak. Akurat tuż przed tym, jak się pojawiłeś.

– Chodzi o tę pijawkę, co zakradła ci się do pokoju? – spytał, ściszając głos.

– O nią też – przyznałam.

Przez chwilę przypatrywał mi się z przekrzywioną na bok głową.

– Ty coś wiesz – stwierdził w końcu. – Coś przede mną ukrywasz. Coś dużego.

Dalsze zwodzenie go nie miało sensu – za dobrze mnie znał.

– Tak – odparłam.

Patrzył na mnie jeszcze trochę, a potem odwrócił się, żeby nawiązać kontakt wzrokowy ze swoimi dwoma kompanami, którzy nadal stali przy wejściu, spięci i skrępowani. Kiedy ich oczy się spotkały, Embry i Quil natychmiast zaczęli przemykać się wśród balowników, poruszając się przy tym tak zgrabnie, jakby sami również tańczyli. Do drzwi kuchennych dotarli w niespełna pół minuty.

– Opowiedz nam wszystko po kolei – rozkazał mi Jacob.

Jego przyjaciele z watahy patrzyli to na mnie, to na niego, zdezorientowani. No i wciąż mieli się na baczności.

– Jacob, ja nic nie wiem – jęknęłam.

Znów zezowałam na boki, ale tym razem wyglądając drogi ucieczki. Nie miałam im się jak wymknąć, ani słownie, ani fizycznie.

– Coś tam wiesz.

Wszyscy trzej w tym samym momencie założyli ręce. Wyglądało to nawet odrobinę zabawnie, ale przede wszystkim groźnie.

Zaraz potem dostrzegłam Alice schodzącą po schodach. Jej biała skóra lśniła w fioletowym świetle.

– Alice! – zawołałam piskliwie, czując ogromną ulgę.

Od razu spojrzała prosto na mnie, chociaż mój głos zagłuszały dudniące basy. Pomachałam do niej energicznie, przyglądając się, jak zmienia się jej wyraz twarzy, kiedy docierało do niej, że pochylają się nade mną trzy wilkołaki.

Minę miała teraz zaciętą, ale jeszcze przed chwilą była wyraźnie zlękniona i zestresowana. Podbiegła do nas w ludzkim tempie. Czekając na nią, przygryzłam wargę.

Jacob, Quil i Embry zeszli jej z drogi, zerkając po sobie niepewnie. Objęła mnie jedną ręką w talii.

– Musimy porozmawiać – szepnęła mi do ucha.

– Eee... No to, do zobaczenia później, Jake – wybąkałam, starając się ominąć ich grupkę.

Jacob oparł się o ścianę w taki sposób, że jego ramię zatarasowało nam drogę.

– Nie tak szybko.

Alice posłała mu pełne niedowierzania spojrzenie.

– Co proszę?

– Wyjaśnij nam najpierw, co jest grane – zażądał ostro.

Jasper po prostu zmaterializował się w powietrzu – nie dawało się tego inaczej określić. Pojawił się znikąd tuż za zagradzającym nam przejście Jacobem. Jego oczy ciskały gromy, ale poza tym był opanowany.

Jacob powoli opuścił rękę. Wydawało się to najlepszym posunięciem, jeśli zamierzał ją zachować.

– Mamy prawo wiedzieć – mruknął, wciąż wpatrując się w Alice.

Jasper wszedł pomiędzy ich dwoje i wszystkie trzy wilkołaki zacisnęły pięści.

– Hej! – odezwałam się. Chciałam się zaśmiać, ale wyszedł z tego dość histeryczny chichot. – Pamiętajcie, że jesteście na moim przyjęciu!

Nikt nie zwrócił na mnie uwagi. Jacob patrzył gniewnie na Alice, a Jasper na Jacoba. Alice z kolei nagle się zamyśliła.

– Spokojnie, Jasper. Właściwie to on ma rację.

Mimo to się nie rozluźnił.

Byłam pewna, że od napięcia lada chwila eksploduje mi głowa.

– Co takiego zobaczyłaś? – zapytałam.

Jeszcze przez sekundę świdrowała wzrokiem Jacoba, ale potem przeniosła go na mnie, postanowiwszy najwidoczniej, że członkowie sfory mogą jej jednak posłuchać.

– Podjęto decyzję.

– I wyruszacie zaraz do Seattle?

– Nie.

Poczułam, że blednę. Żołądek podszedł mi do gardła.

– To oni zjawią się tutaj – wykrztusiłam.

Trzech Quileutów obserwowało nas w milczeniu, analizując wszystkie mimowolne grymasy zdradzające targające nami emocje. Stali jak wrośnięci w ziemię, ale niezupełnie nieruchomo – każdemu z nich trzęsły się ręce.

– Tak.

– W Forks – wyszeptałam.

– Tak.

– Żeby...?

Skinęła głową, rozumiejąc moje pytanie.

– Jeden z nich miał przy sobie twoją czerwoną bluzkę.

Spróbowałam przełknąć ślinę.

Jasper nie wyglądał na zachwyconego faktem, że omawiamy nasze sprawy przy wilkołakach, ale w tym momencie sam też musiał zabrać głos:

– Nie możemy im pozwolić na to, żeby się zanadto zbliżyli. Jest nas za mało, żeby skutecznie bronić mieszkańców.

– Wiem – powiedziała Alice, raptownie smutniejąc – ale to, gdzie ich zaatakujemy, nie ma większego znaczenia. I tak nie damy rady zatrzymać wszystkich i kilku przyjdzie przeszukać dom.

– Nie! – wyrwało mi się.

Mój okrzyk zginął w odgłosach przyjęcia. Wszędzie dookoła bawili się w najlepsze moi sąsiedzi, znajomi i pomniejsi wrogowie. Jedli, śmiali się i kołysali w rytm muzyki, nieświadomi tego, że lada chwila mają stać się świadkami nalotu potworów, a może i stracić życie. A wszystko to z mojego powodu.

– Alice – szepnęłam. – Nie mogę narażać innych. Musicie mnie zaraz dokądś wywieźć.

– To nic nie da. Ci z Seattle to nie tropiciele. I tak przyjdą cię tutaj szukać.

– W takim razie muszę wyjść im naprzeciw! – Gdyby mój głos nie był taki ochrypły i spięty, przypominałby pewnie mysi pisk. – Jeśli od razu znajdą to, czego szukają, to może sobie pójdą, nie robiąc krzywdy nikomu innemu!

– Bello! – zaprotestowała Alice.

– Jedno pytanie – wtrącił się Jacob. – O kim wy w ogóle mówicie?

Posłała mu lodowate spojrzenie.

– To nasi pobratymcy. Cała ich banda.

– Skąd... – zaczął.

– Chcą Belli. Tyle wiemy.

– I mają nad wami przewagę liczebną? – upewnił się.

– Liczebność to jeszcze nie wszystko, psie – warknął Jasper, obruszony. – Mamy inne zalety. To będzie wyrównana walka.

– Nie. – Usta Jacoba wykrzywiły się w dziwnym, zawziętym półuśmiechu. – Nie będzie wyrównana.

– Super! – Alice klasnęła w dłonie.

Nadal sparaliżowana przerażeniem, wpatrywałam się w jej odmienioną twarz. Niespodziewanie ożywiła ją egzaltacja, a po rozpaczy nie zostało ani śladu.

Uśmiechnęła się do Jacoba, a on nie pozostał jej dłużny.

– Wszystko znikło, rzecz jasna – zakomunikowała mu z zadowoleniem – ale biorąc pod uwagę okoliczności, wolę was niż te dodatkowe informacje.

– Będziemy musieli ze sobą współdziałać – podkreślił Jacob. – To nie będzie dla nas łatwe. No ale właściwie to wy pomożecie nam w naszej robocie, a nie na odwrót.

– Tu bym się nie zgodziła, ale mniejsza o to. Sojuszników potrzebujemy na gwałt, więc nie zamierzamy być wybredni.

– Hej, hej, hej! – przerwałam im. – Wstrzymajcie się na moment.

Alice stała na palcach, a Jacob pochylał się nad nią. Spojrzeli na mnie zniecierpliwieni. Choć byli podekscytowani, ich wrażliwe powonienie nie pozwalało im przestać marszczyć nosów.

– Współdziałać? – powtórzyłam przez zaciśnięte zęby.

– Chyba nie sądziłaś, że będziemy w takiej sytuacji stać z boku i tylko się przyglądać? – powiedział Jacob.

– Właśnie, że będziecie stali z boku!

– Twoja przyjaciółka ma wobec nas inne plany.

– Alice, powiedz im, że odmawiasz! Przecież ich pozabijają!

Jacob, Quil i Embry wybuchnęli śmiechem.

– Bello – zwróciła się do mnie łagodnie Alice – właśnie walcząc osobno, wszyscy będziemy ryzykować życiem. Razem...

– ...damy draniom niezły wycisk – dokończył za nią Jacob.

Quil znowu się zaśmiał.

– Dużo ich? – spytał takim tonem, jakby był głodny, a chodziło o hamburgery.

– Przestańcie! – krzyknęłam.

Alice nawet na mnie nie zerknęła.

– Dziś było dwudziestu dwóch, ale ta liczba stopniowo maleje.

– Dlaczego? – zdziwił się Jacob.

– To dłuższa historia. – Rozejrzała się nagle po pokoju. – To nie jest właściwe miejsce.

– Ale możemy wrócić do niej jeszcze dziś wieczorem?

– Możemy – odpowiedział mu Jasper. – Planowaliśmy na później taką... taką naradę wojenną. Czujcie się zaproszeni. Jeśli chcecie walczyć u naszego boku, musimy was najpierw trochę przeszkolić.

Wilki jak na komendę przybrały ten sam skwaszony wyraz twarzy.

– Przestańcie! – jęknęłam.

– Hm... – Jasper potarł się po brodzie. – Ciekaw jestem, jak to będzie. Nigdy nie brałem was pod uwagę. To pierwszy taki przypadek w historii.

– Bez wątpienia – zgodził się z nim Jacob. Widać było, że spieszno mu przekazać nowinę pozostałym. – No to lecimy do naszych. O której godzinie się spotkamy?

– A o której chodzicie spać?

Wszyscy trzej przewrócili oczami.

– O której? – powtórzył Jacob.

– O trzeciej może być?

– Gdzie?

– Około piętnastu kilometrów za leśniczówką Hoh. Przyjdźcie z zachodu, to złapiecie nasz trop.

– Okej. Do zobaczenia.

Ruszyli w kierunku drzwi.

– Jake, czekaj! – zawołałam. – Nie rób tego! Błagam!

Obrócił się i uśmiechnął. Quil i Embry znikli w tłumie.

– Bells, nie zachowuj się jak dziecko. Zafundowałaś mi o wiele fajniejszy prezent niż ja tobie.

– Błagam!

Mój głos zagłuszyła solówka na gitarę elektryczną.

Nie odpowiedział – rzucił się dogonić swoich kompanów, którzy zdążyli już wyjść. Obserwowałam bezradna, jak znika mi z oczu.

18 Trening

– To musiało być najdłuższe przyjęcie w historii ludzkości – pożaliłam się w drodze do domu.

Edward nie zaprzeczył.

– Ale już się skończyło – stwierdził.

Potarł moje ramię, żeby podnieść mnie na duchu.

Tylko ja potrzebowałam teraz pocieszenia. Edward miał się już dobrze – tak jak i wszyscy Cullenowie.

Zanim wyszliśmy, obchodzili się ze mną jak z jajkiem: Alice pogłaskała mnie po głowie, zezując znacząco na Jaspera, aż ogarnął mnie niewytłumaczalny spokój, Esme pocałowała mnie w czoło i powiedziała, że wszystko będzie dobrze, a Emmett śmiał się głośno i żartował, że jestem zazdrosna i chcę mieć wilkołaki tylko dla siebie. Po propozycji Jacoba kamień spadł im z serca – tak długo żyli wcześniej w stresie, że niemalże wpadli w euforię. Zwątpienie ustąpiło miejsca pewności siebie. Dopiero pod koniec przyjęcia naprawdę mieli co świętować.

Oni mieli, ale ja nie.

Jakby nie wystarczało samo to, że Cullenowie mieli walczyć dla mnie i o mnie! Jakbym nie miała oszaleć od samej świadomości, że muszę im na to pozwolić! Przecież byłam już u kresu wytrzymałości!

Dlaczego i Jacob musiał do nich dołączyć, Jacob i jego lekkomyślni, popędliwi bracia? Większość z nich była młodsza ode mnie! Byli tylko przerośniętymi, napakowanymi dzieciakami, którym wydawało się, że pojedynki na śmierć i życie to coś równie ekscytującego, jak piknik na plaży. Musiałam ich jakoś powstrzymać, tylko jak? Nerwy miałam napięte jak postronki. Czułam, że lada chwila zacznę histerycznie krzyczeć.

Żeby móc się lepiej kontrolować, ściszyłam głos.

– Zabierzesz mnie na tę naradę ze sobą.

– Bello, ledwo się trzymasz na nogach.

– Sądzisz, że będę w stanie zasnąć?

Edward ściągnął brwi.

– To eksperyment. Nie jestem pewien, czy uda nam się... zgrać. Jeśli coś nie pójdzie po naszej myśli, nie chcę, żebyś przy tym była.

Oczywiście, tym bardziej zapragnęłam tam się znaleźć.

– Jak mnie nie zabierzesz, to zadzwonię do Jacoba.

Zmrużył oczy. Zadałam cios poniżej pasa i dobrze o tym wiedziałam, ale byłam zbyt zdesperowana, żeby przebierać w środkach.

Nie odezwał się już. Zajeżdżaliśmy właśnie pod mój dom. Nad gankiem paliło się światło.

– Do zobaczenia na górze – mruknęłam.

Weszłam na palcach do saloniku. Charlie spał na krótkiej kanapie i chrapał tak donośnie, że mogłabym włączyć przy nim piłę mechaniczną, i tak by się nie obudził.

Potrząsnęłam go energicznie za ramię.

– Tato! Charlie!

Mruknął coś, ale jego oczy pozostały zamknięte.

– Już wróciłam. Chodź, czas na przeprowadzkę. Uszkodzisz sobie kręgosłup, jeśli spędzisz tutaj całą noc.

Musiałam potrząsnąć nim jeszcze kilka razy i choć nie otworzył oczu do końca, udało mi się zmusić go do tego, żeby wstał. Zaprowadziłam go na górę, gdzie nawet się nie rozbierając, padł na przykrytą kapą pościel i znowu zaczął chrapać.

Moja nieobecność miała go zaniepokoić dopiero za kilka ładnych godzin.

Edward czekał już na mnie w pokoju, ale wpierw poszłam do łazienki umyć twarz i przebrać się w dżinsy i flanelową koszulę. Przyglądał mi się zmartwiony z bujanego fotela, jak odwieszam do szafy błękitny komplet od Alice.

Wzięłam go za rękę i pociągnęłam w kierunku łóżka.

– Chodź – powiedziałam.

Pchnęłam go delikatnie, żeby się położył, a potem zwinęłam się w kłębek, przytulona do jego piersi. Może miał rację i rzeczywiście byłam dość zmęczona, żeby zasnąć, nie miałam jednak najmniejszego zamiaru pozwolić mu na wymknięcie się beze mnie.

Otuliwszy mnie starannie kołdrą, na powrót przylgnął do mnie całym ciałem.

– No, to teraz pełny relaks.

– Akurat.

– Zobaczysz, Bello, ten plan wypali. Czuję to.

Zacisnęłam zęby.

Wciąż biła od niego radość. Nikt oprócz mnie nie przejmował się, czy Jacobowi i jego przyjaciołom coś się stanie. Nawet sam Jacob i jego przyjaciele. Zwłaszcza oni.

Edward wiedział, że jestem na skraju załamania nerwowego.

– Posłuchaj mnie, Bello. Pójdzie nam jak z płatka. Weźmiemy ich z zaskoczenia. Oni nie mają zielonego pojęcia o istnieniu wilkołaków. Poza tym widziałem we wspomnieniach Jaspera, jak działają w grupie, i jestem zdania, że wilcze metody polowania sprawdzą się w ich przypadku idealnie. Będą tacy rozproszeni i skołowani, że połowa z nas nie będzie miała nic do roboty prócz dopingowania reszty z ławki rezerwowych.

– Bułka z masłem – skomentowałam głosem bez wyrazu.

– Cii... – Pogłaskał mnie po policzku. – Sama zobaczysz. O nic się nie martw.

Zaczął nucić moją kołysankę, ale po raz pierwszy jej melodia mnie nie uspokoiła.

Ludzie – no cóż, wampiry i wilkołaki, ale niech będzie, że ludzie – ludzie, których kochałam, wyruszali na wojnę. Mogła stać im się krzywda, i to z mojego powodu. Znowu z mojego powodu. Przeklęty pech! Czy wiedział, że jest mój i tylko mój? Miałam ochotę pomachać niebu, wołając: „Hej, tu jestem! To ma dotyczyć tylko mnie!".

Zastanowiłam się nad tym, jak by to można było przeprowadzić – już tak na serio. Jak można zmusić mojego pecha do tego, żeby skupił się wyłącznie na mnie? Nie było to łatwe zadanie. Musiałabym się przyczaić, zaczekać na właściwy moment...

Jednak nie zasnęłam. Ku mojemu zaskoczeniu, kiedy Edward się podniósł, nadal byłam w pełni świadoma i skoncentrowana. Wydawało mi się zresztą, że minęło co najwyżej pół godziny.

– Jesteś pewna, że nie chcesz zostać w domu i odpocząć?

Spojrzałam na niego kwaśno.

Westchnąwszy, wziął mnie na ręce i wyskoczył ze mną przez okno. Popędziliśmy przez cichy, ciemny las.

Z jego ruchów dało się odczytać, że jest tak samo szczęśliwy jak wtedy, kiedy biegał ze mną ot tak, dla przyjemności, tylko po to, żeby poczuć wiatr we włosach. W innych, mniej dramatycznych okolicznościach i ja byłabym z tego powodu szczęśliwa.

Reszta rodziny czekała na nas na środku ogromnej polany – rozmawiali ze sobą, jak gdyby nigdy nic, przybrawszy niedbałe pozy. Od czasu do czasu Emmett wybuchał gromkim śmiechem, który przetaczał się po otwartej przestrzeni niczym grom i odbijał echem od przeciwległej ściany lasu. Edward postawił mnie na ziemi, więc podeszliśmy do pozostałych, trzymając się za ręce.

Ze sporym opóźnieniem, bo księżyc schował się za chmurami i było bardzo ciemno, uświadomiłam sobie, że to właśnie w tym miejscu Cullenowie grywali w baseball. To tu mój pierwszy wieczór spędzany nieformalnie w ich towarzystwie przerwało nadejście Jamesa i jego dwójki kamratów.

Poczułam się nieswojo – jakby lada chwila James, Laurent i Victoria naprawdę mieli do nas dołączyć. Ale James i Laurent już nigdy nie mieli do nikogo dołączyć. Pewien schemat był nie do powtórzenia. Może we wszystkie wkradła się jakaś usterka.

Tak, ktoś wyłamał się z przypisanego sobie schematu. Tylko kto? Czy mogli to być przestrzegający do tej pory reguł Volturi? Czy to oni stanowili zmienną w tym równaniu?

Miałam co do tego duże wątpliwości.

Victoria z kolei przypominała mi zawsze którąś z sił natury, chociażby huragan prący po prostej ku brzegowi – coś nie do uniknięcia czy obłaskawienia, ale jednak przewidywalnego. Tyle że może jej nie doceniałam. Może była zdolna do adaptacji.

– Wiesz, co myślę? – spytałam Edwarda.

Zaśmiał się.

– Nic.

Niemal się uśmiechnęłam.

– No, co myślisz?

– Sądzę, że to wszystko jest z sobą połączone. Nie tylko te dwie ostatnie, ale wszystkie trzy.

– Wybacz, ale straciłem wątek.

– Trzy złe rzeczy, które wydarzyły się od czasu twojego powrotu. – Wyliczyłam je na palcach. – Nowo narodzeni w Seattle. Nieznajomy w moim pokoju. A na samym początku, nie zapominaj, wróciła po mnie Victoria.

Kiedy o tym pomyślał, zacisnął wargi w wąską linię.

– Czemu tak uważasz?

– Ponieważ zgadzam się z Jasperem. Volturi za bardzo kochają zasady. Zresztą, sprawniej by się do tego zabrali.

Gdyby chcieli mnie zabić, nie żyłabym już od dawna, dodałam w myślach.

– Pamiętasz, jak tropiłeś Victorię w zeszłym roku? – dodałam.

– Pamiętam. – Zmarszczył czoło. – Nie byłem w tym za dobry.

– Alice mówiła mi, że byłeś między innymi w Teksasie. Czy to po tropach Victorii dotarłeś na południe Stanów?

Ściągnął brwi.

– Tak. Hm... Sugerujesz...?

– Że to wtedy przyszło jej do głowy takie rozwiązanie. Ale nie zna się na tym, więc nowo narodzeni wymykają jej się spod kontroli.

Pokręcił głową z powątpiewaniem.

– Tylko Aro wie, na czym polega dar Alice.

– Aro wie o nim wszystko, ale czy Tanya, Irina i wasi pozostali znajomi z Denali nie wiedzą dostatecznie dużo? Laurent tak długo z nimi mieszkał. Skoro nadal utrzymywał z Victorią na tyle przyjacielskie stosunki, żeby wyświadczać jej przysługi, to czy nie mógł dostarczać jej także informacji?

Nie był przekonany.

– To nie Victoria zakradła się do twojego pokoju.

– A nie mogła się w międzyczasie z kimś zaprzyjaźnić? Tylko o tym pomyśl, Edwardzie. Jeśli to Victoria stoi za tym, co się dzieje w Seattle, zawarła w ostatnim czasie wiele ciekawych znajomości. Tak coś około dwudziestu dwóch.

Zastanowił się nad tym, co mu powiedziałam.

– Hm – odezwał się w końcu. – To całkiem możliwe. Nadal uważam, że to wersja z Volturi jest bardziej prawdopodobna, ale ta twoja teoria... Nie powiem, coś w niej jest. Z pewnością idealnie wpasowuje się w osobowość Victorii. Od samego początku pokazała nam, że ma talent do wychodzenia cało z każdej opresji – kto wie, może to taki sam talent jak mój czy Alice. Tak czy owak, wybierając taki a nie inny scenariusz, zagwarantowała sobie bezpieczeństwo, prawda? My mieliśmy się skupić na nowo narodzonych, a nie na niej, a gdyby przyszło co do czego, Volturi nie mogliby jej właściwie niczego zarzucić. Może liczy nawet na to, że wygramy, tyle że poniósłszy dotkliwe straty. A z jej oddziału nie przeżyje nikt, kto mógłby na nią donieść. Ba, już sama o to zadba, żeby nikt nie ocalał. Hm... Mimo wszystko, musi mieć przynajmniej jednego kompana, który jest nieco bardziej dojrzały. Mam na myśli tego, który się do was włamał. Żaden z jej żołdaków nie oszczędziłby twojego ojca, nie byłby w stanie...

Przez dłuższą chwilę wpatrywał się zadumany w przestrzeń, a potem nagle ocknął się i uśmiechnął.

– Tak, to jak najbardziej możliwe. Ale na razie nie mamy pewności, więc musimy być gotowi na każdą ewentualność. Sypiesz dziś teoriami jak z rękawa, wiesz? Jestem pod wrażeniem.

Westchnęłam.

– Może to wpływ tego miejsca. Tak mi się z nią kojarzy, że wyczuwam tu jej obecność... jakby mnie teraz obserwowała.

Spiął mięśnie szczęki.

– Nawet cię nie tknie – obiecał.

Mimo tak zdeklarowanej pewności siebie przesunął wzrokiem po ciemnej ścianie lasu. Kiedy tak wypatrywał wroga, jego twarz przybrała niezwykły wyraz: obnażył zęby, a oczy rozbłysły mu dziwnym, wewnętrznym światłem – dziką, gwałtowną odmianą nadziei.

– A jednak – szepnął – czegóż bym nie dał, by móc znaleźć się tak blisko niej, niej albo kogokolwiek innego, kto chciałby cię skrzywdzić. By móc z nim skończyć. By móc pozbawić go życia własnymi rękami.

Zadrżałam, słysząc, z jaką tęsknotą o tym mówi. Ścisnęłam mocniej jego dłoń, żałując, że nie jestem na tyle silna, by móc używać swoich palców jak kajdan.

Od Cullenów dzieliło nas już tylko kilka metrów. Dopiero teraz zauważyłam, że Alice nie podziela optymizmu najbliższych. Stała nieco z boku z ustami wygiętymi w podkówkę, przyglądając się Jasperowi, który rozciągał mięśnie, jakby szykował się do meczu.

– Coś nie tak? – spytałam cicho Edwarda, wskazując na nią podbródkiem.

Zachichotał. Na powrót był sobą.

– Wilkołaki są w drodze, więc biedaczka nic już w swoich wizjach nie widzi, a bez ich wsparcia czuje się poniekąd tak jak niewidomy bez laski.

Usłyszała nas, chociaż z całej grupy stała najdalej, i pokazała mu język. Znowu się zaśmiał.

– Cześć, Edward – przywitał się Emmett. – Cześć, Bella. Ty też na trening?

Edward jęknął.

– Błagam! Jeszcze weźmie to za dobrą monetę.

– Kiedy przybędą nasi goście? – spytał go Carlisle.

Edward skoncentrował się na moment, a potem westchnął.

– Za jakieś półtorej minuty. Ale będę musiał pobawić się w tłumacza, bo nie ufają nam na tyle, żeby pojawić się tu jako ludzie.

Otworzyłam szeroko oczy.

Carlisle pokiwał głową.

– Trudno im się dziwić. Jestem im wdzięczny, że w ogóle się zdecydowali.

– Przyjdą jako wilki? – spytałam Edwarda.

Potwierdził, po czym przyjrzał mi się badawczo. Przełknęłam głośno ślinę. Widziałam Jacoba w postaci wilka tylko dwukrotnie – raz na łące z Laurentem, i drugi raz na leśnej drodze, kiedy rozgniewał się na mnie Paul. Były to jedne z moich najbardziej przerażających wspomnień.

W twarzy Edwarda coś drgnęło, jakby nagle zdał sobie sprawę z czegoś niezbyt przyjemnego. Nim dostrzegłam coś więcej, odwrócił się przodem do pozostałych.

– Przygotujcie się – przyszykowali dla nas małą niespodziankę.

– Co znowu za niespodziankę? – naburmuszyła się Alice.

– Cii – rozkazał.

Jego wzrok padał poza nią, na coś kryjącego się w ciemnościach.

Cullenowie pospiesznie się rozstąpili, pozostawiając Jaspera i Emmeta najbliżej linii drzew. Edward został przy mnie, ale pochylił się w ich kierunku. Było widać, że gdyby tylko mógł, dołączyłby do braci.

Znów ścisnęłam mocniej jego dłoń.

– Cholera – mruknął Emmett. – Ale numer.

Esme i Rosalie wymieniły zdumione spojrzenia.

Zmrużyłam oczy, ale mrok był dla mnie tak samo nieprzenikniony, jak przed chwilą.

– Co się dzieje? – spytałam najciszej, jak umiałam. – Nic nie widzę.

– Wataha się powiększyła – szepnął mi Edward do ucha.

Czyżbym nie powiedziała im, żc do sfory dołączył Quil? Wytężyłam wzrok, żeby upewnić się, że basiorów jest sześć.

W końcu w ciemnościach błysnęło – ich oczy, większe, niż się tego spodziewałam. Zapomniałam już, że wilki są takie duże. Jak konie, tyle że umięśnione i pokryte futrem. I z kłami jak sztylety, których nie dawało się przeoczyć.

Ale na razie widziałam tylko ślepia. Wysiliłam się, chcąc zobaczyć więcej szczegółów, i nagle mnie zmroziło – jarzących się punkcików było przecież więcej niż dwanaście. Raz, dwa, trzy... Nie, niemożliwe. Policzyłam jeszcze raz. I jeszcze raz.

Par oczu było dziesięć.

– Fascynujące – szepnął do siebie Edward.

Carlisle zrobił krok do przodu – powoli, ostrożnie. Był to przemyślany gest, mający pokazać przybyszom, że Cullenowie są do nich pokojowo nastawieni.

– Witajcie – powitał niewidoczną wciąż sforę.

– Witajcie – odezwał się znienacka Edward dziwnie bezbarwnym głosem.

Natychmiast domyśliłam się, że powtarza słowa Sama. Zerknęłam na parę oczu należącą do najwyższego z wilków, stojącego pośrodku. Ich sylwetki nadal zlewały się z czernią lasu.

– Będziemy się wam przyglądać i was słuchać, ale to wszystko – ciągnął Edward. – Na nic więcej nie pozwalają nam ograniczenia naszej samokontroli.

– Tyle wystarczy – powiedział Carlisle. – Mój syn Jasper... – Wskazał na niego. – ...podzieli się teraz z nami swoim doświadczeniem. Pokaże nam, jak tamci walczą i jak ich pokonać. Sami będziecie wiedzieć najlepiej, jak dopasować te informacje do waszego stylu polowania.

– Czyli tamci się czymś od was różnią? – upewnił się Sam za pośrednictwem Edwarda.

Carlisle pokiwał głową.

– Wszyscy są nowi – mają ledwie po parę miesięcy, jeśli nie tygodni. Poniekąd to jeszcze dzieci. Nie posiadają żadnych wyrafinowanych umiejętności, nie dysponują też żadną strategią – ich jedynym atutem jest nadludzka siła. W tym momencie jest ich dwadzieścioro. Dziesięcioro dla nas, dziesięcioro dla was – nie powinno to nam sprawić problemów. A może być ich jeszcze mniej, bo tacy nowi ustawicznie wszczynają między sobą bójki.

W ciemnościach wśród połyskujących ślepi rozległ się cichy, przeciągły charkot, który, o dziwo, zabrzmiał nie tyle złowrogo, co entuzjastycznie.

– Jeśli będzie trzeba, z chęcią powiększymy nasz udział – przełożył Edward, tym razem nieco mniej obojętnym tonem.

Carlisle uśmiechnął się.

– Zobaczymy, jak się rozwiną wypadki.

– Wiecie dokładnie, kiedy nadejdą i z której strony?

– Przez góry przejdą za cztery dni, późnym rankiem. Alice pomoże nam zagrodzić im drogę.

– Dziękujemy za informacje. A teraz prosimy o pokaz.

Moich uszu doszło coś w rodzaju grupowego westchnienia i w tym samym momencie dziesięć par oczu przesunęło się spory kawałek w dół.

Na kilka sekund zapadła cisza, a potem Jasper wyszedł na pustą przestrzeń pomiędzy wampirami a wilkołakami. Jego dostrzec nie było trudno, bo miał na tyle bladą skórę, że odcinała się od ściany lasu tak samo jak wilcze ślepia. Zerknął na Edwarda z niepewną miną. Edward skinął głową. Jasper westchnął i czując się wyraźnie nieswojo, obrócił się tyłem do gości.

– Carlisle ma rację – oznajmił nam.

Nam, czyli tylko mnie i Cullenom. O tej części widowni, która znajdowała się za nim, starał się chyba nie myśleć.

– Będą walczyć jak dzieci. Dwie najważniejsze rzeczy, o których musicie pamiętać, to, po pierwsze, nie dać napastnikowi otoczyć się ramionami, i po drugie, nie wybierać oczywistych metod zabijania. Na to właśnie i tylko na to są przygotowani. Trzeba ich podchodzić chyłkiem, bezustannie pozostając przy tym w ruchu. Tracą wtedy głowę i nie są w stanie skutecznie się bronić. Emmett?

Wywołany wystąpił z szeregu rozpromieniony.

Jasper zrobił tyłem kilka kroków na północ, ustawiając się bokiem zarówno do swoich, jak i do watahy. Gestem poprosił brata o wyjście na środek.

– Najpierw on, bo najlepiej się nadaje do odgrywania ataku nowo narodzonego.

Emmett nie był tą uwagą zachwycony.

– Spróbuję nie wyrządzić zbyt dużych szkód – mruknął.

Jasper uśmiechnął się.

– Chodzi mi o to, że Emmett polega na swojej sile, atakuje bez żadnych sztuczek. Nowo narodzeni też nie będą się bawić w subtelności. Emmett, jak dam sygnał, po prostu rzuć się na mnie.

Cofnąwszy się jeszcze o kilka metrów, stanął w gotowości, spinając mięśnie.

– Dobra. Spróbuj mnie złapać.

Mój ludzki zmysł wzroku nie pozwolił mi go dłużej obserwować – gdy Emmett natarł na niego niczym niedźwiedź, tylko śmignął i zniknął. Emmett też był niesamowicie szybki, jednak nie aż tak – raz po raz jego wielkie dłonie szykowały się już do chwytu, ale ich palce zaciskały się bezradnie w powietrzu. Jasper wyglądał na równie bezcielesnego co zjawa. Edward pochylił się nieświadomie w stronę braci, podekscytowany.

Raptem Emmett zamarł. Jasper objawił się centymetr od jego gardła. Emmett zaklął.

Wśród wilków przeszedł pomruk uznania.

– Chcę rewanżu! – zażądał Emmett. Już się nie uśmiechał.

– Teraz moja kolej! – zaprotestował Edward.

Ścisnęłam mocniej jego dłoń.

– Za minutkę – powiedział Jasper. – Najpierw chcę coś pokazać Belli.

Machnął na Alice. Mój niepokój się wzmógł.

– Wiem, że się o nią boisz – wyjaśnił mi, kiedy wbiegła na ring w radosnych pląsach. – Chcę ci zademonstrować, że przejmujesz się zupełnie niepotrzebnie.

Znów się przyczaił niczym tygrys przed skokiem. Chociaż wiedziałam, że nigdy by jej nie skrzywdził, trudno mi było przyglądać się temu spokojnie.

Alice stała nieruchomo, uśmiechając się do siebie. W porównaniu z Emmetem była taka drobna, że zająwszy jego miejsce, wydawała się być lalką.

Jasper ruszył w jej kierunku rozluźnionym krokiem.

Nagle dał susa i zniknął. Jeszcze w tej samej sekundzie pojawił się z drugiej strony Alice. Dałabym głowę, że nawet nie drgnęła.

Obróciwszy się na pięcie, Jasper ponowił atak, ale i tym razem wylądował w kuckach za dziewczyną. Nie zmieniła pozycji i nadal się uśmiechała, zamknęła tylko oczy.

Postanowiłam przyglądać się jej uważniej.

Przy trzeciej próbie odkryłam, że jednak się poruszała, ale umykało mi to wcześniej, bo zbytnio rozpraszały mnie manewry Jaspera. Zrobiła kroczek do przodu i Jasper przemknął tam, gdzie przed chwilą stała. Kolejny kroczek, a dłonie Jaspera zacisnęły się w powietrzu zamiast na jej talii.

Zaczęła ruszać się coraz szybciej. Już nie walczyli ze sobą, a tańczyli. Ona robiła ekwilibrystyczne uniki, wirując wokół własnej osi – on obskakiwał ją, sięgając ku niej zwinnie, ale nie był w stanie jej dotknąć. Odnosiło się wrażenie, że to celowy efekt, że wszystko przećwiczyli. W końcu Alice wybuchnęła śmiechem.

Nie wiedzieć kiedy, znalazła się na plecach Jaspera, z wargami przytkniętymi do jego szyi.

– Mam cię! – zawołała i pocałowała go w obnażone miejsce.

Rozbawiony, pokręcił głową.

– Ach, ty moja bestyjko.

Wilki znowu się odezwały. Tym razem ich pomruk wyrażał poruszenie.

– Niech się uczą, że są lepsi od nich – mruknął Edward zadowolony. – Teraz ja – odezwał się głośniej.

Zanim puścił moją dłoń, serdecznie ją uścisnął.

Alice przyszła zastąpić go przy moim boku.

– Niezła jestem, co? – spytała, dumna ze swoich talentów.

– Niesamowita – przyznałam, nie spuszczając wzroku z Edwarda, który zbliżał się do Jaspera bezszelestnie, zwinny i uważny niczym jeden z wielkich kotów.

– Mam cię na oku, Bello – szepnęła niemalże niesłyszalnie, chociaż jej usta dzieliło od mojego ucha kilka milimetrów.

Zerknęłam na nią, a zaraz potem na Edwarda. Był maksymalnie skoncentrowany na czekającym go pojedynku. Obaj z Jasperem pozorowali już pierwsze ataki.

Alice patrzyła na mnie z wyrzutem.

– Ostrzegę go, gdy tylko twoje plany nieco bardziej się skrystalizują – zagroziła mi, nie podnosząc głosu. – Twoja ofiara nic tu nie da. Naprawdę sądzisz, że któryś z nich odpuściłby, gdybyś zginęła? Obaj będą walczyć do końca. Wszyscy będziemy walczyć do końca. Niczego nie zmienisz, więc bądź grzeczna i słuchaj starszych, zgoda?

Skrzywiłam się, starając się ją zignorować.

– Mam cię na oku – powtórzyła.

Pojedynek Edwarda i Jaspera okazał się bardziej wyrównany niż poprzednie. Jasper miał wprawdzie ponadstuletnie doświadczenie i usiłował całkowicie zdać się na instynkt, ale jego myśli zawsze w ostatnim momencie go zdradzały. Edward był od niego z kolei odrobinę szybszy, ale nie znał stosowanych przez brata manewrów. To rzucali się na siebie, warcząc, to od siebie odskakiwali, i tak bez końca – żaden nie potrafił zdobyć nad przeciwnikiem przewagi. Trudno było się temu przyglądać, ale jeszcze trudniej było odwrócić wzrok, chociaż na dobrą sprawę mało co widziałam. Od czasu do czasu pozwalałam sobie zerknąć w stronę wilków. Miałam poczucie, że czerpią z tego pokazu o wiele więcej informacji niż ja. Może o wiele więcej, niżby wypadało.

Wreszcie Carlisle chrząknął znacząco.

Jasper zaśmiał się i cofnął. Edward wyprostował się z uśmiechem.

– Wracamy do pracy – zgodził się Jasper. – Powiedzmy, że był remis.

Następny walczył z nim Carlisle, potem Rosalie, Esme i znowu Emmett. Najgorzej było przy Esme – aż się wzdrygnęłam, kiedy Jasper ją zaatakował. Czasami zwalniał, choć nie na tyle, żebym widziała go wyraźnie, i wyjaśniał szczegółowo, co robi.

– Rozumiecie? – pytał na przykład. – Tak, właśnie tak – dopingował. – Skupiajcie się na bokach. Nie zapominajcie, w co będą celować. I ruszajcie się, cały czas bądźcie w ruchu.

Edward przyglądał się mu uważnie i słuchał go skupiony, a z jego myśli wyczytywał to, czego Jasper nie był w stanie przekazać.

Z czasem coraz trudniej było śledzić mi jego ruchy, bo oczy zaczęły mi się same zamykać. Nie dość, że w ostatnich dniach bardzo źle sypiałam, to jeszcze byłam już na nogach prawie dwadzieścia cztery godziny. W końcu poddałam się – oparłam się o Edwarda i przymknęłam powieki.

– Już kończymy – szepnął.

Jasper potwierdził jego słowa, po raz pierwszy zwracając się do wilków. Znów zrobił niepewną minę.

– Jutro też będziemy tu trenować, o tej samej porze. Serdecznie zapraszamy.

– Przyjdziemy – odpowiedział mu Edward chłodnym głosem Sama. Z westchnieniem poklepał mnie po ramieniu, a potem wyszedł przed zebranych. – Sfora prosi o pozwolenie na zaznajomienie się z zapachem każdego z nas, żeby później nie popełniać błędów. Ułatwimy im sprawę, jeśli będziemy stać nieruchomo.

– Oczywiście wyrażamy zgodę – oświadczył Carlisle. – Skoro ma się wam to przydać.

Wilki podniosły się z ziemi z gardłowym pomrukiem. Natychmiast otrzeźwiałam.

Daleko, po drugiej stronie gór, zza horyzontu zaczynało wyłaniać się już słońce – chmury pojaśniały, a z mroku wychodziły powoli coraz to nowe kształty. Kiedy basiory wynurzyły się z lasu, można było nagle rozróżnić nie tylko ich sylwetki, ale i kolory.

Na przedzie szedł, rzecz jasna, Sam. Nieprawdopodobnie wielki i czarny jak smoła, był ucieleśnieniem archetypu potwora z moich najgorszych koszmarów – dosłownie, bo odkąd zobaczyłam watahę po raz pierwszy, nieraz nawiedzali mnie w snach.

Ich rozmiary były tak porażające, iż mimo że dopasowałam już każdą parę oczu do zarysu cielska, wydawało mi się, że jest ich więcej niż dziesięciu. Kątem oka dostrzegłam, że Edward bacznie mi się przygląda.

Przywódca wilków podszedł wpierw do Carlisle'a, który stał pierwszy z brzegu. Jasper zesztywniał, ale Emmett uśmiechał się rozluźniony. Sam obwąchał doktora, leciutko się chyba przy tym krzywiąc, a następnie przeszedł do Jaspera.

Przyjrzałam się pozostałym członkom sfory. Dwóch spośród czterech nowych wyłapałam od razu. Pierwszy z nich, jasnoszary i znacznie mniejszy od pozostałych, sierść na karku miał zjeżoną z obrzydzenia. Drugi, o barwie pustynnego piasku, w porównaniu z resztą poruszał się dość niezdarnie, a kiedy Sam zostawił go samego pomiędzy Carlisle'em a Jasperem, cicho jęknął.

Mój wzrok padł na wilka najbliżej Sama i na nim się zatrzymałam. Sierść miał rdzawobrązową, dłuższą niż pozostali i z tego powodu bardziej niż u reszty zmierzwioną. Był prawie tak duży jak Sam, po przywódcy największy z watahy. Dziwnie było tak myśleć o zwierzęciu, ale w odróżnieniu od swoich spiętych kompanów wydawał się zachowywać wręcz nonszalancko.

Poczuł chyba na sobie moje spojrzenie, bo obrócił łeb w moją stronę. Błysnęły znajome czarne oczy.

Wiedziałam, że to on, ale i tak nie mogłam w to uwierzyć. W mojej twarzy można było pewnie zobaczyć jak na dłoni fascynację i oszołomienie.

Wilk odsłonił zębiska. Byłby to przerażający widok, gdyby nie to, że jęzor odchylił zawadiacko na bok. Zrozumiałam, że się uśmiecha, i zachichotałam. Uśmiechnął się jeszcze szerzej.

Śmiało odłączył się od grupy, ignorując odprowadzające go spojrzenia innych basiorów, minął Cullenów i zatrzymał się pół metra ode mnie. Zerknął na Edwarda.

Mój ukochany stał niczym posąg, czekając, jak zareaguję.

Wilk przysiadł na zgiętych łapach, tak żeby jego pysk znalazł się na wysokości mojej twarzy. On także czekał na mój ruch.

– Jacob? – wykrztusiłam.

Pomruk zabrzmiał jak parsknięcie śmiechem.

Wyciągnęłam przed siebie rękę – trochę trzęsły mi się palce – i dotknęłam jego rdzawobrązowego policzka. Był bardzo ciepły. Czarne ślepia zamknęły się. Wilk przechylił lekko łeb, po czym zamruczał gardłowo niczym głaskany pies.

Poznając fakturę jego futra, sprężystego i szorstkiego zarazem, z ciekawości zagłębiłam w nim palce i pogłaskałam Jacoba po szyi, gdzie barwa jego sierści była bardziej nasycona. Nie zdawałam sobie sprawy, jak blisko niego się znalazłam – oblizał mnie znienacka od brody aż po czoło.

– Tfu! – Skrzywiłam się, odskakując do tyłu. – Fuj! Ja ci dam! Zamachnęłam się na niego, jak gdyby był w swojej ludzkiej postaci, ale oczywiście w porę zrobił unik. Przypominający kaszel szczek, który dobył się spomiędzy jego zębisk, bez wątpienia był wilczym śmiechem.

I ja nie mogłam powstrzymać się od śmiechu. Wytarłam sobie twarz rękawem koszuli.

To wtedy zorientowałam się, że wszyscy na nas patrzą – i Cullenowie, i wilkołaki. Cullenowie mieli zakłopotane, może nieco zniesmaczone miny. Z pysków wilków trudniej było cokolwiek odczytać, ale Sam wyglądał na zmartwionego.

Obserwował nas i Edward, podenerwowany i wyraźnie rozczarowany. Uzmysłowiłam sobie, że spodziewał się po mnie innej reakcji. Na przykład, że zacznę krzyczeć i ze strachu rzucę się do ucieczki.

Jacob znów się zaśmiał po swojemu.

Pozostałe wilki już się wycofywały, nie spuszczając przy tym oczu z Cullenów. Przyglądał się ich odwrotowi, nie ruszając się z miejsca. Wkrótce znikły w ciemnym lesie – tylko dwa przystanęły na jego skraju i zwróciły się ku Jacobowi. Bił od nich niepokój.

Edward westchnął. Ignorując mojego przyjaciela, podszedł do mnie z drugiej strony i wziął mnie za rękę.

– Gotowa do biegu? – spytał.

Nim zdążyłam się odezwać, przeniósł wzrok na Jacoba.

– Nie znam jeszcze wszystkich szczegółów – odpowiedział na zadane mu telepatycznie pytanie.

Wilk mruknął coś niezadowolony.

– To nie takie proste – stwierdził Edward. – Ale nie zawracaj tym sobie głowy. Postaram się, żeby nie pojawiło się żadne niebezpieczeństwo.

– Gdzie żeby się nie pojawiło? – wtrąciłam się.

– Omawiamy tylko strategię – wyjaśnił oględnie.

Jacob spojrzał na niego, potem na mnie, potem znowu na niego, i nagle ruszył biegiem ku ścianie lasu.

– Hej! – zawołałam, mimowolnie wyciągając przed siebie rękę, ale w kilka sekund zniknął wśród drzew. W jego ślady poszły dwa pozostałe wilki. Zdążyłam tylko zauważyć, że do tylnej łapy miał przywiązane płaskie czarne zawiniątko.

– Co go napadło? – spytałam urażona.

– Zaraz wróci – odparł Edward. Westchnął ciężko. – Chce móc normalnie się komunikować.

Oparłszy się znowu o Edwarda, wbiłam wzrok w punkt, w którym zniknął Jacob. Miałam wrażenie, że zaraz odpłynę, ale uparcie walczyłam ze zmęczeniem.

Wrócił szybko, tyle że już na dwóch nogach. Miał potargane włosy, a ubrany był tylko w czarne spodnie od dresu. Na sam widok jego nagich stóp dotykających chłodnej ziemi robiło się zimno. Nikt mu nie towarzyszył, ale podejrzewałam, że jego przyjaciele obserwują nas z ukrycia.

Pokonanie dzielącej nas odległości nie zabrało mu dużo czasu, chociaż ominął Cullenów szerokim łukiem. Stali w niezbyt zwartej grupie, pogrążeni w cichej rozmowie.

– No, dobra – powiedział, znalazłszy się dostatecznie blisko, by podjąć przerwany wątek. – To co w tym niby takiego skomplikowanego?

– Muszę brać pod uwagę każdą możliwość – odparował niewzruszony Edward. – Co, jeśli któryś wam się wymknie?

Jacob prychnął, urażony tą sugestią.

– To niech przyjedzie do nas. Collin i Brady i tak zostają. Będzie tam bezpieczna.

Nastroszyłam się.

– To o mnie mowa?

– Chciałem się tylko dowiedzieć, dokąd on zamierza cię odstawić na czas rozgrywki.

– Odstawić? – podniosłam głos.

– Bello, skarbie, nie możesz zostać w Forks. – Edward starał się załagodzić sprawę. – Wiedzą, gdzie cię szukać. Któryś może mimo wszystko tam dotrzeć.

Ścisnęło mnie w żołądku, a krew odpłynęła mi z twarzy.

– Charlie... – wyszeptałam.

– Będzie z Billym – zapewnił mnie szybko Jacob. – Tata jest gotowy dopuścić się morderstwa, jeśli będzie trzeba, byle tylko go do siebie ściągnąć. Zresztą chyba nie będzie to konieczne. To w sobotę, prawda? Wtedy jest zawsze jakiś mecz.

– To już w tę sobotę? – spytałam. Byłam tak oszołomiona, że przestałam odsiewać spostrzeżenia istotne od błahych. – Cholera, Edward, przepadnie wam ten koncert, na który kupiłam wam bilety!

Parsknął śmiechem.

– Liczy się intencja – przypomniał mi. – Możesz dać je komuś innemu.

– Angeli i Benowi – wypaliłam. – Przynajmniej ich wywabię z Forks.

Dotknął mojego policzka.

– Nie martw się, nie musisz wszystkich ewakuować – powiedział z czułością. – Ukrywamy cię tylko z przewrażliwienia. Nikt się nie prześlizgnie. Jest nas teraz na tyle dużo, że prędzej poumieramy z nudów, niż popełnimy błąd.

– To co, odstawisz ją do La Push czy nie? – zniecierpliwił się Jacob.

Mój ukochany pokręcił przecząco głową.

– Zbyt często u ciebie bywa, aż roi się tam od jej tropów. Alice widzi wprawdzie tylko bardzo młode wampiry, ale nie zapominajmy, że przecież ktoś je stworzył. Za tym wszystkim stoi osoba bardziej doświadczona. Kimkolwiek by była – tu Edward spojrzał na mnie znacząco – może tymi nowo narodzonymi chce tylko odwrócić naszą uwagę. Kiedy zdecyduje się odszukać Bellę, Alice zobaczy ją w wizji, ale możemy być w tym momencie bardzo, ale to bardzo zajęci. Może właśnie na to liczy. Tak czy owak, nie mogę jej zostawić w zbyt oczywistym miejscu. Na wszelki wypadek, powinno być trudno ją znaleźć. Ryzyko jest niewielkie, ale chcę je ograniczyć do minimum.

Słuchałam go, coraz bardziej marszcząc czoło. Poklepał mnie po ramieniu.

– To tylko tak z przewrażliwienia – powtórzył.

Jacob wskazał na ciągnącą się ku wschodowi puszczę i pasmo gór Olympic.

– Ukryj ją gdzieś tutaj – zasugerował. – Masz milion możliwości do wyboru, a jak by co, każdy z nas dotrze do niej w kilka minut.

Edward znowu pokręcił głową.

– Nawet gdybym zaniósł ją do kryjówki, i tak zostawiłbym za sobą trop. Jej zapach jest zbyt silny, a w połączeniu z moim zbyt łatwo rozróżnialny. Tu wszędzie, w okolicy, są nasze ślady, ale to nie to samo, co człowiecze wymieszane z wampirzymi – te od razu wpadłyby im w oko. W dodatku nie jestem pewien, którędy przyjdą, bo sami jeszcze tego nie wiedzą. Gdyby natrafili na jej trop, zanim wpadliby na nas…

Obaj skrzywili się jednocześnie, tak samo ściągając brwi.

– Sam rozumiesz.

– Musi istnieć jakiś sposób, żeby to załatwić – mruknął Jacob. Zerknął spode łba na ścianę lasu, zaciskając usta.

Zachwiałam się. Edward objął mnie w talii, biorąc na siebie mój ciężar.

– Trzeba cię odnieść do domu – jesteś wykończona. I Charlie się już niedługo obudzi…

– Czekaj no – odezwał się Jacob, zwracając się z powrotem w naszą stronę. – Mój zapach was odrzuca, prawda?

– Hm, niezły pomysł. – Edward był dwa kroki do przodu. – To może się udać. Hej, Jasper! – zawołał do brata.

Upewniwszy się, że ma podejść, zaintrygowany Jasper ruszył w naszą stronę. Alice poszła za nim. Na jej twarzy znowu malowała się frustracja.

– Droga wolna, Jacob. – Edward skinął ku niemu głową.

Mój przyjaciel zawahał się. Z jednej strony był wyraźnie podekscytowany nowym planem, ale z drugiej, w pobliżu swoich naturalnych wrogów czuł się nadal nieswojo.

Nagle wyciągnął ku mnie ręce. Teraz to ja się zawahałam.

Edward wziął głęboki wdech.

– Chcemy sprawdzić, czy da się ich zmylić, maskując twój trop moim zapachem – wyjaśnił mi Jacob.

Spoglądałam podejrzliwie na jego otwarte ramiona.

– Nie masz wyboru, Bello – powiedział Edward. – Musisz się zgodzić.

Głos miał spokojny, ale wyczuwałam w jego tonie tłumiony wstręt.

Ja tam swojej niechęci nie kryłam.

Jacob przewrócił oczami, zniecierpliwiony, i jednym zdecydowanym ruchem wziął mnie na ręce.

– Nie bądź dziecinna – mruknął, ale zaraz potem zerknął na Edwarda, ja zresztą też. Mój ukochany wyglądał na w pełni opanowanego.

– Jestem bardzo wyczulony na zapach Belli – wytłumaczył Jasperowi – więc byłoby rozsądniej, gdyby tę próbę przeprowadził ktoś inny.

Jacob okręcił się ze mną wokół własnej osi i pocwałował do lasu. Nie powiedziałam ani słowa, nawet wtedy, kiedy otoczył nas mroczny gąszcz. Wciąż miałam urażoną minę, ale w głębi duszy czułam się przede wszystkim skrępowana. Czy naprawdę musiał aż tak mocno mnie do siebie przyciskać? Chcąc nie chcąc, zaczęłam się zastanawiać, jak on sam się z tym czuje. Przypomniało mi się nasze ostatnie wspólne popołudnie w La Push. Nie chciałam o nim myśleć i założyłam ręce. Ku swojej irytacji, kiedy przypadkowo zerknęłam na opatrunek na prawej dłoni, nieszczęsne wspomnienie tylko zyskało na ostrości.

Nie zawędrowaliśmy daleko – Jacob zawrócił po szerokim łuku i wybiegł na polanę w innym miejscu, kilkadziesiąt metrów od punktu wyjścia, w którym czekał na nas Edward. Zwolnił tempo.

– Możesz mnie już puścić – oznajmiłam.

– Jeszcze popsuję cały eksperyment – stwierdził, zacieśniając uścisk.

– Jesteś niemożliwy.

– Dzięki za komplement.

Przy moim ukochanym zmaterializowali się znienacka Jasper i Alice. Jacob zrobił jeszcze jeden krok do przodu, a potem postawił mnie na ziemi jakieś dwa metry od nich. Nie zaszczycając swojego tragarza nawet jednym spojrzeniem, podeszłam do Edwarda i wzięłam go za rękę.

– I jak tam? – spytałam.

– Nie wyobrażam sobie, żeby któreś z nich naszła ochota węszyć w tym smrodzie na tyle długo, żeby wyłapać w nim te śladowe ilości twojej woni – powiedział Jasper, wykrzywiając się z obrzydzenia. – O ile tylko niczego po drodze nie dotkniesz, niczego nie wyczują.

– Jednym słowem, sukces – potwierdziła Alice, marszcząc nos.

– I przy okazji wpadłem na pewien pomysł.

– Który sprawdzi się w praktyce – dodała z przekonaniem.

– Sprytne – zgodził się Edward.

– Jak ty to wytrzymujesz? – mruknął do mnie Jacob.

Puściwszy jego uwagę mimo uszu, Edward wyjaśnił mi, w czym rzecz.

– Zostawimy – a właściwie to ty zostawisz, Bello – fałszywy trop prowadzący do polany. Kiedy nowo narodzeni się na niego natkną, tak ich to rozochoci, że niewiele myśląc, pójdą po nim jak po sznurku, jakbyśmy nimi sterowali. Alice widzi już, że tak właśnie się stanie. Potem natrafią z kolei na nasze ślady i rozdzielą się, żeby zajść nas z dwóch stron. Ta połowa, które pójdzie lasem, w wizji Alice znienacka znika...

– Tak! – syknął triumfalnie Jacob.

Edward uśmiechnął się do niego serdecznie. Byli teraz towarzyszami broni.

Zrobiło mi się niedobrze. Jak mogli tak rwać się do walki? Jak miałam znieść myśl, że obaj narażają właśnie dla mnie życie? Nie potrafiłam sobie tego wyobrazić.

Nie, nie miałam najmniejszego zamiaru siedzieć z założonymi rękami.

– Nie ma mowy – oświadczył nagle Edward ze wstrętem w głosie.

Aż podskoczyłam. Przestraszyłam się, że jakimś cudem usłyszał moje postanowienie, ale patrzył na Jaspera.

– Wiem, wiem – odpowiedział szybko Jasper. – Właściwie to nie brałem nawet tego na poważnie pod uwagę.

Alice tupnęła nogą.

– Gdyby Bella została na polanie do końca – wyjaśnił jej – zupełnie by pogłupieli. Nie potrafiliby się skoncentrować na niczym innym prócz niej. Byłoby nam jeszcze łatwiej ich wyłapać...

Spojrzenie Edwarda przywołało go do porządku.

– Tyle że, rzecz jasna, nie możemy tak ryzykować – zakończył. – Tak tylko mi przyszło do głowy.

Wzruszył ramionami, ale wbrew swoim słowom zerknął na mnie ze smutkiem.

– Nie – powiedział Edward stanowczo.

– Masz rację – westchnął Jasper. Wziął Alice za rękę i odeszli w stronę pozostałych członków rodziny. – Trzy podejścia? – spytał, zanim podjęli przerwany trening.

Jacob był poruszony jego propozycją.

– Jasper ocenia wszystko z perspektywy militarnej – Edward usprawiedliwił cicho brata. – Rozważa różne opcje, bo chce jak najlepiej, a nie dlatego, że ma jakieś sadystyczne zapędy.

Jacob prychnął.

Zaabsorbowany ustalaniem strategii, mimowolnie się do nas w międzyczasie zbliżył i od Edwarda dzielił go teraz tylko metr. Stojąc pomiędzy nimi, wyczuwałam obecne w powietrzu napięcie – było to nieprzyjemne doznanie.

Edward wrócił do tematu.

– Przyprowadzę tu Bellę w piątek po południu, żeby zostawić fałszywy trop. Spotkajmy się wtedy, to zaniesiesz ją do miejsca, które ci wskażę. Leży z dala od szlaków i łatwo się z niego bronić, choć, oczywiście, z tej jego zalety korzystać nie będzie trzeba. Sam dotrę tam okrężną drogą.

– A potem co? – spytał Jacob sceptycznie. – Zostawimy ją samą z komórką?

– Masz lepszy pomysł?

Chłopak nagle się rozchmurzył.

– A mam.

– Hm... Rzeczywiście, ten też jest niezły.

Jacob zwrócił się do mnie szybko z wyjaśnieniami, jakby chciał mi pokazać, że co jak co, ale jemu zależy na tym, żebym nie czuła się wykluczona z rozmowy.

– Próbowaliśmy namówić Setha, żeby został w La Push z dwójką naszych najmłodszych, bo sam też jest jeszcze smarkaczem, ale to straszny uparciuch: stawiał się i stawiał. No to mamy dla niego inne zadanie – będzie robił za telefon komórkowy.

Spróbowałam przybrać taką minę, jakbym rozumiała, o co mu chodzi. Nikogo nie oszukałam.

– Pod postacią wilka Seth może się swobodnie kontaktować z resztą sfory – przypomniał mi Edward. – Odległość nie stanowi problemu? – zwrócił się do Jacoba.

– Żadnego.

– Trzysta mil? – wychwycił z jego myśli Edward. – Imponujące.

Jacob znów zadbał o to, żebym była na bieżąco.

– To największa odległość, którą mamy przetestowaną – dopowiedział dla mnie. – I zero zakłóceń.

Nie słuchałam go uważnie – kiedy usłyszałam, że mały Seth Clearwater też jest już wilkołakiem, dostałam zawrotów głowy, co utrudniło koncentrację. Przed oczami stanął mi jego szeroki uśmiech, tak bardzo podobny do uśmiechu młodszego Jacoba. Przecież ten biedny chłopak miał co najwyżej piętnaście lat! Entuzjazm, który okazywał na ognisku podczas opowiadania legend, zyskał dla mnie nagle nowych znaczeń...

– To dobry pomysł. – Edward chyba przyznawał to z niechęcią. – Będę czuł się pewniej, wiedząc, że Seth stoi na warcie, nawet mimo tego, że sam nie będę miał z nim bezpośredniego kontaktu. Nie wiem, czy byłbym w stanie zostawić Bellę zupełnie samą. Ale z drugiej strony, kto to słyszał – ufać wilkołakom!

– Albo walczyć u boku wampirów zamiast z nimi! – żachnął się Jacob, przybierając identyczny ton.

– No, z kilkoma sobie powalczycie – zauważył Edward.

Jacob uśmiechnął się.

– Z tego powodu się stawiliśmy.

19 Egoistka

Edward zaniósł mnie do domu na rękach, spodziewając się, że nie będę miała dość sił, by uczepić się jego pleców. Musiałam zasnąć gdzieś po drodze.

Obudziłam się we własnym łóżku, a przytłumione światło słoneczne wpadało do pokoju pod dziwnym kątem, jakby było już po południu.

Ziewnęłam i przeciągnęłam się, macając jednocześnie pościel koło siebie. Bez rezultatu.

– Edward?

Moje palce natrafiły wreszcie na coś chłodnego i gładkiego – jego dłoń.

– Czy tym razem już na pewno nie śpisz? – zamruczał.

– Na pewno. A co, było dużo fałszywych alarmów?

– Byłaś bardzo niespokojna – cały dzień coś tam sobie mamrotałaś.

– Cały dzień? – Zamrugałam.

Zerknęłam znowu na okno.

– To była długa noc – pocieszył mnie. – Zasłużyłaś sobie na dzień odpoczynku.

Usiadłam i zakręciło mi się w głowie. Światło naprawdę padało z zachodu.

– Ale numer.

– Głodna? – spytał. – Podać ci śniadanie do łóżka?

– Och, sama sobie zrobię. – Jęknęłam, ponownie się przeciągając. – Muszę wreszcie wstać i trochę się poruszać.

Całą drogę do kuchni trzymał mnie za rękę, bacznie mi się przyglądając, jakbym w każdej chwili mogła się przewrócić. A może sądził, że jeszcze śpię?

Poszłam na łatwiznę i wsadziłam do tostera kilka płaskich bułeczek z kruchego ciasta ze słodkim nadzieniem. Na chromowanej powierzchni opiekacza zobaczyłam przy okazji swoje odbicie.

– Uch. Wyglądam jak chodzący trup.

– To była długa noc – powtórzył. – Powinnaś spać, zamiast siedzieć z nami w lesie.

– Jasne, i wszystko by mnie ominęło. Musisz zacząć się przyzwyczajać do tego, że jestem już członkiem twojej rodziny.

Uśmiechnął się.

– Chyba uda mi się przywyknąć do tej myśli.

Usiadłam przy stole, więc zajął miejsce u mojego boku.

Kiedy podniosłam do ust pierwszą z bułeczek, zauważyłam, że Edward przygląda się mojemu nadgarstkowi. Powędrowałam wzrokiem za jego spojrzeniem. Okazało się, że cały czas miałam na sobie bransoletkę, którą Jacob podarował mi na przyjęciu.

– Można? – spytał, sięgając po misternie rzeźbioną figurkę.

Przełknęłam głośno ślinę.

– Ehm, proszę.

Przysunął dłoń pod bransoletkę, tak by móc oprzeć wilka o jej śnieżnobiałe wnętrze. Na ułamek sekundy obleciał mnie strach. Może chciał go zniszczyć? Wystarczyłoby, że zacisnąłby palce, a z pamiątki zostałyby drzazgi.

Ale Edward, oczywiście, nie zrobił nic podobnego. Zawstydziłam się, że brałam taką ewentualność pod uwagę. Uniósł figurkę o milimetr, a potem pozwolił jej swobodnie zawisnąć. Była lekka jak piórko.

Próbowałam wyczytać z jego oczu, co czuje, ale wyglądał jedynie na zamyślonego. Całą resztę, jeśli w ogóle była jakaś reszta, skrzętnie przede mną ukrywał.

– Jacob Black może dawać ci prezenty.

Nie było to ani pytanie, ani oskarżenie, tylko stwierdzenie faktu, wiedziałam jednak, że Edward ma na myśli moje ostatnie urodziny i to, jak wytrwale wzbraniałam się przed przyjęciem czegokolwiek, a zwłaszcza od niego. Nie było to z mojej strony do końca logiczne, a i nikt mnie zresztą nie posłuchał.

– Też mi dałeś kilka – przypomniałam mu. – I wiesz, że preferuję te wykonane własnoręcznie.

Na moment zacisnął wargi.

– A rzeczy używane? Mogą być?

– Do czego pijesz?

– Do tej bransoletki. – Opuszkiem palca zakreślił okrąg wokół mojego nadgarstka. – Często będziesz ją nosić?

Wzruszyłam ramionami.

– Żeby nie zranić jego uczuć? – zasugerował przebiegle.

– Pewnie tak.

– Czy nie sądzisz, że w takim razie byłoby sprawiedliwie... – nie odrywając wzroku od mojej dłoni, obrócił ją i przejechał palcem po widocznych na nadgarstku żyłach – ...gdybym i ja był na niej reprezentowany?

– Reprezentowany?

– Gdybym też podarował ci taką zawieszkę, żeby ci mnie przypominała.

– Nie potrzebuję czegoś takiego. Nie ma chwili, żebym o tobie nie myślała.

– Gdybym dał ci coś takiego, doczepiłabyś do bransoletki? – naciskał.

– Coś z drugiej ręki? – upewniłam się.

– Tak. Coś, co mam już od dłuższego czasu.

Posłał mi najpiękniejszy ze swoich uśmiechów.

Jeśli miała to być jedyna jego reakcja na podarunek Jacoba, akceptowałam ją całkowicie.

– Zrobię wszystko, żebyś tylko był zadowolony.

Zmienił ton głosu na oskarżycielski.

– Czy zauważyłaś, że mnie dyskryminujesz? Bo ja tak.

– Ja cię dyskryminuję? Gdzie? Kiedy?

Skrzywił się.

– Wszyscy mogą dawać ci, co chcą – nie masz do nich żadnych pretensji. Wszyscy z wyjątkiem mnie. Marzyłem o tym, żeby sprawić ci coś z okazji ukończenia szkoły, ale powstrzymałem się, bo wiedziałem, że będziesz na mnie zła. To nie fair. Czy możesz mi wyjaśnić, skąd to się u ciebie bierze?

– To proste. – Rozłożyłam ręce. – Jesteś dla mnie ważniejszy niż wszyscy inni. I dałeś mi siebie samego. Na samo to sobie nie zasłużyłam, a co dopiero na jakieś prezenty od ciebie. Tylko jeszcze bardziej zakłócają równowagę.

Zamyślił się na chwilę nad moimi słowami, po czym przewrócił oczami.

– To idiotyczne, że postrzegasz mnie w taki sposób.

Nic nie powiedziałam. Wiedziałam, że nie będzie mnie słuchał, jeśli zacznę go korygować.

Zadzwoniła jego komórka.

Zanim otworzył telefon, zerknął na numer.

– Jakiś problem, Alice?

Wsłuchał się w odpowiedź. Czekając na jego reakcję, zrobiłam się nagle spięta, ale to, co miała mu do przekazania, nie było dla niego zaskoczeniem. Westchnął kilkakrotnie.

– Tyle to już sam wywnioskowałem – wyznał siostrze, patrząc na mnie z dezaprobatą. – Mówiła przez sen.

Zarumieniłam się. Co też mogłam wygadywać?

– Zajmę się tym – obiecał.

Kiedy zamykał telefon, oczy miał jak ze stali.

– Czy jest coś, o czym chciałabyś mi powiedzieć?

Zastanowiłam się. Domyślałam się, czemu Alice zadzwoniła – w końcu sama mnie ostrzegła. A potem przypomniałam sobie fabułę snów, które męczyły mnie od powrotu o świcie – snów, w których śledziłam Jaspera w przypominającym labirynt lesie, starając się dotrzeć jego śladem do wielkiej polany, na której, jak wiedziałam, znajdę Edwarda... Edwarda i krwiożercze potwory. Tym, że chcą mnie one zabić, wcale się nie przejmowałam, bo podjęłam już decyzję... Tak, mogłam sobie wyobrazić, co Edward podsłuchał, gdy spałam.

Przez chwilę nie byłam w stanie podnieść wzroku. Czekał cierpliwie.

– Podoba mi się pomysł Jaspera – odezwałam się wreszcie.

Jęknął.

– Chcę wam pomóc zwyciężyć. Chcę się jakoś do tego przyczynić.

– Nie pomoże nam narażanie ciebie na aż takie niebezpieczeństwo.

– Jasper jest innego zdania. A to on jest tu ekspertem.

Edward patrzył na mnie wilkiem.

– Nie powstrzymasz mnie – postraszyłam go. – Nie mam zamiaru chować się w lesie, kiedy wy będziecie narażać za mnie życie.

Jego usta wykrzywiły się nagle w uśmiechu, z czym próbował walczyć.

– Bello, Alice nie widzi cię na polanie. Widzi za to, jak błąkasz się, potykając się o korzenie. Nie będziesz umiała nas znaleźć. Nie wskórasz nic prócz tego, że po wszystkim będę cię musiał dłużej szukać.

Usiłowałam pozostać tak samo opanowana jak on.

– To dlatego, że Alice nic jeszcze nie wie o Sethie Clearwaterze – odparłam uprzejmym tonem. – Gdyby wiedziała, w swoich wizjach nie zobaczyłaby zupełnie nic. Wielka szkoda, bo obecność Setha dużo zmienia. Mamy z sobą wiele wspólnego – oboje niczego tak nie pragniemy, jak do was dołączyć. Przekonanie go, żeby zaprowadził mnie na polanę, nie powinno mi zabrać dużo czasu.

Miał już wybuchnąć gniewem, ale wziął głęboki oddech i nie pozwolił sobie na to.

– Mogłoby wam się udać... gdybyś nie zdradziła mi swoich planów. Teraz wystarczy, że poproszę Sama o wydanie Sethowi odpowiednich rozkazów. Członkowie sfory, nawet gdyby chcieli, nie mogą ignorować instrukcji swojego przywódcy.

Nadal grzecznie się uśmiechałam.

– Tylko czy Sam wyda te rozkazy? Jeśli mu powiem, jak ważną rolę mogę odegrać? Założę się, że będzie wolał wyświadczyć przysługę mnie niż tobie.

Znowu musiał się wesprzeć głębszym oddechem.

– Może i masz rację, ale te rozkazy zamiast Sama może równie dobrze wydać Jacob, a on już na pewno uzna to za stosowne.

Ściągnęłam brwi.

– Jacob?

– Jest oficjalnym zastępcą Sama. Nie chwalił ci się? Jego rozkazy mają taką samą wagę.

Zapędził mnie w kozi róg i sądząc po jego zadowolonej minie, dobrze o tym wiedział. Spochmurniałam. Tak, w tym jednym punkcie akurat się z sobą wyjątkowo zgadzali – co do tego byłam pewna. A Jacob rzeczywiście mi się nie pochwalił.

Korzystając z tego, że chwilowo zaniemówiłam, Edward kontynuował przemowę podejrzanie łagodnym i kojącym głosem.

– Zeszłej nocy miałem okazję wniknąć w myśli watahy i było to fascynujące doświadczenie. Nie miałem pojęcia, jak złożone są relacje w tak dużej grupie. Te ciągłe tarcia pomiędzy jednostką a zbiorową psyche... Niesamowita sprawa. To lepsze niż opera mydlana.

Było oczywiste, że stara się odwrócić moją uwagę od tego, że miałam jednak zostać z Sethem w lesie. Założyłam ręce.

– Jacob ukrywał przed nami wiele tajemnic – oznajmił z uśmiechem.

Nie zareagowałam, wpatrywałam się tylko w niego gniewnie, czekając, aż będę mogła powrócić do najistotniejszego dla mnie tematu.

– Czy zauważyłaś, na przykład, że jeden z nowych wilków, taki szary, jest mniejszy od pozostałych?

Skinęłam sztywno głową.

Edward zachichotał.

– Tak bardzo poważnie traktowali swoje legendy, a tymczasem okazało się, że informacje w nich zawarte nie były w stu procentach prawdziwe.

Westchnęłam.

– Dobra, złamię się. Co to za rewelacja?

– Zawsze byli przekonani, że tylko wnukowie pierwszych wilków w prostej linii dziedziczą zdolność do przeobrażania się w zwierzęta.

– I trafiło na kogoś, kto nie jest wnukiem w prostej linii?

– Nie, nie, dziewczyna ma rodowód jak należy.

Zamrugałam, a potem otworzyłam szeroko oczy.

– Dziewczyna?

– Znasz ją. To Leah Clearwater.

– Leah jest wilkołakiem?! – wrzasnęłam. – Co takiego?! Od kiedy? Dlaczego Jacob nic mi nie powiedział?

– Pewnych informacji nie może zdradzać nikomu – na przykład tego, ilu ich jest. Jak już mówiłem wcześniej, kiedy Sam wyda rozkaz, członkowie sfory po prostu nie są w stanie go nie respektować. Jacob bardzo uważał, żeby nie myśleć przy mnie o zakazanych tematach. Dopiero teraz, po tym jak ujawnili się na polanie, może sobie na to pozwolić.

– Nie mogę w to uwierzyć. Leah Clearwater!

Nagle przypomniało mi się, że opowiadając historię jej i Sama, Jacob spłoszył się w pewnym momencie, jakby powiedział o kilka słów za dużo. Było to zaraz po tym, gdy napomknął, że Sam musi teraz znosić obecność Lei dzień w dzień... I ta łza na jej policzku, kiedy na ognisku Stary Quil mówił o ofierze i brzemieniu synów ich plemienia... I Billy przesiadujący u Sue, bo miała „kłopoty z dziećmi"... Tyle że jej kłopoty polegały na tym, że teraz obie jej pociechy są wilkołakami!

Do tej pory nie zawracałam sobie zbytnio głowy osobą Lei Clearwater – ot, współczułam jej, kiedy umarł Harry, a potem raz jeszcze, kiedy dowiedziałam się od Jacoba, w jakich okolicznościach porzucił ją Sam.

A teraz, nie dość, że stała się członkiem jego watahy, to jeszcze musiała czytać mu w myślach... i nie miała jak ukryć przed nim własnych!

„To straszne nie mieć prywatności, nie mieć żadnych tajemnic", zwierzył mi się Jacob. „Wszystko, czego się wstydzisz, podane jak na tacy".

– Biedna Leah! – szepnęłam.

Edward prychnął.

– Nie jestem taki pewien, czy zasługuje na twoje współczucie. Niezłe z niej ziółko.

– Jak to, ziółko?

– Jest im już dostatecznie ciężko z tym, że muszą dzielić z innymi wszystkie swoje myśli, więc większość stara się z sobą współpracować, ułatwiać sobie jakoś nawzajem życie. Tylko czym jest większość, skoro do tego, żeby wszystkim na dobre popsuć humor, starcza to, że celowo złośliwe jest jedno z nich.

– Dziewczyna ma swoje powody – mruknęłam, nadal trzymając jej stronę.

– Och, wiem. To całe wpojenie to jedna z najbardziej niezwykłych rzeczy, z jaką się kiedykolwiek zetknąłem, a miałem już do czynienia z wieloma niesamowitymi zjawiskami. – Pokręcił głową w zadziwieniu. – Sposobu, w jaki Sam jest związany ze swoją Emily, nie da się opisać. Zresztą to bardziej „jej Sam" niż „jego Emily". Chłopak jest praktycznie ubezwłasnowolniony. Przypomina mi to te wszystkie miłosne zaklęcia komplikujące życie bohaterom *Snu nocy letniej*. To jak magia... – Uśmiechnął się. – Po wpojeniu kocha się swoją wybrankę niemal tak mocno, jak ja ciebie.

– Biedna Leah – powtórzyłam. – To jak się przejawia ta jej złośliwość?

– Bez przerwy przypomina innym o kwestiach, których woleliby nie roztrząsać. Na przykład o Embrym.

– Mają jakiś problem z Embrym? – zdziwiłam się.

– Jego matka przeprowadziła się do La Push siedemnaście lat temu, kiedy była z nim w ciąży. Nie jest Quileutką, pochodzi z plemienia Makah, więc wszyscy założyli, że jego nieznany ojciec także. Tyle że później dołączył do watahy.

– No i co z tego?

– To, że w takim razie jego ojcem musiał być jeden z potomków poprzedniej sfory, więc najpewniejsi kandydaci to Quil Ateara Senior, Joshua Uley i Billy Black, a każdy z nich był w tamtym okresie żonaty.

– Żartujesz! – jęknęłam.

Edward miał rację – zupełnie jak w operze mydlanej.

– Teraz Sam, Jacob i Quil zachodzą w głowę, który z nich jest przyrodnim bratem Embry'ego. Najchętniej widzieliby w tej roli Sama, bo jego ojciec nigdy nie zachowywał się, jak na ojca przystało, ale przecież to tylko ich pobożne życzenia. Jacob mógłby po prostu spytać Billy'ego wprost, ale nie ma odwagi.

– Kurczę, ciężka sprawa. I aż tyle się dowiedziałeś w ciągu tych kilku godzin treningu?

– Czytanie im w myślach jest niezwykle zajmujące, bo każde z nich ma po dwa toki myślenia: ten wspólny i ten prywatny. W ich mózgach tyle się dzieje!

Wydawał się nieco rozżalony, jak ktoś, kto musiał odłożyć dobrą książkę tuż przed kulminacyjną sceną. Zaśmiałam się.

– Tak, te mechanizmy rządzące sforą są fascynujące – przyznałam. – Prawie tak fascynujące jak ty, kiedy próbujesz odwrócić moją uwagę.

Natychmiast przybrał na powrót lodowato uprzejmy wyraz twarzy – idealną minę dla zawodowego pokerzysty.

– Muszę być z wami na tej polanie.

– Nie – powiedział z mocą.

Nagle doznałam olśnienia.

Wcale nie musiałam znaleźć się na polanie – zależało mi tylko na tym, żeby być z Edwardem.

Ty egoistko, oskarżyłam się w myślach. Ty przeklęta egoistko! Tak nie można! Nie rób tego! To zbyt okrutne!

Zignorowałam te podszepty dobrej strony mojej natury – nie byłam jedynie w stanie spojrzeć Edwardowi prosto w oczy. Wyrzuty sumienia zmusiły mnie do wbicia wzroku w stół.

– Zrozum – szepnęłam. – To nie jest zwykły kaprys. Już raz załamałam się psychicznie i znam teraz swoje możliwości. Jeśli znowu zostawisz mnie samą...

Nie podniosłam głowy, żeby nie dowiedzieć się, ile sprawiam mu bólu. Usłyszałam tylko, że zaczerpnął gwałtownie powietrza, a potem zapadła głucha cisza. Wpatrywałam się w ciemny blat, z jednej strony żałując, że nie mogę już nic odkręcić, ale z drugiej, wiedząc, że gdybym mogła cofnąć się w czasie, pewnie nie skorzystałabym z tej szansy. Nie, jeśli moja strategia miała się sprawdzić.

Ani się obejrzałam, a znalazłam się w jego ramionach – głaskał mnie po głowie, po plecach – pocieszał. Poczucie winy zaczęło narastać we mnie w zawrotnym tempie, ale mój instynkt samozachowawczy okazał się silniejszy – bez Edwarda nie miałam przecież po co żyć.

– Teraz będzie zupełnie inaczej, Bello – zamruczał mi do ucha. – Cały czas będę w pobliżu i szybko do ciebie wrócę.

– Nie wytrzymam tej rozłąki – upierałam się, nadal patrząc w stół. – Kiedy mnie zostawisz, nie będę miała pewności, czy jeszcze kiedykolwiek cię zobaczę. Nie zniosę takiego napięcia, choćbym miała czekać tylko kilka godzin.

Westchnął.

– Niepotrzebnie się tak przejmujesz. Nie masz żadnych powodów do niepokoju.

– Ani jednego?

– Ani jednego.

– Nikomu się nic nie stanie?

– Nikomu – przyrzekł.

– Więc nie będę wam wcale potrzebna na polanie?

– Oczywiście, że nie będziesz nam potrzebna. Alice przekazała mi przed chwilą, że jest ich już tylko dziewiętnastu. Świetnie sobie bez ciebie poradzimy.

– No tak, już wspominałeś, że część z was będzie musiała czekać na swoją kolej na ławce rezerwowych. Nadal tak uważasz?

– Tak, a bo co?

Nie mogłam uwierzyć, że Edward daje się wciągać w mój wywód – musiał widzieć, do czego zmierzam.

– Bo może mógłbyś się już zdeklarować, że to ty zostaniesz jednym z rezerwowych.

Nie odpowiadał tak długo, że w końcu na niego spojrzałam.

Mina pokerzysty wróciła.

Wzięłam głęboki wdech.

– Decyzja należy do ciebie. Albo przyznaj, że nie będzie tak różowo i że w takim razie moja pomoc wam się przyda, albo utrzymuj dalej, że nic się nie stanie, jeśli, dajmy na to, ty sam darujesz sobie udział w akcji. No to jak?

Milczał jak zaklęty.

Wiedziałam, o czym myśli – o tym samym, co ja: o Carlisle'u, o Esme, o Rosalie, o Jasperze i o... Do wymówienia ostatniego z imion musiałam się zmusić. I o Alice.

Zastanowiłam się, czy nie byłam potworem – nie takim jak on, ale prawdziwym – kimś, kto z premedytacją ranił innych. Kimś, kto by dopiąć swego, nie cofał się przed niczym.

Chciałam tylko, żeby był bezpieczny, bezpieczny u mego boku. Czy istniało coś, przed czym bym się cofnęła, dążąc do tego, żeby go ochronić? Coś, czego bym za to nie poświęciła? Nie byłam tego taka pewna.

– Prosisz mnie o to, żebym pozwolił im stanąć do walki bez mojego wsparcia? – spytał bardzo cicho.

– Tak. – Zaskoczyło mnie to, że chociaż czułam się z tym tak fatalnie, nie zadrżał mi głos. – Albo żebyś pozwolił mi z wami pójść. Wszystko mi jedno, bylebym była przy tobie.

Teraz to on wziął głęboki wdech, po czym powoli wypuścił powietrze z płuc. Ujął moją twarz w dłonie, tak żebym tym razem nie spuściła wzroku, i przez długi czas patrzył mi prosto w oczy. Ciekawa byłam, czego w nich szuka i czego się w nich doszukał. Czy było widać, że dręczą mnie wyrzuty sumienia, że skręcają mi żołądek?

Ogarnięty jakimś uczuciem, którego nie mogłam zidentyfikować, zmrużył oczy, a potem oderwał od mojego policzka jedną dłoń, żeby sięgnąć po komórkę.

– Alice? – odezwał się zmęczonym głosem. – Mogłabyś przyjechać na trochę do Swanów popilnować Belli? – Uniósł znacząco jedną brew, żebym nie śmiała oświadczyć, że nie jestem niemowlęciem. – Muszę omówić coś z Jasperem.

Najwyraźniej od razu się zgodziła, bo odłożył telefon i na powrót zaczął się we mnie wpatrywać.

– Co chcesz omówić z Jasperem? – wyszeptałam.

– Moje... moje przejście do ławki rezerwowych.

Było widać jak na dłoni, jak trudno jest mu się z tym pogodzić.

– Przepraszam.

Naprawdę było mi przykro. Nienawidziłam się za to, że tak go zaszantażowałam. Ale nie na tyle, żeby móc uśmiechnąć się sztucznie i powiedzieć mu, że nie ma sprawy, jakoś sobie bez niego poradzę. Z pewnością nie na tyle.

– Nie przepraszaj. – Uśmiechnął się blado. – Zawsze mów mi śmiało o swoich odczuciach, Bello. Skoro mnie potrzebujesz... – Wzruszył ramionami. – Jesteś dla mnie najważniejsza.

– Nie chciałam, żeby to tak wyszło – jakbyś musiał wybierać pomiędzy mną a swoją rodziną.

– Wiem, że nie chciałaś. A poza tym, nie o to mnie prosiłaś. Zaproponowałaś mi dwa jedyne scenariusze, na które mogłaś przystać, a ja wybrałem z nich ten, na który z kolei mogę przystać ja sam. Na tym właśnie polega kompromis.

Pochyliłam się do przodu i oparłam czoło o jego pierś.

– Dziękuję – szepnęłam.

– Do usług – odparł, całując mnie we włosy. – O każdej porze dnia i nocy.

Zamarliśmy w tej pozie na długo. Chowałam przed nim twarz, przyciskając ją do jego koszuli. Walczyły we mnie dwie „ja": jedna chciała być dobra i dzielna, druga nakazywała tej dobrej siedzieć cicho.

– Kim jest „trzecia żona"? – spytał mnie znienacka Edward.

– Co? – spytałam, grając na zwłokę. Nie przypominałam sobie, żeby znowu śniła mi się tamta scena.

– Mamrotałaś dziś przez sen coś o „trzeciej żonie". Reszta nawet składała się na w miarę logiczną całość, ale przy tym się pogubiłem.

– Och. Hm... No tak. To tylko jedna z legend, które słyszałam wtedy na ognisku. – Wzruszyłam ramionami. – Mózg czasami coś wyłapie ze wspomnień na chybił trafił.

Edward odsunął się ode mnie i przekrzywił głowę. Moje skrępowanie musiało wzbudzić jego podejrzenia.

Zanim zdążył mnie o coś zapytać, na progu kuchni stanęła Alice. Miała skwaszoną minę.

– Ominie cię cała zabawa – oznajmiła naburmuszona.

– Dzięki, że przyjechałaś.

Obrócił się ku mnie i podparłszy mi brodę jednym palcem, pocałował mnie na pożegnanie.

– Wrócę wieczorem – obiecał. – Tylko wszystko ustalę z resztą. Trzeba będzie to i owo inaczej rozpracować.

– Okej.

– Za wiele do ustalania to tam nie ma – wtrąciła się Alice. – Już im o wszystkim powiedziałam. Emmett nawet się ucieszył.

Edward westchnął.

– No jasne. Cały Emmett.

Wyszedł, zostawiając mnie z Alice sam na sam. Wpatrywała się we mnie z wyrzutem.

– Przepraszam – powiedziałam. – Czy przez to, że nie będzie z wami Edwarda, grozi wam większe ryzyko?

Prychnęła.

– Za dużo się martwisz, Bello. Przedwcześnie osiwiejesz.

– No to z jakiego powodu jesteś na mnie zła?

– Z Edwarda robi się straszna zrzęda, jak nie dopnie swego. Po prostu wyobrażam sobie, jak to będzie mieszkać z nim pod jednym dachem przez następnych parę miesięcy. – Przewróciła oczami. – Cóż, skoro ma cię to uchronić przed popadnięciem w obłęd, to jednak warto. Ale mogłabyś postarać się zapanować nad swoim pesymizmem. Naprawdę przesadzasz.

– Tak? A pozwoliłabyś, żeby Jasper walczył bez ciebie?

Skrzywiła się.

– My to co innego.

– Jasne.

– Idź lepiej wziąć prysznic – rozkazała mi. – Charlie będzie w domu za piętnaście minut. Jeśli się domyśli, jak spędziłaś dzień, nigdzie cię już nie puści w najbliższym czasie.

No tak. Nadal trudno mi było uwierzyć, że spałam tyle godzin. Wydawało mi się to takim marnotrawstwem. Na szczęście, być może już niedługo, miałam przestać tracić czas na sen.

Kiedy ojciec wrócił, prezentowałam się już nienagannie – ubrana i uczesana, nakładałam mu w kuchni obiad. Alice zajmowała miejsce, które zwykle wybierał Edward – dla Charliego różnica była kolosalna.

– Och, Alice, jak miło, że wpadłaś! Co słychać, skarbie?

– Wszystko w najlepszym porządku.

– Widzę, że wreszcie wstałaś, śpioszku – rzucił do mnie, kiedy się do nich dosiadłam, po czym znowu zwrócił się do Alice. – Wasze wczorajsze przyjęcie zrobiło furorę. Ludzie o niczym innym dziś nie rozmawiają. Pewnie macie teraz kupę sprzątania, prawda?

Machnęła ręką. Jak ją znałam, wszystko doprowadziła już do porządku.

– Było warto – powiedziała. – Wspaniała impreza.

– A gdzie Edward? – spytał Charlie, z lekko wyczuwalną niechęcią. – Pomaga myć dom?

Alice zrobiła minę cierpiętnicy. Pewnie tylko udawała, ale była w tym tak dobra, że nie mogłam mieć pewności.

– Nie. Planuje z Emmettem i Carlisle'em kolejny wyjazd.

– Jak zwykle w góry?

Pokiwała smutno głową.

– Te nasze wypady pod namiot na koniec roku szkolnego to już rodzinna tradycja. Wszyscy jadą z wyjątkiem mnie. W tym roku doszłam do wniosku, że wolę się wybrać na duże zakupy, i proszę sobie wyobrazić, że nikt nie zgodził się mi towarzyszyć! Zostawili mnie na lodzie.

Wykrzywiła usta, upodabniając się do skrzywdzonego dziecka. Reakcja Charliego była natychmiastowa. Nachylił się ku niej odruchowo i wyciągnął przed siebie rękę, zastanawiając się, jak jej pomóc.

Przyglądałam się swojej przyjaciółce podejrzliwie. Co też ona knuła?

– Ależ, skarbie, możesz przenieść się na tych kilka dni do nas – zaoferował się ojciec. – Strach myśleć, że masz zostać sama w takim wielkim domu.

Alice westchnęła. Nagle coś ciężkiego przygniotło mi pod stołem stopę.

– Aj! – wyrwało mi się.

– Co jest? – spytał Charlie.

Alice rzuciła mi pełne frustracji spojrzenie. Musiałam ją bardzo irytować swoim brakiem refleksu.

– Uderzyłam się w palec – mruknęłam.

– Ach, tak. – Odwrócił się z powrotem do Alice. – To jak? Zaproszenie przyjęte?

Znowu mnie kopnęła, ale tym razem słabiej.

– Wiesz co, tato – odezwałam się – chyba nie mamy tu najlepszych warunków. Spanie na podłodze u mnie w pokoju to nie jest szczyt marzeń...

Alice dalej wytrwale grała cierpienie. Charlie zacisnął usta.

– Może Bella mogłaby nocować u ciebie? – zasugerował jej. – Tak długo, jak będziesz sama.

– Och, mogłabyś, Bello? – Uśmiechnęła się do mnie promiennie. – A wybrałabyś się też ze mną na te zakupy?

– Nie ma sprawy – odparłam. – Mogą być zakupy.

– To kiedy tamci wyjeżdżają? – chciał wiedzieć Charlie.

Alice zrobiła kolejną chwytającą za serce minę.

– Już jutro.

– O której godzinie mam się stawić? – spytałam.

– Najlepiej chyba będzie po obiedzie. – Zamyśliła się z palcem na brodzie. – Nie masz nic zaplanowanego na sobotę, prawda? Chciałabym pojechać na te zakupy do jakiejś większej miejscowości, więc zajmą nam cały dzień.

– Tylko nie do Seattle! – przerwał jej Charlie, strosząc brwi.

– Oczywiście – zgodziła się, chociaż wiedziałyśmy obie, że w sobotę w Seattle miało być wyjątkowo bezpiecznie. – Myślałam raczej o Olympii.

Ojcu wyraźnie ulżyło.

– Na pewno ci się spodoba, Bello – stwierdził. – Już tak dawno nie byłaś w dużym mieście.

– Racja. Zapowiada się fajny dzień.

Tak oto, w jednej krótkiej rozmowie, Alice zapoznała mnie z planem bitwy.

Edward wrócił stosunkowo szybko. Kiedy Charlie życzył mu udanej wyprawy, nawet nie mrugnął, oświadczył za to, że wyruszają bardzo wcześnie rano, i pożegnał się z nami dużo wcześniej niż zwykle. Alice wyszła razem z nim.

Niedługo potem oznajmiłam ojcu, że pójdę się położyć.

– Chyba mi nie powiesz, że chce ci się już spać!

– Odrobinkę – skłamałam.

– Nic dziwnego, że unikasz przyjęć – mruknął. – Skoro musisz tak długo dochodzić później do siebie...

Na górze zastałam Edwarda leżącego na łóżku.

– O której spotykamy się z wilkami? – spytałam, sadowiąc się u jego boku.

– Za godzinę.

– To dobrze. Jake i jego przyjaciele muszę mieć się kiedy wyspać.

– Nie potrzebują tyle snu, co ty – zauważył.

Zmieniłam temat, bo najwyraźniej miał zamiar namówić mnie do pozostania w domu.

– Czy wiesz, że Alice znowu mnie porywa?

Uśmiechnął się.

– Cóż, tak naprawdę to cię nie porywa.

Spojrzałam na niego zaskoczona. Zaśmiał się cicho na widok mojej zagubionej miny.

– Tylko mnie wolno cię porywać, zapomniałaś? Alice wybiera się z całą resztą na polowanie. – Westchnął. – Chyba się bez tego obejdę.

– To ty mnie porywasz?

Pokiwał głową.

Zamyśliłam się na moment. Żadnego podsłuchującego z dołu ojca, który zagląda ci pod byle pretekstem do pokoju... Żadnych czuwających całą noc domowników o krępująco wyczulonym słuchu... Tylko ja i on – nareszcie sami.

– Masz coś przeciwko temu? – spytał, zaniepokojony moim milczeniem.

– Nie, nie, tylko... wiesz, można było to inaczej załatwić.

– Jak inaczej załatwić? – zmartwił się.

To było niesamowite – on naprawdę uważał, że mogę mieć do niego jakieś pretensje zaraz po tak atrakcyjnej propozycji! Chyba musiałam wyrażać się jaśniej.

– Dlaczego Alice nie powiedziała Charliemu, że wyjeżdżacie już dziś wieczorem?

Ulżyło mu. Znowu się zaśmiał.

Druga wyprawa na polanę sprawiła mi znacznie większą frajdę niż pierwsza. Nadal męczyły mnie wyrzuty sumienia, nadal się bałam, ale nie byłam już sparaliżowana strachem. Mogłam normalnie funkcjonować. Byłam w stanie wybiegać myślami poza zbliżające się starcie i niemal wierzyłam, że wszystko dobrze się skończy. Edward wydawał się nie przeżywać jednak tak bardzo faktu, że nie miał wziąć udziału w walce, więc niezwykle trudno było nie ufać jego zapewnieniom, że nowo narodzeni nie są aż tacy groźni. Nie opuściłby przecież swoich bliskich, gdyby miało to narazić ich na większe ryzyko. Może Alice miała rację i rzeczywiście za bardzo się przejmowałam?

Na polanę przybyliśmy jako ostatni.

Jasper i Emmett już się siłowali – śmiali się przy tym głośno, więc była to chyba dopiero rozgrzewka. Alice i Rosalie przyglądały im się, siedząc na ubitej ziemi. Esme i Carlisle, nachyleni ku sobie, rozmawiali kilka metrów od nich, trzymając się za ręce i nie zwracając na resztę towarzystwa większej uwagi.

Na skraju „ringu", w sporych odstępach od siebie, by móc obserwować pojedynki pod różnym kątem, siedziały trzy wilki. Było je widać o wiele lepiej niż minionej nocy, bo przez cienką warstwę chmur prześwitywał księżyc.

Jacoba rozpoznałabym od razu, nawet gdyby słysząc, że ktoś się zbliża, nie obrócił głowy w moją stronę.

– A gdzie reszta sfory? – zdziwiłam się.

– Nie wszyscy muszą tu być, wystarczyłby jeden. Jacob nawet zgłosił się na ochotnika, ale w kontaktach z nami Sam dmucha na zimne, więc oddelegował też Quila i Embry'ego. To oni zwykle towarzyszą Jacobowi, kiedy wataha dzieli się na mniejsze oddziały.

– Czyli Jacob bardziej wam ufa?

– Hm... Można by tak powiedzieć. Wie, że go nie zabijemy, i to by było na tyle.

– Będziesz dziś trenował? – spytałam z wahaniem.

Wiedziałam, że miało mu być z tym prawie tak samo ciężko, jak mnie, gdybym miała czekać osamotniona na jego powrót. A może jeszcze ciężej?

Wzruszył ramionami.

– Jeśli będzie trzeba, to pomogę. Jasper chce dziś zademonstrować bardziej skomplikowane układy – pokazać, jak się walczy z kilkoma przeciwnikami naraz.

Mój świeżo odzyskany spokój ducha naruszyła nowa fala paniki.

A więc nadal było ich za mało. Mój egoizm tylko pogorszył i tak już niekorzystne proporcje.

Spojrzałam szybko w bok, żeby ukryć swoją reakcję.

Zważywszy na to, że starałam się właśnie z całych sił wmówić sobie, że wszystko się ułoży, że ułoży się dokładnie tak, jak bym tego chciała, wybrałam fatalny kierunek. Gdy tylko oderwałam wzrok od pozorowanej walki, która już za kilku dni miała wydarzyć się naprawdę, padł na Jacoba. Nasze oczy się spotkały. Uśmiechnął się.

Był to ten sam wilczy uśmiech, którym obdarzył mnie minionej nocy tuż przed świtem, ale oczy mrużył tak jak wtedy, kiedy był człowiekiem.

Trudno mi było uwierzyć, że jeszcze niedawno wilkołaki mnie przerażały i pojawiały się regularnie w moich koszmarach.

Nie musiałam nikogo pytać, który z towarzyszących Jacobowi osobników był Embrym, a który Quilem – wystarczyło znać ich charaktery. Chudy szary wilk z ciemniejszymi plamami na grzbiecie siedział zupełnie nieruchomo, cierpliwy jak zwykle, z kolei jego kolega, o sierści barwy ciepłego brązu i nieco jaśniejszym pysku, wiercił się bezustannie i najwyraźniej o niczym tak nie marzył, jak o pojawieniu się na ringu. Obaj wcale nie wyglądali na potwory. Nadal byli w moich oczach dwójką chłopców.

Dwójką chłopców, a nie niezniszczalnymi maszynami do zabijania o skórze twardej jak marmur, tak jak Jasper i Emmett, którzy doskakiwali do siebie szybciej niż atakujące kobry. Dwójką chłopców, którzy chyba nie do końca rozumieli, co im grozi. Dwójką chłopców, którzy pod wieloma względami nie różnili się tak bardzo od zwykłych śmiertelników, którzy krwawili... którzy mogli zginąć.

Pewność siebie, jaką okazywał Edward, podnosiła mnie na duchu, ponieważ wskazywała na to, że mój ukochany nie boi się ani o członków swojej rodziny, ani o nikogo innego, a więc także nie o wilki. Ale czy miał powody do niepokoju, jeśli los tych drugich po prostu nic go nie obchodził? Czy mogłam polegać na jego ocenie sytuacji, gdy w grę wchodziła również sfora?

Lęk ścisnął mi gardło, ale zmusiłam się do przełknięcia śliny i bladego uśmiechu. Musiał wyjść z niego grymas, bo Jacob, mimo swojej masy, zerwał się zwinnie z miejsca i znalazł przy nas w kilka sekund.

– Dobry wieczór – przywitał go uprzejmie Edward.

Jacob zignorował go, za to ode mnie nie odrywał wzroku. Tak jak podczas naszego poprzedniego spotkania, zniżył łeb do poziomu moich oczu i przechylił go w bok. Moich uszu dobiegł cichy psi jęk.

– Wszystko w porządku – odpowiedziałam, ubiegając Edwarda, który był już gotowy przełożyć mi jego pytanie. – Tak się tylko martwię.

Moje wyjaśnienie go nie zadowoliło.

– Chce wiedzieć dlaczego – powiedział cicho Edward.

Jacob warknął – nie agresywnie, tylko z irytacją – i Edwardowi drgnęła warga.

– Co jest? – spytałam.

– Ma zastrzeżenia co do mojego tłumaczenia. Tak naprawdę pomyślał: „Głupia jesteś. Czym tu się martwić?", ale pominąłem to, bo uznałem za niegrzeczne.

Na mojej twarzy pojawił się półuśmiech, ale byłam zbyt zdenerwowana, żeby to nieporozumienie prawdziwie mnie rozbawiło.

– Mam wiele powodów do zmartwień – zwróciłam się do Jacoba. – Choćby to, że pewne znane mi wilki uparcie pakują się w tarapaty.

Zaśmiał się, co zabrzmiało ni to jak szczek, ni to jak kaszlnięcie.

Edward odchrząknął.

– Jasper mnie wzywa. Poradzisz sobie bez tłumacza?

– Coś się wymyśli.

Przez dłuższą chwilę wpatrywał się we mnie smutno z nieodgadnioną miną, a potem odwrócił się na pięcie i poszedł wspomóc brata.

Usiadłam na ziemi. Bił od niej nieprzyjemny chłód.

Zrobiwszy krok do przodu, Jacob zerknął na mnie i cicho jęknął.

– Idź, idź – powiedziałam. – Posiedzę tutaj. Nie chcę się przyglądać sparingom.

Znowu przechylił na moment łeb, po czym z głośnym westchnieniem położył się koło mnie.

– Idź, nic mi nie będzie – zapewniłam go.

Nie zareagował, oparł tylko łeb o przednie łapy.

Żeby nie widzieć, jak się pojedynkują, zaczęłam obserwować srebrzące się chmury. Moja wyobraźnia nie potrzebowała dodatkowych podniet.

Przez polanę przemknął zimny powiew. Zadrżałam. Jacob zaraz się do mnie przysunął i przycisnął futrem do mojego lewego boku.

– Ee... dzięki – mruknęłam.

Po kilku minutach oparłam się po prostu o jego szeroki bark. Siedziało się tak znacznie wygodniej.

Chmury przesuwały się powoli po niebie, to jaśniejąc miejscami, to ciemniejąc, zależnie od tego, czy księżyc był zasłonięty, czy nie.

Nie myśląc za wiele o tym, co robię, zaczęłam mechanicznie przeczesywać palcami futro na karku swojego towarzysza. Zamruczał tak samo, jak wtedy nad ranem, kiedy pogłaskałam go po policzku. Był to przyjemny, przyjazny dźwięk – bardziej gardłowy niż u kota, ale wynikający z tych samych odczuć.

– Wiesz, że nigdy nie miałam psa? – wyznałam. – Zawsze chciałam, ale Renée jest uczulona.

Wielkie cielsko Jacoba zatrzęsło się, bo parsknął śmiechem.

– Zupełnie nie przejmujesz się sobotą?

Obrócił się, żebym zobaczyła, że przewraca oczami.

– Zazdroszczę ci takiego pozytywnego nastawienia.

Przycisnął łeb do mojej nogi i znowu zaczął mruczeć. Podziałało – poczułam się nieco lepiej.

– Czyli jutro zaniesiesz mnie do mojej kryjówki?

Zamruczał głośniej, z wyraźnym entuzjazmem.

– Ostrzegam, że to może być nawet kilkadziesiąt kilometrów. Edward nie mierzy odległości ludzką miarą.

Znowu się zaśmiał. Wtuliłam się w niego mocniej, opierając mu głowę o szyję.

Było to dziwne, ale poczułam się tak, jak na samym początku naszej znajomości, kiedy przebywanie ze sobą przychodziło nam równie łatwo, co oddychanie – i jeszcze przynosiło tyle radości. Pełne zrozumienie, żadnych spięć – zupełnie inaczej, niż kiedy spotykał się ze mną ostatnio w ludzkiej postaci. A wydawało nam się, że to jego dołączenie do sfory wyznaczyło punkt zwrotny naszej znajomości!

Na polanie dalej symulowano walkę na śmierć i życie, ale ja wpatrywałam się w zamglony księżyc...

20 Kompromis

Wszystko było przygotowane.

Moja torba, spakowana na rzekomą dwudniową wizytę u Alice, czekała w furgonetce, na siedzeniu pasażera. Bilety na koncert oddałam Angeli, Benowi i Mike'owi, a ten ostatni, tak jak na to liczyłam, postanowił zabrać też z sobą Jessicę. Żeby Charlie nie przyjechał do La Push dopiero po południu, na mecz, Billy zaprosił go na łowienie ryb na otwartym morzu z łodzi, którą pożyczył od Starego Quila Ateary. W rezerwacie zostawali dwaj nowi członkowie sfory, Collin i Brady. Była to właściwie tylko para trzynastoletnich dzieciaków, ale i tak Charlie miał być lepiej chroniony niż ktokolwiek w Forks.

Zrobiłam wszystko, co było w mojej mocy. Próbowałam się z tym pogodzić i nie myśleć, przynajmniej tego wieczoru, o niczym, nad czym nie miałam kontroli. Niezależnie od wyniku starcia wszystko miało się rozstrzygnąć w ciągu nadchodzących czterdziestu ośmiu godzin – ta myśl niemalże podnosiła mnie na duchu.

Edward nakazał mi się rozluźnić i zamierzałam się poważnie przyłożyć do spełnienia jego prośby.

– Czy mogłabyś, chociaż na tę jedną noc, zapomnieć o wszystkim prócz tego, że jesteśmy razem? – zaapelował, wspomagając się siłą rażenia swoich niesamowitych oczu. – Jakoś nigdy nie mam dość takich chwil. Są mi potrzebne jak powietrze. Tylko ty i ja.

Nietrudno było przystać na taką propozycję, wiedziałam jednak, że jeśli chodziło o wypieranie ze świadomości lęków, o wiele łatwiej jest mi to przyrzec, niż wykonać. Na szczęście to, że mieliśmy znaleźć się sam na sam, skierowało część moich myśli ku innym torom, co mogło okazać się bardzo pomocne.

W międzyczasie to i owo uległo zmianie.

Na przykład mój stosunek do przemiany w kogoś innego.

Czułam się wreszcie gotowa, by dołączyć do rodziny Edwarda i do jego świata. Przyczyniły się do tego trzy z dręczących mnie emocji: strach, niepokój oraz poczucie winy. Przemyślałam to sobie dokładnie, wpatrując się w przesłonięty chmurami księżyc, wtulona w wilkołaka, i zrozumiałam, że już nigdy nie wpadnę w panikę. Jeśli coś miało nam jeszcze kiedyś zagrozić, planowałam stanąć do walki u boku pozostałych. Chciałam być im wsparciem, a nie ciężarem. Edward już nigdy nie miał znaleźć się w sytuacji, w której musiałby wybierać pomiędzy mną a swoimi bliskimi. Mieliśmy być partnerami, tak jak Alice i Jasper. Następnym razem nie zamierzałam siedzieć bezczynnie.

Skoro nalegał, żebym podjęła decyzję w neutralnych warunkach, mogłam zaczekać, aż zagrożenie minie, ale nie było to konieczne – czułam się gotowa.

Miałam do załatwienia jeszcze jedną sprawę.

Jedną, bo pewne rzeczy się nie zmieniły, przede wszystkim to, jak okropnie Edwarda kochałam. Miałam mnóstwo czasu, żeby odpowiedzieć sobie na pytanie, które nasunęło mi się, gdy poznałam treść zakładu pomiędzy Jasperem a Emmettem: co z bycia człowiekiem mogłam sobie łatwo odpuścić, a z czego zrezygnować nie miałam zamiaru. Dobrze wiedziałam, które z ludzkich doświadczeń chcę zaliczyć, zanim stanę się istotą nieśmiertelną.

Tak, tę sprawę można załatwić jeszcze dziś wieczór. Po tym wszystkim, z czym zetknęłam się w ciągu ostatnich dwóch lat, usunęłam słowo „niemożliwe" ze swojego słownika. Edward musiał znaleźć lepszy argument, żebym się od niego odczepiła.

No, może przesadzałam. Tu nie chodziło tylko o jego widzimisię – było to o wiele bardziej skomplikowane. Ale mimo to zamierzałam spróbować.

Chociaż podjąwszy tę decyzję, czułam się prawdziwie zdesperowana, nawet się specjalnie nie zdziwiłam, kiedy w drodze do domu Cullenów zaczęły zżerać mnie nerwy – jakkolwiek by było, nie miałam zielonego pojęcia, jak przeprowadzić to, co chciałam przeprowadzić, i samo to gwarantowało gwałtowną reakcję organizmu. Edward siedział koło mnie na miejscu pasażera, walcząc z rozbawieniem, jakie wywoływało w nim moje ślimacze tempo. O dziwo, nie upierał się jednak, żeby przejąć ode mnie kierownicę, jakby uznał, że taka prędkość pasuje do czekającego nas romantycznego wieczoru.

Kiedy zajechaliśmy na podjazd, słońce zdążyło się już skryć za horyzontem, ale otaczająca dom łąka skąpana była w blasku, bo w każdym oknie pozostawiono palące się światła.

Ledwie zgasiłam silnik, Edward stał już na zewnątrz przy moich drzwiach. Jedną ręką wyciągnął mnie z szoferki, tuląc do siebie, drugą zaś sięgnął po torbę i zarzucił ją sobie na plecy. Jego wargi odszukały moje w tym samym momencie, w którym celnym kopniakiem zatrzasnął drzwiczki.

Nie przestając mnie całować, przesunął mnie nieco wyżej, żeby obojgu nam było wygodniej, po czym ruszył w kierunku domu.

Czy drzwi wejściowe były otwarte? Nie zwróciłam na to uwagi. W każdym razie jakoś znaleźliśmy się w środku. Zakręciło mi się w głowie, bo zapomniałam na moment, że muszę oddychać.

Nie przeraził mnie bynajmniej ten wybuch czułości. W niczym nie przypominał ostatniego, kiedy to, pomimo tego, że Edward się kontrolował, wyczuwałam, jak bardzo jest spanikowany. Teraz całował mnie, nie drżąc ze strachu, lecz z entuzjazmem – wydawał się równie podekscytowany jak ja tym, że będziemy mogli cały wieczór skupić się wyłącznie na sobie. Stojąc wciąż przy wejściu, nie puszczał mnie przez dobrych kilka minut. Jego chłodne wargi były wyjątkowo łapczywe – chyba pilnował się mniej niż zwykle.

Im dłużej to trwało, tym większy był mój optymizm. Dawkowałam go sobie ostrożnie, ale jednak dawkowałam. Może miało się udać? Może dążąc do tego, czego pragnęłam, miałam napotkać mniej trudności, niż się spodziewałam?

Oczywiście były to tylko moje pobożne życzenia. Śmiejąc się cicho, Edward odsunął mnie od siebie, choć nadal nie wypuszczał mnie z objęć. Zatonęłam w jego złotych oczach.

– Witaj w domu – powiedział ciepło.

– Co za miłe powitanie – szepnęłam zadyszana.

Postawił mnie delikatnie na ziemi. Objęłam go za szyję i przywarłam do niego całym ciałem. Nie chciałam, żeby dzielił nas choćby centymetr.

– Mam coś dla ciebie – oznajmił, niby to ot tak.

– Naprawdę?

– Pamiętasz naszą rozmowę o prezentach? Mówiłaś, że coś z drugiej ręki może być.

– Ach, tak. Rzeczywiście, chyba coś takiego mówiłam.

Zaśmiał się, widząc, że i tak mam opory.

– Mam to u siebie w pokoju. Przynieść tu, na dół?

I odebrać mi szansę trafienia tak wcześnie do jego sypialni?

– Chodźmy razem – zaproponowałam przebiegle, biorąc go za rękę.

Nie mógł się widocznie doczekać, aż wręczy mi mój „używany" prezent, bo zamiast cierpliwie przejść się ze mną w ludzkim tempie, znów wziął mnie na ręce i pomknął po schodach jak wicher. Postawiwszy mnie na progu, rzucił się do szafy.

Wrócił do mnie, zanim zdążyłam mrugnąć, ale minęłam go obojętnie i podeszłam do jego wielkiego złotego łóżka. Wczołgawszy się na sam jego środek, podciągnęłam kolana pod brodę i owinęłam nogi rękami.

– Okej – westchnęłam. Skoro znalazłam się już tam, gdzie planowałam, mogłam sobie pozwolić na strojenie fochów. – No, pokaż, co tam masz.

Znowu się zaśmiał.

Wdrapał się na łóżko, żeby usiąść koło mnie. Serce zabiło mi szybciej, zupełnie gubiąc rytm. Przy odrobinie szczęścia Edward miał pomyśleć, że reaguję tak, bo nie lubię, jak daje mi prezenty.

– Nie kupiłem tego – przypomniał surowym tonem.

Ujął mnie za lewy nadgarstek i przez sekundę manipulował przy wiszącej na nim bransoletce. Kiedy mnie puścił, zaciekawiona podniosłam dłoń do oczu. Po przeciwnej stronie łańcuszka niż miniaturowy wilk wisiało teraz kryształowe serduszko. Iskrzyło się cudnie mimo panującego w pokoju półmroku, bo jego niezliczone fasetki wyłapywały najlichsze nawet promienie światła. Z wrażenia wciągnęłam głośno powietrze do płuc.

– Należało do mojej matki. – Edward wzruszył ramionami, żeby podkreślić, że to nic takiego. – Odziedziczyłem po niej sporo podobnych drobiazgów. Wcześniej dałem już kilka Esme i Alice, więc nie możesz protestować, że cię jakoś specjalnie wyróżniam.

Uśmiechnęłam się smutno, słuchając jego zapewnień.

– Pomyślałem sobie – ciągnął – że nada się na symbol mojej osoby, bo jest takie twarde i zimne. – Zaśmiał się. – A w słońcu, tak jak ja, mieni się wszystkimi kolorami tęczy.

– Zapomniałeś o najbardziej oczywistej cesze, która was łączy – wtrąciłam. – Jest piękne.

– Moje własne serce jest równie ciche – stwierdził. – I tak jak to tu, należy do ciebie.

Poruszyłam ręką, żeby serduszko zamigotało.

– Dziękuję. Dziękuję za oba.

– Nie, to ja dziękuję tobie. To niesamowite widzieć, że przyjmujesz ode mnie prezent bez żadnych zastrzeżeń. Odetchnąłem z ulgą. Oby tak dalej.

Uśmiechnął się zachęcająco.

Pochyliłam się ku niemu, wtulając się w jego bok, z głową przyciśniętą do zagięcia jego pachy. Pewnie czułabym się podobnie u boku Dawida dłuta Michała Anioła, tyle że tamten marmurowy posąg nie odpowiedziałby mi żadnym gestem.

Doszłam do wniosku, że to stosowny moment, żeby zacząć działać.

– Czy moglibyśmy o czymś poważnie porozmawiać? Tylko na początek musisz choć na chwilę zapomnieć o swoich zastrzeżeniach.

Zawahał się na moment.

– Postaram się – obiecał, mając się jednak na baczności.

– Nie łamię żadnych reguł – zastrzegłam. – To dotyczy tylko nas dwojga. – Odchrząknęłam. – Widzisz... to, że zgodziłeś się ze mną zostać w sobotę, zrobiło na mnie naprawdę duże wrażenie... i pomyślałam, że może, w takim razie, moglibyśmy pójść na kompromis także w innej kwestii.

Czy musiałam wyrażać się w taki oficjalny sposób? To chyba przez te nerwy.

– Słucham. Jakaż to kwestia? – spytał pogodnie.

Próbowałam rozpaczliwie dobrać odpowiednio słowa.

– Ale ci wali serce – zauważył. – Jakby koliber szamotał się tam, w środku. Dobrze się czujesz?

– Świetnie.

– To co z tym kompromisem?

– Hm... Po pierwsze, chciałabym z tobą porozmawiać o tym idiotycznym warunku, który mi postawiłeś. O tym, że mam wyjść za ciebie za mąż.

– Tylko tobie wydaje się idiotyczny, ale mniejsza o to. Co z nim?

– Zastanawiałam się... czy nie można by go negocjować?

Edward spoważniał i ściągnął brwi.

– Pamiętaj, z czym się wiąże ten warunek. Poszedłem już na bardzo daleko idące ustępstwa. Zgodziłem się, wbrew sobie, odebrać ci życie. To raczej ty powinnaś teraz przystać na moje propozycje.

– Nie, nie. – Pokręciłam głową, starając się zachować neutralny wyraz twarzy. – Ta część może zostać bez zmian. Zostawmy temat mojego... mojej przemiany. Chodzi mi o kilka innych szczegółów.

Przyjrzał mi się podejrzliwie.

– Co to za szczegóły?

Zawahałam się.

– No... co się dokładnie składa na ten twój warunek.

– Wiesz, o czym marzę.

– O zawarciu związku małżeńskiego – powiedziałam, wymawiając każde słowo z osobna, jakbym się ich brzydziła.

– Tak. – Uśmiechnął się szeroko. – To na początek.

Zaskoczył mnie. Po mojej pokerowej minie nie zostało ani śladu.

– To dopiero początek?

– Cóż… – zamyślił się teatralnie. – Jeśli zostaniesz moją żoną, wszystko, co moje, stanie się twoje – takie, na przykład, fundusze na czesne… Nie będzie problemów z Dartmouth.

– Coś jeszcze? Skoro już pleciesz głupoty?

– Może tak trochę więcej czasu?

– Nie, nie. Nie ma mowy. To już by było wbrew umowie.

Westchnął tęsknie.

– Może chociaż rok albo dwa?

Pokręciłam głową, zaciskając uparcie usta.

– Przejdź lepiej do następnego punktu.

– To już wszystko. Chyba że chcesz porozmawiać o samochodach…

Widząc, że się krzywię, uśmiechnął się od ucha do ucha, a potem wziął mnie za rękę i zaczął bawić się moimi palcami.

– Nie zdawałem sobie sprawy, że jest coś jeszcze, czego pragniesz, poza przemianą w potwora takiego jak ja. Jestem zaintrygowany.

Mówił cicho i miękko. Gdybym nie znała go tak dobrze, nie domyśliłabym się, że w jego głosie kryje się niepokój.

Wpatrywałam się w nasze splecione dłonie. Nadal nie wiedziałam, jak zacząć. Czułam na sobie jego spojrzenie i bałam się podnieść wzrok. Byłam świadoma, że robię się czerwona.

Pogłaskał mnie opuszkiem palca po policzku.

– Bello, co ja widzę? Ty się rumienisz? – zdziwił się szczerze. Tym bardziej wolałam patrzeć w inną stronę. – Powiedz wreszcie, o co chodzi. Nie trzymaj mnie dłużej w niepewności.

Przygryzłam wargę.

– Bello!

Jego karcący ton przypomniał mi, jak trudno mu było pogodzić się z tym, że nie zna moich myśli.

– Trochę martwię się tym, co będzie później – wyznałam wreszcie, zerkając na niego nieśmiało.

Zesztywniał, ale postarał się nie dać mi tego odczuć.

– Czym się martwisz? – spytał czule.

– Zachowujecie się wszyscy tak, jakbym po przemianie miała interesować się tylko tym, kogo by tu następnego zabić – pożaliłam się.

Na twarzy Edwarda pojawił się grymas.

– Więc boję się, że tak się zatracę w tym mordowaniu, że nie będę już dłużej sobą... i że przestanę mieć... że przestanę czuć do ciebie to, co czuję teraz.

– Ta faza nie trwa wiecznie – zapewnił mnie.

Nadal nie rozumiał, do czego zmierzam.

Byłam coraz bardziej zdenerwowana.

– Chciałabym – powiedziałam, spuszczając oczy – chciałabym, żebyś coś dla mnie zrobił, jeszcze zanim przestanę być człowiekiem.

Odczekał chwilę, spodziewając się dalszego ciągu, który jednak nie nastąpił. Rumieńce paliły mnie żywym ogniem.

– Jestem do twojej dyspozycji – zachęcił mnie, wciąż niczego nieświadomy.

– Na pewno?

Wiedziałam, że tak wymuszona podstępem obietnica nie będzie go do niczego zobowiązywać, ale i tak nie mogłam oprzeć się pokusie.

– Na pewno – potwierdził.

Spojrzałam na niego. Widać było, że ma szczere chęci, ale też, że jest odrobinę zagubiony.

– Powiedz, czego chcesz, a będziesz to miała – oświadczył.

Nie mogłam uwierzyć, że czuję się aż tak skrępowana. Miałam za mało doświadczenia – i o to zresztą w naszej rozmowie chodziło. Nie miałam zielonego pojęcia, jak się uwodzi mężczyznę. Na pewno nie jąkając się i pocąc ze zdenerwowania.

– To ciebie chcę – wymamrotałam.

– I oto jestem.

Uśmiechnął się serdecznie, starając się skupić na sobie moje spojrzenie, ale znowu uciekłam wzrokiem w dół.

Wzięłam głęboki wdech. Uklęknęłam przed nim na kapie, a potem objęłam go za szyję i pocałowałam.

Nie zaoponował, jak najbardziej chętny, tylko zaskoczony. Tym razem całował mnie bardzo delikatnie i wyczułam, że myślami jest gdzie indziej – że stara się odgadnąć, gdzie myślami jestem ja. Zadecydowałam, że przyda mu się mała podpowiedź.

Nie przestając go całować, zdjęłam mu powoli ręce z szyi i nie zważając na to, że zaczęły się odrobinę trząść, przesunęłam opuszkami palców po jego obojczykach, by zatrzymać się przy kołnierzyku jego koszuli. Odpięłam pierwszy guzik. Spieszyłam się bardzo, wiedząc, że Edward zaraz mnie powstrzyma, ale drżenie utrudniało mi zadanie.

Jego wargi znieruchomiały. Kiedy skojarzył moje zachowanie z tym, co wcześniej mówiłam, prawie że usłyszałam w jego głowie kliknięcie.

Odepchnął mnie od razu z miną pełną dezaprobaty.

– Bądź rozsądna, Bello.

– Obiecałeś, że będziesz do mojej dyspozycji – wypomniałam mu, nie licząc jednak na to, że cokolwiek wskóram.

– Tę dyskusję już zamknęliśmy.

Zabrał się do zapinania dwóch guzików, które udało mi się odpiąć, wpatrując się we mnie z rozdrażnieniem.

Zacisnęłam zęby.

– Wcale nie – warknęłam, po czym odpięłam sobie prowokacyjnie górny guzik bluzki.

Schwycił mnie za oba nadgarstki i przycisnął mi je do ciała.

– Koniec dyskusji – powiedział głosem nieznoszącym sprzeciwu.

Przez chwilę siłowaliśmy się na spojrzenia.

– Chciałeś wiedzieć.

– Bo przypuszczałem, że to będzie coś odrobinę bardziej możliwego do zrealizowania.

– Czyli tobie wolno prosić mnie o spełnienie twoich idiotycznych marzeń, takich jak małżeństwo, ale ja o swoich nawet nie mogę poro...

Przybliżył szybko moje dłonie do siebie, by móc przytrzymywać je jedną ręką, i uwolniwszy w ten sposób drugą, bezceremonialnie zatkał mi nią usta.

– Nie.

Miał zacięty wyraz twarzy.

Wzięłam głęboki wdech, żeby się uspokoić. Płonący we mnie gniew zaczął gasnąć, ale jego miejsce zajęło niespodziewanie inne uczucie.

Musiało minąć kilkanaście sekund, żebym zrozumiała, dlaczego znowu patrzę w dół i na powrót wychodzą mi rumieńce – a także czemu nerwy skręcają mi żołądek, skąd w moich oczach wzięło się tyle wilgoci i z jakiego powodu mam ochotę wybiec z pokoju.

Odrzucenie – to było to. Tak silnie nie poczułam go jeszcze nigdy w życiu.

Wiedziałam, że to z mojej strony irracjonalne – Edward tłumaczył mi nie raz, że chodzi mu wyłącznie o moje bezpieczeństwo – ale też nigdy wcześniej do tego stopnia nie obnażyłam przed nim swoich pragnień. Nie odrywając wzroku od złotej kapy dopasowanej odcieniem do jego oczu, starałam się odgonić od siebie nasuwającą mi się odruchowo myśl: nie podobasz mu się, nikomu się nie podobasz.

Edward westchnął. Dłonią, którą zatykał mi usta, ujął mnie pod brodę, żebym musiała spojrzeć mu prosto w oczy.

– No co?

– Nic – mruknęłam.

Wpatrywał się we mnie przez dłuższy czas, a ja bez powodzenia usiłowałam wymknąć się jego spojrzeniu. Nagle zmarszczył czoło. Wyglądał teraz na przerażonego.

– Mój Boże, zrobiło ci się przykro, prawda? – spytał zszokowany.

– Nie, skąd – skłamałam.

Nie wiedzieć kiedy, znalazłam się w jego ramionach. Przycisnął moją głowę do siebie jak główkę dziecka, a wolnym kciukiem zaczął głaskać po policzku.

– Przecież wiesz, dlaczego musiałem ci odmówić – powiedział cicho. – Przecież wiesz, że też bym chciał.

– Chciałbyś? – szepnęłam z niedowierzaniem.

– Oczywiście, że tak, moja ty nierozważna, nadwrażliwa piękności. – Zaśmiał się, a potem dodał ponuro. – Zresztą, nie tylko ja. Czuję się tak, jakby stała za mną kolejka i każdy w niej tylko czyhał na to, aż popełnię jakiś poważny błąd, by nareszcie móc się do ciebie dopchać. Ach, jesteś aż za bardzo atrakcyjna.

– Znowu gadasz głupoty.

Wątpiłam, żeby w czyimś mniemaniu do cech godnej pożądania kobiety należały niezdarność albo chorobliwa nieśmiałość.

– Mam rozesłać listę do podpisania, żebyś mi uwierzyła? Mam ci powiedzieć, jakie nazwiska znalazłyby się na pierwszych pozycjach na takiej liście? Kilka byś zgadła, ale parę innych byłoby dla ciebie niespodzianką.

Krzywiąc się, pokręciłam głową, nie odrywając jej od jego piersi.

– Tylko próbujesz odwrócić moją uwagę. Nie zbaczajmy z tematu.

Westchnął.

– Powiedz mi, jeśli coś opuszczę. – Postarałam się, żeby mój głos nie zdradzał żadnych emocji. – Chcesz się ze mną ożenić – nie byłam w stanie wymówić tej zbitki słów bez grymasu – płacić za moje studia, mieć więcej czasu, a ponadto sprawić mi szybszy samochód. – Uniosłam brwi. – Czy to już wszystkie żądania? Całkiem ich sporo.

– Tylko pierwsze to żądanie. – Chyba trudno mu było nie wybuchnąć śmiechem. – Pozostałe to co najwyżej prośby.

– A moim jedynym maleńkim żądaniem jest to, żebyśmy…
– Żądaniem? – przerwał mi, raptownie poważniejąc.
– Tak, a bo co?
Ściągnął srogo brwi.
– Małżeństwo nie jest czymś, na co zgodzę się ot tak – oznajmiłam mu. – Muszę dostać coś w zamian.
Nachylił się, żeby sięgnąć mojego ucha.
– Jeszcze nie teraz – szepnął. – Później, kiedy już nie będziesz taka krucha. Musisz uzbroić się w cierpliwość.
– Ale w tym cały problem – powiedziałam, starając się brzmieć jak najbardziej rzeczowo. – Kiedy przestanę być taka krucha, to już nie będzie to samo. Ja nie będę już taka sama. Nie wiem nawet, czy nadal będę sobą.
– Obiecuję ci, że będziesz – przyrzekł.
Skrzywiłam się.
– Nawet jeśli przyjdzie mi do głowy zabić Charliego albo napić się krwi Jacoba czy Angeli, czy kto mi się tam nawinie? Nie wmówisz mi, że to wciąż będę ja.
– Ta faza szybko minie. A o psiej krwi na pewno nie zamarzysz, to ci gwarantuję. – Udał, że się wzdryga. – Takie paskudztwo. Nawet amok nowo narodzonych ma swoje granice.
Zignorowałam tę próbę oderwania mnie od tematu przemiany.
– Ale tego właśnie będę pragnąć przede wszystkim, prawda? – drążyłam. – Krwi, krwi i jeszcze raz krwi.
– To, że jeszcze żyjesz, jest najlepszym dowodem na to, że to nieprawda.
– Ponad osiemdziesiąt lat później – przypomniałam mu. – Ale ja myślę o stronie fizycznej. Psychicznie wiem, że zdołam być sobą – kiedyś tam. Ale moja fizjologia już nigdy nie będzie taka sama – wszystko będę musiała podporządkować zaspokajaniu głodu.
Nie odpowiedział.
– Więc nie możesz zaprzeczyć, że się zmienię – ciągnęłam, nie napotykając oporu. – Teraz moje ciało jest całe nastawione na cie-

bie. Zaspokajanie głodu czy pragnienia, oddychanie, to wszystko jest na dalszych miejscach. Mój mózg, być może, ustawia sobie priorytety w bardziej rozsądnej kolejności, ale ciało...

Przekręciłam głowę, żeby pocałować go w rękę.

Wziął głęboki wdech. Zdziwiłam się, usłyszawszy, że zadrżała mu przy tym szczęka.

– Bello, mógłbym cię zabić – wyszeptał.

– Nie sądzę.

Oderwawszy rękę od mojego policzka, sięgnął szybkim ruchem po coś poza zasięgiem mojego wzroku. To coś chrupnęło i rama łóżka zadygotała.

Podsunął mi pod nos niewielki ciemny przedmiot. Był to metalowy kwiat – jedna z róż, które zdobiły ażurowy baldachim i podpierające go paliki. Na moment mój ukochany ścisnął go w dłoni, przesłaniając palcami, a potem bez słowa je wyprostował.

Zamiast kwiatu trzymał teraz nieforemną grudkę, odcisk wnętrza swojej dłoni, jakby ornament nie był wykonany z żelaza, tylko z plasteliny. Ledwie zdążyłam przyjrzeć się bryłce, kiedy zmieniła się w kupkę czarnego pyłu.

Spojrzałam na Edwarda spode łba.

– Nie to miałam na myśli. Dobrze wiem, jaki jesteś silny. Nie musisz niszczyć mebli, żeby to zademonstrować.

– To co miałaś na myśli? – spytał zasępiony, ciskając garścią pyłu o ścianę. Odgłos, jaki wydały spadające na ziemię drobiny, przypominał szmer deszczu.

Przyglądał się uważnie, jak staram się objaśnić mu swoją tezę.

– Oczywiście mógłbyś mi zrobić krzywdę, gdybyś tylko chciał... Ale ty nie chcesz zrobić mi krzywdy. Nie chcesz tego tak bardzo, że nic nie może mi się przy tobie stać.

Zaczął kręcić przecząco głową, jeszcze zanim skończyłam.

– Nie sądzę, żeby tak to działało, Bello.

– „Nie sądzę" – prychnęłam. – Widzisz, sam nie masz pewności. Ja mam swoją teorię, a ty masz swoją.

– Zgadza się. I nie mam zamiaru przejść do praktyki. Naprawdę wierzysz, że naraziłbym cię z rozmysłem aż na takie ryzyko?

Długo patrzyłam mu prosto w oczy. Nie było w nich ani odrobiny gotowości do pójścia na kompromis, ani odrobiny niezdecydowania.

– Błagam – szepnęłam w końcu w desperacji. – To moje największe marzenie. Proszę.

Czując się pokonana, zacisnęłam powieki w oczekiwaniu na kolejne „nie".

Ale się go nie doczekałam. Milczał. W dodatku znowu nie oddychał miarowo.

Otworzyłam oczy. Wyglądał na kogoś w rozterce.

– Proszę – powtórzyłam. Serce zabiło mi mocniej. Zaczęłam mówić bez ładu i składu, byle tylko wykorzystać to, że Edward jednak się waha. – Nie potrzebuję żadnych zapewnień, żadnych gwarancji. Jeśli ci nie wyjdzie, trudno. Po prostu zobaczymy, jak to będzie. Jedno podejście. A w zamian – zagalopowywałam się – spełnię każde twoje życzenie. Wyjdę za ciebie za mąż. Pozwolę ci zapłacić za Dartmouth i nie pisnę ani słówkiem, jeśli kogoś przekupisz, żebym się tam dostała. Możesz mi nawet kupić wyścigowy wóz, jeśli cię to tylko uszczęśliwi! Błagam...

Lodowate ramiona zacisnęły się wokół mnie z jeszcze większą siłą, a wargi Edwarda znalazły się tuż przy moim uchu. Zadrżałam, czując na skórze mroźny powiew jego oddechu.

– To wręcz nie do zniesienia. Tyle rzeczy chciałem ci dać, a ty żądasz akurat czegoś, co jest nie do załatwienia. Czy zdajesz sobie w ogóle sprawę z tego, jak mnie to boli, że muszę ci odmówić, chociaż tak mnie prosisz?

– Więc nie odmawiaj – zaproponowałam.

Nie odpowiedział.

– Proszę – spróbowałam raz jeszcze.

– Bello...

Pokręcił powoli głową, ale nie odebrałam tego jako odmowy, bo jego wargi przesunęły się w tę i z powrotem po moim gardle.

Była to raczej kapitulacja. Moje podochocone już wcześniej serce o mało nie wyskoczyło mi z piersi.

Znów postanowiłam maksymalnie wykorzystać sytuację. Kiedy Edward zwrócił się do mnie przodem, nadal dziwnie niezdecydowany, zmieniłam szybko pozycję tak, by móc sięgnąć jego ust. W odpowiedzi położył mi dłonie na policzkach i pomyślałam, że zamierza mnie odepchnąć.

Jak bardzo się myliłam!

Nie tylko zaczął mnie całować, ale jeszcze zapomniał przy tym o delikatności, czuć było za to w jego ruchach konflikt wewnętrzny i desperację. Zacisnęłam ramiona wkoło jego szyi. Skórę miałam tak nagrzaną, że jego ciało wydało mi się w dotyku chłodniejsze niż kiedykolwiek. Zadrżałam, ale bynajmniej nie z zimna.

Nie przerywał – to ja oderwałam się pierwsza, żeby zaczerpnąć powietrza. Nawet wtedy nie oderwał jednak warg od mojej skóry, tylko przesunął je niżej. Zwycięstwo było słodkie i uderzyło mi do głowy niczym szampan. Nabrałam nagle pewności siebie. Nie musiałam się już zbierać na odwagę – robiłam po prostu to, co chciałam. Kiedy zabrałam się ponownie do rozpinania guzików jego koszuli, ręce nie zatrzęsły mi się ani razu. Tym razem mnie nie powstrzymał i już po chwili krążyłam dłońmi po jego lodowatym torsie. Był taki piękny... Jak on to określił? To wręcz nie do zniesienia, powiedział. Tak, jego uroda była wręcz nie do zniesienia.

Odszukałam znowu jego usta – wpiły się zaraz w moje z niesłabnącym entuzjazmem. Jedną ręką nadal otulał mi twarz, a drugą przytrzymywał mnie w talii, żebym nie oddaliła się od niego ani na milimetr. Utrudniło mi to nieco sięgnięcie do guzików mojej bluzki, ale tylko utrudniło, a nie uniemożliwiło...

Na moich nadgarstkach zacisnęły się zimne kajdany, po czym podciągnęły mi ręce ponad głowę, która znienacka znalazła się na poduszce.

– Bello – zamruczał mi do ucha Edward swoim aksamitnym barytonem. – Czy mogłabyś być tak miła i przestać próbować się rozebrać?

– Sam chcesz to zrobić? – spytałam zdezorientowana.

– Nie dziś wieczór – odpowiedział łagodnie.

Pocałował mnie kilkakrotnie w policzek i krzywiznę szczęki, ale, tak jak zwykle, już bez najmniejszego zapamiętania.

– Dlaczego się tak głupio... – zaczęłam jękliwie.

– Nie mówię nie – przerwał mi. – Powiedziałem tylko, że nie dziś wieczór.

Zamyśliłam się nad jego słowami. Rytm mojego oddechu powoli wracał do normy.

– Podaj mi jeden powód, dla którego akurat dziś musimy się z tym wstrzymać – zażądałam.

Wciąż brakowało mi tchu, więc frustracja pobrzmiewająca w moim głosie nie robiła, niestety, odpowiedniego wrażenia.

– Nie urodziłem się wczoraj – zaśmiał się. – Jak sądzisz, które z nas jest mniej skłonne spełnić życzenie drugiej strony? Prawda, dopiero co obiecałaś wyjść za mnie przed swoją przemianą, ale jeśli przystanę dziś na twoją propozycję, jaką mam gwarancję, że nie polecisz rano do Carlisle'a? Nic dziwnego, że mam opory. Obawiam się, że pierwszy ruch musi należeć do ciebie.

Wyparłam głośno powietrze z płuc.

– Mam najpierw zostać twoją żoną? – spytałam z niedowierzaniem.

– Albo spełnimy nasze marzenia w tej kolejności, albo w żadnej – decyzja należy do ciebie. Sama upierałaś się przy kompromisie.

Objął mnie i zaczął całować w sposób, którego powinni zabronić – tak sugestywny, że nie pozostawiał mi żadnego wyboru. Usiłowałam nie zatracić się w tych pieszczotach... ale bardzo szybko musiałam dać za wygraną.

– Moim zdaniem to bardzo zły układ – wykrztusiłam, kiedy mnie wreszcie puścił.

– Wiedziałem, że tak powiesz – stwierdził ze złośliwym uśmieszkiem. – Tylko jedno ci w głowie.

– Jak to się stało? Sądziłam, że tak mi dobrze idzie – że w końcu uda mi się postawić na swoim – a tu nagle...

– Jesteś zaręczona – dokończył za mnie.

– Uch! Błagam, nie mów tego głośno.

– Będziesz się teraz próbować wymigiwać?

Odsunął się nieco, żeby móc zobaczyć moją minę. Sam świetnie się bawił.

Spojrzałam na niego wilkiem, starając się ignorować fakt, że od jego uśmiechu wariowało mi serce.

– Będziesz czy nie? – naciskał.

– Ale się wpakowałam! Nie, nie będę. Zadowolony?

Uśmiechnął się jeszcze szerzej.

– Straszliwie.

Jęknęłam.

– A ty, wcale się nie cieszysz?

Pocałował mnie, zanim zdążyłam mu odpowiedzieć – kolejny stanowczo zbyt sugestywny pocałunek.

– Odrobinkę – przyznałam, kiedy już mogłam się odezwać. – Ale nie z tego, że mam wyjść za mąż.

Pocałował mnie raz jeszcze.

– Czy nie uważasz, że wszystko robimy na opak? – spytał rozbawiony. – To ja powinienem żądać tego, czego ty, a ty tego, czego ja, prawda?

– Nie tylko pod tym względem nie jesteśmy typową parą.

– No tak.

Znowu do mnie przywarł i przerwał dopiero wtedy, kiedy serce biło mi jak szalone, a na moich policzkach zakwitły rumieńce.

Po chwili, korzystając z tego, że zajął się wnętrzem mojej dłoni, zaczęłam przebiegle:

– Słuchaj, przyrzekłam, że zostanę twoją żoną, i nią zostanę. Naprawdę. Obiecuję. Zaklinam się na wszystkie świętości. Jeśli chcesz, mogę podpisać umowę własną krwią.

– Z tą krwią to już przesadziłaś – zamruczał, nie oddalając się od mojego nadgarstka.

– Chodzi mi o to, że na pewno cię nie oszukam. Nie będę nic kombinować. Przecież mnie znasz. Więc nie ma powodu, żeby dłużej czekać. Jesteśmy zupełnie sami w tym wielkim domu, a nieczęsto się to zdarza. Sam kupiłeś to wielkie, wygodne łóżko...

– Nie dziś wieczór – powtórzył.

– Nie ufasz mi?

– Oczywiście, że ci ufam.

Dłonią, którą się zajmował, wzięłam go pod brodę, żeby móc poznać wyraz jego twarzy.

– To w czym problem? Przecież wiedziałeś, że postawisz na swoim. – Nastroszyłam się. – Zawsze stawiasz na swoim – mruknęłam.

– Unikam ryzyka i tyle – odpowiedział spokojnie.

– Jest coś jeszcze – domyśliłam się, zaciskając usta. Odniosłam wrażenie, że się przede mną broni – a za swoją z pozoru rozluźnioną pozą coś ukrywa. – A może to ty planujesz się jakoś wymigać?

– O nie – zaprzeczył z powagą. – Dałem słowo, że spróbujemy. Tyle że po ślubie.

Pokręciłam głową, śmiejąc się ponuro.

– Czuję się, jak jakiś czarny charakter z melodramatu – taki, co to podkręcając wąsa, stara się sprowadzić niewinną panienkę na złą drogę.

Edward zerknął na mnie, jakby chciał się upewnić, a potem szybko schylił się, niby to żeby pocałować mnie w obojczyk.

– Trafiłam, prawda? – Byłam bardziej zszokowana niż rozbawiona. – Boisz się, że tracąc cnotę, zejdziesz na złą drogę!

Zakryłam sobie usta dłonią, żeby stłumić chichot. „Stracić cnotę", „zejść na złą drogę" – co za staroświeckie zwroty!

– Nie, głuptasku – mruknął wtulony w mój bark. – To ciebie chcę przed tym ochronić. Ale bronisz się rękami i nogami.

– W życiu nie słyszałam jeszcze...

– Zaczekaj – przerwał mi. – Pozwól sobie zadać jedno pytanie. Rozmawialiśmy już o tym, ale może tym razem łaskawie się ze mną zgodzisz. Ile osób w tym pokoju ma duszę? I szansę na dostanie się do nieba, czy co to tam nas czeka po śmierci?

– Dwie – odparłam z mocą.

– Niech ci będzie, może i masz rację. Teraz punkt drugi: dyskusje na ten temat trwają, ale większość ludzi jest chyba zgodna co do tego, że w życiu należy się kierować pewnymi zasadami.

– To już wampirze zasady ci nie wystarczają? Musisz się jeszcze przejmować ludzkimi?

– Lepiej dmuchać na zimne.

Cała się najeżyłam.

– Nawet jeśli to prawda, że mam duszę, dla mnie, być może, jest już za późno, ale...

– Na pewno na nic nie jest za późno – weszłam mu w słowo, zagniewana.

– Chyba nie zaprzeczysz, że przykazanie „nie zabijaj" pojawia się w większości religii. A ja, Bello, zabiłem w życiu naprawdę wielu ludzi.

– Tylko tych, którzy na to zasługiwali.

Wzruszył ramionami.

– Kto wie, czy bierze się to pod uwagę. W każdym razie, ty nie zabiłaś nikogo, a ja...

– Skąd wiesz? – mruknęłam.

Uśmiechnął się, ale poza tym zignorował moje wtrącenie.

– ...a ja zrobię wszystko, co w mojej mocy, żeby taki stan zachować.

– I będę ci za to wdzięczna. Tylko co to ma do rzeczy? Nie kłóciliśmy się o to, żebyś pozwolił mi kogoś zabić.

– Takim samym uniwersalnym przykazaniem jest zachowanie czystości przed ślubem – jedyna różnica polega na tym, że nie złamaliśmy go jeszcze oboje. Czy mogę nie złamać chociaż jednej zasady?

– Chociaż jednej?

– Sama wiesz, że dopuszczałem się już kradzieży i kłamstwa, pożądałem czegoś, co nie było moje... Cnota to wszystko, co mi zostało.

Uśmiechnął się zadziornie.

– Ja tam kłamię non stop.

– Tak, ale jesteś w tym tak beznadziejna, że zupełnie się to nie liczy. Nikt ci nigdy nie wierzy.

– Mam nadzieję, że się mylisz, bo jeśli nie, to lada chwila wpadnie tu Charlie z naładowaną dubeltówką.

– Charlie jest szczęśliwszy, kiedy udaje, że połknął haczyk. Woli okłamywać sam siebie, niż doszukiwać się prawdy.

Zamyśliłam się.

– Czego takiego pożądałeś, co nie było twoje? – spytałam. – Przecież masz wszystko.

– Ale kiedyś nie miałem ciebie – przypomniał mi, poważniejąc. – Nie miałem prawa być z tobą, ale i tak o to zawalczyłem. I jaki jest tego efekt? Sama zobacz – usiłujesz uwieść wampira!

Pokręcił głową z udawanym przerażeniem.

– Ale tego, co już masz, możesz pożądać – zapewniłam go. – A poza tym, to przecież o moją cnotę ponoć się boisz.

– To prawda. Jak już mówiłem, dla mnie może być już za późno, ale mam jeszcze szansę uratować ciebie. Niech mnie piekło pochłonie, jeśli przeze mnie nie dostąpisz zbawienia – i nie wspominam tu o piekle w przenośni.

– Nie zmusisz mnie do tego, żebym trafiła na wieczność dokądś, gdzie cię nie będzie – zaprotestowałam. – Właśnie taka jest moja prywatna definicja piekła. Zresztą łatwo będzie nam uniknąć takiej sytuacji – po prostu oboje nie umierajmy, zgoda?

– Rzeczywiście, można i tak. Czemu sam na to nie wpadłem?

Obdarzał mnie uśmiechami tak długo, aż wreszcie poddałam się z gniewnym mruknięciem.

– Czyli już nic nie wskóram. Nie prześpisz się ze mną, dopóki się nie pobierzemy.

– Z technicznego punktu widzenia nigdy się z tobą nie prześpię.

Przewróciłam oczami.

– Świetny dowcip.

– Ale poza tym jednym szczegółem wszystko się zgadza.

– Nadal uważam, że ukrywasz przede mną, co cię tak naprawdę motywuje.

– Jeszcze jeden powód?

Zrobił minę niewiniątka.

– Wiesz, że takie postawienie sprawy wszystko przyspieszy – wypomniałam mu.

Spróbował ukryć swoje zadowolenie.

– Mnie osobiście spieszy się tylko do jednej rzeczy, natomiast cała reszta może poczekać... ale przyznaję, twoje młodzieńcze hormony to teraz moi najwięksi sojusznicy.

– Nie wierzę, że dałam się w to wpakować. Kiedy sobie pomyślę, jak zareaguje Charlie... i Renée! Wyobrażasz sobie minę Angeli? Albo Jessiki? O, nie – ta to dopiero będzie mnie obgadywać!

Edward uniósł jedną brew. Od razu odgadłam dlaczego – zapomniałam, że już niedługo mieliśmy wyjechać na zawsze. Czy naprawdę byłam do tego stopnia nadwrażliwa, żeby nie przetrwać kilku tygodni ukradkowych spojrzeń i retorycznych pytań?

Może nie przejmowałabym się tym tak bardzo, gdyby nie pewność, że plotkowałabym tak samo, gdyby to kto inny z mojego rocznika oznajmił, że wkrótce zmienia stan cywilny.

Boże, jeszcze tego lata miałam wyjść za mąż! Wzdrygnęłam się.

A może raczej nie przejmowałabym się tym tak bardzo, gdyby mama nie nauczyła mnie wzdrygać się na sam dźwięk słowa „małżeństwo"?

Edward przerwał moje rozmyślania.

– Nie potrzebujemy hucznego weseliska z fanfarami. Nie musisz nikogo powiadamiać ani niczego zmieniać. Pojedźmy do Las Vegas – możesz mieć na sobie stare dżinsy i skorzystamy z takiej kaplicy, gdzie wszystko załatwia się przy okienku w ścianie, nie wysiadając z auta. Chcę tylko, żeby to było oficjalne – żebyś należała do mnie i tylko do mnie.

– Każda forma jest oficjalna – burknęłam, chociaż pomysł ze ślubem w samochodzie nie był, moim zdaniem, taki zły. Tylko Alice byśmy zawiedli.

– Wszystkim się zajmę – obiecał przymilnie. – Spodziewam się, że nie chcesz dostać teraz ode mnie pierścionka zaręczynowego?

Musiałam przełknąć ślinę, żeby móc mu odpowiedzieć.

– Żadnych pierścionków!

Moja mina go rozśmieszyła.

– Nie ma sprawy. I tak niedługo namówię cię do jego przyjęcia.

Spojrzałam na niego spode łba.

– Mówisz tak, jakbyś już go miał.

– Bo mam – wyznał niezrażony. – I jestem gotów ci go wcisnąć przy najbliższej nadarzającej się okazji.

– Jesteś niesamowity.

– Chcesz go zobaczyć?

Jego topazowe oczy rozbłysły z podekscytowania.

– Nie! – Zareagowałam odruchowo i w rezultacie niemal krzyknęłam. Pożałowałam tego od razu, bo Edward wyraźnie oklapł. – Chyba że naprawdę ci na tym zależy – poprawiłam się, zaciskając zęby, żeby nie okazać irracjonalnego lęku.

Machnął ręką.

– W porządku, to może zaczekać.

Westchnęłam.

– Pokaż mi ten przeklęty pierścionek.

– Nie.

Pokręcił głową.

Przyjrzałam mu się uważniej.

– Proszę – szepnęłam, eksperymentując z użyciem swojej nowo odkrytej broni. Dotknęłam jego twarzy opuszkami palców. – Proszę, pozwól mi go zobaczyć.

Zmrużył oczy.

– Jesteś najbardziej niebezpieczną istotą, z jaką miałem do czynienia – mruknął, ale zaraz ześlizgnął się zgrabnie z łóżka, by uklęknąć na ułamek sekundy przy szafce nocnej. Kiedy do mnie wrócił, otoczył mnie ramieniem, a czarne pudełeczko, które trzymał w drugiej ręce, oparł o moje lewe kolano.

– Oto i on – oznajmił szorstko.

Było mi trudniej sięgnąć po to cacko, niżby się mogło wydawać, ale nie chciałam znowu urazić Edwarda, więc postarałam się powstrzymać drżenie rąk. Ścianki pudełeczka były obite gładką czarną satyną. Wahając się jeszcze, przejechałam po niej palcem.

– Mam nadzieję, że nie wydałeś na niego dużo pieniędzy? Jeśli był bardzo drogi, to skłam.

– Nie zapłaciłem ani centa – zapewnił mnie. – To kolejna pamiątka rodzinna. Ojciec dał go mamie.

– Och!

W moim głosie dało się słyszeć zaskoczenie. Spróbowałam podważyć wieczko, ale ani drgnęło.

– Jest chyba odrobinkę staromodny – powiedział Edward żartobliwie przepraszającym tonem. – Staroświecki, tak jak ja. Ale mogę kupić ci coś nowocześniejszego. Może od Tiffany'ego?

– Lubię staroświeckie rzeczy – podkreśliłam, podnosząc nieśmiało pokrywkę.

Moim oczom ukazał się wtulony w czarną satynę pierścionek Elizabeth Masen. Jego złotą obrączkę, cienką i delikatną, zdobiło nie pojedyncze oczko, ale wydłużony owal pokryty biegnącymi skosem rządkami roziskrzonych diamencików, wokół których złoto tworzyło kruchą na pozór siateczkę. Nigdy jeszcze nie widziałam czegoś podobnego.

Pod wpływem impulsu pogłaskałam połyskujące w przytłumionym świetle klejnociki.

– Ale śliczny – wyszeptałam oszołomiona.

– Podoba ci się?

Opanowałam się i wzruszyłam ramionami, udając obojętność.

– Piękny drobiazg. Nie ma w nim niczego, co się może nie podobać.

Zaśmiał się.

– Sprawdź, czy pasuje.

Lewą dłoń zacisnęłam w pięść.

– Bello – westchnął. – Nie przylutuję ci go do palca. Jeśli go przymierzysz, będzie po prostu wiadomo, czy nie trzeba zmienić rozmiaru. Zaraz potem możesz go zdjąć.

– No dobra – mruknęłam.

Sięgnęłam do pudełeczka, ale ukochany mnie uprzedził. Ująwszy zbuntowaną dłoń, wolną ręką wsunął mi pierścionek na palec serdeczny, po czym wyciągnął moją rękę do przodu, żeby zobaczyć, jak mieniący się owal prezentuje się na tle mojej skóry. O dziwo, z pierścionkiem na właściwym miejscu nie czułam się tak źle, jak się tego wcześniej spodziewałam.

– Pasuje idealnie – stwierdził Edward. – No to wizytę u jubilera mamy z głowy.

W jego z pozoru rozluźnionym głosie wyczułam jakieś silne uczucie kotłujące się tuż pod powierzchnią. Podniosłam wzrok, żeby mu się przyjrzeć. Coś enigmatycznego dostrzegłam również w jego oczach, chociaż starał się maskować owo coś nonszalancją.

– Tobie też się podoba, prawda? – spytałam podejrzliwie, przebierając w powietrzu palcami.

Jaka szkoda, pomyślałam, że musiałam złamać kość akurat w prawej dłoni.

Wzruszył ramionami.

– Jasne – powiedział, wciąż trzymając swoje uczucia na wodzy. – Bardzo ładnie wygląda na twojej ręce.

Nie przestawałam mu się przypatrywać, usiłując odgadnąć, co jest grane. Też na mnie popatrzył, a potem, ni stąd, ni zowąd, się odsłonił. Okazało się, że był przeszczęśliwy – twarz rozjaśniła mu się radością i poczuciem zwycięstwa. Szeroki uśmiech tylko dodał mu urody, więc z wrażenia zaparło mi dech.

Zanim zdążyłam dojść do siebie, pocałował mnie prosto w usta i to z takim zaangażowaniem, że kiedy jego wargi oderwały się w końcu od moich, nie byłam pewna, jak mam na imię, a oboje oddychaliśmy tak samo nierówno.

– Bardzo mi się podoba – szepnął mi do ucha. – Nawet nie wiesz, jak bardzo.

Zaśmiałam się, dysząc.

– Wierzę ci bez bicia.

– Czy mogę coś zrobić? – zamruczał, przytulając mnie mocniej.

– Co tylko chcesz.

Puścił mnie i ześlizgnął się z łóżka. Zrzedła mi mina.

– Co tylko chcesz, byle nie to!

Puścił mój protest mimo uszu, za to wziął mnie za rękę i też zmusił do zejścia na podłogę. Kiedy stanęliśmy naprzeciwko siebie, z powagą położył mi dłonie na ramionach.

– Chcę, żeby wszystko było jak należy. Proszę, błagam, nie zapominaj, że się już zgodziłaś, więc teraz niczego nie popsuj. To dla mnie bardzo ważne.

– Nie, tylko nie to – jęknęłam, widząc, że przyklęka.

– Bądź grzeczna – rozkazał.

Wzięłam głęboki oddech.

– Isabello Swan?

Spojrzał na mnie spoza zasłony swoich nienaturalnie długich rzęs. Jego złote oczy przepełniała czułość, ale jednocześnie udawało mu się świdrować mnie wzrokiem.

– Przyrzekam kochać cię przez całą wieczność – każdego dnia wieczności z osobna. Czy wyjdziesz za mnie?

Chciałam mu powiedzieć wiele rzeczy, z których część nie byłaby wcale miła, a inne z kolei zawierałyby tyle przesłodzonych wyrażeń, że pewnie samego Edwarda zaskoczyłabym swoim romantyzmem. Żeby się nie skompromitować w żaden z tych dwóch sposobów, szepnęłam:

– Tak.

– Dziękuję – odpowiedział prosto.

Wziął mnie za rękę i pocałował każdy z opuszków moich palców, a potem i należący od teraz do mnie pierścionek.

21 Ślady

Nie chciałam zmarnować ani sekundy tej nocy na sen, ale było to nieuniknione. Kiedy się obudziłam, słońce stało już wysoko, a po niebie przesuwały się szybko gromady obłoków. Wiatr targał czubkami drzew z taką siłą, że cały las wyglądał tak, jakby lada moment miał się rozpaść.

Pozostawiona samotnie w pokoju, żeby móc się przebrać, postanowiłam wykorzystać tę chwilę, żeby to i owo przemyśleć. Wziąwszy pod uwagę moje plany, minionego wieczoru wszystko poszło na opak, a konsekwencje tego, co się wydarzyło, musiałam sobie dopiero poukładać w głowie. Chociaż oddałam pierścionek tak szybko, jak to było możliwe bez ranienia uczuć Edwarda, lewa dłoń wydawała mi się cięższa, jakby symbol narzeczeństwa wcale jej nie opuścił.

Wytłumaczyłam sobie, że nie powinnam się tak przejmować. Wycieczka do Vegas to nie była w końcu taka duża rzecz. Zamierzałam też pójść o jeden krok dalej i zamiast starych dżinsów włożyć stary dres. A co do samej ceremonii, z pewnością nie miała trwać zbyt długo – zakładałam, że góra piętnaście minut. Tyle to chyba mogłam wytrzymać.

Co najważniejsze, po wszystkim Edward miał spełnić daną mi obietnicę. Postanowiłam skoncentrować się właśnie na tym, a zapomnieć o całej reszcie.

Powiedział, że nie muszę nikogo powiadamiać, i miałam zamiar trzymać go za słowo. Oczywiście, głupia, nie pomyślałam o Alice.

Cullenowie wrócili jeszcze przed południem i w domu od razu zapanowała atmosfera jak w sztabie generalnym, co przypomniało mi o tym, że zbliżał się nieubłaganie dzień bitwy.

Alice wydawała się w złym humorze, co nie zdarzało się jej często. Przypuszczałam, że wciąż frustruje ją niekompletność jej wizji, bo pierwsze, co miała do powiedzenia Edwardowi, dotyczyło właśnie współpracy z wilkami.

– Sądzę – przyznała się do braku pewności z wyraźną niechęcią – że powinniście spakować ciepłe ubrania. Nie widzę dokładnie, gdzie się znajdujecie, bo planujecie spędzić popołudnie w towarzystwie tego psa, ale zbiera się już na burzę, a w tamtym rejonie pojawi się wyjątkowo gwałtowna.

Edward pokiwał głową.

– W górach będzie padał śnieg – ostrzegła go.

– Śnieg? Hm – mruknęłam pod nosem. Na Boga jedynego, był środek czerwca!

– Włóż kurtkę – doradziła mi zaskakująco nieprzyjaznym tonem.

Zdziwiona, przyjrzałam się jej uważniej, ale szybko odwróciła się do mnie tyłem. Zerknęłam na Edwarda. Uśmiechał się – to, co gryzło Alice, jego bawiło.

Zaczął się pakować. Sprzętu miał do wyboru aż za dużo, bo Cullenowie, starając się zachować pozory, byli częstymi gośćmi w sklepie Newtonów. Wziął śpiwór, niewielki namiot, kilkanaście opakowań liofilizowanej żywności – posłał mi łobuzerski uśmiech, kiedy skrzywiłam się na jej widok – i upchał to wszystko w plecaku. Alice przyszła do garażu, kiedy tam byliśmy, i w milczeniu przyglądała się poczynaniom brata. Zupełnie ją zignorował.

Skończywszy się pakować, wręczył mi swoją komórkę.

– Zadzwoń, proszę, do Jacoba i powiedz mu, że stawimy się na miejscu zbiórki za jakąś godzinę. Wie już, o jakie miejsce mi chodzi.

Jacoba nie było w domu, ale Billy obiecał obdzwonić wszystkich członków watahy, żeby któryś z nich przekazał mu tę wiadomość.

– I nic się nie martw o Charliego – zapewnił mnie. – Będę miał tu wszystko pod kontrolą.

– Wiem i dziękuję.

Nie dodałam, że to o jego syna bardziej się boję.

– Żałuję, że nie mogę być tam jutro z nimi – wyznał. – Cóż począć, starość nie radość.

Ta nieodparta chęć do walki musiała być przenoszona przez chromosom Y. Wszyscy faceci byli tacy sami.

– Bawcie się dobrze.

– Powodzenia, Bello. Przekaż... przekaż tym, no, Cullenom, że będę trzymał za nich kciuki.

– Przekażę na pewno – obiecałam, zaskoczona jego gestem.

Oddając telefon Edwardowi, zauważyłam, że prowadzą z Alice rozmowę obywającą się bez słów. Wpatrywała się w niego błagalnie, a on marszczył czoło, nieskory spełnić jej prośbę.

– Billy będzie trzymał za was kciuki.

– To miło z jego strony – stwierdził Edward, odrywając wzrok od siostry.

– Bello, czy mogę porozmawiać z tobą w cztery oczy? – spytała niespodziewanie.

– Tylko niepotrzebnie utrudnisz mi życie, Alice – wycedził Edward. – Wolałbym, żebyś sobie darowała.

– To nie ma z tobą nic wspólnego – odparowała.

Zaśmiał się, chociaż nie widziałam po temu powodu.

– Nie przesadzam – upierała się Alice. – To babska sprawa.

Ściągnął brwi. Byłam zaintrygowana.

– Daj spokój – powiedziałam. – Zgódź się.

– Tylko później nie miej do mnie zażaleń – zastrzegł.

Ni to zły, ni to rozbawiony, wyszedł z garażu.

Odwróciłam się w stronę Alice, ale nie patrzyła na mnie – zły humor jeszcze jej nie opuścił. Zaczęłam się martwić, że nie powinnam była jej posłuchać.

Nachmurzona, przeszła kilka kroków i przysiadła na masce swojego porsche. Z wahaniem zajęłam miejsce koło niej.

– Bello? – spytała smutno, przysuwając się do mojego boku.

Zabrzmiało to tak płaczliwie, że odruchowo przytuliłam ją do siebie, żeby ją jakoś pocieszyć.

– Coś nie tak, Alice?

– Czy ty mnie kochasz?

– Ależ oczywiście, że cię kocham. Przecież wiesz.

– Więc dlaczego chcesz się wymknąć po kryjomu do Vegas i wziąć ślub, nie zapraszając mnie na tę uroczystość?

Spłonęłam rumieńcem. Widziałam jak na dłoni, że bardzo ją zraniłam, więc spieszno było mi się usprawiedliwić.

– Wiesz, że nienawidzę pompy i skupiania na sobie uwagi. A tak w ogóle, to był pomysł Edwarda, a nie mój.

– Wszystko mi jedno, czyj to był pomysł. Jak mogłaś mi to zrobić? Spodziewałabym się czegoś takiego po Edwardzie, ale nie po tobie. Kocham cię tak, jakbyś była moją rodzoną siostrą.

– Alice, dla mnie jesteś moją siostrą.

– Tak tylko mówisz – jęknęła.

– Nie ma sprawy, możesz z nami pojechać. Nie będzie co oglądać, ale proszę bardzo.

Grymas na jej twarzy nie zniknął.

– Co? – mruknęłam.

– A jak bardzo mnie kochasz?

– Co to za głupie pytanie?

Spojrzała na mnie błagalnie. Trzęsły jej się kąciki ust. Na widok takiej miny nie sposób było pozostać obojętnym.

– Proszę, proszę, proszę, proszę – wyszeptała. – Jeśli naprawdę mnie kochasz... pozwól mi zorganizować swój ślub i wesele.

– Alice! Jak możesz! – Zerwałam się na równe nogi. – Nie zgadzam się! Nie ma mowy!

– Jeśli naprawdę mnie kochasz...

Założyłam ręce.

– To nie fair. Dopiero co Edward z tym wyskoczył.

– Zapewniam cię, że Edward marzy o tradycyjnej ceremonii, tylko jest zbyt delikatny, żeby ci o tym powiedzieć. A Esme – sama pomyśl, jaka byłaby uszczęśliwiona.

Jęknęłam.

– Wolałabym stanąć oko w oko z jednym z tych nowo narodzonych.

– Będę twoją dłużniczką przez dziesięć lat.
– Chyba przez sto.
Oczy jej rozbłysły.
– Czyli się zgadzasz?
– Nie! Nie będzie żadnego wesela!
– Będziesz musiała tylko przejść tych kilka metrów, a potem powtórzyć słowa przysięgi.
– Fuj! Ble! Tfu!
– Błagam. – Zaczęła skakać wokół mnie na jednej nodze. – Proszę, proszę, proszę, proszę, proszę!
– Nigdy ci tego nie wybaczę, Alice!
– Hurra!
Klasnęła w dłonie.
– Na nic się nie zgodziłam!
– Ale zgodzisz się, zgodzisz! – zawołała śpiewnie.
– Edward! – krzyknęłam, wychodząc na zewnątrz. – Wiem, że nas podsłuchujesz. Chodź tu i mnie wspomóż.
Alice podążyła za mną, wciąż wesoło poklaskując.
– Wielkie dzięki, siostrzyczko – powiedział Edward kwaśno, wyłaniając się zza moich pleców.
Obróciłam się na pięcie, żeby wylać przed nim swoje żale, ale wyglądał na tak zmartwionego, że nie potrafiłam. Zamiast tego, rzuciłam się mu na szyję, kryjąc twarz w jego koszuli, by nie zauważył, że w oczach stanęły mi łzy.
– Vegas – obiecał mi szeptem.
– Nic z tego. – Alice triumfowała. – Bella mi tego nie zrobi. Wiesz, Edwardzie, jako brat jesteś czasem rozczarowujący.
– Hej, zejdź z niego – zaprotestowałam. – Próbuje tylko brać pod uwagę moje uczucia, w odróżnieniu od ciebie.
– Ja też próbuję brać pod uwagę twoje uczucia, Bello, tylko patrzę na wszystko z szerszej perspektywy. Dzisiaj jesteś na mnie zła, ale sama zobaczysz, będziesz mi jeszcze dziękować za to, że cię przekonałam. Może nie w ciągu najbliższych pięćdziesięciu lat, ale kiedyś na pewno.

– Nigdy nie sądziłam, że kiedykolwiek najdzie mnie ochota o coś się z tobą założyć, Alice, ale oto właśnie nadszedł ten dzień.

Jej śmiech przywodził na myśl srebrne dzwonki.

– To jak, pokażesz mi pierścionek? – zmieniła temat.

Skrzywiłam się. Złapała mnie za lewą rękę i zaraz ją wypuściła.

– Hm. Widziałam, że ci wkładał... Czy coś mnie ominęło? – spytała. Skupiła się na ułamek sekundy, marszcząc czoło, po czym sama udzieliła sobie odpowiedzi. – Nie, ślub nadal jest aktualny.

– Jeśli chodzi o biżuterię – wyjaśnił mój ukochany – Bella wyznaje pewne sztywne zasady.

– A czymże jest jeszcze jeden mały diamencik? Aha, pewnie na pierścionku jest ich cała masa, tak? No ale przecież Edward ma już jeden na...

– Dosyć tego! – przerwał jej brutalnie. Od spojrzenia, które jej posłał, przebiegły mnie ciarki. Przez moment widać było, że naprawdę jest wampirem. – Mamy mało czasu.

– Nic nie rozumiem – wyznałam. – O co wam chodzi z tymi diamentami?

– Później porozmawiamy – zarządziła Alice. – Edward ma rację: czas na was. Musicie zastawić pułapkę i rozbić obóz, zanim rozpęta się burza. – Ściągnęła brwi zatroskana, niemalże zdenerwowana. – Nie zapomnij ciepłej kurtki, Bello. Będzie... bardzo zimno jak na tę porę roku.

– Już ją spakowałem – zapewnił Edward.

– Miłej nocy – powiedziała na pożegnanie.

Droga na polanę zabrała nam dwa razy więcej czasu niż zwykle: Edward celowo kluczył, żeby zyskać pewność, że trasa, którą wybrał, w żadnym miejscu nie pokryje się ze szlakiem, który miał przejść ze mną Jacob. Niósł mnie na rękach, bo moje stałe miejsce na jego plecach zajął potężnych gabarytów plecak.

Postawił mnie na ziemi dopiero, zatrzymawszy się przy najdalszym krańcu łąki.

– Okej. Teraz przejdź się kawałek na północ, ocierając się, o co tylko się da. Alice widziała dokładnie, którędy pójdą. Przetniesz ich ścieżkę już za kilkanaście minut.

– A gdzie ta północ?

Uśmiechnął się i wskazał mi właściwy kierunek.

Zagłębiłam się w las, zostawiając za sobą zalaną słońcem polanę – pogoda wyjątkowo dopisywała. Może Alice widziała coś tylko niewyraźnie i myliła się co do tych opadów śniegu? Miałam taką nadzieję. Niebo było niemal zupełnie czyste, chociaż wiatr przemykał z zaciekłą prędkością po otwartych przestrzeniach. Wśród drzew było spokojniej, ale jak na czerwiec, o wiele za chłodno – nawet w grubym swetrze założonym na koszulkę z długim rękawem dostałam gęsiej skórki. Szłam powoli, przesuwając palcami po wszystkim, co mijałam: szorstkiej korze drzew, wilgotnych paprociach, omszałych skałach.

Edward nie spuszczał mnie z oczu, przemieszczając się równolegle do mnie w odległości około dwudziestu metrów.

– Dobrze robię? – zawołałam.

– Super.

Wpadłam na pewien pomysł.

– A to pomoże?

Przeczesałam sobie włosy palcami, a kiedy w dłoni zostało mi ich kilka, udrapowałam je na najbliższej kępie paproci.

– Tak, na pewno wzmocni to trop. Tylko, na Boga, nie musisz sobie wyrywać włosów, Bello. Bez nich też się uda.

– Same wypadły, to mogę je jakoś wykorzystać.

W głębi lasu panował przygnębiający półmrok. Żałowałam, że nie mogę iść bliżej Edwarda i trzymać go za rękę.

Kolejny włos wcisnęłam w szparę w złamanym konarze, który zagrodził mi drogę.

– Wiesz, nie musisz się zgadzać na wszystko, o co prosi cię Alice – powiedział Edward.

– O nic się nie martw. Obiecuję, że nie zostawię cię samego przed ołtarzem, niezależnie od tego, co z tego wyjdzie.

Dręczyło mnie przeczucie, że Alice postawi jednak na swoim – po pierwsze, dlatego że nie miała skrupułów, kiedy jej na czymś zależało, a po drugie, bo łatwo było mnie wykorzystać, jeśli tylko miałam z danego powodu wyrzuty sumienia.

– Tym się nie przejmuję. Chcę po prostu, żebyś podczas ceremonii czuła się komfortowo.

Zdusiłam w sobie westchnienie. Zraniłabym go, gdybym wyjawiła mu prawdę – że było mi wszystko jedno, bo samo wychodzenie za mąż mnie odrzucało.

– Cóż, nawet jeśli jej ustąpisz, to nadal możemy wymigać się od pompy. Tylko najbliższa rodzina. Emmett załatwi sobie papiery duchownego przez internet*.

Zachichotałam.

– To już brzmi lepiej.

Nie czułabym się zbyt oficjalnie, przysięgając coś przed Emmettem, a to byłby duży plus. Musiałabym się tylko powstrzymywać, żeby nie wybuchnąć śmiechem.

– Sama widzisz – oznajmił uradowany Edward. – Zawsze można pójść na kompromis.

Przecięcie ścieżki, którą mieli wybrać nowo narodzeni, zajęło mi więcej niż kilkanaście minut, ale moje ślamazarne tempo ani razu go nie zniecierpliwiło.

W drodze powrotnej musiał mnie co jakiś czas naprowadzać, żebym nie zeszła z trasy. Mnie wszystkie te skały i paprocie wydawały się jednakowe.

Byliśmy już prawie na polanie, kiedy potknęłam się i upadłam. Widząc przed sobą rzedniejące drzewa, chyba zbytnio się rozochociłam i zapomniałam patrzeć pod nogi. Podparłam się, zanim uderzyłam czołem w najbliższy pień, ale spod mojej lewej dłoni wyślizgnęła się drobna gałązka i wbiła mi się w jej wnętrze.

– Auć! Och, pięknie – mruknęłam.

– Wszystko w porządku?

---

* W Stanach Zjednoczonych oferują taką usługę niektóre nowe „wyznania" – przyp. tłum.

– Tak, tak, zostań na miejscu. Leci mi krew, ale zaraz przestanie.

Nie posłuchał. Nie skończyłam jeszcze zdania, a już był przy mnie.

– Mam tu apteczkę – poinformował mnie, ściągając plecak. – Tak sobie myślałem, że możesz jej potrzebować.

– To nic takiego. Sama się tym zajmę. Nie rób sobie kłopotu.

– To dla mnie żaden kłopot – powiedział spokojnie. – Przeczyść tym miejsce skaleczenia.

– Czekaj, mam lepszy pomysł.

Nie patrząc na krew i oddychając przez usta, żeby mnie nie zemdliło, przycisnęłam dłoń do powierzchni najbliższego głazu.

– Co ty wyprawiasz?

– Jasper będzie wniebowzięty. – Ruszyłam w stronę polany, z rozmysłem pocierając wnętrzem dłoni o wszystko, co mijałam. – To dopiero ich rozkręci.

Edward westchnął.

– Wstrzymaj oddech – doradziłam mu.

– Nic mi nie jest. Uważam tylko, że przesadzasz.

– To moje jedyne zadanie, więc chcę je wykonać jak najlepiej.

Przejechałam dłonią po ostatniej kępie paproci i wyszliśmy na łąkę.

– I udało ci się – zapewnił mnie Edward. – Jasper na pewno będzie pod wrażeniem, a nowo narodzeni stracą głowę. A teraz pozwól mi się tym zająć – zobacz, ile tam teraz brudu.

– No co ty, sama to zrobię.

Ujął moją dłoń i badając ją, uśmiechnął się z zadowoleniem.

– To już zupełnie na mnie nie działa.

Przyglądałam mu się uważnie, jak oczyszcza skaleczenie, wypatrując u niego jakichkolwiek oznak podenerwowania, ale oddychał cały czas miarowo i nie przestawał się uśmiechać.

– Dlaczego nie? – spytałam w końcu, kiedy wygładzał już zawiązany przez siebie bandaż.

Wzruszył ramionami.

– Przeszło mi.

– Przeszło ci? Tak po prostu? Kiedy? Jak?

Spróbowałam przypomnieć sobie, kiedy po raz ostatni musiał przestać przy mnie oddychać, ale nie przychodziło mi do głowy nic prócz mojego nieszczęsnego przyjęcia urodzinowego we wrześniu.

Edward zacisnął usta, starając się chyba dobrać słowa jak najlepiej.

– Przez całe dwadzieścia cztery godziny byłem przekonany, że nie żyjesz. Po czymś takim zaczyna się inaczej patrzeć na pewne sprawy.

– I zmieniło się to, jak dla ciebie pachnę?

– Nie, nie, ale ta doba wymuszonej żałoby bardzo wpłynęła na moje reakcje. Całe moje jestestwo wzdraga się teraz przed podejmowaniem działań, które mogłyby wywołać u mnie podobny atak bólu.

Nie wiedziałam, co na to odpowiedzieć.

Uśmiechnął się, widząc moją minę.

– Bardzo pouczające doświadczenie, nieprawdaż?

W tym samym momencie kolejny silny podmuch wiatru rozwiał mi włosy. Zadrżałam z zimna.

– No to załatwione – stwierdził Edward, sięgając znowu do plecaka. – Zrobiłaś, co do ciebie należało. Na resztę nie mamy wpływu. – Wydobywszy ze środka grubą zimową kurtkę, przytrzymał ją, żeby było mi łatwiej trafić rękami do rękawów. – A teraz punkt programu, na który wszyscy czekali – biwak!

Rozbawił mnie tym swoim udawanym entuzjazmem.

Wziął mnie za rękę – lewą, bo prawa była w jeszcze gorszym stanie, wciąż w usztywnieniu – i poprowadził mnie ku przeciwległemu krańcowi polany.

– Gdzie mamy zbiórkę? – spytałam.

– Właśnie tam.

Kiedy wskazał na ścianę drzew, z lasu, jak na zawołanie, wyłonił się Jacob.

Nie wiedzieć czemu, zaskoczyło mnie to, że był w swojej ludzkiej postaci. Wypatrywałam olbrzymiego rdzawobrązowego wilka.

Wydał mi się wyższy niż przy naszym ostatnim spotkaniu – chyba podświadomie miałam nadzieję zobaczyć nie jego, ale sympatycznego wyrostka, z którym się dawniej przyjaźniłam i który nigdy niczego nie komplikował. Ręce miał złożone na nagiej piersi, a w jednej z pięści trzymał kurtkę. Przyglądał nam się z wystudiowaną obojętnością.

Kąciki ust Edwarda wygięły się ku dołowi.

– Ech, można to było jakoś inaczej obmyślić.

– Już za późno – mruknęłam ponuro.

Westchnął.

– Cześć, Jake – przywitałam się, kiedy podeszliśmy bliżej.

– Cześć.

– Dzień dobry – odezwał się Edward.

Jacob podarował sobie kurtuazję i od razu przeszedł do rzeczy.

– To dokąd mam ją zanieść?

Edward wyciągnął z bocznej kieszeni plecaka mapę i podał mu ją. Jacob rozłożył ją w powietrzu.

– Jesteśmy tutaj – powiedział Edward, wyciągając rękę, żeby wskazać właściwy punkt. Jacob cofnął się odruchowo, ale zaraz się opanował. Edward udał, że niczego nie zauważył. – A masz ją dostarczyć tu – ciągnął, wykreślając palcem serpentynę w poprzek poziomic. – Będzie z czternaście i pół kilometra.

Jacob pokiwał głową.

– Za jakieś półtora kilometra powinieneś natrafić na mój trop. Po prostu idź za nim. Zostawić ci mapę?

– Nie trzeba, dzięki. Znam tę okolicę całkiem dobrze. Myślę, że sobie poradzę.

Musiał chyba pracować nad sobą bardziej niż mój ukochany, żeby zachować uprzejmy ton głosu.

– Ja pójdę okrężną drogą – wyjaśnił Edward. – No to do zobaczenia za parę godzin.

Spojrzał na mnie smutno. Ta część planu najmniej mu się podobała.

– Do zobaczenia – mruknęłam.

W kilka sekund zniknął wśród drzew. Pobiegł w przeciwnym kierunku niż ten, który wskazał na mapie.

Gdy tylko zostaliśmy sami, Jacobowi wrócił dobry humor.

– I jak tam? – spytał, szczerząc zęby uśmiechu.

Przewróciłam oczami.

– Stara bieda.

– No tak – zgodził się. – Usiłuje cię zabić banda wampirów. Normalka.

– Normalka.

Włożył kurtkę, żeby mieć wolne ręce.

– No to chodź.

Z grymasem na twarzy zrobiłam kroczek w jego kierunku.

Pochylił się i jednym ruchem podciął mi nogi na wysokości kolan, po czym złapał mnie drugą ręką, zanim uderzyłam głową o ziemię.

– Kretyn – mruknęłam.

Kiedy w odpowiedzi zachichotał, biegł już wśród drzew. Przemieszczał się ze stałą prędkością, którą zwykły człowiek mógłby bez trudu rozwinąć podczas energicznego joggingu – tyle że na pozbawionej setek przeszkód równinie i bez pięćdziesięciokilogramowego obciążenia.

– Nie musisz biec. Tylko się zmęczysz.

– Bieganie mnie nie męczy – powiedział. Oddychał równo, jak maratończyk. – Poza tym już niedługo zrobi się zimno. Mam nadzieję, że jak dotrzemy na miejsce, ten twój już wszystko tam rozstawi.

Poklepałam palcem materiał jego kurtki. Składała się z kilku grubych warstw.

– Myślałam, że niepotrzebne ci teraz takie rzeczy.

– I dobrze myślałaś. To dla ciebie ją przyniosłem, w razie gdybyś nie była przygotowana. – Zerknął na tę, którą miałam na sobie, niemalże zawiedziony, że już mnie zaopatrzono. – Nie podoba mi się ta pogoda. To nie jest normalne. Zauważyłaś, że w lesie nie ma żadnych zwierząt?

– Nie, nie za bardzo.

– No tak. Masz takie przytępione zmysły.

Puściłam tę uwagę mimo uszu.

– Alice ostrzegała nas, że zbiera się na burzę.

– Pierwsza lepsza burza nie wywołałaby w lesie takiego popłochu. Wybrałaś sobie na biwak najgorszą noc z możliwych.

– To nie był do końca mój pomysł.

Niewidoczna ścieżka, którą podążał, zaczęła piąć się coraz bardziej stromo ku górze, ale ani trochę nie spowolniło to jego tempa. Skakał zwinnie z kamienia na kamień niczym kozica, utrzymując doskonale równowagę bez pomocy rąk.

– Co to za dodatkowa zawieszka na twojej bransoletce? – spytał.

Spojrzawszy w dół, uświadomiłam sobie, że spod rękawa wystaje mi kryształowe serduszko. Poczułam wyrzuty sumienia. Żeby zbagatelizować sprawę, wzruszyłam ramionami.

– Kolejny prezent z okazji ukończenia liceum.

Prychnął.

– Twardy jak skała, tak? Pasuje.

Twardy jak skała? Nagle przypomniało mi się zdanie, którego Alice niedane było dokończyć pod garażem. Wpatrywałam się w lśniący jasny kryształ, starając się przypomnieć sobie, co mówiła wcześniej... o diamentach. Czy naprawdę chciała powiedzieć: „Przecież Edward ma już jeden na koncie"? Bo nosiłam jeden diament od niego? Nie, niemożliwe. Gdyby serduszko było diamentem, musiałoby mieć z pięć karatów, czy ile tam miewały te kosztowności opisywane w gazetach. A ile by kosztowało! Nie, Edward nie zrobiłby mi czegoś....

– Już dawno nie byłaś w La Push – wyrwał mnie z zamyślenia Jacob.

– Byłam zajęta, a zresztą, nawet gdybym miała czas, to i tak bym cię pewnie nie odwiedziła.

Skrzywił się.

– Wydawało mi się, że to ja specjalizuję się w chowaniu urazy, a ty zawsze wybaczasz.

Znowu wzruszyłam ramionami.

– Pewnie dużo myślałaś o swojej ostatniej wizycie?

– Ani trochę.

– Albo kłamiesz, albo jesteś najbardziej upartą osobą na świecie.

– Co do tego drugiego, głowy nie dam, ale na pewno nie kłamię.

Wolałam nie poruszać wiadomego tematu w rozgrzanych ramionach Jacoba, z których uścisku nie mogłam się w żaden sposób wyrwać. Jego twarz znajdowała się stanowczo zbyt blisko mojej. Gdybyśmy stali koło siebie, zrobiłabym krok do tyłu.

– Inteligentny człowiek, podejmując decyzję, rozważa starannie wszystkie za i przeciw.

– I je rozważyłam – odburknęłam.

– Skoro wcale nie myślałaś o tym, że... o naszej ostatniej rozmowie, to kiedy to niby zrobiłaś?

– Tamta rozmowa, jak ją nazywasz, nie miała żadnego wpływu na moją decyzję.

– Kurczę, niektórzy to lubią się oszukiwać.

– Zwłaszcza wilkołaki, z tego, co zauważyłam. Czy to u was genetyczne?

– Czyli on jednak całuje lepiej ode mnie? – spytał, raptownie pochmurniejąc.

– Nie mam zielonego pojęcia. Z nikim poza nim się nie całowałam.

– Oprócz mnie.

– Twój wybryk się nie liczy, Jacob. To nie był pocałunek, tylko akt fizycznej przemocy.

– No wiesz, jak możesz?

Ale ja nie miałam zamiaru odwoływać tego, co powiedziałam.

– Przecież cię przeprosiłem – przypomniał mi.

– A ja ci wybaczyłam... prawie. Tyle że to nie zmieni moich wspomnień.

Mruknął coś niezrozumiale.

Na moment zapadła cisza – słychać było tylko jego miarowy oddech i wiatr hulający ponad nami wśród wierzchołków drzew. W pobliżu naszego szlaku wyrosła ściana skalna z szorstkiego szarego kamienia, nieporośniętego żadną roślinnością. Jacob zaczął się wspinać wzdłuż niej.

– Nadal uważam, że to nieodpowiedzialne – oświadczył znienacka.

– Zaręczam ci, że się mylisz, cokolwiek masz na myśli.

– Przemyśl to sobie, Bella. Sama przyznajesz, że całowałaś się tylko z jedną osobą – która w dodatku nie jest tak do końca osobą – i to cię satysfakcjonuje? Skąd masz wiedzieć, że to jest właśnie to? Nie powinnaś najpierw zebrać trochę doświadczeń?

Zachowałam spokój.

– Nie mam najmniejszych wątpliwości, że to jest właśnie to.

– Ale nie zawadzi się upewnić, prawda? Skoro to ze mną się nie liczy... Wystarczy, że dla porównania zaliczysz jeszcze jednego faceta. To mogę być znowu ja. Nie mam nic przeciwko temu, żebyś mnie wykorzystała.

Przycisnął mnie mocniej do swojej piersi, żeby odległość pomiędzy naszymi ustami jeszcze bardziej się zmniejszyła. Niby żartował, ale wolałam nie ryzykować.

– Tylko bez numerów, Jake. Przysięgam, że go nie powstrzymam, jeśli będzie chciał ci złamać szczękę.

Panika w moim głosie sprawiła, że uśmiechnął się jeszcze szerzej.

– Jeśli mnie poprosisz, żebym cię pocałował, to nie będzie miał powodu mnie atakować. Sam tak powiedział.

– Tylko nie czekaj na moją prośbę ze wstrzymanym oddechem, bo się udusisz. Albo nie, zmieniłam zdanie: wstrzymuj go sobie na zdrowie.

– Jesteś dzisiaj w wyjątkowo złym humorze.

– Ciekawe czemu.

– Czasami wydaje mi się, że wolisz, kiedy jestem wilkiem.

– Czasami też mi się tak wydaje. To chyba ma coś wspólnego z tym, że nie możesz wtedy mówić.

W zamyśleniu zacisnął swoje grube wargi.

– Nie, to nie to. Sądzę, że jest ci łatwiej ze mną przebywać, kiedy nie jestem człowiekiem, bo nie musisz wtedy udawać, że ci się nie podobam.

Mimowolnie rozdziawiłam usta, ale zaraz zamknęłam je i zazgrzytałam zębami. Usłyszawszy to, Jacob znowu się uśmiechnął.

Zanim znowu się odezwałam, musiałam wziąć głębszy oddech.

– Nie, nie. Jestem prawie w stu procentach przekonana, że to dlatego, iż nie możesz wtedy mówić.

Westchnął.

– Nie męczy cię to ciągłe oszukiwanie samej siebie? Nie ma szans, żebyś nie zdawała sobie sprawy, jak na ciebie działam.

– Jacob, ty na wszystkich działasz. Nie zapominaj, że jesteś olbrzymim potworem, który zupełnie nie szanuje cudzej przestrzeni osobistej.

– Robisz się przy mnie spięta. Ale tylko wtedy, kiedy jestem człowiekiem. Kiedy jestem wilkiem, czujesz się przy mnie bardziej swobodnie.

– Bycie spiętym i bycie poirytowanym to nie to samo.

Przyglądał mi się przez dobrą minutę. Z jego twarzy znikło rozbawienie. Nastroszył brwi, aż jego oczy zrobiły się czarne w ich cieniu. Chociaż zmniejszył tempo do spacerowego, oddychał coraz szybciej. Powoli zbliżył twarz do mojej.

Wpatrywałam się w niego hardo, wiedząc doskonale, co ma zamiar zrobić.

– Droga wolna – stwierdziłam. – To twoja szczęka.

Zaśmiał się głośno i na powrót przyspieszył.

– Nie, dzisiejszy wieczór to nie jest najlepsza pora na pojedynek z twoim krwiopijcą – może innym razem. Mamy jutro zadanie do wykonania. Byłbym idiotą, gdybym pozbawił się jednego sojusznika. Naszych musi być jak najwięcej.

Nagła fala silnych wyrzutów sumienia zniekształciła moje rysy.

– Wiem, wiem. – Mylnie odczytał moją reakcję. – Myślisz, że by wygrał.

Nie byłam w stanie wykrztusić z siebie ani słowa. To ja pozbawiałam ich jednego sojusznika. Co, jeśli komuś miała przez to stać się krzywda? A co, jeśli byłabym dość dzielna, by puścić Edwarda, a on... Nie potrafiłam nawet o tym myśleć.

– Co z tobą? Bella? – Odrzucił pozę wielbiącego brawurę żartownisia, jakby ściągnął z twarzy maskę. Pod nią skrywał się mój stary Jacob. – Nic się nie martw. Przecież wiesz, że tylko tak się z ciebie nabijam. Nie chciałem ci dokuczyć. Wszystko w porządku? Błagam, tylko nie płacz!

Spróbowałam wziąć się w garść.

– Wcale nie płaczę.

– Co ja takiego powiedziałem?

– To nie twoja wina. To ja... Jestem okropna. Zrobiłam coś strasznego.

Patrzył na mnie zdezorientowany.

– Edward nie bierze udziału w jutrzejszej bitwie – wyszeptałam. – Zmusiłam go, żeby ze mną został. Taki ze mnie potworny tchórz.

Zmarszczył czoło.

– Boisz się, że nasz plan nie zda egzaminu? Że cię tu znajdą? Wiesz o czymś, o czym ja nie wiem?

– Nie, nie, to nie to. Po prostu... nie chcę, żeby tam był. Gdyby nie wrócił...

Wzdrygnęłam się i przymknęłam powieki, żeby uciec przed tą myślą.

Jacob milczał.

Nie otwierając oczu, szeptałam dalej:

– Jeśli komukolwiek coś się stanie, to zawsze będzie moja wina. Nawet jeśli nikomu włos z głowy nie spadnie, to i tak... Zachowałam się podle. Musiałam sięgnąć dna, żeby go przekonać, żeby ze mną został. Nigdy mi tego nie wypomni, ale ja sama nie zapomnę, do czego jestem zdolna.

Wyrzuciwszy to z siebie, poczułam się odrobinkę lepiej, nawet mimo tego, że moją widownią był tylko Jacob.

Prychnął. Powoli otworzyłam oczy i widząc, że maska wróciła, posmutniałam.

– Nie mogę uwierzyć, że dał ci się przekonać. Ja tam bym w życiu czegoś takiego nie przegapił.

Westchnęłam.

– Wiem.

– Ale to nic nie znaczy – zaczął się nagle zarzekać. – To wcale nie znaczy, że on kocha cię bardziej niż ja.

– Dopiero co się przyznałeś, że nie zostałbyś ze mną, nawet gdybym cię o to błagała.

Wykrzywił usta i przez chwilę myślałam, że będzie starał się temu zaprzeczyć, chociaż oboje znaliśmy prawdę.

– Tylko dlatego, że lepiej cię znam – powiedział w końcu. – Wszystko pójdzie jak z płatka. Nawet gdybyś mnie poprosiła, a ja bym ci odmówił, nie byłabyś później na mnie wściekła.

– Jeśli wszystko rzeczywiście pójdzie jak z płatka, to masz rację – pewnie szybko by mi przeszło. Ale pomyśl o tych długich godzinach oczekiwania! Przecież ja się pochoruję ze zmartwienia, Jake. Chyba oszaleję.

Naburmuszył się.

– Już widzę, jak się przejmujesz, że coś mi się stało.

– Nie mów tak. Dobrze wiesz, ile dla mnie znaczysz. Przykro mi, że nie aż tyle, ile byś chciał, ale nic na to nie poradzę. Jesteś moim najlepszym przyjacielem, a przynajmniej nim byłeś. I czasami nadal jesteś... kiedy sobie na to pozwalasz.

Obdarzył mnie swoim starym uśmiechem, który tak ubóstwiałam.

– Nie czasami, tylko zawsze – poprawił. – Nawet kiedy... kiedy nie zachowuję się tak, jak powinienem. Pod spodem zawsze jestem taki sam.

– Wiem o tym. Myślisz, że inaczej jeszcze bym się z tobą zadawała?

Zawtórował mi śmiechem, a potem przygasł.

– Ach, kiedy wreszcie zrozumiesz, że jesteś we mnie zakochana?

– Ten to zawsze potrafi wszystko popsuć.

– Nie upieram się przy tym, że go nie kochasz. Nie jestem głupi. Ale można być zakochanym w więcej niż jednej osobie naraz. Wiem, co mówię.

– Jacob, ja nie jestem wilkołakiem ani żadnym innym dziwolągiem.

Zmarszczył nos. Miałam już przeprosić go za swoją złośliwą uwagę, ale zmienił temat.

– Czuję go. To niedaleko.

Odetchnęłam z ulgą. Źle to zinterpretował.

– Chętnie bym zwolnił, ale chcę, żebyś była już pod dachem, kiedy rozpęta się piekło.

Oboje spojrzeliśmy na niebo.

Od zachodu doganiała nas gigantyczna fioletowoczarna chmura. Połacie lasu, nad którymi się rozciągała, były pogrążone w mroku.

– Niedobrze – mruknęłam. – Lepiej się pospiesz. Musisz jeszcze wrócić przed deszczem do domu.

– Nie wracam do domu.

Zmroziłam go wzrokiem.

– Z nami nie zostaniesz, nie ma mowy!

– Spokojnie – w namiocie z wami siedzieć nie będę. Wolę już burzę od tego zapachu. Ale twoja pijawka jak nic będzie chciała pozostać w kontakcie z watahą na potrzeby koordynacji całej akcji, więc łaskawie zapewnię mu tę możliwość.

– Myślałam, że to zadanie Setha.

– Seth przejmie ode mnie pałeczkę dopiero jutro, na czas bitwy.

Kiedy przypomniał mi, co nas czeka, na chwilę zamilkłam. Wpatrywałam się w niego, czując gwałtownie narastający niepokój.

– Czyli nie ma sposobu, żeby cię tu zatrzymać, skoro już tu jesteś? – spytałam w desperacji. – A gdybym tak padła przed tobą na kolana? Albo zaproponowała w zamian niewolnicze oddanie do końca moich dni?

– Brzmi kusząco, ale nie, dziękuję. Chociaż, zaczekaj, to padanie na kolana warto byłoby zobaczyć. Możesz spróbować, jeśli chcesz.

– Naprawdę nic cię nie przekona?

– Nic. No, chyba że zagwarantujesz mi tu ciekawsze starcie. Zresztą, to Sam decyduje, gdzie mam być, a nie ja.

Z czymś mi się to skojarzyło.

– Edward mówił mi coś niedawno... o tobie.

Jacob najeżył się.

– Pewnie wciskał ci jakiś kit.

– Tak? Czyli nie jesteś teraz oficjalnym zastępcą Sama?

Zamrugał, szczerze zaskoczony.

– Ach, to.

– Dlaczego nic mi nie powiedziałeś?

– A po co? To nic takiego.

– Nie wiem po co. Ot tak. To ciekawe. I jak to wygląda? Jak to się stało, że Sam jest Alfą, a ty... Betą?

Rozśmieszyłam go tymi określeniami.

– Sam był pierwszy i jest z nas najstarszy. To, że zostanie przywódcą, rozumiało się samo przez się.

Ściągnęłam brwi.

– Ale czy, w takim razie, zastępcą nie powinien być Jared albo Paul? To oni zmienili się następni.

– Hm... to bardziej skomplikowane – powiedział Jacob wymijająco.

– No to mi to wytłumacz.

Westchnął.

– Widzisz, ważniejsza jest linia dziedziczenia. Taka staroświecka głupota – jakby było ważne, kto był czyim dziadkiem.

Przypomniało mi się coś, co opowiedział mi dawno, dawno temu, zanim jeszcze któreś z nas dowiedziało się o istnieniu wilkołaków.

– Czy to nie Ephraim Black był ostatnim wodzem Quileutów?

– Tak, to prawda. Bo to on był Alfą. Wiesz, że Sam jest teraz teoretycznie wodzem plemienia? – Zaśmiał się. – Ach, te zwariowane tradycje.

Zamyśliłam się na moment, starając się dopasować wszystkie elementy układanki.

– Ale przecież mówiłeś też, że ludzie słuchają twojego taty bardziej niż kogokolwiek innego z rady, bo jest wnukiem Ephraima?

– No i co z tego?

– Skoro takie ważne jest dziedziczenie... to czy nie ty powinieneś być wodzem?

Nie odpowiedział. Zapatrzył się w gęstniejący pomiędzy drzewami mrok, jakby nagle musiał się koncentrować, żeby się nie zgubić.

– Jake?

– Nie. To zadanie dla Sama.

Nie odrywał wzroku od swojej nieoznaczonej ścieżki.

– Ale dlaczego? Jego pradziadkiem był Levi Uley, prawda? Czy Levi też był Alfą?

– W sforze jest tylko jedna Alfa – odpowiedział odruchowo.

– Więc kim był Levi?

– Pewnie kimś w rodzaju Bety. – Jacob prychnął, używszy mojego określenia. – Jak ja.

– To się nie trzyma kupy.

– To nieistotne.

– Ale mnie interesuje.

Spojrzał mi wreszcie prosto w oczy, po czym westchnął.

– Tak. Miałem być Alfą.

Zmarszczyłam czoło.

– Sam nie chciał ustąpić ci miejsca?

– To ja nie chciałem go zająć.

– Czemu?

Skrzywił się, skrępowany moimi pytaniami. Cóż, nadeszła jego kolej na bycie skrępowanym.

– Nie chciałem mieć z tym nic wspólnego, Bella. Nie chciałem, żeby cokolwiek się zmieniło. Nie chciałem zostać jakimś kolejnym legendarnym wodzem. Nie chciałem nawet zostać wilkołakiem, a co dopiero ich przywódcą. Sam złożył mi propozycję, ale ją odrzuciłem.

Przez dobrą minutę zastanawiałam się nad tym, co powiedział. Nie przerywał mi. Znowu patrzył w las.

– Sądziłam, że jesteś szczęśliwszy – wyszeptałam w końcu. – Że pogodziłeś się z tym, co się stało.

Uśmiechnął się, żeby podnieść mnie na duchu.

– Bo się pogodziłem. Naprawdę, nie jest tak źle. Czasami to w ogóle jest super – na przykład ta bitwa jutro, supersprawa. Ale na początku czułem się tak, jakby z dnia na dzień wzięli mnie do wojska i wysłali na wojnę, a ja nawet nie wiedziałem, że jest taka wojna. Rozumiesz, nie miałem wyboru, nie miałem jak przed tym uciec. A teraz... – Wzruszył ramionami. – Nawet się cieszę. Mamy robotę do wykonania. Po co wierzyć, że kto inny wszystkiego dopilnuje, skoro sami możemy się tym zająć?

Ku swojemu zaskoczeniu poczułam do niego nagle głęboki szacunek. Okazał się o wiele bardziej dojrzały, niż się spodziewałam. Dostrzegłam też w nim coś nowego – coś, co zauważyłam także na ognisku u Billy'ego – wrodzoną godność, bijący od jego osoby majestat.

– Wódz Jacob – szepnęłam, uśmiechając się na dźwięk tych dwóch słów wypowiedzianych jedno po drugim.

Przewrócił oczami.

Dokładnie w tym samym momencie gwałtowny podmuch zatrząsł otaczającymi nas drzewami silniej niż poprzednie, przynosząc z sobą chłodne powietrze rodem chyba prosto z lodowca. Od zbocza góry odbił się echem odgłos pękającego drewna. Chociaż światło słoneczne słabło z każdym metrem pokonywanym przez olbrzymią ciemną chmurę, dostrzegłam, że wokół zaroiło się od wirujących białych plamek.

Jacob przyspieszył. Biegł teraz, dając z siebie wszystko, nie odrywając przy tym wzroku od podłoża. Wtuliłam się w jego pierś, zapominając o swoich wcześniejszych obiekcjach, byle tylko skryć się przed nieproszonymi płatkami śniegu.

Zaledwie kilka minut później znaleźliśmy się od zawietrznej strony skalistego wzniesienia i naszym oczom ukazał się niewielki namiot, rozbity w jak najbardziej osłoniętym od wiatru miejscu. Białych drobinek było coraz więcej, ale silne podmuchy nie pozwalały opaść im na ziemię.

Zastaliśmy Edwarda przechadzającego się nerwowo w tę i z powrotem po ograniczonej przestrzeni przed namiotem.

– Bella! – zawołał z nieskrywaną ulgą.

Jego sylwetka na ułamek sekundy rozmyła się w powietrzu, żeby zmaterializować się u mojego boku. Z grymasem dezaprobaty na twarzy Jacob postawił mnie na ziemi. Edward zignorował go i porwał mnie w objęcia.

– Dziękuję – powiedział do niego nad moją głową. Poznałam po tonie jego głosu, żc nie kieruje nim tylko kurtuazja. – Myślałem, że zajmie wam to więcej czasu. Jestem naprawdę wdzięczny za ten pośpiech.

Obróciłam się, żeby zobaczyć reakcję Jacoba. Wzruszył tylko ramionami, ani trochę nie sprawiając wrażenia przyjaźnie nastawionego.

– Niech Bella się schowa. Zaraz rozpęta się tu piekło – włosy już stają mi dęba na karku. Dobrze zamocowałeś ten namiot?

– Mogę jeszcze co najwyżej stopić śledzie i skałę w jedno.

– No to w porządku.

Jacob zerknął na niebo – było już zupełnie czarne, nakrapiane płatkami śniegu. Rozszerzył nozdrza.

– Pójdę się przeobrazić – oznajmił. – Chcę się dowiedzieć, co słychać w domu.

Powiesiwszy kurtkę na nisko rosnącej gałęzi, zniknął w ciemnym lesie, nie oglądając się za siebie.

22 Ogień i lód

Wiatr znów zatrząsł namiotem i mną razem z nim.

Temperatura spadała – czułam to nawet przez puchowy śpiwór i grubą kurtkę. Byłam kompletnie ubrana, nadal miałam na sobie wysokie buty. Nic to nie pomagało. Jak mogło być tak zimno? I jak mogło robić się coraz zimniej? Chyba musiała istnieć jakaś granica?

– K-k-która g-g-godzina? – wyjąkałam, szczękając zębami.

– Druga – odparł Edward.

Siedział ode mnie tak daleko, jak to tylko w ciasnym namiocie było możliwe, bojąc się nawet na mnie chuchać, żeby jeszcze bardziej mi nie zaszkodzić. Było tak ciemno, że nie widziałam twarzy, ale w jego głosie słychać było troskę, niezdecydowanie i frustrację.

– Może… – zaczął.

– Nie, n-n-nic mi nie jest, n-n-naprawdę. Nie chcę w-w-wychodzić na dwór.

Usiłował mnie namówić do opuszczenia kryjówki już z tuzin razy, ale myśl o opuszczeniu namiotu mnie przerażała. Jeśli było mi tak zimno tu, w środku, gdzie nie wiał przecież wiatr, to wolałam sobie nawet nie wyobrażać, jak miałam się czuć podczas biegu.

Poza tym nie po to spędziliśmy całe popołudnie, zastawiając pułapkę. Co, gdybyśmy nie zdążyli wrócić do namiotu po burzy? Co, jeśli burza wcale nie miała się skończyć przed bitwą? Przenosiny w inne miejsce nie miały sensu. Jedną noc byłam w stanie przecierpieć.

Przestraszyłam się, że śnieg przesłoni celowo pozostawione przeze mnie ślady, ale Edward zapewnił mnie, że nowo narodzeni wychwycą mój trop bez trudu.

– Czy mogę ci jakoś pomóc? – spytał błagalnie.

Pokręciłam przecząco głową.

Moich uszu dobiegł smutny skowyt Jacoba.

– M-m-mówiłam ci, ż-ż-żebyś sobie poszedł! – zawołałam.

– To o ciebie się martwi, nie o siebie – przetłumaczył Edward. – Jemu zimno nie dokucza. W odróżnieniu od ciebie ma ciało przystosowane do takich warunków.

– P-p-po...

Chciałam powiedzieć, że i tak powinien się wynosić, ale mi się nie udało, za to o mało co nie odgryzłam sobie języka. Zgadzałam się jednak, że Jacob jest doskonale przystosowany do przebywania na śniegu, lepiej niż którykolwiek inny członek sfory, bo jako jedyny miał tak długą i kudłatą sierść. Ciekawa byłam, dlaczego tylko on.

Na zewnątrz rozległ się wysoki jęk, jęk skargi.

– A co mam zrobić? – warknął Edward w odpowiedzi, zbyt zdenerwowany, by pamiętać o dobrych manierach. – Mam ją nieść przez las przy takiej pogodzie? I nie wiem, do czego mógłbyś się jej przydać. No, chyba że skoczysz po przenośny grzejnik.

– N-n-nic mi nie jest! – zaprotestowałam.

Sądząc po mruknięciu, które wydał z siebie Edward, i stłumionym charkocie za płachtą, nikt mi nie uwierzył. Wicher znowu szarpnął kilkakrotnie namiotem – zakolebałam się w tym samym rytmie.

Nagłe wycie zagłuszyło na moment nawałnicę. Zakryłam uszy dłońmi. Edward nastroszył brwi.

– To nie było konieczne – wycedził. – A ten pomysł jest najgorszy z możliwych – powiedział głośniej.

– Lepszy niż twoje – odezwał się Jacob. Drgnęłam, zaskoczona dźwiękiem jego ludzkiego głosu. – „Chyba że skoczysz po przenośny grzejnik"! Też mi coś! Nie jestem bernardynem!

Usłyszałam, żę rozpina szybko zamek błyskawiczny wokół wejścia do namiotu. Wpełzł do środka przez najmniejszy otwór z możliwych, wpuszczając z sobą nieco arktycznego powietrza i kilka wirujących płatków. Zadrżałam z taką siłą, jakbym miała konwulsje.

– Nie chcę, żebyś tu został – syknął Edward, kiedy Jacob obrócił się, żeby zapiąć płachtę. – Daj jej to i już cię nie ma.

W mroku widziałam tylko niewyraźne kształty – Jacob przyniósł z sobą kurtkę, którą zostawił wcześniej wiszącą na gałęzi.

Usiłowałam spytać, o co im chodzi, ale wyjąkałam tylko:

– O c-c-co....

Zupełnie już nie panowałam nad swoim dygotem.

– Kurtka to na jutro – jest zimna jak lód, a Bella sama sobą jej nie ogrzeje. – Jacob porzucił ją przy wejściu. – Prosiłeś o przenośny grzejnik, to go masz.

Rozłożył ramiona tak szeroko, jak pozwalały mu na to ściany namiotu. Jak zwykle, gdy przewidywał przemianę w wilka, miał na sobie tylko niezbędne minimum w postaci spodni od dresu, co oznaczało nagi tors i gołe stopy.

– J-j-jake, z-z-zamarzniesz – zaoponowałam.

– Co to, to nie – powiedział wesoło. – Ostatnio mam stale czterdzieści dwa i siedem. Ani się obejrzysz, jak się spocisz.

Edward warknął, ale Jacob nawet na niego nie spojrzał. Zamiast tego podczołgał się do mnie i zabrał do rozpinania mojego śpiwora. W okamgnieniu na jego ramieniu zacisnęła się dłoń mojego ukochanego, śnieżnobiała na tle jego ciemnej skóry. Jacob drgnął pod dotykiem lodowatych palców. Zacisnął zęby, nadął nozdrza i spiął mięśnie w gotowości.

– Ręce przy sobie – mruknął.

– To ty trzymaj łapy przy sobie – odparował Edward.

– N-n-nie w-w-walczcie – poprosiłam.

Przeszedł mnie kolejny dreszcz. Wrażenie było takie, jakby zęby miały mi się lada chwila roztrzaskać, z taką siłą o siebie uderzały.

– Jestem pewien, że Bella ci za to podziękuje, kiedy jej palce u stóp poczernieją i odpadną – stwierdził z sarkazmem Jacob.

Edward zawahał się, a potem cofnął rękę i wrócił do poprzedniej pozycji.

– Ale miej się na baczności – zagroził mu przerażająco bezbarwnym głosem.

Jacob zaśmiał się.

– Zrób mi miejsce – zwrócił się do mnie, wracając do odpinania śpiwora.

Posłałam mu oburzone spojrzenie. Nic dziwnego, że Edward zareagował tak ostro.

– S-s-spadaj – wyjąkałam.

– Nie bądź głupia. – Zaczynał tracić cierpliwość. – Tak bardzo nie lubisz swoich palców u stóp czy co?

Jakimś cudem zdołał wcisnął się do śpiwora, po czym zapiął za sobą zamek.

Nie było sensu protestować. Nie miałam już ochoty protestować. Był taki ciepły! Otoczył mnie ściśle ramionami i przytulił do swojej nagiej piersi. Bijącemu od niego gorącu nie można było się oprzeć, jak powietrzu po przebywaniu zbyt długo pod wodą.

Wzdrygnął się, kiedy przywarłam do niego zziębniętymi dłońmi.

– Boże, Bella, jesteś jak lodówka – pożalił się.

– P-p-przepraszam.

– Spróbuj się rozluźnić – doradził mi, czując, że znowu mam atak drgawek. – Rozgrzejesz się w okamgnieniu. Oczywiście najlepiej byłoby, gdybyś wyskoczyła z ciuchów.

Edward warknął.

– To potwierdzone naukowo – zaczął się bronić Jacob. – Jedna z podstawowych zasad survivalu.

– P-p-przestań, Jake – powiedziałam zagniewanym tonem, chociaż moje ciało nie miało zamiaru choćby spróbować się od niego oderwać. – K-k-komplet palców u stóp n-n-nie jest n-n-niezbędny do życia.

– Pijawką się nie przejmuj – oświadczył z uśmiechem. – Jest tylko zazdrosny.

– Oczywiście, że jestem zazdrosny. – Głos Edwarda, na powrót aksamitny i opanowany, był jak melodyjny pomruk w ciemnościach. – Nawet sobie nie wyobrażasz, jak bardzo chciałbym móc cię zastąpić przy jej boku, kundlu.

– Czasem ma się to szczęście – skomentował Jacob, ale zaraz dodał rozżalonym tonem: – Przynajmniej masz tę świadomość, że wolałaby tu ciebie.

– Co prawda, to prawda – przyznał Edward.

Kiedy się tak przekomarzali, moje dreszcze słabły, aż stały się zupełnie znośne.

– No – ucieszył się Jacob. – I co, lepiej?

– Lepiej – potwierdziłam, tym razem już się nie jąkając.

– Wargi masz wciąż sine – zauważył. – Może też ci je rozgrzać? Tylko powiedz.

Edward westchnął ciężko.

– Zachowuj się – mruknęłam do Jacoba, przyciskając twarz do jego barku. Wzdrygnął się znowu, bo czoło także miałam zimne. Uśmiechnęłam się, zadowolona, że odpłaciłam mu pięknym za nadobne.

W śpiworze zdążyło się już zrobić przytulnie. Ciepło zdawało się płynąć do mnie ze wszystkich stron – być może dlatego, że Jacob był taki ogromny. Ściągnęłam stopami buty i wcisnęłam je pomiędzy jego łydki. Drgnął odruchowo, ale zaraz przytulił swój gorący policzek do mojego zdrętwiałego ucha.

Uzmysłowiłam sobie, że jego skóra pachnie mieszanką piżma i żywicy – pasowało to do okoliczności, bo jakkolwiek by było, znajdowaliśmy się w środku lasu. Była to bardzo przyjemna woń. Zaciekawiło mnie, czy Cullenowie i Quileuci nie odstawiają cyrków z marszczeniem nosów tylko dlatego, że są do siebie uprzedzeni. Ja tam nie mogłam się dopatrzyć w ich zapachach niczego odrażającego.

Burza wyła jak dzikie zwierzę i nie przestawała atakować namiotu, ale już się nią tak nie przejmowałam. Jacob nie siedział sam na zewnątrz, a ja nie marzłam. Poza tym byłam zbyt wyczerpana, żeby czymkolwiek się martwić – zmęczyło mnie czuwanie, a mięśnie miałam obolałe od skurczów przy dreszczach. Tając kawałek po kawałku, moje ciało zmieniało się z twardej bryły w bezwładny worek.

– Jake? – wymamrotałam sennie. – Czy mogę cię o coś spytać? Nie chcę cię rozzłościć, przysięgam. Jestem po prostu ciekawa.

Tych samych słów użył kiedyś w mojej kuchni... ile to już tygodni temu?

Zorientował się, że go cytuję, i uśmiechnął się.

– Jasne.

– Dlaczego masz o wiele dłuższą sierść niż reszta watahy? Nie musisz mi odpowiadać, jeśli uważasz, że to nie mój interes.

Nie wiedziałam, czy nie łamię czasami jakiegoś wilczego tabu, ale spojrzał na mnie rozbawiony. Ulżyło mi, że go nie uraziłam.

– To dlatego, że mam dłuższe włosy – wyjaśnił.

Potrząsnął głową, tak że jego potargana czupryna, sięgająca mu już do podbródka, połechtała mnie w policzek.

– Och.

Tego się nie spodziewałam, ale tak, to było logiczne. Więc to z tego powodu wszyscy obcinali się na jeża na samym początku, po dołączeniu do sfory.

– To czemu sobie ich nie obetniesz? Lubisz chodzić taki zapuszczony?

Tym razem nie odpowiedział od razu, za to Edward cicho się zaśmiał.

– Przepraszam. – Ziewnęłam. – Nie chciałam być wścibska. Nie musisz się tłumaczyć.

Jacob mruknął z irytacją.

– Ech, on ci i tak pewnie powie, więc lepiej sam to zrobię. Zapuszczam włosy, bo... bo wydawało mi się, że bardziej podobam ci się z długimi.

– Och. – Poczułam się skrępowana. – Wiesz... no... podobają mi się i takie, i takie. Nie musisz... robić sobie kłopotu.

Wzruszył ramionami.

– O to się nie martw. Zresztą, dziś się akurat przydały.

Nie miałam nic więcej do powiedzenia. Po dłuższej chwili milczenia powieki same mi opadły, a oddech zwolnił tempo i wyrównał się.

– Bardzo dobrze – szepnął. – Śpij, maleńka, śpij.

Westchnęłam półprzytomnie, usatysfakcjonowana.

– Przyszedł Seth – mruknął Edward do Jacoba i nagle zrozumiałam, po co ten drugi tak głośno wcześniej wył.

– Świetnie. Jak chcesz, też możesz stanąć na warcie, a ja już się tu Bellą zajmę.

Edward nie odpowiedział, ale ja jęknęłam.

– Dałbyś spokój – wykrztusiłam zaspanym głosem.

Zapadła cisza – przynajmniej w środku. Na zewnątrz wiatr miotał się szaleńczo wśród drzew. Szarpał wciąż namiotem, co utrudniało mi zasypianie. Gdy tylko odpływałam odrobinę w niebyt, raptowne drgnięcie któregoś z masztów ściągało mnie brutalnie na ziemię. Dręczyły mnie też wyrzuty sumienia, że oto kolejny chłopiec pod postacią wilka musi z mojego powodu stać w taką noc na straży.

Kiedy tak czekałam na sen, nawiedzały mnie najróżniejsze myśli. Otaczające mnie ciepło skojarzyło mi się z początkami mojej znajomości z Jacobem. Jawił mi się wówczas jako moje prywatne zastępcze słońce, bo rozpromieniał swoją osobą zalegającą wokół mnie pustkę, sprawiając, że chciało mi się na powrót żyć. Już dawno tak o nim nie myślałam, a tu, proszę, znowu mnie ogrzewał.

– Błagam! – syknął Edward znienacka. – Daruj sobie!

– Co? – spytał Jacob szeptem, zdziwiony.

– Może byś tak chociaż spróbował kontrolować swoje myśli, co?

Był naprawdę rozgniewany.

– Nikt ci nie każe ich podsłuchiwać – burknął mój przyjaciel, ale wyraźnie się zawstydził. – Wynocha z mojej głowy.

– Wierz mi, chciałbym się wyłączyć, ale nawet nie wiesz, jak głośno wykrzykujesz te swoje fantazje.

– Postaram się myśleć ciszej – obiecał Jacob z przekąsem.

Zamilkli obaj.

– Tak – odpowiedział mu Edward na jedynie pomyślane pytanie. Jeszcze bardziej ściszył głos. – O to też jestem zazdrosny.

– Domyśliłem się – szepnął Jacob bez cienia współczucia. – To trochę zwiększy ich szanse, prawda?

Edward zaśmiał się.

– Tylko w twoich snach.

– Wiesz, Bella może jeszcze zmienić zdanie – dogryzł mu Jacob. – Jak weźmie pod uwagę wszystko to, co mogę dla niej zrobić, a czego ty nie możesz. To znaczy, czego ty nie możesz, bobyś ją zabił w trakcie.

– Lepiej idź spać, chłopie. Zaczynasz działać mi na nerwy.

– Żebyś wiedział, że cię posłucham. Tak mi tu wygodnie...

Edward nie zareagował.

Wolałabym, żeby przestali rozmawiać o mnie, jakby mnie tam nie było, ale nie chciało mi się już o to prosić. Nie byłam zresztą do końca przekonana, czy to jeszcze jawa.

– Może – odpowiedział Edward na kolejne pytanie rywala.

– Ale nie będziesz się wymigiwał?

– Zapytaj, to się dowiesz.

Chyba miał to być dowcip, ale nie znałam jego kontekstu.

– Ty możesz zaglądać mi do głowy, to daj sobie dziś zajrzeć do swojej dla odmiany – zaproponował Jacob. – Tak będzie bardziej fair.

– Tyle masz tych pytań. Które na pierwszy ogień?

– Sądzę, że zżera cię zazdrość. Ta twoja niewzruszona pewność siebie to tylko fasada. No, chyba że nie posiadasz żadnych uczuć.

– Nie zaprzeczę, masz rację. – Edward nie wydawał się już rozbawiony. – Teraz na przykład czuję się tak fatalnie, że ledwo kontroluję swój głos. A jak nie widzę Belli, bo jest z tobą, jest jeszcze gorzej.

– Dużo o tym myślisz? Trudniej ci się skoncentrować, kiedy jej przy tobie nie ma?

– I tak, i nie. – Edward dotrzymywał słowa i starał się być szczery. – Mój umysł nie działa tak jak twój. Potrafię myśleć o wielu rzeczach naraz. Oczywiście, oznacza to, że zawsze mogę o tym myśleć, zawsze mogę zastanawiać się, gdzie jest Bella myślami, kiedy milknie.

Na moment zapadła cisza. To Jacob zadawał kolejne pytanie.

– Tak – odezwał się Edward – chyba często o tobie myśli. Częściej, niż mi się to podoba. Martwi się, że jesteś nieszczęśliwy. No, ale o tym, to wiesz aż za dobrze. I świetnie to wykorzystujesz.

– Tonący brzytwy się chwyta – mruknął Jacob. – Masz nade mną dużą przewagę – przede wszystkim Bella wie, że jest w tobie zakochana.

– To pomaga – przyznał mój ukochany łagodniejszym tonem.

– Ale we mnie też jest zakochana.

Edward nic nie powiedział.

Jacob westchnął.

– Tyle że o tym nie wie.

– Nie jestem w stanie ocenić, czy się mylisz, czy nie.

– A chciałbyś być w stanie? Chciałbyś wiedzieć, co myśli?

– Tak... i nie. Znowu, i tak, i nie. Tak jak jest, bardziej jej się podoba, i chociaż doprowadza mnie to do szału, wolę, żeby była zadowolona.

Namiot poruszył się gwałtownie, jakby zaczęło się trzęsienie ziemi. Jacob przytulił mnie mocniej.

– Dziękuję – szepnął Edward. – To może brzmi dziwnie, ale cieszę się, że tu jesteś.

– Najchętniej byś mnie zabił, ale jest jej ciepło – o to ci chodzi?

– To nasze przymierze potrafi dawać się we znaki, prawda?

– Wiedziałem, że skręca cię z zazdrości tak samo jak mnie – powiedział Jacob z triumfem w głosie.

– Tyle że ja nie jestem taki głupi, żeby się z tym obnosić. Do niczego jej w ten sposób nie przekonasz.

– Masz więcej cierpliwości niż ja.

– To chyba oczywiste. Miałem sto lat, żeby się w nią uzbroić. Sto lat czekałem na Bellę.

– Kiedy dokładnie postanowiłeś być taki wyrozumiały?

– Kiedy zrozumiałem, jak bardzo boli ją to, że musi dokonać wyboru. Zwykle nie tak trudno mi się kontrolować. Przez większość czasu potrafię... zdusić w sobie te mniej cywilizowane uczucia, jakie do ciebie żywię. Czasami wydaje mi się, że Bella to widzi, ale nie jestem pewny.

– Myślę, że nie chciałeś dłużej stawiać jej przed takim wyborem, bo bałeś się, że nie padnie na ciebie.

Edward nie odpowiedział mu od razu.

– Po części tak – zgodził się w końcu – ale tylko w bardzo niewielkiej mierze. Każdego z nas nachodzą czasem wątpliwości. Martwiłem się raczej o to, że zrobi sobie krzywdę, próbując się do ciebie wymknąć. Odkąd uznałem, że nic jej przy tobie nie grozi – o ile kiedykolwiek nic jej nie grozi, zważywszy na jej gigantycznego pecha – przestała przynajmniej realizować różne swoje dzikie pomysły.

Jacob westchnął.

– Zrelacjonuję jej całą naszą rozmowę, ale nigdy mi nie uwierzy.

– Właśnie.

Domyśliłam się, że mój ukochany się uśmiecha.

– Myślisz, że pozjadałeś wszystkie rozumy – zarzucił mu Jacob.

– Nie wiem, co przyniesie przyszłość – odparł Edward, nagle poważniejąc.

Zasłuchali się w wycie wichru.

– Jak byś się zachował, gdyby zmieniła zdanie? – spytał po chwili Jacob.

– Tego też nie wiem.

Jacob zaśmiał się cicho.

– Próbowałbyś mnie zabić?

W jego głosie pobrzmiewała ironia, jakby nie wierzył, że Edwardowi może się udać.

– Nie.
– A to dlaczego? – Jacob nadal sobie z niego drwił.
– Sądzisz, że zrobiłbym jej coś takiego?
Jacob zawahał się, a potem westchnął.
– Tak, masz rację. Tak nie można. Ale czasami...
– ...czasami człowieka kusi.
Jacob wtulił twarz w śpiwór, żeby stłumić śmiech.
– Ano kusi – przyznał.

Co za dziwny sen. Ciekawa byłam, czy to od niesłabnącego wiatru wydawało mi się, że słyszę te wszystkie szepty. Tyle że wiatr przecież zawodził głośno, a nie szumiał...

– Jak się czułeś, kiedy myślałeś, że ją straciłeś? – spytał Jacob dziwnie ochrypłym głosem, już jak najbardziej na serio. – Kiedy myślałeś, że straciłeś ją na zawsze? Jak... jak sobie z tym poradziłeś?

– Niełatwo mi się z tego zwierzać.

Jacob nie naciskał.

– Przydarzyło mi się to dwa razy. – Edward zaczął mówić wolniej niż zazwyczaj. – Kiedy po raz pierwszy przyszło mi do głowy, że mógłbym ją opuścić... Ta myśl była nawet do zniesienia. To dlatego, że sądziłem, iż o mnie zapomni i będzie tak, jakby nigdy mnie nie spotkała. Trzymałem się od niej z daleka przez ponad pół roku, przez ponad pół roku dotrzymywałem słowa i nie wtrącałem się w jej życie. Było ciężko – walczyłem ze sobą, ale wiedziałem, że nie wygram. Wymyśliłem, że wrócę tylko po to, żeby... żeby sprawdzić, czy wszystko w porządku. Tak bym się w każdym razie przed sobą usprawiedliwiał. Gdybym zastał ją szczęśliwą... Wmawiałem sobie, że umiałbym zostawić ją wtedy w spokoju.

Ale nie była szczęśliwa. A ja bym został. Gdybyś miał wątpliwości, tak właśnie mnie przekonała do tego, żebym został z nią dzisiaj. Zastanawiałeś się wcześniej, jakim cudem mnie przekonała... i dlaczego tak bardzo to sobie wyrzuca. Przypomniała mi, jak się czuła po tym, jak ją zostawiłem – jak nadal się czuje, kiedy czasem zostawiam ją samą. Ma wyrzuty sumienia, że sięgnęła po ten chwyt, ale taka jest prawda – nigdy jej tego nie wynagrodzę, ale i nigdy nie przestanę starać się jej tego wynagrodzić.

Jacob albo zamyślił się nad tym, co usłyszał, albo się na moment zdekoncentrował.

– A za drugim razem – kiedy myślałeś, że nie żyje? – szepnął.

– Tak – Edward odpowiedział na inne jego pytanie. – Nic dziwnego, że tak byś to odbierał. Biorąc pod uwagę to, jak nas postrzegasz, możesz nie zdołać dostrzec w nowej Belli swojej starej przyjaciółki. Ale wciąż nią będzie.

– Nie o to pytałem.

– Nie powiem ci, jak się wtedy czułem – odparował Edward z goryczą. – Tego się nie da opisać.

Jacob zacisnął wokół mnie ramiona.

– Ale przecież wyjechałeś, bo nie chciałeś zrobić z niej następnego krwiopijcy. Chcesz, żeby została człowiekiem.

Edward starannie dobierał słowa.

– Jacob, kiedy tylko zorientowałem się, że ją kocham, zrozumiałem, że są jedynie cztery możliwości. Po pierwsze, i to według mnie byłoby dla Belli najlepsze, mogłaby tak za mną nie szaleć – wtedy mogłaby się we mnie łatwo odkochać i żyć dalej, jak gdyby nigdy nic. Pogodziłbym się z tym, chociaż moich uczuć do niej by to nie zmieniło. Masz mnie za... za coś w rodzaju żyjącego posągu. Myślisz, że obce mi są ludzkie emocje. To nieprawda. Nasze uczucia są silne i trwałe, i bardzo rzadko doświadczamy jakichś uczuciowych rewolucji. Kiedy jednak się nam przydarzają, tak jak mnie, kiedy poznałem Bellę, zmieniamy się na dobre. Nie ma dla mnie odwrotu...

Druga opcja, na którą z początku postawiłem, polegała na tym, żeby towarzyszyć Belli do końca jej ludzkiego życia. Nie było to dla niej korzystne rozwiązanie, bo po co miała marnować życie z kimś, kto nie mógł dać jej tego, co drugi człowiek, ale najłatwiej było mi się do niego dostosować. Planowałem skończyć jakoś ze sobą zaraz po jej śmierci. Te sześćdziesiąt, siedemdziesiąt lat to, w moim odczuciu, nie było wcale tak dużo. Ale potem okazało się, że Bella nie ma szans przeżyć tyle przy moim boku. Wszystko, co mogło pójść źle, poszło źle. Albo przynajmniej dało o sobie znać, żebyśmy drżeli z niepokoju, czy lada moment nam się nie przytrafi. Zadając się z Bellą, narażałem ją na zbyt wielkie ryzyko.

I tak zdecydowałem się usunąć z jej świata, co, jak dobrze wiesz, było z mojej strony niewybaczalnym błędem. Miałem nadzieję, że nie wcielam w życie planu C, tylko wracam do wersji A, ale się przeliczyłem. Mało brakowało, a oboje przypłacilibyśmy mój wybór życiem.

Cóż mi więc pozostało prócz ostatniej, czwartej opcji? Tego chce Bella, a przynajmniej wydaje jej się, że tego właśnie chce. Staram się wszystko opóźniać, żeby miała jak najwięcej czasu do namysłu, ale jest bardzo... bardzo uparta. Znasz ją. Będę szczęściarzem, jeśli uda mi się to odwlec o następnych kilka miesięcy. Bella boi się obsesyjnie, że się starzeje, a we wrześniu ma urodziny...

– Mnie się tam podoba plan A – mruknął Jacob.

Edward nie odpowiedział.

– Wiesz doskonale, jak trudno mi to zaakceptować – dodał Jacob – ale widzę, że naprawdę ją kochasz... na swój sposób. Nie mogę już się upierać, że tak nie jest. Mimo to – ciągnął – uważam, że nie powinieneś rezygnować z planu A. Jeszcze na to za wcześnie. Myślę, że z dużym prawdopodobieństwem Bella by wydobrzała. Po pewnym czasie. Gdyby nie skoczyła wtedy w marcu z klifu... a ty, gdybyś odczekał jeszcze pół roku ze sprawdzeniem, co u niej... chyba zastałbyś ją całkiem zadowoloną z życia. Miałem wszystko zaplanowane.

Edward zaśmiał się.

– Rzeczywiście, miałeś. Kto wie, może by ci się udało.

– Tak – Jacob westchnął. – Wiesz co... – Nagle zaczął mówić tak szybko, że wręcz niewyraźnie. – Daj mi rok, tylko jeden rok. Zobaczysz, załatwię to tak, że będzie ze mną szczęśliwa. Jest uparta, to prawda, nikt nie wie tego lepiej ode mnie, ale dojdzie do siebie. Wtedy też doszłaby w końcu do siebie. Będzie mogła pozostać człowiekiem, będzie mogła spotykać się z Charliem i z Renée, dorosnąć, mieć dzieci... być Bellą. Kochasz ją dostatecznie mocno, żeby widzieć, ile zalet ma ten plan. Ma cię za bardzo nieegoistycznego – ale czy jesteś taki naprawdę? Czy potrafisz chociaż wyobrazić sobie, że życie ze mną mogłoby być dla niej lepszym rozwiązaniem niż życie z tobą?

– Już się nad tym zastanawiałem – odpowiedział Edward cicho. – Pod wieloma względami pasujesz do tej roli bardziej niż jakikolwiek inny człowiek. Bellę trzeba otoczyć opieką, a ty jesteś dość silny, żeby chronić ją zarówno przed nią samą, jak i przed tymi wszystkimi spiskami, które zagrażają jej życiu. Już ją ogromnie wsparłeś i jestem ci za to dozgonnie wdzięczny – a może raczej będę ci za to wdzięczny aż po kres wieczności. Pytałem nawet Alice, czy jest w stanie zobaczyć to w swoich wizjach – zobaczyć, czy Bella byłaby z tobą szczęśliwsza – ale, oczywiście, to niemożliwe: nie widzi wilkołaków, a zresztą Bella nie podjęła przecież odpowiedniej decyzji. Tak więc brałem to pod uwagę, ale nie jestem na tyle głupi, żeby drugi raz popełnić ten błąd. Nie będę wymuszał na Belli planu A. Tak długo, jak tego chce, zostanę przy jej boku.

– A jeśli postanowi związać się ze mną? Jestem już gotowy przyznać, że to pobożne życzenie, ale co, jeśli jednak...

– Pozwolę jej odejść.

– Ot tak?

– Jeśli chodzi ci o to, że nie dam po sobie poznać, jak bardzo to dla mnie bolesne, tak. Ale będę miał was na oku. Widzisz, Jacob, ty też możesz ją kiedyś zostawić, tak jak Sam zostawił Leę dla Emily. Nie będziesz miał wyboru. A ja zawsze będę czekał, nie tracąc nadziei, że ci się to przytrafi.

Jacob prychnął, ale się nie obraził.

– Kurczę, opowiedziałeś mi wszystko prawie jak na spowiedzi. Naprawdę wpuściłeś mnie do swojej głowy. Nie spodziewałem się tego po tobie. Dzięki... Edward.

– Jak już mówiłem, paradoksalnie, cieszę się, patrząc teraz na was, że jesteś obecny w jej życiu. Chociaż tyle mogłem dla niej zrobić, że się na to zgodziłem. Gdybyś nie był moim naturalnym wrogiem i nie próbował mi wykraść sensu mojego istnienia, mógłbym cię nawet polubić.

– Kto wie... Gdybyś nie był odrażającym wampirem, który zamierza wyssać życie z dziewczyny, którą kocham... Nie, chyba nawet to by nie pomogło.

Edward zachichotał.

– Czy mogę cię o coś spytać? – odezwał się po chwili.

– Ty? Od kiedy to jesteś zmuszony prosić o pozwolenie?

– Musisz o czymś pomyśleć, żebym się o tym dowiedział. Chodzi mi o taką jedną historię, której Bella z jakichś powodów nie chce mi opowiedzieć. Występuje w niej jakaś trzecia żona...

– No i co?

Edward nie odpowiedział, zasłuchawszy się w myśli swojego rozmówcy. W ciemnościach rozległ się cichy syk.

– No i? – powtórzył Jacob.

– Pięknie – warknął Edward. – Po prostu fantastycznie! Że też członkowie starszyzny nie mogli zachować tej legendy dla siebie!

– Co, nie podoba ci się, że pijawki są w niej czarnymi charakterami? – zadrwił Jacob. – Cóż, to nadal aktualne.

– Tym akurat zupełnie się nie przejąłem. Nie domyślasz się, z którą z postaci utożsamia się Bella?

Jacob zamyślił się.

– O, cholera. No tak. Trzecia żona. Teraz cię rozumiem.

– Bella chce być na polanie. Chce się „jakoś do tego przyczynić", jak to ujęła. – Westchnął. – To był drugi powód, dla którego dziś tu z nią zostałem. Potrafi być bardzo pomysłowa, kiedy jej na czymś zależy.

– Twój wojowniczy braciszek też nie jest tu bez winy.

– Ależ ja nikogo nie obwiniam. – Edward próbował załagodzić sprawę. – Żadna ze stron nie miała złych intencji.

– A to nasze tymczasowe przymierze kiedy dobiegnie końca? – spytał Jacob. – O świcie? Czy zaczekamy do końca bitwy?

Obaj się zamyślili.

– O świcie – zadecydowali jednocześnie i zaraz parsknęli śmiechem.

– No to dobranoc – powiedział Edward. – Ciesz się chwilą.

Na kilka minut zapadła cisza. Wicher postanowił nie zmienić jednak namiotu w naleśnik i powoli dawał za wygraną.

Edward cicho jęknął.

– To tylko taki zwrot. Nie traktuj tego tak dosłownie.

– Przepraszam – szepnął Jacob. – Ale wyjść byś mógł – zapewnić nam odrobinę prywatności.

– Jacob, czy mam pomóc ci zasnąć? – zaoferował Edward.

– Spróbować zawsze warto – mruknął mój przyjaciel, niezrażony. – Ciekawe, kto by wtedy wyszedł?

– Te, wilk, nie podjudzaj mnie. Moja cierpliwość kiedyś się skończy.

Jacob zdusił w sobie wybuch śmiechu.

– Wolałbym się teraz nie ruszać, jeśli nie masz nic przeciwko temu.

Edward zaczął nucić coś pod nosem, głośniej, niż to miał w zwyczaju – podejrzewałam, że stara się zagłuszyć myśli swojego rywala. Nucił moją kołysankę i chociaż po szeptanym śnie, za jaki brałam ich rozmowę, narósł we mnie niepokój, pod jej magicznym wpływem wpierw zanurzyłam się głębiej w nieświadomość, a potem porwał mnie nurt innych, mniej niejasnych snów…

23 *Potwór*

Kiedy się obudziłam, było już jasno, nawet we wnętrzu namiotu – tak jasno, że musiałam zmrużyć oczy. Tak jak obiecał mi to Jacob, pociłam się na całego. Chrapał tuż koło mojego ucha, nie rozluźniając jednak uścisku.

Oderwawszy głowę od jego rozpalonego torsu, poczułam na wilgotnym policzku ukłucie chłodu poranka. Jacob westchnął przez sen i odruchowo przytulił mnie mocniej.

Zaczęłam wyginać się na wszystkie strony, ale nic to nie dało. Z trudem uniosłam głowę na tyle, by móc cokolwiek zobaczyć.

Spojrzenia moje i Edwarda spotkały się. Wyglądał na opanowanego, ale ból w jego oczach był widoczny jak na dłoni.

– I jak, cieplej dziś na zewnątrz? – szepnęłam.

– Tak. Przenośny grzejnik nie będzie ci już potrzebny.

Spróbowałam dosięgnąć suwaka, ale nie mogłam wyswobodzić rąk. Naparłam na krępujące mnie kończyny z całej siły i nic. Jacob mruknął tylko coś niewyraźnie, po czym, nadal pogrążony w głębokim śnie, ścisnął mnie niczym boa dusiciel.

– Może byś mi tak pomógł? – zwróciłam się do Edwarda.

Uśmiechnął się.

– Mam odciągnąć od ciebie jego ręce?

– Nie trzeba. Po prostu mnie uwolnij, bo dostanę tutaj udaru z przegrzania.

Edward rozpiął zamek jednym raptownym ruchem. Jacob wypadł na ziemię, uderzając nagimi plecami o lodowatą podłogę namiotu.

– Hej! – jęknął, otwierając oczy. Instynktownie przesunął się na śpiwór, byle jak najdalej od zimna, zapominając w zaspaniu o mojej obecności. Pod jego ciężarem cały mój zapas powietrza opuścił mi płuca w jednym stęknięciu.

A potem nagle nic mnie już nie przygniatało, za to zatrząsł się namiot, bo Jacob wleciał w jeden z jego masztów.

Zewsząd dobiegło mnie groźne warczenie. Edward kucał przede mną, gotowy do skoku – nie widziałam jego twarzy, ale od tego, co wychodziło z jego gardła, włos jeżył się na głowie. Jacob przybrał podobną pozycję, a jego ciałem wstrząsały gwałtowne dreszcze. Na zewnątrz odbijały się od skał porykiwania wzburzonego Setha.

– Przestańcie, ale to już! – wrzasnęłam, pospiesznie przeczołgując się na środek namiotu, żeby znaleźć się pomiędzy nimi.

Miejsca było tak mało, że nie musiałam nawet prostować rąk, żeby obu przyłożyć dłoń do piersi.

Edward objął mnie w talii, chcąc wynieść mnie na zewnątrz.

– Ani mi się waż – ostrzegłam go.

Czując mój dotyk, Jacob zaczął się uspokajać. Dygotanie ustępowało, ale nadal obnażał zęby i świdrował Edwarda rozwścieczonym spojrzeniem. Seth nie przestawał warczeć – nie przerywał ani na moment, co było tym bardziej przerażające, że w namiocie zapadła nagle cisza.

Zaczekałam, aż Jacob wreszcie na mnie zerknął.

– Nic ci nie jest? – spytałam.

– Jasne, że nie! – syknął.

Przeniosłam wzrok na Edwarda. Wciąż rozogniony, śmiało patrzył mi prosto w oczy.

– Co to miało być? Powinieneś go przeprosić.

Zdegustowany, zmarszczył nos.

– Chyba żartujesz – o mało nie połamał ci żeber!

– Bo zrzuciłeś go na podłogę! Nie zrobił tego celowo i nic mi się nie stało.

Edward żachnął się, ale pokonując wewnętrzny opór, spojrzał na Jacoba. Obaj wciąż nie byli do siebie pokojowo nastawieni.

– Przepraszam.

– Przeprosiny przyjęte – odparł Jacob nieco szyderczym tonem.

Było zimno, ale już nie tak bardzo, jak w nocy. Wsadziłam sobie dłonie pod pachy.

– Masz.

Edward podniósł z ziemi kurtkę i otulił nią tę, którą miałam już na sobie.

– To Jacoba – zaoponowałam.

– Jacob ma futro.

– Jeśli nie masz nic przeciwko temu, Bella, wrócę do śpiwora. – Jacob wyminął nas i wsunął się do mumii. – Zamierzałem jeszcze trochę pospać. W nocy nie za bardzo miałem kiedy.

– Sam się w to wpakowałeś – przypomniał mu Edward.

Jacob zwinął się w kłębek, zamknął oczy i ziewnął.

– Nie mówię, że to nie była najlepsza noc w moim życiu, tylko że się nie wyspałem. Myślałem już, że Bella nigdy nie przestanie, tyle nadawała.

Skrzywiłam się, zachodząc w głowę, co też mogłam wygadywać przez sen. Na samą myśl o niektórych możliwościach przechodziły mnie ciarki.

– Cieszę się, że ci się podobało – oświadczył Edward.

Jacob otworzył oczy.

– A tobie nie? – spytał ze złośliwym uśmieszkiem.

– Najgorsza noc mojego życia to nie była, jeśli na to liczyłeś.

– Ale z pierwszej dziesiątki już tak, co?

W zadowoleniu mojego przyjaciela było coś perwersyjnego.

– Być może.

Usatysfakcjonowany, Jacob przymknął powieki.

– Jednakże – ciągnął Edward – gdybym mógł zamienić się wczoraj z tobą miejscami, nie byłaby to, bynajmniej, jedna z dziesięciu najlepszych nocy w moim życiu.

Jacob spojrzał na niego spode łba, po czym usiadł sztywno, napinając mięśnie.

– Wiesz co, ten namiot jest chyba za mały dla naszej trójki.

– Zgadzam się w całej rozciągłości.

Dałam Edwardowi sójkę w bok – pewnie dostanę od tego siniaka.

– Trudno, wyśpię się kiedy indziej – mruknął Jacob. – I tak muszę porozmawiać z Samem.

Przeniósłszy ciężar ciała na kolana, sięgnął do suwaka wokół wejścia.

Uświadomiłam sobie, że być może widzę go po raz ostatni, i ból skręcił mi żołądek. Jacob wracał nie tylko do Sama, ale i na miejsce starcia z hordą nowo narodzonych.

– Jake, czekaj...

Moja dłoń ześlizgnęła się po jego ramieniu. Strzepnął ją, zanim zdołałam je schwycić.

– Proszę, Jake, zostań.

– Nie.

Aż mnie zmroziło od tego krótkiego słowa. Wiedziałam, że rysy mojej twarzy zdradzają targające mną emocje, bo chłopak odetchnął głęboko i posłał mi blady uśmiech.

– Nie martw się o mnie, Bells. Nic mi nie będzie, jak zwykle. – Zaśmiał się głośno w wymuszony sposób. – Co, myślisz, że pozwolę się zastąpić Sethowi, kiedy czeka nas taka jazda? Żeby zebrał za mnie laury? Akurat.

– Uważaj...

Wygramolił się na zewnątrz, zanim zdążyłam dokończyć.

– Przesadzasz – usłyszałam zza zapinanej płachty.

Nadstawiłam uszu, żeby wyłapać odgłos jego cichnących kroków, ale nic nie przerwało ciszy – wiatr zniknął bez śladu, tylko gdzieś daleko w górze śpiewały witające nowy dzień ptaki.

Skuliwszy się w swoich kurtkach, oparłam się o Edwarda. Przez dłuższy czas żadne z nas nie zabrało głosu.

– Jak długo jeszcze? – spytałam.

– Alice powiedziała Samowi, że jeszcze jakaś godzina.

– Trzymamy się razem. Choćby nie wiem co.

– Choćby nie wiem co – powtórzył ze ściśniętym gardłem.

– Ja też się o nich strasznie boję.

– Wiedzą, jak o siebie zadbać – pocieszył mnie, starając się lepiej panować nad brzmieniem swojego głosu. – Zły jestem tylko, że omija mnie cała zabawa.

Zabawa. Jazda. Zjeżyłam się.

Objął mnie ramieniem.

– Nic się nie martw – polecił mi, a potem pocałował mnie w czoło.

Jakby było to możliwe!

– Jasne – burknęłam. – Już się robi.

– Chcesz, to odwrócę twoją uwagę od tego, co tam się będzie działo.

Przesunął zimnym opuszkiem palca po moim policzku. Zadrżałam odruchowo – poranek był, mimo wszystko, dość chłodny.

– Może jeszcze nie teraz – odpowiedział sam sobie, cofając rękę. – Są inne sposoby na odwrócenie mojej uwagi.

– Jakieś propozycje?

– Mógłbyś mi na przykład opowiedzieć o dziesięciu najlepszych nocach w swoim życiu. Jestem ich bardzo ciekawa.

Parsknął śmiechem.

– Spróbuj sama zgadnąć.

Pokręciłam głową.

– O zbyt wielu nic mi nie wiadomo. Zanim się spotkaliśmy, żyłeś sto lat.

– No to uściślę, że wszystkie wydarzyły się po tym, jak cię spotkałem.

– Naprawdę?

– Naprawdę. Te, które wcześniej uważałem za najlepsze, nie mogły się im równać.

Zamyśliłam się na chwilę.

– Do głowy przychodzą mi tylko moje własne.

– Może to te same – zachęcił mnie.

– No to, oczywiście, ta pierwsza. Pierwszy raz, kiedy byłeś przy mnie, gdy spałam.

– Tak, ta też jest na mojej liście. Tyle że ty, oczywiście, byłaś nieprzytomna.

– Racja. I mówiłam przez sen.

– Mówiłaś – potwierdził.

Zarumieniłam się, bo znowu zaczęłam się zastanawiać, co mogłam powiedzieć, śpiąc wtulona w Jacoba. Nie potrafiłam sobie przypomnieć, co mi się śniło ani czy w ogóle coś mi śniło, więc nie miałam jak tego wydedukować.

– Co wygadywałam przez sen dzisiaj w nocy? – wyszeptałam nieśmiało.

Wzruszył tylko ramionami. Skrzywiłam się.

– Aż tak było źle?

– Nie, nie.

Westchnął.

– Powiedz mi, proszę.

– Głównie powtarzałaś moje imię, jak ci się to często zdarza.

– No to ujdzie – przyznałam, mając się jednak na baczności.

– Ale pod koniec zaczęłaś mamrotać coś w rodzaju „Och, Jacob. Gdzie jest mój Jacob". – Edward mówił szeptem, ale i tak słyszałam w jego głosie ból. – Cóż, twój Jacob był wniebowzięty.

Wyciągnęłam szyję, żeby móc pocałować go w krawędź szczęki. Nie byłam w stanie spojrzeć mu w oczy, bo wpatrywał się w sufit namiotu.

– Wybacz – powiedziałam. – Tak ich sobie rozróżniam.

– Kogo rozróżniasz?

– Doktora Jekylla i pana Hyde'a – wyjaśniłam. – Jest dwóch Jacobów: „mój" Jacob, ten, którego lubię, i ten drugi, który doprowadza mnie do szału.

– No tak. – Chyba podniosłam go nieco na duchu. – A jaka jest twoja druga najlepsza noc? – wrócił do tematu.

– Powrót do domu z Włoch.

Edward ściągnął brwi.

– Nie jest na twojej liście? – zdziwiłam się.

– Nie, nie, owszem, ale zaskoczyło mnie to, że i ty ją wybrałaś. O ile dobrze pamiętam, byłaś przekonana, że kierują mną wyłącznie wyrzuty sumienia i dam drapaka, gdy tylko samolot wyląduje.

– Zgadza się. – Uśmiechnęłam się. – Ale przynajmniej byłeś przy mnie.

Pocałował moją głowę.

– Kochasz mnie bardziej, niż na to zasługuję.

Rozbawił mnie tym bzdurnym stwierdzeniem.

– A trzecia byłaby pierwsza noc po powrocie z Włoch – kontynuowałam.

– Tak, moja też. Byłaś taka zabawna.

– Zabawna? – obruszyłam się.

– Nie miałem pojęcia, że miewasz takie realistyczne sny. Musiałem cię przekonywać całą wieczność, żebyś uwierzyła mi, że nie śpisz.

– Do dzisiaj nie jestem tego taka pewna – przyznałam. – Zawsze wydawałeś mi się zbyt idealny, żeby być prawdziwy. Teraz twoja kolej. Zgadłam twoje pierwsze miejsce?

– Nie, na pierwszym jest przedwczorajsza, kiedy zgodziłaś się wreszcie za mnie wyjść.

Na mojej twarzy pojawił się grymas.

– Co, sama nie brałaś jej pod uwagę?

Pomyślałam o tym, jak mnie wtedy całował i co osiągnęłam – zmieniłam więc zdanie.

– No, niech będzie. Ale z licznymi zastrzeżeniami. Nie rozumiem, dlaczego to moje przyrzeczenie jest dla ciebie takie ważne. Przecież i tak nigdy cię nie opuszczę.

– Wytłumaczę ci za sto lat, kiedy będziesz w stanie spojrzeć na to z innej perspektywy i należycie docenić moją odpowiedź.

– No to się przypomnę – za sto lat, tak?

– Ciepło ci? – zapytał znienacka.

– Jest okej – zapewniłam go. – A bo co?

Zanim zdążył mi odpowiedzieć, panującą wokół ciszę rozdarło ogłuszające wycie. Zwierzęcy jęk bólu odbił się rykoszetem od nagich skał wzniesienia, przez co, zwielokrotniony, doszedł nas ze wszystkich stron. Przez mój umysł przetoczył się jak tornado. Był niesamowity i zarazem znajomy: niesamowity, bo nigdy wcześniej nie słyszałam tak rozpaczającej żywej istoty, znajomy, ponieważ od razu ją rozpoznałam – nie tylko rozpoznałam, ale i zrozumiałam doskonale, co w tej chwili przeżywała. To, że Jacob nie był człowiekiem, kiedy zawył, nie miało żadnego znaczenia. Żaden tłumacz nie był mi potrzebny.

Jacob był w pobliżu. Słyszał każde słowo z naszej rozmowy. I teraz niewyobrażalnie cierpiał.

Ryk przeszedł w coś, co można było określić na wyrost jako stłumione łkanie, a potem mój przyjaciel zamilkł.

Nie słyszałam, żeby uciekł, ale to wyczułam – puste miejsce, jakie po sobie pozostawił – nieobecność, którą wcześniej błędnie wzięłam za pewnik.

– Ponieważ twój przenośny grzejnik doszedł do wniosku, że więcej nie wytrzyma – odpowiedział mi z opóźnieniem Edward. – I po naszym przymierzu – dodał tak cicho, że nie byłam pewna, czy naprawdę powiedział właśnie to.

– Jacob nas słuchał – szepnęłam. Nie było to pytanie.

– Tak.

– I wiedziałeś o tym.

– Tak.

Wpatrywałam się w ścianę namiotu niewidzącymi oczami.

– Nigdy nie obiecywałem, że będę walczył o ciebie fair – przypomniał mi. – Zasłużył sobie na to, żeby wiedzieć.

Ukryłam twarz w dłoniach.

– Zła jesteś na mnie? – spytał.

– Na ciebie nie. To swoim zachowaniem jestem przerażona.

– Nie zadręczaj się – poprosił.

– Tak – powiedziałam z sarkazmem. – Powinnam oszczędzać siły, żeby móc mu jeszcze jakoś dołożyć. Niech się zupełnie załamie.

– Wiedział, co robi.

– A co to ma do rzeczy? – Mruganiem powstrzymywałam falę łez i było to doskonale słychać w moim głosie. – Myślisz, że obchodzi mnie to, czy jest w tym jakaś sprawiedliwość albo czy dostatecznie dużo razy go ostrzegliśmy? Ja mu sprawiam ból. Starczy, że otworzę usta i bach, znowu go ranię. – Mówiłam coraz głośniej, coraz bardziej histerycznie. – Jestem okropna.

Przytulił mnie do siebie.

– Wcale nie.

– Jestem, jestem! Co jest ze mną nie tak? – Usiłowałam się wyrwać z jego objęć, więc mnie puścił. – Muszę go znaleźć.

– Bello, on już jest z dziesięć kilometrów stąd i jest zimno.

– Wszystko jedno. Nie mogę tego tak po prostu odpuścić. – Zrzuciłam z ramion kurtkę od Jacoba, wsunęłam stopy w buty i podczołgałam się niezdarnie do wyjścia – miałam zdrętwiałe nogi. – Muszę... muszę...

Nie wiedziałam, jak skończyć to zdanie, nie wiedziałam, co mogłam na to wszystko poradzić, ale i tak rozpięłam płachtę i wygramoliłam się w chłód poranka.

Było mniej śniegu, niż się tego spodziewałam po tak dającej się we znaki burzy. Najprawdopodobniej raczej poleciał dalej z wichrem, niż stopniał w słońcu, które wisiało nisko nad horyzontem na południowy wschód od nas, odbijając się od resztek puchu i rażąc mnie. Powietrze nadal szczypało zimnem, lecz było spokojnie, a pogoda polepszała się z minuty na minutę.

Seth Clearwater leżał zwinięty w kłębek na kupce suchych igieł, w cieniu okazałego świerka z łbem opartym o łapy. Chociaż piaskowa sierść wilka zlewała się z podłożem, tak że był niemal niewidoczny, jego ślepia dostrzegłam od razu, bo odbijał się w nich połyskliwie śnieg. Patrzył na mnie z wyrzutem, a przynajmniej tak mi się wydawało.

Ruszyłam w kierunku drzew. Wiedziałam, że Edward mnie śledzi – nie słyszałam jego kroków, ale tańczyły przede mną migotliwe tęcze, na które rozszczepiały się promienie słoneczne po zetknięciu się z jego skórą. Zatrzymał mnie dopiero wtedy, kiedy na kilkanaście metrów zagłębiłam się w pogrążonym w półmroku lesie.

Złapał mnie za lewy nadgarstek. Próbowałam go wyszarpnąć, ale tym razem Edward trzymał mocno.

– Nie możesz za nim pójść, nie dzisiaj – zaraz zacznie się bitwa. Zresztą nikomu byś nie pomogła, gdybyś się zgubiła.

Wykręcałam rękę, mimo że nie miało to sensu.

– Przepraszam, Bello – szepnął. – Przepraszam za to, co zrobiłem.

– Nic nie zrobiłeś. To moja wina. To ja wszystko schrzaniłam. Mogłam... Kiedy Jacob... Nie powinnam...

Rozszlochałam się bezsilnie.

– Bello... Bello...

Przyciągnął mnie do siebie. Moje łzy wsiąkały mu w koszulę.

– Powinnam była... powiedzieć mu... powinnam była... powiedzieć...

Co? Jakimi słowami bym to naprawiła?

– To straszne, że... że właśnie tak się o tym dowiedział...

– Czy mam spróbować go zawrócić, żebyście mogli porozmawiać? Jest jeszcze trochę czasu.

Edward starał się to ukryć, ale cierpiał razem ze mną.

Skinęłam głową, nie śmiejąc spojrzeć mu w oczy.

– Zostań przy namiocie. Zaraz wracam.

Jego ramiona znikły. Oddalił się tak szybko, że kiedy po sekundzie podniosłam wzrok, okazało się, że jestem sama.

Znowu się rozpłakałam. Raniłam dziś wszystkich dookoła. Czy potrafiłam jeszcze się czegoś tknąć, tak by tego nie zepsuć?

Nie umiałam odpowiedzieć na pytanie, dlaczego tak mną to poruszyło. Przecież wiedziałam, że prędzej czy później do tego dojdzie. Tyle że Jacob nigdy dotąd tak silnie nie zareagował – nigdy dotąd nie stracił do reszty pewności siebie i nie okazał, jak wielki jest jego ból. Wspomnienie jego rozpaczliwego wycia było we mnie nadal żywe, wrzynało się głęboko w moje serce. Nie tylko ono je rozdzierało. Raniło mnie bardzo, że cierpiał przeze mnie Jacob, ale bolało też to, że cierpiał Edward. I że nie było mi dane odesłać Jacoba na pole bitwy z uśmiechem na twarzy i świadomością, że wybrał właściwą drogę, jedyną z możliwych.

Byłam samolubnym potworem – torturowałam psychicznie najbliższych.

Przypominałam Cathy, bohaterkę *Wichrowych wzgórz*, z tym że znajdowałam się w o niebo lepszej sytuacji, bo żaden z moich dwóch mężczyzn nie był ani niegodziwcem, ani safandułą. Siedziałam, zalewając się łzami i nie robiąc nic produktywnego, żeby zaradzić swoim problemom. Cała Cathy.

Nie mogłam sobie dłużej pozwalać na to, żeby to, co raniło mnie samą, miało wpływ na podejmowane przeze mnie decyzje.

Było na to odrobinę za późno, nawet o wiele za późno, ale musiałam wreszcie zacząć postępować przyzwoicie. Być może samo już tak wyszło. Być może Edwardowi miało nie udać się ściągnąć Jacoba. Byłam gotowa się z tym pogodzić. Edward nie zobaczy już ani jednej łzy wylanej za Jacoba Blacka. W ogóle żadnych łez. Wytarłam ostatnią zimnymi palcami.

Jeśli jednak Edward miał wrócić z Jacobem, musiałam być twarda. Musiałam powiedzieć Jacobowi, żeby sobie poszedł precz.

Dlaczego było to dla mnie takie trudne? O tyle trudniejsze od pożegnania się z innymi moimi znajomymi, z Angelą, z Mikiem? Dlaczego to bolało? Coś mi się tu nie zgadzało. Nie powinno mnie to boleć. Miałam, czego chciałam. Obu ich mieć nie mogłam, bo Jacob nie umiał być tylko moim przyjacielem. Nadszedł czas, żeby przestać na to liczyć. Czy można być aż tak idiotycznie zachłannym?

Musiałam pozbyć się tego irracjonalnego poczucia, że moja przyjaźń z Jacobem stanowiła nierozerwalną część mojego życia. Jacob nie mógł być „moim" Jacobem, nie mógł do mnie „należeć", skoro ja należałam do kogoś innego.

Wróciłam pod namiot przygnębiona, powłócząc nogami. Wyszedłszy na otwartą przestrzeń, mrugając w słońcu, zerknęłam na Setha – nie ruszył się ze swojej kupki igieł – a potem odwróciłam wzrok, unikając jego spojrzenia.

Uzmysłowiłam sobie, że mam niewiarygodnie potargane włosy, poskręcane w węże, jak te na głowie Meduzy. Zabrałam się do doprowadzania swojej fryzury do porządku palcami, ale szybko się poddałam – kogo w takiej chwili obchodził mój wygląd?

Sięgnęłam po menażkę zwisającą przy wejściu do namiotu, po czym nią potrząsnęłam. W środku zachlupotał płyn, więc odkręciłam zakrętkę i pociągnęłam łyk, żeby zwilżyć wargi lodowatą wodą. Edward przyniósł z sobą prowiant, ale nie byłam na tyle głodna, żeby chciało mi się go szukać. Zaczęłam przechadzać się nerwowo w tę i z powrotem, czując, że Seth bezustannie mi się przygląda. Ponieważ na niego nie spoglądałam, w mojej głowie stał się na powrót chłopcem, a nie gigantycznym wilkiem. Był taki podobny do młodszego Jacoba.

Miałam ochotę poprosić go, żeby szczeknięciem lub w jakiś inny sposób przekazał mi, czy Jacob jeszcze wróci, ale się powstrzymałam. To nie miało znaczenia. Łatwiej byłoby mi, gdyby Edward jednak go nie dogonił. Żałowałam, że nie mogę go jakoś zawrócić.

Nagle Seth zapiszczał i wstał.

– Co jest? – spytałam głupio.

Zignorował mnie. Podreptał ku linii drzew, zadarł nos na zachód i wydał z siebie kilka dalszych pisków.

– Chodzi ci o pozostałych? Tam, na polanie?

Spojrzał na mnie, znowu pisnął i zaraz z powrotem obrócił się w stronę zachodu. Żalił się nie wiadomo na co z uszami położonymi po sobie.

Zachowałam się jak idiotka. Po jakiego licha kazałam Edwardowi sprowadzić Jacoba? Skąd miałam teraz wiedzieć, co jest grane? Nie mówiłam po wilczemu.

Wzdłuż kręgosłupa ściekła mi chłodna strużka potu. Co, jeśli już się zaczęło? Jeśli Jacob i Edward dotarli prawie do polany? Jeśli Edward zdecydował się jednak dołączyć do walczących?

Strach ścisnął mi gardło. A może Seth zaniepokoił się z zupełnie innych powodów? Może pisnął przecząco? Co, jeśli w tej chwili, gdzieś w głębi lasu, Edward i Jacob nie rozmawiali z sobą, ale z sobą walczyli? Nie, chyba nie byliby do tego zdolni, prawda?

Przeszedł mnie zimny dreszcz, bo zdałam sobie sprawę, że to jak najbardziej możliwe – wystarczyło, że jeden z nich źle dobrał słowa. Przypomniało mi się, co wydarzyło się rano w namiocie, i pomyślałam, że chyba przeceniałam ich opanowanie.

Nie byłoby przesadą stwierdzenie, że zasłużyłam sobie na to, gdybym miała stracić ich obu.

Wokół mojego serca stężała warstwa lodu.

Być może zemdlałabym z przerażenia, ale w tym samym momencie z piersi Setha dobył się cichy pomruk, a potem wilk rozluźnił się i powrócił niespiesznie na swoje posłanie pod świerkiem. Uspokoiło mnie to i jednocześnie poirytowało. Nie mógł napisać dla mnie łapą w piachu „OK” czy czegoś w tym rodzaju?

Od bezsensownego krążenia zrobiło mi się gorąco, zdjęłam więc kurtkę i wrzuciłam ją do namiotu. Nie mogąc się opanować, znowu zaczęłam wydeptywać na środku polanki krótką ścieżkę.

Drgnęłam, bo Seth po raz drugi znienacka się poderwał. Sierść na karku stanęła mu dęba. Rozejrzałam się, ale niczego nie zauważyłam. Przyrzekłam sobie, że następnym razem rzucę w niego szyszką.

Warknął ostrzegawczo i podszedł do zachodniego skraju obozowiska. Pomyślałam, że nie powinnam jednak być taka niecierpliwa.

– To tylko my! – doszło nas z daleka wołanie Jacoba.

Próbowałam sobie wyjaśnić, czemu na dźwięk jego głosu moje serce wrzuciło czwarty bieg – to z lęku przed tym, na co musiałam się teraz zebrać, ot i wszystko. Nie mogłam sobie pozwolić na odczuwanie ulgi. Tylko by mi to przeszkadzało w wykonaniu zadania.

Edward wyłonił się zza drzew pierwszy, z nieokreślonym wyrazem twarzy. Kiedy wyszedł z cienia, jego skóra zaiskrzyła w słońcu tak samo śnieg. Seth pomaszerował się z nim przywitać, patrząc na niego pytająco. Mój ukochany pokiwał głową i zmartwiony zmarszczył czoło.

– Tak, jeszcze tylko tego nam potrzeba – mruknął do siebie, zanim zwrócił się do basiora. – Chyba nie powinniśmy być zaskoczeni. Ale najprawdopodobniej to się zbiegnie w czasie z bitwą. Przekaż Samowi, żeby poprosił Alice o dokładniejsze określenie, o której to będzie miało miejsce.

Seth pochylił łeb ku ziemi, żeby zaraz go szybko podnieść. Najchętniej bym po wilczemu warknęła – no tak, teraz to już umiał się normalnie komunikować! Podenerwowana, odwróciłam głowę i aż podskoczyłam, bo okazało się, że doszedł do nas Jacob.

Stał do mnie plecami, bo obserwował drogę, którą przyszedł. Czując się coraz bardziej spięta, zaczekałam, aż się odwróci.

– Bella...

Edward znalazł się nagle koło mnie. Wpatrywał się we mnie z widoczną troską – jego hojność i wyrozumiałość nie znały granic. Nigdy tak bardzo na niego nie zasługiwałam.

– Pojawiły się pewne komplikacje – powiedział, kontrolując swój ton. – Wezmę teraz Setha na bok i spróbuję wszystko wyprostować. Nie odejdę daleko, ale nie będę też podsłuchiwał. Wiem, że nie chcesz publiczności, niezależnie od tego, co postanowisz.

Tylko pod sam koniec w jego głosie dało się słyszeć ból.

Nie mogłam go już nigdy zranić – taka miała być moja życiowa misja. Nigdy więcej nie miałam przyczynić się do tego, żeby patrzył na mnie w ten sposób.

Byłam zbyt przybita, żeby spytać, co to za nowe komplikacje. Dość już miałam na głowie.

– Wracaj szybko – wyszeptałam.

Pocałował mnie delikatnie w usta, po czym zniknął w lesie z Sethem u boku.

Jacob stał wciąż w cieniu drzew, przez co nie potrafiłam ocenić wyrazu jego twarzy.

– Bella, spieszę się – powiedział bezbarwnie. – No, mów, co masz mi do powiedzenia.

Przełknęłam ślinę, bo zaschło mi nagle w gardle i nie byłam pewna, czy wydobędę z niego jakikolwiek dźwięk.

– Miejmy to już z głowy – popędził mnie.

Wzięłam głęboki wdech.

– Przepraszam, że jestem taka okropna – szepnęłam. – Przepraszam, że byłam taka samolubna. Najlepiej byłoby, gdybyśmy nigdy się nie poznali, bo wtedy nikt by cię tyle razy nie zranił. Ale z tym już koniec, obiecuję. Będę się trzymać od ciebie z daleka. Wyprowadzę się do innego stanu. Nie będziesz mnie już musiał więcej oglądać.

– To nie za bardzo przeprosiny – stwierdził gorzko.

Nie udawało mi się mówić ani odrobinę głośniej.

– To doradź mi, jak to zrobić, jak należy.

– A co, jeśli nie chcę, żebyś wyjechała? Co, jeśli wolałbym, żebyś została, choćby i samolubna? Czy nie mam nic do powiedzenia, skoro o moje dobro tu chodzi?

– Tak nie można, Jacob. Źle postąpiłam, że nie pożegnałam się z tobą grzecznie, gdy tylko dowiedziałam się, że przyjaźń ci nie wystarcza. To będzie droga przez mękę. W kółko będę ci sprawiać ból. Nie chcę już cię więcej ranić. Nienawidzę siebie za to.

Mój głos zadrżał i przeszedł w dyszkant. Jacob westchnął.

– Nie musisz mówić nic więcej. Rozumiem.

Chciałam mu powiedzieć, jak bardzo będę za nim tęsknić, ale ugryzłam się w język. Tylko pogorszyłabym sprawę.

Zapadła cisza. Jacob stał ze wzrokiem wlepionym w ziemię i musiałam się powstrzymywać, żeby go nie objąć i nie zacząć pocieszać.

Spojrzał na mnie.

– Nie tylko ty jesteś zdolna do poświęcenia – oświadczył z uczuciem. – Ja też mogę włączyć się do tej gry.

– Co takiego?

– Sam zachowywałem się nieraz po chamsku. Komplikowałem, zamiast ułatwiać. Mogłem odejść z honorem już na samym początku, a tak też cię raniłem.

– Ale z mojej winy.

– Bella, nie pozwolę ci wziąć wszystkiego na siebie – ani całej winy, ani całej chwały. Wiem, jak odkupić swoje grzechy.

– Odkupić swoje grzechy?

Dziwny błysk w jego oczach zaniepokoił mnie nie na żarty.

Jacob zerknął na słońce, a potem posłał mi pogodny uśmiech.

– Szykuje się niezła bitwa. Nie sądzę, żebym miał kłopot z opuszczeniem tej bajki.

Jego słowa zatopiły się w mój mózg, jedno po drugim, zapierając mi dech w piersiach. Pomimo że planowałam usunąć Jacoba z mojego życia, nie brałam pod uwagę, że może potraktować moją propozycję aż tak dosłownie.

– O Boże, Jake – wykrztusiłam. Zaczęły mi się trząść kolana. – Chyba nie mówisz poważnie. Nie rób tego, opamiętaj się, błagam.

– A co za różnica? Tak będzie dla wszystkich najwygodniej. Nie będziesz się musiała wyprowadzać…

– Przestań! – krzyknęłam. – Nie, nie możesz…

– A jak mnie powstrzymasz? – zadrwił, uśmiechając się, żeby złagodzić swój ton.

Gdybym była w stanie się ruszyć, padłabym przed nim na kolana.

– Jacob, błagam, zostań.

– Daj spokój z tym swoim „zostań". Najpierw ominie mnie cała zabawa, a jak tylko dojdziesz do wniosku, że jestem już bezpieczny, to zaraz się zmyjesz ze swoją pijawką. Mam zostać? Chyba żartujesz.

– Nie zmyję się. Zmieniłam zdanie. Coś razem wymyślimy. Osiągniemy kompromis. Nie idź tam, proszę!

– Kłamiesz.

– Nie kłamię. Wiesz, że jestem w tym beznadziejna. Popatrz mi prosto w oczy. Jeśli zostaniesz, to ja też zostanę.

Twarz mu stężała.

– I będę mógł być świadkiem na waszym ślubie?

Na moment zaniemówiłam, a kiedy odzyskałam władzę nad językiem, potrafiłam udzielić mu tylko jednej odpowiedzi:

– Proszę.

– Tak myślałem.

Jego rysy się wygładziły, tylko w oczach płonął wciąż ogień.

– Kocham cię – powiedział cicho.

– Ja też cię kocham.

Uśmiechnął się.

– Wiem o tym lepiej od ciebie.

Odwrócił się, żeby odejść.

– Zaczekaj – zawołałam za nim zduszonym głosem. – Spełnię każde twoje życzenie. Tylko tego nie rób.

Zatrzymał się i powoli zwrócił do mnie przodem.

– Nie wierzę, że każde.

– Zostań – jęknęłam.

Pokręcił głową.

– Nie. Idę. – Zamyślił się, jakby podejmował jakąś decyzję. – Ale mogę zostawić to losowi.

– Co zostawić?

– Nie muszę się celowo narażać na niebezpieczeństwo – mogę po prostu dać z siebie wszystko i zobaczyć, co się stanie. – Wzruszył ramionami. – Jeśli przekonałabyś mnie, że naprawdę chcesz, żebym wrócił...

– Jak mam to zrobić?

– Mogłabyś mnie poprosić.

– Wróć – wyszeptałam. Jak mógł wątpić w to, że mówiłam serio?

Pokręcił głową, znowu się uśmiechając.

– Nie to miałem na myśli.

Potrzebowałam sekundy, żeby skojarzyć, o co mu chodzi. Czekał, przyglądając się mi z wyższością, tak pewny był mojej reakcji. Gdy tylko go zrozumiałam, spełniłam jego prośbę, nie zastanawiając się nawet nad konsekwencjami swojego czynu.

– Pocałuj mnie, proszę.

Zaskoczony, otworzył szerzej oczy, ale zaraz ściągnął podejrzliwie brwi.

– Nabijasz się ze mnie.

– Pocałuj mnie. Pocałuj mnie na pożegnanie, idź i wróć.

Zawahał się. Walczył teraz sam ze sobą. Wykręcił tułów, żeby zerknąć sobie przez ramię na zachód, nie odrywając przy tym stóp od podłoża, a potem, rozluźniwszy szyję, ale wciąż na mnie nie patrząc, zrobił niepewnie krok w moim kierunku – jeden, drugi... Spojrzał na mnie. W jego oczach było widać, że targają nim wątpliwości.

Nie zdawałam sobie sprawy, jaką sama miałam minę.

Przeniósł ciężar ciała z pięt na palce i ruszył do przodu. Żeby pokonać dzielące nas metry, wystarczyły mu trzy susy.

Wiedziałam, że wykorzysta tę okazję do maksimum – niczego innego się nie spodziewałam. Zwiesiłam luźno ręce, zamknęłam oczy, zwinęłam palce w pięści i znieruchomiałam.

Ujął moją twarz w obie dłonie, a jego usta odszukały moje z żarliwością, której niedaleko było do brutalności. Wyczułam, że rozgniewał się, kiedy natrafił na mój bierny opór. Jedną dłoń przesunął mi na kark i wplótłszy palce w moje włosy, zacisnął je tuż przy skórze, a drugą schwycił mnie mocno za ramię, aż na moment straciłam równowagę. Przyciągnął mnie do siebie. Dłoń z ramienia przesunęła się ku nadgarstkowi i szarpnięciem zmusiła mnie, żebym objęła go za szyję. Cały ten czas zapamiętale mnie całował, usiłując wykrzesać ze mnie choć odrobinę entuzjazmu. Nie byłam przyzwyczajona do tak miękkich i ciepłych warg.

Zyskawszy pewność, że się nie odsunę, puścił mój nadgarstek i uwolnioną ręką zawędrował w okolice mojej talii, gdzie rozogniona dłoń odnalazła w plecach zagłębienie na linii bioder. Pchnięta do przodu, wygięłam się w łuk, po czym przywarłam do Jacoba całym ciałem.

Jego usta oderwały się od moich, ale wiedziałam, że do końca jeszcze daleko. Wpierw przeniósł się na skraj mojego policzka, a potem podążył w dół szyi. Wyplątane z włosów palce sięgnęły po mój drugi nadgarstek, żebym przytuliła go obiema rękami.

Kiedy trzymał mnie już oburącz w pasie, jego wargi znalazły się koło mojej skroni.

– Za dużo myślisz – szepnął ochryple. – Stać cię na więcej.

Zadrżałam, bo musnął zębami płatek mojego ucha.

– Tak lepiej – zamruczał. – Daj się nareszcie ponieść emocjom.

Odruchowo pokręciłam głową, ale zatrzymał mnie, chwyciwszy mnie znowu za włosy. Ton głosu zmienił na zjadliwy:

– Jesteś pewna, że chcesz, żebym wrócił? A może tak naprawdę wolałabyś, żebym zginął?

Gniew rozlał się po mnie z taką siłą, jakbym dopiero co dostała w twarz. Tego było za wiele – nie przestrzegał żadnych zasad.

Koniec dobroci dla zwierząt! Ignorując ból przeszywający moją prawą dłoń, złapałam obiema rękoma tyle kruczoczarnych włosów, ile tylko mieściło mi się w garściach, i spróbowałam go od siebie odciągnąć.

Tyle że mylnie to zinterpretował.

Był zbyt wytrzymały, żeby zorientować się, że chcę sprawić mu ból i tym samym powstrzymać. Moje rozeźlenie wziął za objaw namiętności. Pomyślał, że oto w końcu odpowiadam na jego pieszczoty.

Dysząc ciężko, wpił się znowu w moje wargi, a palce zacisnął mi jeszcze mocniej w talii.

Jeśli mój wcześniejszy przypływ gniewu rozluźnił i tak już słaby chwyt, którym czepiałam się samokontroli, to niespodziewany odzew Jacoba na moje domniemane podniecenie wytrącił mi ją z rąk. Gdybym wyczuła jedynie, że triumfuję, być może mogłabym mu się oprzeć, ale bezbronność kryjąca się za tym wybuchem niekłamanej radości zupełnie przygasiła moją determinację. Mózg odłączył mi się od ciała i ani się obejrzałam, całowałam Jacoba z taką samą gorliwością, jak on mnie. Wbrew wszystkiemu moje wargi złapały ten sam rytm, by wypróbowywać nieznane sobie ewolucje. Nie musiałam przy nim na nic uważać, a on z pewnością na nic nie uważał przy mnie.

Złapałam go mocniej za włosy, ale tym razem po to, żeby przyciągnąć go bliżej do siebie.

Był wszędzie. Padające na nas ostre słońce zabarwiło przestrzeń pod moimi powiekami na czerwono i kolor ten idealnie pasował do tego, co się pomiędzy nami działo. Zrobiło mi się okropnie gorąco. Widziałam, słyszałam i dotykałam tylko jego.

Jeden jedyny skrawek mojego mózgu, w którym ostały się resztki rozsądku, bombardował mnie pytaniami.

Dlaczego tego nie przerywałam? Dlaczego, co gorsza, nawet nie chciałam tego przerywać? Dlaczego czepiałam się tak kurczowo jego ramion i podobało mi się to, że są szerokie i umięśnione? Dlaczego, przywierając do niego ściśle całym ciałem, uważałam, że to jeszcze nie dość blisko?

Były to głupie pytania, bo znałam na nie odpowiedź: oszukiwałam do tej pory samą siebie.

Jacob miał rację. Miał rację od samego początku. Był dla mnie kimś więcej niż tylko przyjacielem. To dlatego nie sposób było mi się z nim rozstać – ponieważ byłam w nim zakochana. Byłam zakochana w nich obu. Kochałam go, kochałam o wiele bardziej, niż powinnam była, a mimo to nadal nie dość mocno. Byłam w nim zakochana, ale to nie wystarczało, by cokolwiek zmienić – ta miłość mogła nas tylko co najwyżej jeszcze bardziej zranić. Zranić go jeszcze bardziej, niż kiedykolwiek byłabym w stanie.

Tylko to mnie obchodziło – to, czy go znowu nie skrzywdzę. Ja sama na wszystko to, co to uczucie miało mi przynieść, zasłużyłam. Miałam nadzieję, że wiele wycierpię.

Czułam w tym momencie, jakbyśmy byli jedną osobą. Jego ból od zawsze był moim bólem, ale teraz i jego radość była moją radością. Tyle że była to radość przemieszana właśnie z cierpieniem. Niemalże namacalne, niczym kwas piekło moją skórę powolną torturą.

Przez jedną krótką, niekończącą się chwilę pod powiekami moich załzawionych oczu ukazała się zupełnie inna wizja przyszłości niż ta, którą dotąd pielęgnowałam. Patrząc jak gdyby przez filtr myśli Jacoba, zobaczyłam dokładnie, z czego zamierzałam zrezygnować, przed czego utratą ta nowo zdobyta wiedza nie miała mnie uratować. Zobaczyłam dziwny kolaż, na który składali się Charlie i Renée wraz z Billym, Samem i La Push. Zobaczyłam, jak mijają lata, lata, które coś znaczyły, które coś we mnie zmieniały. Zobaczyłam olbrzymiego rdzawobrązowego wilka, którego kochałam i który zawsze stał na straży, gotowy mnie chronić. Przez ułamek sekundy mignęła mi też dwójka kilkuletnich czarnowłosych dzieci, które oderwawszy się od moich nóg, biegły w kierunku znajomego mi lasu. Znikając, zabrały z sobą i wszystko inne.

A potem, całkiem wyraźnie, poczułam, że moje serce rozszczepia się wzdłuż dzielącej go bruzdy i od jego wnętrza odłącza się jakaś jego mniejsza część.

Usta Jacoba znieruchomiały przed moimi. Kiedy otworzyłam oczy, wpatrywał się we mnie oszołomiony i uradowany.

– Muszę już iść – szepnął.

– Nie odchodź.

Uśmiechnął się – moja odpowiedź sprawiła mu przyjemność.

– Wrócę szybko – przyrzekł. – Ale najpierw...

Pochylił się, żeby znowu mnie pocałować. Nie miałam powodu się przed tym bronić. Jaki miałoby to sens?

Tym razem było inaczej. Jego dłonie spoczęły miękko na moich policzkach, a wargi przemieszczały się niespodziewanie delikatnie, niemal z wahaniem. Był to pocałunek bardzo krótki i bardzo, bardzo słodki.

Jacob otoczył mnie ramionami i mocno uściskał, szepcząc mi do ucha:

– To taki powinien być nasz pierwszy raz. Lepiej późno niż wcale.

Przy jego piersi, tam, gdzie nie sięgał jego wzrok, łzy przelały się ponad kącikami moich oczu i pociekły mi po policzkach.

24 Spontaniczna decyzja

Leżałam twarzą w dół w poprzek śpiwora, czekając, aż dosięgnie mnie sprawiedliwość. Może miałam zostać tu pogrzebana żywcem przez lawinę? Żałowałam, że są na to tak małe szanse. Nie chciałam już nigdy więcej oglądać swojego odbicia w lustrze.

Nie ostrzegł mnie żaden dźwięk – poczułam nagle, że chłodna dłoń Edwarda głaszcze mnie po skołtunionych włosach. Zżerana przez wyrzuty sumienia, zadrżałam pod jego dotykiem.

– Nic ci nie jest? – spytał z troską.

– Nie. Chcę umrzeć.

– Nigdy na to nie pozwolę.

Jęknęłam głośno.

– Być może zaraz zmienisz zdanie.

– Gdzie Jacob?

– Poszedł się bić – wymamrotałam w podłogę.

Mój przyjaciel opuścił obozowisko w wyśmienitym nastroju. Kiedy w biegu zawołał wesoło: „niedługo wrócę", trząsł się cały, szykując się do przemiany. Teraz już cała wataha wiedziała o mojej hańbie. Kręcący się za płachtą namiotu Seth Clearwater znał każdy wstydliwy szczegół.

Edward zamilkł na dłuższy moment.

– Och – wyrwało mu się w końcu.

Usłyszawszy ton jego głosu, pożałowałam gorzko, że lawina się spóźniała. Zerknęłam na niego. Tak jak się tego spodziewałam, miał nieobecny wzrok, bo słuchał relacji z czegoś, czego wstydziłam się tak bardzo, że najchętniej zapadłabym się pod ziemię. Na powrót ukryłam twarz w śpiworze.

Zamarłam, bo Edward zaśmiał się cicho.

– A sądziłem, że to ja stosuję niedozwolone chwyty – powiedział z podziwem zmieszanym z odrazą. – Przy nim to ja jestem święty. – Pogłaskał mnie po fragmencie policzka nieprzykrytym materiałem. – Nie jestem na ciebie zły, kochanie. Jacob jest bardziej przebiegły, niż przypuszczałem. Żałuję tylko, że sama go poprosiłaś.

– Edward... – szepnęłam w szorstki nylon. – Tak mi... Nie wiem...

– Cii. – Znowu mnie pogłaskał, kojąc moje stargane nerwy. – Nie to miałem na myśli. I tak by cię pocałował, nawet gdybyś nie połknęła haczyka, tyle że tak nie mam wymówki, żeby móc mu złamać szczękę. A sprawiłoby mi to ogromną przyjemność.

– Gdybym nie połknęła haczyka? – powtórzyłam z niedowierzaniem.

– Bello, naprawdę uwierzyłaś, że jest taki szlachetny? Że odszedłby w blasku chwały, dobrowolnie robiąc dla mnie miejsce?

Uniosłam powoli głowę i spojrzałam Edwardowi prosto w oczy. Dostrzegłam w nich jedynie wyrozumiałość i cierpliwość, a nie wstręt, na który sobie zasłużyłam.

– Tak, uwierzyłam mu – przyznałam, uciekając wzrokiem w bok.

Nie byłam nawet na Jacoba wściekła – w moim ciele nie było już miejsca na więcej nienawiści prócz tej, którą czułam do samej siebie.

Edward znowu cicho się zaśmiał.

– Taki kiepski z ciebie kłamca, że dajesz się nabrać każdemu, kto jest choć odrobinę bardziej uzdolniony.

– Dlaczego nie jesteś na mnie zły? – zaprotestowałam. – Dlaczego mnie nie nienawidzisz? A może jeszcze nie wysłuchałeś tej historii do końca?

– Myślę, że poznałem już wystarczająco dużo szczegółów – stwierdził pogodnie. – Jacob tworzy bardzo wyraziste obrazy mentalne. Współczuję pozostałym członkom sfory niemal tak bardzo, jak sobie. Biednego Setha aż zemdliło. Ale Sam wziął już Jacoba w obroty i chłopak ma teraz co innego na głowie.

Zamknęłam oczy i potrząsnęłam głową w rozpaczy. Ostre nylonowe włókna podłogi namiotu boleśnie podrapały mi skórę.

– Jesteś tylko człowiekiem – szepnął Edward, znów mnie głaszcząc.

– To najbardziej żałosna linia obrony, jaką w życiu słyszałam.

– Jesteś człowiekiem i Jacob też nim jest, chociaż bardzo chciałbym, żeby było inaczej. I to, zrozum, w wielu aspektach życia daje mu nade mną przewagę, której nie jestem w stanie nad nim zyskać.

– Bzdury! Na to, co zrobiłam, nie ma żadnego usprawiedliwienia! On nie ma nad tobą żadnej przewagi...

– Kochasz go – przypomniał mi łagodnie.

Każda komórka w moim ciele rwała się do tego, by móc temu zaprzeczyć.

– Ale ciebie bardziej – wykrztusiłam.

Jeśli chciałam być szczera, nie mogłam mu zaoferować nic lepszego.

– To też wiem. Ale... kiedy cię opuściłem, Bello, zostawiłem cię z otwartą, krwawiącą raną. To Jacobowi udało się ją zszyć. I po tej operacji pozostał ślad – u was obojga. Nie jestem pewien, czy to taki rodzaj szwów, które z czasem same się rozpuszczają. Nie winię żadnego z was za to, co sam wymusiłem. Mój postępek może mi wybaczono, ale to nie oznacza jeszcze, że nie miały dosięgnąć mnie jego konsekwencje.

– Powinnam była się domyślić, że wynajdziesz jakiś sposób na to, żeby móc próbować wziąć winę na siebie. Proszę, przestań. To nie do zniesienia.

– To jak mam zareagować na to, co się stało?

– Chcę, żebyś wykrzyczał mi w twarz wszystkie wyzwiska, jakie ci tylko przyjdą do głowy, w każdym języku, który znasz. Chcę, żebyś powiedział mi, że się mnie brzydzisz i że chcesz mnie rzucić, a ja padnę ci do stóp i będę się czołgać, i błagać cię, żebyś został.

Westchnął.

– Wybacz, ale nie spełnię twojej prośby.

– To przynajmniej przestań mnie pocieszać. Pozwól mi cierpieć. Zasłużyłam sobie na to.

– Nie ma mowy.

Pokiwałam głową.

– Wiesz co, masz rację. Bądź dalej taki miły. Tak chyba jest jeszcze gorzej.

Ucichł na chwilę. Wyczułam nagłą zmianę w panującej w namiocie atmosferze, jakieś nowe napięcie.

– To już zaraz – odgadłam.

– Tak, jeszcze tylko kilka minut. Akurat tyle, żebym mógł coś jeszcze dodać...

Czekałam na to, co powie. Jego głos przeszedł w szept:

– W odróżnieniu od Jacoba ja potrafię być szlachetny, Bello. Nie zamierzam zmuszać cię do tego, żebyś wybierała pomiędzy nami dwoma. Chcę, żebyś była szczęśliwa. Weź ze mnie, co tylko chcesz, albo i nic, jeśli tylko taka jest twoja wola. Nie czuj się do niczego wobec mnie zobowiązana, kiedy będziesz podejmować decyzję.

Odepchnęłam się od podłogi, żeby jak najszybciej przybrać pozycję siedzącą.

– Do jasnej cholery, przestań! – wrzasnęłam.

Otworzył szeroko oczy ze zdumienia.

– Nie rozumiesz mnie. Nie próbuję ciebie pocieszyć – naprawdę, mówię po prostu to, co myślę.

– Wiem – jęknęłam. – Tylko co z walką o mnie? Nie gadaj mi tu o szlachetnym poświęcaniu się, tylko walcz!

– Jak? – spytał. Smutek zmienił jego oczy w oczy starca.

Wdrapałam mu się na kolana i objęłam go ramionami.

– Nie obchodzi mnie to, że jest zimno. Nie obchodzi mnie to, że cuchnę jak pies. Spraw, żebym zapomniała, jaka jestem okropna. Żebym zapomniała o nim. Żebym zapomniała, jak się nazywam. Zawalcz o mnie!

Nie czekałam, aż coś postanowi – ani aż mnie odepchnie, mówiąc, że nie jest zainteresowany takim okrutnym, nielojalnym potworem jak ja. Przywarłam do niego i przycisnęłam łapczywie swoje usta do jego chłodnych warg.

– Ostrożnie, skarbie – mruknął, wymykając mi się.

– Żadnego ostrożnie.

Odsunął mnie od siebie delikatnie o kilkanaście centymetrów.

– Nie musisz mi niczego udowadniać.

– Nie staram ci się niczego udowodnić. Powiedziałeś, że mogę wziąć z ciebie, co tylko chcę, to biorę. To właśnie to, czego chcę.

Objąwszy go za szyję, spróbowałam dosięgnąć jego ust. Schylił się, żeby mi to ułatwić, ale moje rosnące zniecierpliwienie sprawiło, że wciąż miał się na baczności. Moje ciało zdradzało moje intencje. W końcu znowu mnie powstrzymał.

– To chyba nie najlepszy moment – zauważył spokojnie. Jak na mój gust, był za bardzo opanowany.

– Dlaczego? – spytałam zrzędliwym tonem, ale opuściłam ręce. Skoro zamierzał być rozsądny, nie było sensu się z nim kłócić.

– Przede wszystkim jest naprawdę zimno.

Podniósł śpiwór i owinął go wokół mnie jak koc.

– Nieprawda. Przede wszystkim to, jak na wampira, masz obsesję na punkcie moralności.

Zaśmiał się.

– Niech ci będzie, przyznaję się bez bicia: chłód jest u mnie na drugim miejscu. A po trzecie... cóż, jak sama zauważyłaś, okropnie cuchniesz.

Zmarszczył nos.

Westchnęłam.

– Po czwarte – zamruczał mi do ucha – obiecałem ci, że spróbujemy, i nie złamię danego ci słowa, ale wolałbym, żeby nie doszło do tego tylko dlatego, że chcesz odreagować Jacoba Blacka.

Krzywiąc się, wtuliłam twarz w jego ramię.

– A po piąte...

– Coś długa ta lista.

Uśmiechnął się,

– To już ostatni punkt. Chyba chcesz podsłuchiwać, co się dzieje na polanie, prawda?

Gdy tylko to powiedział, Seth zawył przenikliwie pod namiotem.

Zesztywniałam. Nie zdawałam sobie sprawy, że lewą dłoń zacisnęłam w pięść, wbijając sobie paznokcie w opatrunek, dopóki Edward nie wyprostował z czułością moich palców.

– Wszystko będzie dobrze – pocieszył mnie. – Zebraliśmy informacje, umiemy walczyć, trenowaliśmy, przygotowaliśmy pułapkę. To nie potrwa długo. Gdybym szczerze w to nie wierzył, nie byłoby mnie tu teraz – a ty siedziałabyś przykuta w tym miejscu łańcuchem do drzewa albo jeszcze inaczej unieruchomiona.

– Alice jest taka drobna – jęknęłam.

Zaśmiał się.

– Tak, to mógłby być problem... gdyby jakimś cudem udało się komuś ją złapać.

Seth zaczął żałośnie popiskiwać.

– Co jest? – zaniepokoiłam się.

– Jest zły, że go tu oddelegowano. Wie, że wataha nie dopuściła go do bitwy ze względu na jego własne bezpieczeństwo. Cały się rwie, żeby dołączyć.

Rzuciłam w stronę niewidocznego wilka pełne wyrzutu spojrzenie.

– Nowo narodzeni dotarli do końca szlaku – poszli jak po sznurku, ten Jasper to geniusz – i złapali trop tych, co są na polanie, więc rozdzielają się teraz na dwa oddziały, tak jak to przewidziała Alice.

Edward był teraz myślami daleko stąd, dosłownie.

– Sam prowadzi nas okrężną drogą na spotkanie z tymi, co mają być posiłkami dla pierwszej grupy – dodał.

Był już tak skupiony na tym, w co się wsłuchiwał, że bezwiednie przerzucił się na używaną przez sforę liczbę mnogą.

Zerknął na mnie znienacka.

– Bello, bo się udusisz.

Posłuchałam go, ale przyszło mi to z trudem. Słyszałam, jak Seth dyszy ciężko tuż za ścianą namiotu i spróbowałam oddychać w jego tempie.

– Pierwszy oddział jest już na polanie. Słyszymy, jak walczą.

Zacisnęłam szczęki.

Edward zaśmiał się.

– Słyszymy Emmetta – świetnie się bawi.

Zmusiłam się do wzięcia kolejnego oddechu równo z Sethem.

– Druga grupa już się szykuje – są podochoceni, jeszcze nas nie usłyszeli.

Warknął.

– Co? – wykrztusiłam.

– Rozmawiają o tobie. – Zazgrzytał zębami. – Mają dopilnować, żebyś się nie wymknęła... Świetne posunięcie, Leah! Mm, ta dziewczyna to ma refleks – zamruczał z aprobatą. – Jeden z nowo narodzonych nas wywęszył i Leah powaliła go, zanim jeszcze zdążył się obrócić. Sam pomaga jej z nim skończyć. Paul i Jacob dorwali następnego, ale pozostali są już bardziej uważni. Nie mają pojęcia, pod co nas podpiąć. Obie strony pozorują teraz ataki... Nie, niech Sam dowodzi. Nie wchodźcie im w drogę – mruknął. – Rozdzielcie ich – niech nie mogą chronić sobie nawzajem tyłów.

Seth pisnął.

– Tak lepiej – ucieszył się Edward. – Zagońcie ich na polanę.

Śledząc myśli sfory, mimowolnie napinał mięśnie, stosownie do ruchów, które wykonywałby, gdyby też walczył. Wciąż trzymał mnie za rękę – wplotłam palce w jego własne.

Cisza, która znienacka zapadła, była dla mnie jedynym ostrzeżeniem.

Głośny świst oddechu Setha zniknął, a ponieważ się w niego wsłuchiwałam, zarejestrowałam to od razu.

Też wstrzymałam oddech, bo zorientowałam się, że Edward zastygł u mojego boku w bryłę lodu, i tak się przestraszyłam, że zapomniałam o własnych płucach.

O, nie. Nie. Nie!

Kto zginął – jeden z wilków czy jeden z naszych? Tak czy owak, jeden z moich, bo wszyscy byli moi. Moi najmilsi... Którego z nich straciłam?

Nawet nie zauważyłam, jak to się stało, ale nagle okazało się, że stoję na wyprostowanych nogach wśród strzępów materiału, które jeszcze przed chwilą tworzyły dach i ściany namiotu. Czyżby to Edward go rozerwał? Ale po co?

Zamrugałam, oślepiona jaskrawym światłem. Nie widziałam nic prócz Setha, którego pysk znajdował się zaledwie kilkanaście centymetrów od twarzy mojego ukochanego. Przez ciągnącą się w nieskończoność sekundę obaj patrzyli sobie w skupieniu prosto w oczy. Po sierści wilka tańczyły migoczące odblaski, bo skóra wampira skrzyła się w słońcu.

A potem Edward szepnął zdenerwowany:

– Leć!

Basior okręcił się błyskawicznie i zniknął w cieniach lasu.

To dopiero minęły dwie sekundy? Zdawało mi się, że dwie godziny. Świadomość, że na polanie wydarzyło się coś strasznego, wywołała u mnie mdłości. Otworzyłam usta, żeby rozkazać Edwardowi zanieść się tam, i to już. Potrzebowali go i potrzebowali mnie. Mogłam sobie rozciąć dowolną część ciała, żeby ich ocalić, proszę bardzo. Byłam gotowa nawet wykrwawić się na śmierć, jak trzecia żona. Nie miałam wprawdzie pod ręką srebrnego sztyletu, ale coś się miało wymyślić...

Zanim jednak wypowiedziałam choćby pierwszą sylabę, poczułam się tak, jakby wystrzelono mnie w powietrze. Nie, Edward nie puścił mnie ani na moment, ale przeniósł tak szybko, że zupełnie straciłam poczucie równowagi.

Kiedy oprzytomniałam, plecy miałam przyciśnięte do górującej nad obozowiskiem ściany skalnej, a Edward stał przede mną w pozie, którą od razu rozpoznałam.

Po moim umyśle rozlała się ulga, ale jednocześnie żołądek podszedł mi do gardła.

Źle zinterpretowałam zachowanie swoich kompanów.

Ulga brała się stąd, że na polanie nie doszło jednak do niczego tragicznego.

A ewolucje żołądka stąd, że kryzys miał miejsce tutaj.

Pozycja, którą przybrał mój ukochany, była pozycją obronną. Ugięte nogi, uniesione nieco ręce – znałam ją aż za dobrze. Skała za moimi plecami mogła równie dobrze być starym ceglanym murem we włoskiej uliczce, do którego przywarłam zasłonięta przez Edwarda, kiedy przybyli zakapturzeni Volturi.

Zbliżał się ktoś, kto chciał nas zabić.

– Kto? – szepnęłam.

Odpowiedział mi zza zaciśniętych zębów zaskakująco głośnym warknięciem. Zbyt głośnym. Odgadłam, że jest już za późno, żeby się kryć. Złapano nas w pułapkę i było wszystko jedno, kto miał nas usłyszeć.

– Victoria. – Zabrzmiało to jak obelga. – Nie jest sama. Natrafiła na mój ślad, idąc za nowo narodzonymi, żeby przyjrzeć się, jak walczą – nigdy nie zamierzała do nich dołączyć. Podjęła spontaniczną decyzję, żeby mnie odnaleźć, domyślając się, że będziesz tam, gdzie ja. Miała rację. I ty miałaś rację. To ona za wszystkim stoi.

Była dostatecznie blisko, by mógł czytać jej w myślach.

Znowu poczułam ulgę. Gdyby nadchodzili Volturi, oboje nie mielibyśmy żadnych szans, ale Victoria nie była aż tak groźna. Edward mógł przeżyć to starcie. Walczył równie sprawnie co Jasper. Jeśli nie prowadziła ze sobą zbyt licznej świty, mógł jakoś im się wyrwać i uciec do swoich. Był taki szybki. Udałoby mu się na sto procent.

Dziękowałam Bogu, że odesłał w porę Setha. Chłopak nie miał, oczywiście, do kogo zwrócić się o pomoc, bo Victoria wybrała najlepszy moment z możliwych, ale przynajmniej był bezpieczny. Kiedy o nim myślałam, nadal nie widziałam gigantycznego zwierzęcia, tylko patykowatego piętnastolatka.

Edward przesunął się – tylko o kilka milimetrów, ale podpowiedziało mi to, w którą patrzeć stronę. Wbiłam wzrok w mroczny gąszcz lasu.

Moje koszmary ożyły i postanowiły złożyć mi wizytę...

Na polankę wyszły ostrożnie dwa wampiry, rozglądając się uważnie, żeby nie umknął im żaden szczegół. Mieniły się w słońcu jak dwa brylanty.

Jasnowłosemu chłopakowi – wysokiemu i umięśnionemu, ale jednak chłopakowi, bo gdy go zmieniono, był pewnie w moim wieku – nie poświęciłam zbyt wiele uwagi, właściwie dostrzegłam go tylko kątem oka. Chociaż tęczówki miał czerwieńsze niż jakiekolwiek inne, które widziałam w życiu – chociaż znajdował się bliżej nas, a więc bezpośrednio nam zagrażał – nawet na niego nie spojrzałam. Nie byłam w stanie. Bo towarzyszyła mu, rzecz jasna, Victoria.

Stała jakieś dwa metry od niego, nieco z tyłu, i patrzyła prosto na mnie.

Jej rude włosy, o bardziej nasyconej barwie, niż to zapamiętałam, przypominały języki ognia. Nie wiał wiatr, ale i tak wydawały się poruszać delikatnie, jakby były żywe.

Jej oczy były czarne z głodu. Nie uśmiechała się, jak to zawsze czyniła w moich snach, tylko zaciskała usta w cienką linię. W jej pozie było coś niespodziewanie kociego – przypominała lwicę gotującą się do skoku. Spojrzenie miała dzikie i niespokojne. Co jakiś czas zerkała na Edwarda, ale tylko po to, żeby sprawdzić, co ten robi – nie mogła oderwać ode mnie wzroku tak samo, jak ja nie mogłam oderwać wzroku od niej.

Bijące od Victorii napięcie stało się niemalże widoczne. Wyczuwałam płonące w niej pragnienie, pochłaniającą ją namiętność, której była więźniem. Wiedziałam, o czym myśli, jakbym i ja potrafiła wniknąć w zakamarki jej jaźni.

Była tak blisko spełnienia swoich marzeń – doprowadzenia do tego, na czym od ponad roku koncentrowała wszystkie swoje wysiłki.

Mojej śmierci.

Jej plan był równie oczywisty, co praktyczny. Blondyn miał zaatakować Edwarda, ona zaś, pozbywszy się mojego obrońcy, miała zająć się mną.

Żadne gierki czy tortury nie wchodziły w rachubę, nie było na to czasu. Zamierzała działać szybko, ale skutecznie – na tyle skutecznie, żeby nie można było mnie odratować. Nawet za pomocą wampirzego jadu.

Kluczem było tu zniszczenie mojego serca. Może zamierzała wbić mi dłoń w klatkę piersiową i jednym ruchem je zgnieść? Nie miała zbyt dużego pola manewru, więc musiała planować coś w tym rodzaju.

Serce biło mi jak szalone, donośnie, jakby chciało ułatwić jej zadanie.

W oddali, gdzieś w głębi lasu, rozległo się niesione echem wilcze wycie, ale nie było już przy nas Setha, który mógłby wyjaśnić, co się dzieje.

Blondyn rzucił okiem na Victorię, czekając na komendę.

Był młody nie tylko wiekiem. Po jego szkarłatnych tęczówkach poznałam, że zmieniono go niedawno. Dysponował zapewne ogromną siłą, ale brakowało mu doświadczenia. Edward wiedziałby, jak wykorzystać to w pojedynku przeciwko niemu. Pokonałby go bez trudu.

Victoria wysunęła brodę do przodu, bez słów nakazując chłopakowi ruszyć do ataku.

– Riley – odezwał się Edward błagalnym tonem.

Blondyn zamarł, otwierając szeroko oczy.

– Riley, posłuchaj mnie – powiedział Edward. – Ona cię okłamuje. Okłamuje cię tak samo, jak wcześniej okłamała tych, którzy teraz giną na polanie. Dobrze wiesz, że ich oszukała, bo przecież sam na jej żądanie przyrzekłeś im, że ich nie zostawicie. Czy tak trudno uwierzyć, że i ciebie wykorzystuje?

Riley wyglądał na zdezorientowanego.

Mój ukochany przesunął się o kilka centymetrów w bok i chłopak odruchowo zrobił to samo.

– Ona cię wcale nie kocha – przekonywał Edward, hipnotyzująco aksamitnym głosem. – Nigdy cię nie kochała. Kochała niejakiego Jamesa, a ty jesteś jedynie narzędziem w jej rękach.

Na dźwięk imienia swojego partnera Victoria odsłoniła zęby w koszmarnym grymasie. Ani na moment nie spuszczała mnie z oczu.

Blondyn rzucił jej pełne wątpliwości spojrzenie. Nie wiedział, co robić.

– Riley? – spytał Edward.

Chłopak mimowolnie na powrót skupił na nim uwagę.

– Ona wie, że cię zabiję, Riley. Chce, żebym cię zabił, bo wtedy nie będzie musiała dłużej grać. Tak – sam to zauważyłeś, prawda? Wyczytałeś w jej twarzy niechęć, wyłapałeś fałszywy ton w jej obietnicach. Miałeś rację. Nigdy cię nie pragnęła. Każdy jej pocałunek, każda jej pieszczota były kłamstwem.

Znowu się przemieścił, żeby znaleźć się jeszcze bliżej blondyna, a dalej ode mnie.

Victoria przeniosła wzrok na rosnącą pomiędzy nami dwojgiem odległość. Zabicie mnie miało zabrać jej ułamek sekundy, ale musiała mieć jeszcze szansę na ucieczkę.

Riley ponownie dostosował się do nowej pozycji Edwarda, jednak tym razem z pewnym opóźnieniem.

– Nie musisz ginąć – ciągnął mój ukochany, patrząc przeciwnikowi w oczy. – Można być jednym z nas i żyć inaczej, niż ona ci to pokazała. Nie trzeba mordować i kłamać. Możesz teraz po prostu odejść, Riley. Nie musisz umierać za jej łgarstwa.

Zrobił kolejny kroczek do przodu. Dzieliło nas już więcej niż trzydzieści centymetrów. Blondyn przesunął się tym razem o kawałek na zapas. Victoria przeniosła ciężar ciała z pięt na palce.

– Ostatnia szansa – szepnął Edward.

Chłopak zerknął z rozpaczą na swoją mentorkę, domagając się odpowiedzi.

– To on kłamie, Riley – przemówiła w końcu.– Mówiłam ci o ich sztuczkach z czytaniem w myślach. Wiesz, że kocham tylko ciebie.

Jej głos tak mnie zaskoczył, że rozdziawiłam usta. Nie był to, bynajmniej, drapieżny alt, jakiego się spodziewałam po jej minie i pozie, ale piskliwy sopran, jakby przedrzeźniała małe dziecko. Kojarzył mi się ze złotymi loczkami i różową gumą balonową. Jakim cudem coś takiego mogło dochodzić zza obnażonych zębów wampirzycy?

Riley zesztywniał. W jego oczach nie widać już było zdezorientowania czy podejrzliwości – nie było widać zupełnie nic. Chyba w ogóle przestał myśleć. Szykował się do ataku.

Victoria spięła wszystkie mięśnie do tego stopnia, że zdawała się trząść. Jej palce wygięły się w szpony. Czekała tylko, aż Edward zrobi jeszcze jeden krok.

Nagle rozległ się przerażający charkot, ale nie wydało go żadne z nich.

Wielki beżowy kształt przeleciał przez środek polanki i powalił Rileya na ziemię.

– Nie! – krzyknęła Victoria, jej dziecięcy głosik był pełen niedowierzania.

Półtora metra ode mnie olbrzymi wilk, kłapiąc zębiskami, szarpał wijącego się pod nim wampira. Coś białego i twardego uderzyło o skałę u moich stóp. Cofnęłam się ze wstrętem.

Victoria nawet nie spojrzała na chłopaka, któremu chwilę wcześniej wyznawała miłość. Nadal świdrowała mnie wzrokiem. Była tak poruszona tym, co się wydarzało, że wyglądała, jakby odchodziła od zmysłów.

– Nie – powtórzyła, kiedy Edward zaczął przemieszczać się w jej stronę, zasłaniając mnie swoim ciałem.

Riley był nieco sponiewierany, ale udało mu się podnieść i kopniakiem karateki trafić w bark Setha. Moich uszu doszedł chrzęst kruszonej kości. Wilk odskoczył w tył i zaczął okrążać blondyna, kulejąc, ten zaś obracał się powoli z otwartymi ramionami, gotowy zgnieść przeciwnika w śmiertelnym uścisku. Chyba brakowało mu kawałka jednej z dłoni...

Zaledwie kilka metrów od nich „tańczyła" druga para – Edward i Victoria. Ci się już nie okrążali, bo mój ukochany nie pozwalał wampirzycy się do mnie zbliżyć, więc przesuwała się tylko to w prawo, to w lewo, próbując go przechytrzyć. Idealnie skoncentrowany powtarzał po niej z gracją każdy ruch, a wreszcie zaczął ją o ułamek sekundy wyprzedzać, wychwytując z jej myśli intencje.

Natarłszy na Rileya z boku, Seth oderwał od jego ciała kolejny fragment – rozległ się nieprzyjemny zgrzyt, po czym ciężka biała bryła wystrzeliła w powietrze, by upaść w głębi lasu z głuchym łomotem. Blondyn zaryczał wściekle i zamachnął się swoją zdeformowaną ręką, ale Seth w porę zrobił unik – zważywszy na jego rozmiary, poruszał się nadzwyczaj zwinnie.

Victoria wycofywała się teraz zygzakiem wśród drzew ku najbardziej oddalonemu ode mnie skrajowi polanki. Była rozdarta – nogi ciągnęły ją do ucieczki, ale nadal nie mogła oderwać ode mnie oczu, tak na nią działałam. Widziałam, że chęć odebrania mi życia walczy w niej z instynktem samozachowawczym.

Edward także to widział.

– Victorio, nie odchodź – zamruczał, używając tego samego hipnotyzującego tonu, co przy Rileyu. – Już nigdy nie będziesz miała takiej szansy.

Syknęła na niego, znowu obnażając zęby, ale najwyraźniej nie była w stanie mnie sobie odpuścić.

– Wymknąć możesz mi się później – zapewnił ją. – Będziesz miała na to dużo czasu. To właśnie na tym polega twój talent, prawda? To dlatego James lubił mieć cię w pobliżu. Jeśli się prowadzi zabójcze gry, warto mieć przy sobie kogoś takiego. Partnera o niezawodnym instynkcie ucieczki. Nie powinien jechać do Phoenix sam – mógłby skorzystać z twoich umiejętności, kiedy go tam dopadliśmy.

Spomiędzy jej warg dobyło się warknięcie.

– Tylko dlatego zabiegał o twoje względy. Głupio marnować tyle energii na pomszczenie kogoś, kto dbał o ciebie mniej niż myśliwy o swojego konia. Byłaś dla niego tylko narzędziem. Kto jak kto, ale ja powinienem o tym wiedzieć.

Uśmiechnął się ironicznie i poklepał się po skroni.

Victoria rzuciła się na niego z przeraźliwym piskiem. Natychmiast ustawił się w gotowości i ich taniec zaczął się od nowa.

W tym samym momencie Riley trafił Setha pięścią w bok. Basior odskoczył do tyłu, a z jego gardła wyrwał się cichy jęk. Ramię dziwnie mu zadrgało, jakby starał się strzepnąć z niego ból.

Proszę...

Chciałam zacząć błagać wampira o litość dla Setha, ale nie mogłam zmusić mięśni do otwarcia ust.

Proszę, zostaw go, to jeszcze dziecko!

Dlaczego Seth nie uciekł, kiedy Edward go odesłał? Dlaczego teraz nie uciekał?

Riley zbliżył się do wilka, spychając go w stronę skalnej ściany nieopodal mnie. Victoria zainteresowała się nagle losem swojego kompana. Zauważyłam, że ocenia odległość pomiędzy mną a chłopakiem. Basior kłapnął zębami, zmuszając blondyna do cofnięcia się o kilka kroków i wampirzyca zasyczała gniewnie.

Seth już nie kulał, a otaczając przeciwnika, znalazł się zaledwie kilka centymetrów od Edwarda. Kiedy musnął ogonem jego plecy, Victoria wytrzeszczyła oczy.

– Nie, nie zaatakuje mnie – odpowiedział mój ukochany na jej nieme pytanie. Korzystając z jej rozproszenia, przysunął się do niej bliżej. – Dzięki tobie zyskaliśmy wspólnego wroga. I staliśmy się sojusznikami.

Zacisnąwszy zęby, spróbowała na powrót skupić się wyłącznie na nim.

– Przyjrzyj mu się, Victorio – zachęcił, umiejętnie odwracając jej uwagę. – Czy naprawdę jest taki podobny do tego potwora, którego James tropił w poprzek Syberii?

Otworzyła oczy jeszcze szerzej. Zaczęła skakać dzikim wzrokiem z Edwarda na Setha, z Setha na mnie, ze mnie na Edwarda i tak w kółko.

– Niemożliwe! – krzyknęła. Jej cienki głosik był odrażający. – To nie może być ten sam osobnik!

– Wszystko jest możliwe – poprawił ją mój ukochany słodkim jak miód barytonem, przesuwając się o kolejny centymetr w jej kierunku. – Poza tym, czego pragniesz ty sama. Nigdy nawet jej nie tkniesz.

Pokręciła nerwowo głową i dała nurka w bok, licząc na to, że tym razem uda jej się minąć Edwarda, ale stanął jej na drodze, gdy tylko wpadła na ten pomysł. Skrzywiła się, sfrustrowana, a potem pogłębiła swój przysiad, znowu zmieniając się w przyczajonego drapieżnika. Śmiało zrobiła krok do przodu.

Nie była niedoświadczonym nowo narodzonym rządzonym przez odruchowe reakcje. Nawet dla drugiego wampira stanowiła śmiertelne zagrożenie. Różnicę pomiędzy nią a Rileyem widać było jak na dłoni. Gdyby to z nią przyszło się zetrzeć Sethowi, nie wytrzymałby aż tak długo.

Edward też zmienił pozycję. Zbliżali się do siebie jako lwica i lew.

Ich taniec nabrał tempa.

Przypominali pojedynkujących się Alice i Jaspera, bo tak samo rozmywali się w powietrzu, gdy przyspieszali, tyle że ich starcie nie miało tak perfekcyjnej choreografii – co jakiś czas któreś popełniało błąd i od skał odbijały się echem chrupnięcia i trzaski. Niestety, nie sposób było dojrzeć, komu powijała się noga...

Riley zapatrzył się na ten brutalny balet, bojąc się o swoją towarzyszkę. Seth nie mógł tego przegapić – doskoczywszy do chłopaka, oderwał od niego kolejny kawałek bladego ciała. Wampir zawył i odpowiedział na atak potężnym ciosem z bekhendu, który trafił wilkołaka w sam środek szerokiej piersi. Seth wyleciał na trzy metry w powietrze i uderzył o skalną ścianę nad moją głową z takim impetem, iż zdawało się, że zatrzęsła się cała góra. Usłyszałam, jak powietrze opuszcza ze świstem jego płuca i skuliłam się, żeby spadając, nie otarł się o mnie. Obsypał mnie grad ostrych odłamków. Wilk wylądował z cichym jękiem nieco ponad metr przede mną.

Po mojej prawej ręce ześlizgnął się poszarpany, podłużny fragment skały. Zacisnęłam na nim odruchowo palce, bo i we mnie odezwał się instynkt przetrwania: ponieważ nie miałam szansy na ucieczkę, moje ciało – nie przejmując się tym, że nie ma to sensu – przygotowało się do walki.

W żyłach zagrała mi adrenalina. Wiedziałam, że usztywnienie wpija mi się w dłoń. Wiedziałam, że szczelina w moim kłykciu protestuje. Wiedziałam to, ale nie czułam bólu.

Za Rileyem widać było tylko wirujący kłąb ognistych włosów Victorii w rozmazanej białej plamie. Coraz częstsze metaliczne uderzenia, zgrzyty, syknięcia i sapnięcia świadczyły o tym, że dla jednej ze stron mógł to być ostatni taniec.

Tylko dla kogo?

Blondyn ruszył ku mnie z oczami szkarłatnymi z furii. Wpatrywał się w dzielącą nas bezwładną kupę piaskowej sierści, a jego dłonie – poranione, połamane dłonie – zwinęły się w szpony. Kiedy rozchylił usta, błysnęły zęby. Szykował się do rozdarcia Sethowi gardła.

Drugi przypływ adrenaliny podziałał na mnie jak kopnięcie prądem. Nagle wszystko stało się jasne.

Oba pojedynki miały się ku końcowi. Seth miał zaraz przegrać swój, a co do Edwarda, nie miałam pojęcia, czy wygrywa, czy przegrywa. Potrzebowali pomocy. Należało zdekoncentrować ich przeciwników, żeby mogli zyskać nad nimi przewagę.

Schwyciłam odłamek z taką siłą, że pękło coś w usztywnieniu. Czy byłam dostatecznie silna? Czy byłam dostatecznie dzielna? Jak głęboko potrafiłam wbić sobie w ciało ten szorstki kamień? Czy Seth miał zyskać dzięki temu dość czasu, żeby wstać? Czy miał wydobrzeć na tyle szybko, by moje poświęcenie na cokolwiek się przydało?

Podciągnęłam sobie kamiennym sztyletem rękaw swojego grubego swetra, żeby odsłonić połać nagiej skóry, a następnie przyłożyłam koniec ostrza do zagięcia łokcia. Miałam już w tym miejscu jedną długą bliznę, pamiątkę z osiemnastych urodzin. Kiedy skaleczyłam się tamtego pamiętnego wieczoru, wszystkie otaczające mnie wampiry zamurowało. Modliłam się, żeby i dziś efekt był ten sam. Zbierając się na odwagę, wzięłam przez ściśnięte gardło głębszy oddech.

Dźwięk, który z siebie wydałam, przykuł uwagę Victorii. Na ułamek sekundy nasze oczy się spotkały. W jej spojrzeniu kryła się dziwaczna mieszanka wściekłości i zaciekawienia.

Nie byłam pewna, jakim sposobem to usłyszałam, wśród tylu innych, zwielokrotnianych echem odgłosów. Powinno to było zagłuszyć samo bicie mojego własnego serca. A jednak – przez tę najkrótszą z chwil, kiedy patrzyłyśmy na siebie z Victorią, wydało mi się, że słyszę znajome, zniecierpliwione westchnienie.

W tej samej sekundzie tańczący rozdzielili się gwałtownie. Wszystko potoczyło się tak błyskawicznie, że nie nadążałam za biegiem wydarzeń. Mój mózg dawał z siebie wszystko, żeby w głowie nie zapanował mi chaos.

Wpierw od zamazanej plamy oderwała się Victoria. Wyleciawszy wysoko w powietrze, uderzyła o jeden z rosłych świerków, mniej więcej w połowie jego wysokości, ale kiedy spadła na ziemię, wylądowała na obu nogach, znowu przyczajona jak kot.

Jeszcze zanim wylądowała, Edward – prawie niewidzialny w pędzie – obrócił się i złapał niczego niespodziewającego się Rileya za rękę. Chyba oparł się też nogą o jego plecy, a potem uniósł…

Obozowisko wypełnił przeszywający jęk bólu.

Seth zerwał się jak na rozkaz, przesłaniając mi widok.

Ale wciąż widziałam Victorię. I chociaż nie wyglądała normalnie – najwyraźniej nie mogła się do końca wyprostować – na jej ustach pojawił się uśmiech, który nawiedzał mnie w snach.

Skuliła się i skoczyła.

Coś niewielkiego i białego świsnęło i zderzyło się z nią w połowie drogi. Rozległ się huk, jak przy eksplozji. Wampirzyca, odrzucona w bok, trafiła w kolejne drzewo – tym razem złamało się pod jej ciężarem.

Znowu wylądowała na obu nogach, gotowa do ataku, ale Edward znalazł się przy niej w mgnieniu oka. Stał wyprostowany, bez jednej szramy. Widząc, że jest cały, odetchnęłam z ulgą.

Victoria kopnęła bosą stopą coś, co jej zawadzało – ów pocisk, który przerwał jej skok. Poturlał się w moją stronę i zorientowałam się, czym był.

Żołądek skręcił mi się z obrzydzenia.

Palce nadal się poruszały. Chwytając się źdźbeł trawy, zaczęły przesuwać resztę kończyny Rileya, co rusz zmieniając chaotycznie kierunek.

Seth znowu okrążał blondyna, ale teraz ten się wycofywał. Jego twarz wykrzywiało cierpienie. Przesłonił się pozostałą mu ręką.

Wilk zamarkował sus i kompan Victorii stracił równowagę. Basior tylko na to czekał. Zatopiwszy zęby w barku przeciwnika, odrzucił łeb do tyłu.

Przy wtórze przeraźliwych zgrzytów, Riley stracił drugie ramię.

Seth zamachnął się i odrzucił kończynę w las. Urwany syk, który dobył się z jego pyska, przypominał pogardliwy śmiech.

– Victoria! – krzyknął chłopak z rozpaczą.

Na dźwięk swojego imienia nawet nie drgnęła. Nie odwróciła głowy.

Wilkołak rzucił się na wampira z siłą kuli do wyburzania budynków i wepchnął go pomiędzy drzewa. Znikli mi z oczu. Potworne wrzaski, które zagłuszały od czasu do czasu metaliczne zgrzyty, po chwili urwały się raptownie i panującą w lesie ciszę zakłócał odtąd tylko odgłos rozszczepianej skały.

Victoria może nie odprowadziła Rileya wzrokiem, ale zdawała się świadoma, że została sama na placu boju. Choć z jej oczu biło rozczarowanie, zaczęła ostrożnie odsuwać się od Edwarda tyłem, a rzuciwszy mi ostatnie, tęskne spojrzenie, przyspieszyła.

– Nie odchodź – poprosił ją słodko mój ukochany. – Zostań jeszcze troszkę.

Obróciła się na pięcie i puściła biegiem, jak strzała wypuszczona z łuku.

Ale Edward był szybszy – tak szybki jak karabinowy nabój.

Dopadł jej niechronionych pleców na skraju polanki. Był to ostatni krok w ich wspólnym tańcu.

Jego wargi musnęły jej szyję, jakby chciał ją pocałować. Trudno było uwierzyć, że tak nie jest w istocie – jeśli krzyknęła, jeśli warknął, utonęło to w kakofonii rodem z kamieniołomu. Akt przemocy zdawał się pieszczotą.

A potem płomienne pukle przestały być częścią Victorii. Spadłszy na ziemię, podskakując jak piłka, poturlały się w las.

25 Lustro

Zamarłam na moment z oczami szeroko otwartymi, ale szybko zreflektowałam się i odwróciłam wzrok, byle tylko nie przyglądać się z bliska owalnemu kształtowi kryjącemu się w gąszczu rozedrganych ognistych loków.

Mój ukochany nie zamierzał spocząć na laurach. Nie tracąc ani sekundy, rozczłonkował bezgłowy korpus.

Nie panowałam nad własnymi stopami – wydawały się przybite do kamiennego podłoża – więc nie byłam w stanie podejść do

Edwarda, ale przyglądałam mu się uważnie, wyglądając jakiegoś dowodu na to, że jest ranny. Niczego się nie doszukawszy, zaczęłam oddychać w zdrowszym rytmie. Był tak samo zwinny i piękny, co zawsze. Chyba nawet w żadnym miejscu nie miał rozdartego ubrania.

Nie zerknął na mnie – sparaliżowaną strachem pod skalną ścianą – ani kiedy układał z dygoczących członków makabryczny stos, ani kiedy pokrywał go wysuszonymi igłami, ani też wreszcie biegnąc do lasu po Setha.

Zanim zdążyłam ochłonąć, wrócił wraz z wilkiem, niosąc pełne naręcze szczątków Rileya. Basior trzymał w pysku największy fragment – niemal cały tułów. Dorzucili je do sterty, po czym Edward wyciągnął z kieszeni srebrną zapalniczkę i podpalił igły. Chwyciły od razu. Po stosie rozprzestrzeniły się długie, pomarańczowe języki ognia.

– Nie przegap żadnego kawałka – nakazał Edward cicho swojemu pomocnikowi.

Ramię w ramię, wampir i wilkołak zabrali się do przeczesywania obozowiska, od czasu do czasu dorzucając do ogniska bryłki białego kamienia. Seth używał do tego zębów. Umysł miałam zbyt obolały od nadmiaru wrażeń, żeby zrozumieć, dlaczego nie zmienił się jeszcze na powrót w istotę obdarzoną rękami.

Edward wciąż uparcie na mnie nie patrzył.

Kiedy skończyli, z ogniska bił już słup krztuszącego fioletowego dymu. Był tak gęsty, że wyglądał niemal jak ciecz tężejąca w ciało stałe, i pachniał nieprzyjemnie palonym kadzidłem.

Z piersi Setha znowu dobył się odgłos, który przywodził mi na myśl pogardliwy śmiech. Edward nadal był spięty, ale w odpowiedzi nieco się rozpogodził i wyciągnął przed siebie rękę, ściskając dłoń w pięść. Szczerząc ostre zębiska, wilk odbił od niej nos, jakby przybijał piątkę.

– Nie ma jak praca zespołowa – mruknął Edward.

Seth zaśmiał się po wilczemu.

Mój ukochany wziął głęboki wdech i powoli odwrócił się w moją stronę.

Jego mina zbiła mnie z pantałyku. Spojrzał na mnie tak nieufnie, jakbym była kolejnym jego przeciwnikiem – więcej niż nieufnie, spojrzał na mnie z lękiem. Ale przecież przy Victorii i Rileyu wcale nie okazywał strachu... Nic mi się nie zgadzało, mózg miałam równie bezużyteczny, co resztę ciała. Wpatrywałam się w Edwarda zaskoczona.

– Bello, kochanie – odezwał się jak najbardziej łagodnym tonem.

Przesuwał się w moją stronę krok za krokiem, pokazując mi, że ma puste dłonie. Mimo oszołomienia skojarzyłam sobie, że zachowuje się jak podejrzany, który zbliżając się do policjanta, chce go zapewnić, że nie jest uzbrojony...

– Bello, czy możesz, proszę, odłożyć ten kamień? Tylko ostrożnie. Nie zrób sobie krzywdy.

Zupełnie wyleciało mi z głowy, że wciąż go trzymam. Dopiero teraz uświadomiłam sobie, jak bardzo boli mnie kłykieć. Czyżby złamanie się odnowiło? Tym razem Carlisle jak nic wsadzi mnie w gips.

Edward przystanął z wahaniem półtora metra ode mnie, nie opuszczając rąk i nie przestając wyglądać na przerażonego.

Musiało minąć kilka długich sekund, zanim przypomniałam sobie, jak porusza się palcami. Odłamek skały uderzył głośno o ziemię, ale moja dłoń pozostała w tej samej pozycji.

Edward rozluźnił się odrobinę, widząc, że pozbyłam się ostrego narzędzia, ale nie podszedł bliżej.

– Nie musisz się mnie bać – powiedział cicho. – Nic ci nie grozi. Nic ci nie zrobię.

Ta dziwna obietnica tylko zwiększyła moje zdezorientowanie. Gapiłam się na niego jak kretynka, próbując zrozumieć jego postępowanie.

– Wszystko będzie dobrze, Bello. Wiem, że się boisz, ale już po wszystkim. Nic ci nie grozi. Nawet cię nie dotknę. Nic ci nie zrobię.

Zamrugałam rozdrażniona i nareszcie odzyskałam głos.

– Po co mi to wszystko tłumaczysz?

Zrobiłam pierwszy niezdarny krok do przodu. Edward od razu się cofnął.

– Coś nie tak? – szepnęłam. – O co ci chodzi?

– Nie jesteś... – Był teraz tak samo zdziwiony, jak ja. – Nie boisz się mnie?

– Co ty gadasz? Ja miałabym się ciebie bać?

Chciałam do niego podejść, ale potknęłam się o coś – pewnie o własne stopy. Złapał mnie w porę, a ja wtuliłam twarz w jego koszulę i wybuchłam płaczem.

– Bello, och, Bello, przepraszam, już po wszystkim, już dobrze.

– Nic mi... nic mi nie jest – wyjąkałam. – Po prostu... To wszystko... Daj mi... minutkę.

Przytulił mnie mocniej.

– Przepraszam, przepraszam – powtarzał mi do ucha.

Czepiałam się go, dopóki nie wrócił mi oddech, a potem zaczęłam go całować – po torsie, po ramionach, po szyi – wszędzie tam, dokąd sięgałam. Mój umysł powoli odzyskiwał równowagę.

– Nie jesteś ranny? – spytałam pomiędzy pocałunkami. – Nic ci nie zrobiła?

– Nic a nic – zapewnił mnie, wtulając mi twarz we włosy.

– A co z Sethem?

Edward zachichotał.

– Jest w siódmym niebie. To dla niego spełnienie marzeń.

– A pozostali? Alice, Esme? Wilki?

– Mają się dobrze. Tam też jest już po wszystkim. Nie mieli żadnych trudności, tak jak ci obiecałem. Najgorzej było tutaj.

Dałam sobie chwilę, żeby wszystko to poukładać w głowie.

Moi najbliżsi i moi przyjaciele byli bezpieczni. Victoria już nigdy nie miała po mnie wrócić. Koszmar dobiegł końca.

Mieliśmy teraz żyć długo i szczęśliwie.

Ale nie mogłam upajać się zwycięstwem, nie wyjaśniwszy jednej rzeczy.

– Powiedz mi, dlaczego myślałeś, że się ciebie boję?

– Przepraszam – powtórzył znowu, nie wiadomo po co. – Przepraszam, że cię na to wszystko naraziłem. Że mnie takim zobaczyłaś. Wiem, jakie to musiało być dla ciebie straszne doświadczenie.

Zastanowiłam się nad tym. Przypomniałam sobie, w jaki sposób mnie podchodził, jak trzymał wtedy ręce... Jakby obawiał się, że lada moment ucieknę z krzykiem.

– Mówisz serio? Myślałeś... Co właściwie sobie myślałeś? Że napędziłeś mi stracha?

Prychnęłam z wyższością. Wyszło idealnie – głos ani mi nie zadrgał, ani się nie załamał.

Edward zadarł mi podbródek, żeby spojrzeć w moje oczy.

– Bello, przecież ja dopiero co... – zawahał się, ale nie użył żadnych eufemizmów – ...dopiero co, nie dalej jak siedem metrów od ciebie, pozbawiłem głowy i rozczłonkowałem rozumną istotę. To cię nie odrzuca?

Zmarszczył czoło.

Wzruszyłam ramionami. To też wyszło idealnie – taki zblazowany gest.

– Nie za bardzo. A jeśli się bałam, to tylko o ciebie i Setha. Chciałam wam jakoś pomóc, a że niewiele mogę...

Zamilkłam, bo się zdenerwował.

– Tak – powiedział cierpko. – Zachciało ci się zostać nową trzecią żoną. O mało nie dostałem ataku serca, kiedy zobaczyłem, co knujesz, a niełatwo doprowadzić wampira do takiego stanu.

– Chciałam wam tylko pomóc – wydukałam nieśmiało. – Seth mógł się już nie podnieść, a...

– Bello, on tylko udawał, że coś mu się stało. To był taki fortel. A potem wyskoczyłaś z tym kamieniem! – Pokręcił głową zdegustowany. – Seth cię nie widział, więc musiałem zareagować, i teraz ma mi za złe, że nie może przypisać pokonania Rileya wyłącznie sobie.

– Seth tylko udawał? – wykrztusiłam.

Potwierdził.

– Och.

Zerknęliśmy na niego oboje. Przyglądał się płomieniom, nie zwracając na nas uwagi. Z każdego włoska jego sierści emanowało samozadowolenie.

– Nie miałam o tym pojęcia – usprawiedliwiłam się poirytowana. – Nie tak łatwo jest być jedyną bezbronną istotą w promieniu dwudziestu kilometrów. Poczekaj tylko, aż będę wampirem! Następnym razem nie będę siedzieć bezczynnie w kącie!

Edward nie wiedział początkowo, jak zareagować na mój wybuch, ale po namyśle postawił na rozbawienie.

– Następnym razem? A co, planujesz już kolejną bitwę?

– Przy moim pechu wszystko jest możliwe.

Przewrócił oczami, ale wiedziałam, że tylko się zgrywa – oboje czuliśmy się fantastycznie. Niemalże fruwaliśmy z radości. Koszmar dobiegł końca!

Ale... czy aby na pewno?

– Czekaj, czy nie mówiłeś wcześniej... – Wzdrygnęłam się na wspomnienie tego, co dokładnie wydarzyło się przed bitwą. Co ja miałam powiedzieć Jacobowi? Moje rozdarte serce zadrżało boleśnie. Paradoksalnie, najtrudniejsze było jeszcze wciąż przede mną. – ...coś o jakichś komplikacjach? I że Alice musi sprawdzić dla Sama, kiedy co dokładnie będzie miało miejsce? Co zbiegłoby się w czasie z bitwą?

Edward i Seth wymienili znaczące spojrzenia.

– Czekam – popędziłam ich.

– To nic takiego – odpowiedział szybko mój ukochany. – Ale musimy się zbierać.

Zaczął wciągać mnie sobie na plecy, ale zesztywniałam i odsunęłam się.

– Co za „nic takiego"?

Ujął moją twarz w obie dłonie.

– Mamy tylko minutę, ale nie panikuj, dobra? Już ci mówiłem, że wszystko będzie dobrze. Tylko mi zaufaj.

Skinęłam głową, starając się ukryć narastające we mnie przerażenie. Ile jeszcze mogłam znieść bez popadnięcia w obłęd?

– Wszystko będzie dobrze. Okej, rozumiem.

Zastanawiał się przez moment, czy czegoś nie dodać, lecz spojrzał na Setha, jakby ten coś do niego powiedział.

– Co ona wyprawia? – spytał.

Seth pisnął, nagle mocno zaniepokojony. Przeszły mnie ciarki. Na wydającą się stuleciem sekundę zapadła cisza.

– Nie! – jęknął Edward i zamachnął się, jakby chciał złapać coś niewidzialnego. – Uważaj!

Ciałem Setha wstrząsnął dreszcz. Wilk zawył w agonii.

W tym samym momencie Edward upadł na kolana, krzywiąc się i chwytając się oburącz za głowę. I on poczuł ten sam ból.

Krzyknęłam ze strachu i bezradności. Przykucnąwszy, w idiotycznym odruchu spróbowałam oderwać Edwardowi dłonie od skroni, ale moje spocone palce ześlizgnęły się tylko po chłodnym marmurze.

– Edward! Edward!

Podniósł wzrok. Z wyraźnym wysiłkiem rozwarł zaciśnięte zęby.

– Wszystko w porządku. Nic nam nie będzie. To tylko... – przerwał, znowu się krzywiąc.

– Co się dzieje?! – zawołałam.

Seth zawył po raz drugi.

– Wszystko w porządku. Nic nam nie będzie. Sam... pomóż mu...

Dopiero kiedy wymówił to imię, uzmysłowiłam sobie, że nie ma na myśli siebie i Setha. Nie atakowała ich żadna niewidoczna siła. Tym razem kryzys miał miejsce daleko stąd.

Używał liczby mnogiej.

Spaliłam już cały swój zapas adrenaliny – mojemu organizmowi nic już nie zostało. Osunęłam się na ziemię, ale mój ukochany złapał mnie, zanim upadłam. Wziąwszy mnie w ramiona, zerwał się na równe nogi.

– Seth! – krzyknął.

Wilk, nadal w boleściach, siedział przyczajony ze sprężonymi mięśniami. Wyglądał tak, jakby zamierzał lada moment rzucić się pędem w las.

– Nie ma mowy! – zarządził Edward. – Wracasz prosto do domu! W tej chwili!

Seth pisnął i pokręcił przecząco łbem.

– Seth, zaufaj mi.

Basior spojrzał mu głęboko w oczy. Wstał, obrócił się i ani się obejrzałam, jak zniknął wśród drzew niczym duch.

Edward przytulił mnie sobie mocniej do piersi, a potem sam też puścił się biegiem przez las, wybierając jednak inną ścieżkę. Niebo przesłoniła mroczna plątanina gałęzi.

– Co się stało? – wykrztusiłam z trudem przez ściśnięte gardło. – Co się stało Samowi? Dokąd biegniesz? Co się dzieje?

– Musimy jak najszybciej znaleźć się na polanie – wyjaśnił mi ściszonym głosem. – To żadna niespodzianka – wiedzieliśmy, że z dużym prawdopodobieństwem tak właśnie się to skończy. No i rzeczywiście, Alice nawiedziła wcześnie rano odpowiednia wizja. Przekazała mi jej treść przez Sama i Setha. To Volturi. Podjęli decyzję, że czas zainterweniować.

Volturi.

Miałam dość. Mój umysł odmówił przetworzenia tej informacji, udał, że nic z tego nie zrozumiał.

Przed oczami migały mi pnie drzew. Edward pędził w dół zbocza z taką prędkością, jakby nie biegł, a bezwładnie spadał.

– Tylko nie wpadaj w panikę. Nie przybywają tu z naszego powodu. Wysłali tylko niewielki oddział strażników, jak to mają w zwyczaju, gdy trzeba gdzieś zaprowadzić porządek. Od tego są. Oczywiście, nie zaprzeczę, że ta ich zwłoka jest podejrzana. Najwyraźniej – ciągnął ze wstrętem – nikt we Włoszech zbytnio by nie rozpaczał, gdyby nowo narodzonym udało się przy okazji zmniejszyć stan liczebny naszej rodziny. Cóż, upewnię się, co chodziło im po głowie, kiedy spotkamy się z nimi na polanie.

– Czy po to musimy się tam zameldować? – szepnęłam.

Broniłam się przed tymi obrazami, ale i tak przypomniały mi się złowrogie sylwetki w czarnych pelerynach. Wzdrygnęłam się. Czy miałam znieść taką konfrontację? Byłam przecież już o krok od załamania.

– Po części. Przede wszystkim będzie dla nas bezpieczniej, jeśli zmierzymy się z nimi w grupie. Nie mają powodów, by nas zaatakować, ale… widzisz, jest z nimi Jane. Gdyby zorientowała się, że przebywam z dala od innych, mogłoby wydać się jej to kuszące. Tak jak wcześniej Victoria, domyśliłaby się, że jesteś razem ze mną. A z nią z kolei jest Demetri. Gdyby go o to poprosiła, odnalazłby mnie.

Nie chciałam nawet myśleć o posiadaczce tego imienia. Jej pięknej dziecięcej buzi nie chciałam zobaczyć nawet w myślach. Z głębi gardła wyrwał mi się dziwny dźwięk.

– Cii, kochanie, cii. Wszystko będzie dobrze. Alice widziała, że nic nam nie zrobią.

Alice coś widziała? Ale… to gdzie były wilki? Gdzie była wataha?

– A co ze sforą?

– Musieli się szybko wycofać. Volturi nie honorują naszego paktu z wilkołakami.

Usłyszałam, że oddech mi przyspiesza, ale nie miałam nad nim żadnej kontroli. Zaczęłam posapywać.

– Przysięgam, że nic im nie grozi – dodał. – Volturi wiedzą o wilkołakach tylko tyle, że te istnieją. Nie rozpoznają ich zapachu, więc nie będą nawet wiedzieć, że Sam i reszta są w pobliżu. Włos im z głowy nie spadnie.

Byłam tak zdekoncentrowana ze strachu, że niewiele z jego wyjaśnienia do mnie dotarło. „Nic nam nie będzie", powiedział wcześniej… i ten wyjący z bólu Seth… Edward nie odpowiedział mi wtedy na żadne pytanie, a później skierował rozmowę na Volturich…

Byłam coraz bliżej krańca wytrzymałości – czepiałam się go już samymi koniuszkami palców.

Drzewa wokół nas zlewały się w intensywnie zielone morskie fale.

– Co się stało? – spytałam szeptem. – Wcześniej, kiedy Seth zawył. Kiedy cię bolało.

Edward zawahał się.

– Powiedz mi!

– Było już niby po wszystkim... – Ledwie go słyszałam, tak świszczało mi w uszach od pędu. – A przynajmniej tak się wilkom wydawało. Tyle że nie policzyły swoich ofiar. Alice, rzecz jasna, nie mogła służyć im pomocą...

– I co się stało?

– Okazało się, że jeden z nowo narodzonych się schował. To Leah go znalazła. Powinna była poczekać na posiłki, ale chciała chyba coś sobie głupio udowodnić... Nie zaczekała. Zaatakowała w pojedynkę.

– A więc to Leah. – Byłam zbyt słaba, żeby zawstydzić się, że poczułam ulgę. – Wyjdzie z tego?

– Nic jej nie jest.

Podniosłam wzrok, żeby spojrzeć Edwardowi w oczy.

„Sam... pomóż mu...".

Mu, a nie: jej.

– Jesteśmy już prawie na miejscu – stwierdził, zerkając na niebo.

Odruchowo spojrzałam w tym samym kierunku. Nisko, nad koronami drzew wisiała ciemnofioletowa chmura. Jak to? Przecież było tak słonecznie... Nie, to nie była chmura – rozpoznałam gęsty słup dymu, takiego samego jak ten bijący od ogniska, które zostawiliśmy za sobą.

– Nie zwódź mnie – szepnęłam na granicy słyszalności. – Wiem, że ktoś jest ranny.

Widziałam na własne oczy, jak obaj z Sethem wili się z bólu.

– Tak – wyznał wreszcie.

– Kto? – spytałam, choć znałam już odpowiedź.

No tak. Któż by inny.

Pnie drzew stały się na powrót widoczne. Zaraz mieliśmy wybiec na polanę.

Nie odpowiedział mi od razu.

– Jacob.

Skinęłam głową.

– No tak – zdołałam jeszcze szepnąć.

A potem wpadłam w ową mroczną otchłań, nad którą wisiałam już od dawna.

Najpierw poczułam, że ktoś mnie dotyka – więcej niż jedna osoba. Ktoś trzymał mnie w ramionach, kto inny badał mi tętno w nadgarstku, jeszcze kto inny głaskał mnie po czole. Wnętrze czyjejś zimnej dłoni przylegało do mojego policzka.

Dopiero później pojawiły się głosy. Z początku były tylko szmerami, ale stopniowo robiły się coraz donośniejsze i wyraźniejsze, jakby ktoś podkręcał dźwięk w radiu.

– To już pięć minut – powiedział zdenerwowany Edward.

– Dojdzie do siebie, jak będzie gotowa – uspokoił go opanowany Carlisle. – Dużo dziś przeszła. Pozwólmy jej umysłowi się przed tym bronić.

Ale mojego umysłu nic nie chroniło. Nawet gdy leżałam nieprzytomna, nie opuściła mnie świadomość tego, co się wydarzyło. Ból stanowił integralną część otaczających mnie ciemności.

Miałam wrażenie, że oderwałam się od swojego ciała – że jestem uwięziona w klatce, w zakamarku swojej własnej głowy i niczym już nie jestem w stanie sterować. Na to też nic nie mogłam poradzić. Nie mogłam nawet myśleć. Moje cierpienie było tak silne, że nie było przed nim ucieczki.

Jacob.

Jacob!

Nie, nie, nie…

– Alice, ile mamy jeszcze czasu? – spytał Edward.

Był wciąż spięty – kojące zapewnienia Carlisle'a nic nie zdziałały.

Głos Alice dobiegł z pewnej odległości. Na szczęście był pełen optymizmu.

– Jeszcze pięć minut. A Bella otworzy oczy za trzydzieści siedem sekund. Nie wykluczam, że już nas słyszy.

– Słyszysz mnie, skarbie? – odezwała się czule Esme. – Już dobrze. Nic ci nie grozi.

Mnie nie, ale co to była za pociecha?

Ktoś przytknął mi do ucha chłodne wargi. Był to Edward. Dopiero siła jego słów przerwała tortury i wyswobodziła mnie z zamknięcia.

– Nic mu nie będzie, Bello. Wyliże się z tego. Przeżyje. Jego rany goją się w oczach.

Ból i lęk osłabły. Odnalazłam drogę do swojego ciała i zatrzepotałam powiekami.

– Dzięki Bogu – westchnął.

Pocałował mnie delikatnie w usta.

– Edward...

– Jestem przy tobie.

Nakazałam swoim powiekom się otworzyć. Wpatrywała się we mnie para złocistomiodowych oczu.

– Jacob się wyliże?

– Wyliże się – obiecał.

Przyjrzałam mu się uważnie, żeby upewnić się, że mnie nie zwodzi, ale nie doszukałam się niczego, co wzbudziłoby moje podejrzenia.

– Sam go badałem – wtrącił Carlisle.

Odwróciłam głowę – od twarzy doktora dzielił mnie tylko metr. Jego mina, choć pełna powagi, dodała mi otuchy. Nie sposób było mu nie wierzyć.

– Jego życiu nie grozi żadne niebezpieczeństwo. Dochodzi do siebie w niesamowitym tempie. Część jego obrażeń jest wprawdzie na tyle poważna, że zajmie mu to parę dni, ale i tak to rewelacyjna prognoza. Gdy tylko załatwimy to, co mamy tu do załatwienia, zrobię wszystko, co w mojej mocy, żeby mu pomóc. Na razie, przy wsparciu Sama, usiłuje zmienić się w człowieka. Ułatwi mi to zadanie. – Doktor uśmiechnął się odrobinę. – Nigdy nie szkoliłem się na weterynarza.

– Co mu się stało? – spytałam słabym głosem. – Co to za poważne obrażenia?

Carlisle na powrót spoważniał.

– Inny wilk był w opałach...

– Leah.

– Tak, Leah. Odepchnął ją na bok, ale sam nie miał już czasu się osłonić. Nowo narodzony złapał go w pasie. Złamał mu większość kości w prawej połowie ciała.

Drgnęłam.

– Na szczęście Sam i Paul zdążyli w samą porę. Kości zaczęły mu się zrastać, już gdy nieśli go do La Push.

– Będzie kuśtykał albo coś takiego?

– Nie, nie. Nic z tych rzeczy. Nawet ślad nie zostanie.

Wzięłam głęboki wdech.

– Trzy minuty – oznajmiła Alice.

Spróbowałam przybrać pozycję pionową. Edward zauważył to i przyszedł mi z pomocą.

Rozejrzałam się dookoła.

Cullenowie stali w półkolu dookoła ogniska. Nie było widać prawie żadnych płomieni, tylko gęsty fioletowoczarny dym, którego morowa barwa kontrastowała z soczystą zielenią trawy. Najbliżej kłębów tej potwornej materii i rzucanego przez nie cienia znajdował się Jasper, więc jego skóra nie iskrzyła się w słońcu, jak u pozostałych. A to za nim? Co to było? Czemu się przy tym tak czaił?

Byłam zbyt odrętwiała, by zszokowało mnie moje odkrycie – poczułam się tylko zaskoczona.

Na polanie było osiem wampirów.

Ciemnowłosa dziewczyna, której przyglądał się Jasper, siedziała skulona z kolanami pod brodą i rękami splecionymi na łydkach. Była młodsza ode mnie, szczuplutka – miała może z piętnaście lat.

Świdrowała mnie wzrokiem, a oczy miała intensywnie czerwone, jeszcze bardziej czerwone niż Riley. Prawie że płonęły. Łypała nimi dziko.

Edward zauważył moje zdziwienie.

– Poddała się – wytłumaczył mi. – Tylko Carlisle mógł zaproponować coś takiego komuś tak młodemu. Jasper tego nie pochwala.

Patrzyłam na ich dwoje jak urzeczona. Jasper potarł sobie lewe przedramię.

– Nic mu nie jest? – szepnęłam.

– To nic takiego, swędzą go tylko resztki jadu.

– Ktoś go ugryzł? – przeraziłam się.

– Chciał być wszędzie naraz. Byle tylko Alice nie miała nic do roboty. – Edward pokręcił głową. – Alice nie potrzebuje taryfy ulgowej.

– Nadopiekuńczy głupek – skomentowała, krzywiąc się.

Dziewczyna przy ognisku odrzuciła nagle głowę do tyłu jak zwierzę i zawyła cienko. Jasper warknął na nią, aż odskoczyła. Wbiła palce w ziemię, jakby były pazurami, po czym zaczęła potrząsać głową w agonii. Jasper zrobił krok w jej stronę, jeszcze bardziej uginając kolana. Edward, niby to mimochodem, przemieścił się tak, żeby znaleźć się pomiędzy mną a nią. Wychyliłam się zza niego, by móc dalej przyglądać się tej scenie.

Carlisle doskoczył do Jaspera i położył mu dłoń na ramieniu, żeby ten się jeszcze wstrzymał.

– Zmieniłaś może zdanie? – spytał nowo narodzoną łagodnym tonem. – Nie chcemy cię zabić, ale będziemy do tego zmuszeni, jeśli nie weźmiesz się w garść.

– Jak wy to znosicie? – jęknęła cienko. – Jej krew mnie woła – pożaliła się, wypatrując mnie za Edwardem, a paznokciami znowu zaryła o ziemię.

– Musisz to wytrzymać – oświadczył Carlisle z powagą. – Musisz nauczyć się kontrolować. To możliwe, i to dla ciebie teraz jedyna droga do ocalenia życia.

Dziewczyna złapała się brudnymi dłońmi za głowę, zawodząc cicho.

Pociągnęłam Edwarda za rękaw.

– Czy nie powinieneś mnie zabrać w jakieś bezpieczniejsze miejsce? – spytałam szeptem.

Na dźwięk mojego głosu nowo narodzona obnażyła zęby i jeszcze bardziej się wykrzywiła.

– Musimy zaczekać na Volturi – mruknął Edward. – Będą tu lada chwila, przyjdą od północy.

Serce zaczęło mi bić młotem. Przeniosłam wzrok na przeciwległy kraniec polany, ale zza dymu nie było nic widać. Szybko się poddałam.

Spojrzałam znowu na dziewczynę. Nie przestawała się we mnie dziko wpatrywać, a od czasu do czasu wzdrygała się i wyginała.

Przez dłuższy moment patrzyłyśmy sobie prosto w oczy. Rysy jej twarzy deformowały gniew i głód, trudno więc było ustalić, czy jako wampir stała się piękna. Miała ciemne włosy sięgające brody i jasną jak śnieg cerę, ale uwagę skupiały przede wszystkim jej hipnotyzująco czerwone tęczówki.

Przyszło mi na myśl, że niedługo ja też tak będę wyglądać. Oto, co miało mi się ukazać w lustrze już za parę tygodni.

Carlisle i Jasper podnieśli nagle głowy, po czym ruszyli w naszym kierunku. Pozostali także ustawili się przy mnie i Edwardzie. Tak jak mówił, woleli zmierzyć się z Volturi w grupie, zasłaniając mnie, bezbronnego człowieka, własnymi ciałami.

Oderwałam się nareszcie od dręczonej spazmami dziewczyny i skupiłam na wypatrywaniu zbliżających się potworów.

Nadal nic nie było widać. Zerknęłam na Edwarda – oczy miał utkwione w jakimś dalekim punkcie. Spróbowałam podążyć za jego spojrzeniem, ale dym stanowił dla mnie przeszkodę nie do pokonania: gęsty i oleisty, krążył nisko przy ziemi, leniwie sunąc po spirali ku górze.

W sercu kłębów zaczęła rosnąć czarna plama.

– Hm... – doszedł moich uszu wyprany z emocji pomruk.

Od razu go rozpoznałam.

– Witaj, Jane – odezwał się uprzejmie Edward.

Plama podzieliła się na mniejsze, które rosnąc, przybierały coraz konkretniejsze kształty. Nietrudno było się domyślić, że Jane idzie na samym przedzie – miała na sobie najciemniejszą pelerynę, niemal czarną, i była niższa od swoich towarzyszy o ponad dwie głowy. Cień nie pozwalał w pełni docenić jej anielskiej urody.

Także czterej rośli kompani wampirzycy już z daleka wydali mi się znajomi. Byłam przekonana, że rozpoznałam najwyższego z nich, i rzeczywiście, kiedy spojrzał w moją stronę, upewniłam się, że to Felix. Kaptur odsłaniał mu czoło, więc zauważyłam, że mrugnął do mnie z uśmiechem. Edward, spięty i znieruchomiały, nie opuszczał mnie, gotowy w razie potrzeby błyskawicznie zareagować.

Jane powiodła powoli wzrokiem po twarzach Cullenów, by zatrzymać się na siedzącej przy ognisku nowo narodzonej. Dziewczyna znowu trzymała się za głowę.

– Nie rozumiem... – powiedziała Jane.

Głos miała wciąż apatyczny, ale już nie tak bardzo.

– Poddała się – wyjaśnił Edward, odczytując z jej myśli, z czym ma kłopot.

Spojrzała na niego szybko.

– Poddała się?

Wzruszył ramionami.

– Carlisle dał jej wybór.

– Ci, którzy nie przestrzegają reguł, nie mają prawa wyboru – oświadczyła cierpko.

Do rozmowy włączył się Carlisle.

– Jej los jest w waszych rękach. Pomyślałem tylko, że gdyby zdecydowała się nas nie atakować, nie byłoby potrzeby jej likwidować. Nigdy nie uczono jej naszych praw.

– To nie ma tu nic do rzeczy – stwierdziła Jane.

– Nie będę się spierał.

Przez chwilę przyglądała mu się skonsternowana, a potem pokręciła ledwo zauważalnie głową i przybrała na powrót obojętny wyraz twarzy.

– Aro miał nadzieję, że zapuścimy się dostatecznie daleko na zachód, żeby się z tobą spotkać, Carlisle. Przesyła pozdrowienia.

Doktor lekko się skłonił.

– Byłbym wdzięczny, gdybyś i mnie posłużyła za posłańca.

– Proszę bardzo. – Uśmiechnęła się. Była prześliczna, kiedy sobie na to pozwalała. Odwróciła się ku słupowi dymu. – Najwyraźniej nie zostawiliście nam nic do roboty... no, prawie nic. – Zerknęła na jeńca Cullenów. – Tak z zawodowej ciekawości, ilu ich było? Zdołali sterroryzować całe miasto.

– Z tą tu osiemnastu – odpowiedział Carlisle.

Jane otworzyła szeroko oczy. Przyjrzała się ognisku uważniej, najwyraźniej chcąc ocenić, czy pomieściłoby tyle szczątków. Felix i pozostali wymienili dłuższe spojrzenia.

– Osiemnastu? – powtórzyła.

Po raz pierwszy widziałam ją tak niepewną.

– Sami nowo narodzeni – dodał Carlisle lekceważąco. – Zupełnie niedoświadczeni.

– Sami? To kto ich stworzył? – spytała ostrzejszym tonem.

– Na imię jej było Victoria – odparł Edward głosem bez wyrazu.

– Było?

Machnął głową i skupiła wzrok na tym, co jej wskazał. Czyżby na dymie bijącym od stosu w naszym obozowisku? Nie sprawdziłam.

Jane długo patrzyła na wschód, a potem na powrót zainteresowała się bliższym jej ogniskiem.

– Czyli osiemnastu plus Victoria, tak?

– Zgadza się. Miała też jednego przy sobie – nie był taki młody, jak te tutaj, ale nie miał więcej niż rok.

– Zatem dwudziestu. – Była pod wrażeniem. – Kto zajął się Victorią?

– Ja – przyznał Edward.

Zmrużyła oczy, ale zrezygnowała z dalszych pytań, skupiła się na jeńcu.

– Ty tam, jak masz na imię? – zawołała.

Jej martwy głos zabrzmiał bardziej szorstko niż kiedykolwiek.

Nowo narodzona zacisnęła usta i posłała jej złowrogie spojrzenie. Jane uśmiechnęła się do niej uroczo.

Z ust dziewczyny dobył się przeciągły przenikliwy krzyk, a jej ciało wygięło się w łuk, sztywniejąc w nienaturalnej pozie. Spojrzałam w bok, walcząc z chęcią zatkania sobie uszu, i zacisnęłam zęby, żeby nie zwymiotować. Krzyk przybrał na sile. Spróbowałam skoncentrować się na twarzy nadzwyczaj opanowanego Edwarda, ale przypomniało mi się, jak Jane torturowała jego samego, co tylko wzmogło mdłości, więc przeniosłam wzrok na Alice i stojącą koło niej Esme – ich twarze także nie wyrażały żadnych uczuć.

W końcu zapadła cisza.

– Jak masz na imię? – powtórzyła Jane z obojętną intonacją.

– Bree – wykrztusiła nowo narodzona, dysząc.

Jane uśmiechnęła się i nowo narodzona znowu zaczęła krzyczeć. Dopóki nie zamilkła, wstrzymywałam oddech.

– I tak powie ci wszystko, co chcesz wiedzieć – wycedził Edward. – Nie musisz jej tego robić.

Jane spojrzała na niego. W jej martwych zwykle oczach pojawiło się nagle rozbawienie.

– Och, wiem o tym – powiedziała, uśmiechając się do Edwarda jeszcze szerzej niż do Bree, po czym powróciła do przerwanego przesłuchania.

– Czy historia, którą tu usłyszeliśmy, jest prawdziwa? Było was dwudziestu?

Dziewczyna leżała z policzkiem przytulonym do ziemi. Nadal ciężko oddychała, ale odpowiedziała od razu.

– Dziewiętnastu albo dwudziestu, może więcej, nie wiem! – Skuliła się ze strachu, że niewiedzę przypłaci kolejną minutą katorgi. – Sara i taka jedna, nie wiem, jak miała na imię, wdały się po drodze w bójkę...

– A co z Victorią – czy to ona was stworzyła?

– Nie wiem – jęknęła Bree, znowu się kuląc. – Riley nigdy nie nazywał jej po imieniu. A wtedy, w nocy... było tak ciemno i tak bolało... – Wzdrygnęła się. – Nie chciał, żebyśmy mogli o niej myśleć. Mówił, że nasze myśli mogą zostać podsłuchane...

Jane zerknęła na Edwarda.

Victoria dobrze wszystko zaplanowała. Gdyby nie poszła śladem mojego ukochanego, nie byłoby sposobu na udowodnienie jej, jaką rolę odegrała.

– Powiedz mi coś więcej o tym Rileyu – rozkazała Jane. – Dlaczego was tutaj przyprowadził?

– Powiedział, że mamy zlikwidować gromadę żółtookich – paplała Bree, byle tylko znowu jej nie dręczono. – Bo Seattle to ich terytorium i już niedługo po nas przyjdą, więc lepiej ich uprzedzić. Mieliśmy ich załatwić w dziesięć minut, tak nam powiedział. Gdybyśmy wygrali, całe miasto byłoby tylko dla nas. Tyle krwi! Dał nam do powąchania jej rzeczy. – Podniosła rękę, żeby wskazać mnie palcem. – Powiedział, że tak ich rozpoznamy, że żółtoocy będą tam, gdzie ona. Jak ktoś by ją znalazł, miał obiecane, że będzie tylko dla niego.

Poczułam, że Edward sztywnieje.

– Jak widać Riley pomylił się co do stopnia trudności tego starcia – skomentowała Jane.

Bree pokiwała głową. Wyraźnie jej ulżyło, bo sądziła pewnie, że skoro jest w stanie udzielić jednak tylu informacji, uniknie dalszych tortur. Podniosła się ostrożnie i usiadła.

– Nie wiem, co się stało. Rozdzieliliśmy się, ale tamci nigdy nie wrócili. I Riley nas zostawił, i nie wrócił nam pomóc, tak jak obiecał. A potem się zaczęło i wszędzie latały tylko takie białe kawałki. – Znowu się wzdrygnęła. – Bardzo się bałam. Chciałam uciekać. I wtedy tamten żółty – spojrzała na Carlisle'a – powiedział, że jeśli przestanę walczyć, nic mi nie zrobią.

– Tak, tyle że on nie jest upoważniony do oferowania takich prezentów – powiedziała Jane zaskakująco łagodnie. – Złamałaś nasze zasady i musisz ponieść konsekwencje.

Bree otworzyła szeroko oczy, zdezorientowana.

Jane zwróciła się do Carlisle'a:

– Jesteś pewien, że wyłapaliście wszystkich? Tych, co się rozdzielili, również?

Doktor skinął głową. Jeśli był podenerwowany, nic a nic go nie zdradzało.

– My też się rozdzieliliśmy – oświadczył.

Na twarzy Jane pokazał się półuśmiech.

– Nie mogę zaprzeczyć, że mi zaimponowaliście.

Jej schowani w cieniu towarzysze także wyrazili pomrukami swoją aprobatę.

– Nigdy jeszcze nie widziałam, żeby ktoś wygrał mimo takiej przewagi liczebnej przeciwnika i nie poniósł przy tym żadnych strat. Czy macie na to jakieś wytłumaczenie? To ekstremalne zachowanie, zważywszy na wasz styl życia. I czemu kluczem była ta wasza mała?

Jej oczy z niechęcią na sekundę skierowały się w moją stronę. Zadrżałam.

– Victoria żywiła do Belli urazę – zdradził jej Edward beznamiętnym tonem.

Jane parsknęła śmiechem – zachwycającym swoją melodyjnością śmiechem uradowanego dziecka.

– Wasza mała zdaje się wywoływać u przedstawicieli naszej rasy nadzwyczaj silne reakcje – zauważyła, obdarowując mnie przepięknym uśmiechem.

Edward zesztywniał. Kiedy na niego zerknęłam, przenosił wzrok ze mnie z powrotem na Jane.

– Czy mogłabyś tak nie robić? – poprosił ją ze ściśniętym gardłem.

Znowu się zaśmiała.

– Tak tylko sprawdzam. Nic jej nie jest, prawda?

Przeszły mnie ciarki. Byłam głęboko wdzięczna losowi, że nic się nie zmieniło i owa tajemnicza cecha nadal chroni mnie przed umiejętnościami Jane. Edward przycisnął mnie mocniej do siebie.

– Cóż – ciągnęła Jane – nie zostało nam wiele do roboty. Dziwne. Nie jesteśmy przyzwyczajeni do tego, że się nas wyręcza. No i pluję sobie w brodę, że przegapiliśmy bitwę. Musiał być to wyjątkowo zajmujący spektakl.

– Tak, a byliście już tak blisko – stwierdził Edward. – Wystarczyło się tu zjawić pół godziny wcześniej. Mielibyście też wówczas okazję spełnić swój obowiązek.

Słysząc te aluzje, Jane nawet nie mrugnęła.

– Wielka szkoda, że wyszło, jak wyszło, nieprawdaż?

Edward skinął głową. Jego podejrzenia okazały się słuszne.

Jane obróciła się ponownie w stronę Bree. Wyglądała teraz na znudzoną.

– Felix?

– Czekaj – przerwał jej Edward.

Uniosła jedną brew, ale mój ukochany patrzył na swojego ojca.

– Czy nie moglibyśmy wytłumaczyć jej, jakie są zasady? Wydaje się skłonna do nauki. Nie wiedziała, że występuje przeciwko prawu.

– Oczywiście, że moglibyśmy się nią zająć – odpowiedział Carlisle. – Jestem gotowy przyjąć ją pod swoje skrzydła.

Mina Jane oscylowała pomiędzy niedowierzaniem a rozbawieniem.

– Nie robimy wyjątków – powiedziała. – I nie dajemy nikomu jeszcze jednej szansy. Zaszkodziłoby to naszej reputacji. Właśnie, à propos... – Spojrzała na mnie, a w jej policzkach pojawiły się dołeczki jak u cherubina. – Kajusza na pewno zainteresuje fakt, że jesteś ciągle człowiekiem, Bello. Być może zdecyduje się złożyć wam wizytę.

– Mamy już ustalony termin – po raz pierwszy zabrała głos Alice. – Być może to my za kilka miesięcy złożymy wam wizytę.

Jane nawet na nią nie zerknęła, ale jej uśmiech zgasł. Niby to lekceważąco, wzruszyła ramionami.

– Miło było cię znowu zobaczyć, Carlisle. A sądziłam, że Aro przesadza... Cóż, do następnego razu.

Doktor skłonił się, przygnębiony.

– Pospiesz się, Felix – nakazała swojemu kompanowi, nie ukrywając coraz większego znużenia. – Wracajmy już do domu.

– Zamknij oczy – szepnął mi do ucha Edward.

Nie musiał mi tego powtarzać dwa razy. Miałam już dość okropności jak na jeden dzień – dość na całe życie. Zacisnęłam powieki i wtuliłam twarz w jego pierś.

Ale nie zatkałam uszu.

Wpierw rozległo się basowe warknięcie Felixa, a później dołączył do niego znajomy, wysoki krzyk. Oba te odgłosy ucichły niemal natychmiast jak nożem uciął, ale jeszcze przez dłuższą chwilę słychać było odrażające chrupnięcia i trzaski.

Edward głaskał mnie nerwowo po ramieniu.

– Idziemy – odezwała się Jane.

Podniosłam głowę. Volturi już odchodzili. Tak jak wcześniej w obozowisku, pachniało nieprzyjemnie kadzidłem.

Szare peleryny rozmyły się w kłębach dymu.

26 Etyka

Blat w łazience Alice zastawiony był niezliczonymi upiększającymi specyfikami. Ponieważ wszyscy mieszkańcy domu byli zarówno wybitnie urodziwi, jak i w stu procentach odporni na działanie substancji chemicznych, pozostawało mi założyć, że moja przyjaciółka zakupiła te wszystkie rzeczy z myślą o mnie. Odrętwiała, czytałam etykietkę za etykietką, bulwersując się takim marnotrawstwem.

Pilnowałam się, żeby ani razu nie spojrzeć w lustro.

Alice powoli i miarowo rozczesywała mi włosy.

– Starczy już tego – powiedziałam bezbarwnym głosem. – Chcę wrócić do La Push.

Ileż to godzin czekałam na to, żeby Charlie wreszcie opuścił dom Blacków, co umożliwiłoby mi odwiedzenie Jacoba? Każda minuta niepewności wydawała mi się całym stuleciem. A potem, kiedy w końcu pozwolili mi pojechać zobaczyć na własne oczy, że Jacob naprawdę żyje, czas zaczął płynąć tak szybko, że ledwie wzięłam jeden oddech, Alice już wołała Edwarda, upierając się, że musimy podtrzymać pierwotną wersję. Jakby było ważne, gdzie nocowałam!

– Jacob jest nadal nieprzytomny – zaoponowała. – Carlisle albo Edward zadzwonią, gdy tylko się ocknie. Zresztą, musisz najpierw zobaczyć się z Charliem. Był wtedy u Billy'ego, widział, że Carlisle i Edward wrócili z wycieczki, i na pewno nabrał jakichś podejrzeń. Musisz go uspokoić.

Zdążyłam już wykuć na pamięć odpowiedzi na wszystkie kłopotliwe pytania.

– Wszystko mi jedno. Chcę być przy Jacobie, kiedy się ocknie.

– Teraz musisz pomyśleć o Charliem. – Mówiła z powagą, prawie mnie łajała. – Masz za sobą długi dzień, ale to nie znaczy, że możesz wymigiwać się od obowiązków. To bardzo ważne, żeby Charlie niczego się nie domyślił. Niewiedza gwarantuje mu bezpieczeństwo. Odegraj swoją rolę, to będziesz miała wolną rękę. Jeśli chcesz być członkiem naszej rodziny, musisz być tak samo odpowiedzialna, jak my.

Oczywiście miała rację. Tym samym argumentem posłużył się też Carlisle, żeby oderwać mnie od łóżka Jacoba. Ani moje wyrzuty sumienia, ani moje lęki nie dorównywały siłą przekonywania chęci stania się jedną z Cullenów.

– Jedź do domu – nakazała mi. – Porozmawiaj z Charliem. Potwierdź swoje alibi. Chroń go.

Wstałam. Krew spłynęła mi do stóp, wdzierając się w nie boleśnie tysiącem igieł. Za długo siedziałam w bezruchu.

– Naprawdę ślicznie ci w tej sukience – zaświergotała Alice.

– Hę? – bąknęłam. – A tak. Ee... jeszcze raz dziękuję.

Powiedziałam tak jednak bardziej z grzeczności niż szczerze.

– Potrzebny ci był dowód rzeczowy i tyle. – Udawała niewiniątko. – Co to za wyprawa na zakupy bez nowego nabytku? A jeśli ja to mówię, to, wierz mi, wyglądasz rewelacyjnie.

Zamrugałam, niezdolna przypomnieć sobie, w co mnie ubrała. Moje myśli uporczywie się rozbiegały, jak robactwo po zapaleniu światła.

– Nic mu nie będzie, Bello – pocieszyła mnie Alice, trafnie interpretując moje rozproszenie. – I nie ma pośpiechu. Carlisle wpakował w niego tyle morfiny, że nie obudzi się jeszcze przez ładnych parę godzin. Tak strasznie szybko ją spalał, że trzeba było mu zaserwować końską dawkę.

Przynajmniej nic go nie bolało. Na razie.

– Czy chcesz może jeszcze o czymś ze mną porozmawiać przed wyjściem? – spytała z troską. – Przeżyłaś wielki wstrząs.

Wiedziałam, co ją intryguje, jednak miałam dla niej w zanadrzu inne pytanie.

– Czy właśnie taka będę? – wyszeptałam. – Jak ta nieszczęsna Bree?

Miałam do przemyślenia wiele spraw, ale nie mogłam zapomnieć o młodej nowo narodzonej, której nowe życie tak szybko dobiegło końca. Co chwila stawała mi przed oczami jej wykrzywiona żądzą krwi twarz.

Alice pogładziła mnie po ramieniu.

– Każdy jest inny, ale odpowiedź brzmi: tak – będziesz zachowywać się podobnie.

Znieruchomiałam, próbując to sobie wyobrazić.

– To mija – obiecała.

– Jak szybko?

Wzruszyła ramionami.

– Po kilku latach, czasami krócej. Zresztą, kto wie, jak to z tobą będzie. Nigdy nie znałam nikogo, kto poddał się przemianie dobrowolnie. Zapowiada się ciekawe doświadczenie.

– Ciekawe? – powtórzyłam.

– Będziemy cię pilnować.

– Wiem. Na to liczę.

Ton głosu miałam bezbarwny niczym u zombie.

Zmarszczyła czoło.

– Jeśli boisz się o Carlisle'a i Edwarda, to zapewniam cię, że nie ma o co. Mam wrażenie, że Sam zaczyna nam ufać... no, może nie nam, tylko Carlisle'owi, ale zawsze. To bardzo dobrze. Kiedy Carlisle łamał na nowo Jacobowi kości, musiało zrobić się tam gorąco...

– Błagam, Alice.

– Przepraszam.

Wzięłam głęboki oddech, żeby się uspokoić. Rany Jacoba goiły się w takim tempie, że kilka jego kości źle się zrosło. Był nieprzytomny, kiedy mu je łamano, ale i tak trudno mi było o tym myśleć.

– Alice, czy mogę zadać ci jedno pytanie? Związane z moją przyszłością.

Zrobiła się czujna.

– Wiesz, że nie widzę wszystkiego.

– Nie chodzi mi o nic konkretnego, tylko o to, że w ogóle miewasz wizje na mój temat. Jak myślisz, skąd to się bierze, że nic innego na mnie nie działa? Ani dar Jane, ani Edwarda, ani Ara...

Urwałam, bo moje zainteresowanie tą kwestią gdzieś uleciało – ciekawość zduszały we mnie inne, bardziej narzucające się emocje. Moje pytanie zaintrygowało za to Alice.

– Nie zapominaj o Jasperze, Bello – potrafi wpływać na reakcje twojego ciała tak samo, jak u innych. I w tym cała różnica, nie widzisz tego? Jasper manipuluje twoim ciałem, a nie twoim umysłem. To nie urojenie. Niczego ci nie wmawia, tylko naprawdę steruje tym, co się dzieje w twoim organizmie. A w moich wizjach pojawiają się końcowe efekty, a nie przyczyny czy rozmyślania, które doprowadziły do podjęcia takiej a nie innej decyzji. To też nie dotyczy procesów myślowych – to nie iluzja, tylko rzeczywistość, a przynajmniej jedna z jej wersji. Ale z Jane, Edwardem, Arem i Demetrim jest inaczej – oni pracują we wnętrzu umysłu. Jane tworzy jedynie iluzję bólu, bo przecież jej ofiary nie odnoszą żadnych fizycznych obrażeń. Rozumiesz, Bello? W swojej głowie możesz czuć się bezpieczna. Nikt tam nie przeniknie. Nic dziwnego, że Aro nie może się doczekać, aż pozna twoje przyszłe umiejętności.

Obserwowała mnie, żeby sprawdzić, czy za nią nadążam, ja jednak wciąż nie byłam w stanie się skupić. Już na początku monologu jej słowa zlały się w jedną całość, a poszczególne sylaby i dźwięki straciły swoje znaczenie. Mimo to przytaknęłam, przybierając odpowiednio inteligentną minę.

Nie nabrała się. Pogłaskawszy mnie po policzku, mruknęła:

– Nic mu nie będzie. Nie potrzebuję wizji, żeby to wiedzieć. Gotowa do wyjścia?

– Jeszcze chwilka. Mogę ci zadać jeszcze jedno pytanie dotyczące mojej przyszłości? Nie zależy mi na szczegółach, powiedz tylko tak czy nie.

– Zrobię, co w mojej mocy – mruknęła, na powrót nieufna.

– Czy nadal widzisz to, że zmienię się w wampira?

– Och, to proste. Jasne, że widzę.

Powoli pokiwałam głową.

Przyjrzała mi się z nieodgadnionym wyrazem twarzy.

– Nie znasz swoich własnych myśli, Bello?

– Znam. Chciałam się tylko upewnić.

– To, co widzę, jest pewne jedynie na tyle, na ile jesteś tego pewna ty sama. Wiesz o tym. Gdybyś zmieniła zdanie, i moja wizja by się zmieniła... albo, w tym przypadku, znikła.

Westchnęłam.

– Nie, nie. Nic nie zniknie.

Objęła mnie ramieniem.

– Żałuję, że nie mogę tak naprawdę wczuć się w twoją sytuację. Moje pierwsze wspomnienie jest takie, że mam wizję, w której widzę Jaspera. Nigdy nie miałam wątpliwości, że losy mój i jego są z sobą nierozerwalnie związane. Ale potrafię ci współczuć.

Tak trudno jest wybrać pomiędzy dwiema równoważnymi rzeczami.

Wyślizgnęłam się z jej objęć.

– Nie przejmuj się mną tak bardzo.

Wielu ludzi zasługiwało na współczucie, ale ja się do nich nie zaliczałam. I wcale nie stałam przed żadnym wyborem – musiałam tylko złamać serce pewnego dobrego człowieka...

– Pojadę już do tego Charliego.

Kiedy zajechałam furgonetką pod dom, ojciec czekał na mnie w kuchni i, tak jak przewidziała to Alice, był bardzo podejrzliwy.

– Cześć, skarbie. I jak tam wyprawa na zakupy?

Stał z rękami splecionymi na piersi, przyglądając mi się badawczo.

– Strasznie długo to trwało – wydukałam. – Dopiero co wróciłyśmy.

– Widzę, że już słyszałaś, co przytrafiło się Jake'owi.

– Tak. Cullenowie wrócili wcześniej niż my. Esme powiedziała nam, gdzie są Carlisle i Edward.

– Musiałaś bardzo to przeżyć.

– Martwię się o niego. Chcę pojechać do La Push, jak tylko zrobię obiad.

– Mówiłem ci, że jazda na motocyklu jest niebezpieczna. Mam nadzieję, że teraz już rozumiesz, iż nie było to z mojej strony tylko ojcowskie przewrażliwienie.

Skinęłam głową i zaczęłam wyciągać różne rzeczy z lodówki. Charlie rozsiadł się za stołem. Wydawał się o wiele bardziej rozgadany, niż to miał w zwyczaju.

– Tylko nie przesadzaj z tym zamartwianiem się o Jake'a. Skoro miał siłę puszczać takie wiązanki, jak go nieśli, to na pewno szybko wyzdrowieje.

Obróciłam się na pięcie.

– Widziałeś go, jak był przytomny?

– O tak, przytomny aż za bardzo. Żałuj, że go nie słyszałaś... Nie, właściwie dobrze, że cię tam nie było. Uszy więdły, a słyszeli go chyba wszyscy w promieniu pięciu kilometrów. Nie wiem, gdzie podłapał takie słownictwo. Mam nadzieję, że przy tobie się pilnuje?

– Dziś miał dobre usprawiedliwienie. W jakim był stanie?

– Był nieźle pokiereszowany. Przynieśli go koledzy. Na szczęście, są tak samo wielcy, jak on, bo inaczej nie wiem, jak by tego dokonali. Carlisle powiedział, że ma złamaną prawą rękę, prawą nogę i jeszcze coś – ten cholerny motor tak go przycisnął do ziemi, że na dobrą sprawę zmiażdżył mu całą prawą połowę ciała. – Charlie pokręcił głową. – Jeśli dojdą mnie jeszcze kiedyś słuchy, że znowu jeździsz na tej przeklętej maszynie...

– Nie dojdą cię żadne słuchy, przysięgam. Sądzisz, że Jake'owi naprawdę nic nie grozi?

– Będzie zdrowy jak rydz. Zresztą nawet już się ze mną przekomarzał.

– Przekomarzał się z tobą? – powtórzyłam zszokowana.

– Tak. W przerwie pomiędzy obrażaniem czyjejś matki a wzywaniem imienia Pana nadaremno, powiedział: „Założę się, że cieszysz się dziś, iż Bella jest z Cullenem, a nie ze mną, co, Charlie?".

Odwróciłam się przodem do lodówki, żeby nie dojrzał wyrazu mojej twarzy.

– Miał świętą rację. Edward jest od niego o wiele dojrzalszy, jeśli chodzi o twoje bezpieczeństwo, to akurat trzeba mu przyznać.

– Jacob też jest dojrzały – zaprotestowałam. – Jestem pewna, że miał ten wypadek nie ze swojej winy.

Charlie zamilkł.

– Co za dziwny dzień... – odezwał się po chwili. – Wiesz, że nigdy nie wierzyłem w jakieś tam parapsychologiczne bzdury, ale po tym, co dziś widziałem, sam już nie wiem... Dałbym głowę, że Billy coś przeczuwał. Od rana zachowywał się tak, jakby wiedział, że Jake'owi stanie się coś złego. Taki był podenerwowany, że nie docierało do niego nic, co do niego mówiłem. I jeszcze to, jeszcze dziwniejsza sprawa... Pamiętasz, jak w lutym i w marcu mieliśmy kłopoty z wilkami?

Schyliłam się, żeby wyjąć z szafki patelnię i przesiedziałam za otwartymi drzwiczkami o kilka sekund dłużej, niżby wypadało.

– No... – mruknęłam.

– Mam nadzieję, że już nic takiego się nie powtórzy, ale kiepsko to widzę. Rano, kiedy byliśmy już na zatoce, a Billy nie zwracał zupełnie uwagi ani na mnie, ani na ryby, ni stąd, ni zowąd zaczęły wyć wilki, tak głośno, że sobie nie wyobrażasz. Musiało być ich co najmniej kilka. W dodatku wrażenie było takie, jakby siedziały w La Push, a nie w lesie. A najdziwniejsza była reakcja Billy'ego. Zawrócił łódź i popłynął prosto do przystani, jakby to jego te wilki wołały. Spytałem go, co najlepszego wyprawia, ale nawet mnie nie usłyszał.

Zanim zacumowaliśmy, jazgot ucichł, ale Billy nadal zachowywał się jak wariat. Oświadczył znienacka, że musimy pędzić do domu, żeby nie przegapić meczu, chociaż mieliśmy przecież jeszcze kilka godzin! Paplał coś, że będzie wcześniejsza transmisja na żywo czy coś... Mówię ci, Bello, bardzo to było podejrzane.

W domu, rzeczywiście, znalazł na którymś kanale jakiś mecz, na którym ponoć mu zależało, ale zamiast siedzieć spokojnie i go oglądać, prawie przez cały czas wisiał na telefonie. Zadzwonił do Sue, do Emily, do dziadka twojego kolegi Quila. Zachodziłem w głowę, po co to robi, bo nie miał nic do załatwienia, rozmawiał z nimi po prostu, jak gdyby nigdy nic.

A potem jeden wilk zaczął hałasować tuż pod domem. Nigdy nie słyszałem czegoś podobnego. Aż dostałem gęsiej skórki. Spytałem Billy'ego – musiałem krzyczeć – czy nie zastawił wnyków na podwórku, bo basior najwyraźniej wył z bólu.

Skrzywiłam się, ale Charlie był taki zaaferowany, że tego nie zauważył.

– Dopiero teraz się nad tym zastanawiam, bo wtedy zaraz przynieśli Jake'a i nie wilki były mi już w głowie. Ten basior tak wył i wył, a potem nagle słychać było tylko Jake'a – zupełnie go zagłuszył tym swoim przeklinaniem. Ma chłopak parę w płucach, nie powiem.

Zamyślił się na moment.

– Wiesz, to zabawne, ale to powiedzenie „szczęście w nieszczęściu" jest trafione. Gdyby nie ten wypadek, pewnie nadal byliby w La Push tak idiotycznie uprzedzeni do Cullenów, a tak ktoś, nawet nie wiem kto, zadzwonił po Carlisle'a i Billy był mu naprawdę wdzięczny, kiedy się pojawił. Uważałem, że powinni zabrać Jake'a do szpitala, ale Billy wolał go mieć w domu i Carlisle się zgodził. No cóż, w końcu to on jest lekarzem. To zresztą z jego strony miły gest, bo komu by się chciało jeździć przez kilka tygodni taki kawał na wizytę domową.

A e... – zaczął, ale przerwał. Chyba nie miał ochoty mi tego powiedzieć, ale westchnął i się przełamał: – A Edward mnie zaskoczył. Wydawał się tak zmartwiony stanem Jacoba, co ty teraz – jakby chodziło o jego brata czy coś. Tak na niego patrzył... – Charlie pokręcił głową. – To porządny facet, Bello. Postaram się o tym nie zapomnieć. Ale nic nie obiecuję – dodał w żartach.

– I nie musisz – mruknęłam.

Stękając, wyprostował nogi.

– Ach, miło wrócić do domu. Nie uwierzyłabyś, jaki dziś był u Blacków ścisk. Jak do ich saloniku wcisnęło się siedmiu kolegów Jacoba, to ledwo miałem czym oddychać. Rzuciło ci się może też w oczy, jakie te quileuckie chłopaki są wielkie?

– Tak, zauważyłam.

Charlie zwrócił wreszcie uwagę na przygnębiony ton mojego głosu.

– Bello, uszy do góry. Według Carlisle'a, ani się obejrzymy, a Jacob stanie na nogach. Powiedział, że to tylko wygląda tak okropnie. Zobaczysz, nic mu nie będzie.

Skinęłam jedynie głową.

Kiedy byłam wcześniej w La Push, Jacob wydał mi się taki... dziwnie kruchy. Wszędzie miał usztywnienia – Carlisle uznał, że gips nie jest mu potrzebny, skoro kości tak szybko mu się zrastały. I ta blada twarz, blada i napięta, chociaż przez całą moją wizytę był nieprzytomny. Tak, mimo całej swojej muskulatury wyglądał na kogoś bardzo delikatnego. A może to tylko wyobraźnia płatała mi figle? Wyobraźnia w połączeniu ze świadomością, że już niedługo sama mam zrobić mu krzywdę.

Gdyby tylko mógł mnie trafić piorun i rozłupać na dwie połówki! I najlepiej, żeby było to bardzo, bardzo bolesne. Po raz pierwszy poczułam, że rezygnacja z bycia człowiekiem to prawdziwe poświęcenie. Jak gdybym miała jednak zbyt dużo do stracenia.

Postawiłam talerz z obiadem przy łokciu Charliego i ruszyłam w kierunku drzwi.

– Ehm, Bella, mogłabyś jeszcze chwilkę zostać?

– Zapomniałam o czymś? – spytałam, zezując na jego talerz.

– Nie, nie. Chciałem tylko... poprosić cię o przysługę. – Ściągnął brwi i spojrzał na podłogę. – Siadaj. To nie zajmie mi dużo czasu.

Zaskoczona, usiadłam naprzeciwko niego, próbując się skoncentrować.

– O co chodzi?

– Tak w dwóch słowach... – Zarumienił się. – Może to dziwne zachowanie Billy'ego tak na mnie wpłynęło, ale muszę ci się przyznać, że... że mam takie... przeczucie. Przeczucie, że już niedługo cię stracę.

– No co ty, tato – wymamrotałam, czując wzbierające wyrzuty sumienia. – Chyba chcesz, żebym poszła na studia, prawda?

– Obiecaj mi jedną rzecz.

– Okej... – zgodziłam się z wahaniem, gotowa się ze wszystkiego wycofać.

– Uprzedzisz mnie, jak podejmiesz jakąś życiową decyzję? Zanim z nim uciekniesz czy coś?

– Tato... – jęknęłam.

– Mówię serio. Nie będę ci robił awantur. Tylko daj mi w porę znać. Żebym miał szansę uściskać cię na pożegnanie.

Krzywiąc się w duchu, uniosłam prawą rękę.

– To idiotyczne, ale skoro to dla ciebie ważne... Obiecuję.

– Dzięki. Kocham cię, córeczko.

– Ja też cię kocham, tato. – Dotknęłam jego ramienia, a potem odsunęłam się od stołu. – Gdybyś czegoś potrzebował, będę u Blacków.

Wybiegając z kuchni, nie obejrzałam się za siebie. Super, tego właśnie było mi teraz trzeba, żaliłam się sama sobie przez całą drogę do La Push.

Na miejscu nie zastałam już czarnego mercedesa Carlisle'a, co miało swoje dobre i złe strony. Oczywiście, musiałam rozmówić się z Jacobem w cztery oczy, ale marzyłam, choć było to niemożliwe, by móc trzymać przy tym jakoś Edwarda za rękę, tak jak wcześniej, kiedy Jacob był nieprzytomny. Stęskniłam się już za Edwardem – to popołudnie sam na sam z Alice wydawało się trwać całą wieczność – ale dzięki temu nie miałam wątpliwości, jakiej udzielić odpowiedzi. Wiedziałam już, że nie mogę żyć bez Edwarda. Tylko co mi było po tej wiedzy, skoro i tak miałam sprawić Jacobowi ból.

Zapukałam delikatnie do drzwi frontowych.

– Wchodź, wchodź! – zawołał Billy. – Witamy ponownie.

Poznał, że to ja, po ryku silnika mojej furgonetki.

Wpuściłam się sama do saloniku.

– Cześć. Ocknął się już?

– Jakieś pół godziny temu – doktor akurat wychodził. Idź do niego, śmiało. Chyba na ciebie czeka.

Wzdrygnęłam się, a potem wzięłam głęboki oddech.

– Dzięki.

Przystanęłam na progu pokoju Jacoba, nie wiedząc, czy zapukać, czy nie. Postanowiłam, że najpierw zajrzę do środka przez szparę w drzwiach, bo brakowało mi odwagi i miałam nadzieję, że może znowu zasnął. Miałam wrażenie, że tych kilka dodatkowych minut bardzo by mi się przydało.

Z wahaniem uchyliłam drzwi.

Jacob rzeczywiście na mnie czekał. Nie wyglądał już mizernie ani blado, przybrał za to wystudiowanie opanowany wyraz twarzy. W jego ciemnych oczach nie kryły się żadne oznaki ożywienia.

Trudno mi było spojrzeć mu w oczy ze świadomością, że go kocham. Moje odkrycie zmieniło więcej, niż się spodziewałam. Ciekawa byłam, czy cały ten czas jemu też było równie ciężko.

Dzięki Bogu, ktoś zakrył go kołdrą. Poczułam ulgę, że nie muszę oglądać, jak wiele odniósł obrażeń.

Weszłam do środka i jak najciszej zamknęłam za sobą drzwi.

– Hej – mruknęłam.

Nie odpowiedział mi od razu. Przez dłuższy czas patrzył na mnie bez słowa, po czym z pewnym wysiłkiem wykrzywił usta w nieco zjadliwym uśmieszku.

– Tak, właściwie to domyślałem się, że tak to wyjdzie. – Westchnął. – Mam dzisiaj cholernego pecha. Najpierw wybrałem złe miejsce, ominęła mnie najlepsza zabawa, a Seth zebrał wszystkie laury. Potem Leah zachowała się jak idiotka, starając się udowodnić sobie, że jest tak samo twarda, jak my, a ja musiałem być tym idiotą, który uratował jej skórę. A teraz to.

Machnął na mnie ręką. Nadal kuliłam się nieśmiało na progu.

– Jak się czujesz? – wymamrotałam.

Co za głupie pytanie!

– Trochę jestem przyćpany. Doktor Fang* nie jest pewien, jaką zaserwować mi dawkę środków przeciwbólowych, więc stosuje metodę prób i błędów, i myślę, że przeholował.

– Ale nic cię nie boli.

– Nie. A przynajmniej nic z tego, co dało się opatrzyć – oświadczył, nadal ironizując.

Przygryzłam dolną wargę. Nie miałam pojęcia, jak przez to przebrnę. Dlaczego nikt nigdy nie próbował mnie zabić wtedy, kiedy niczego tak nie pragnęłam, jak umrzeć?

---

* Gra słów: w języku angielskim *fang* to „kieł" (aluzja do wampirów), ale jednocześnie Fang to popularne chińskie nazwisko, a w Stanach jest wielu lekarzy chińskiego pochodzenia – przyp. tłum.

Jacob dał sobie spokój z sarkazmem i spojrzał na mnie przyjaźniej. Zmarszczył czoło, jak gdyby się czymś martwił.

– A co z tobą? – spytał ze szczerą troską w głosie. – Nic ci nie jest?

– Mnie? – zdziwiłam się. Chyba naprawdę był zamroczony. – A co miałoby mi niby być?

– No, wiedziałem, że facet nie zrobi ci krzywdy, ale nie byłem pewien, jak to teraz będzie. Jak tylko się ocknąłem, to zaraz zacząłem się zadręczać, że może zakaże ci mnie znowu odwiedzać albo coś w tym stylu. Myślałem już, że zwariuję, jeśli szybko nie przyjedziesz. No to jak poszło? Bardzo był wkurzony? Przepraszam, że musiałaś sama sobie z nim poradzić. Nie tak to miało być. Myślałem, że będę mógł być przy tobie.

Nawijał tak i nawijał, wyglądając na coraz bardziej skrępowanego, a ja nadal nie rozumiałam, o co mu chodzi. Kiedy wreszcie to do mnie dotarło, czym prędzej rzuciłam się go pocieszać.

– Jake, to nie tak. Nic mi nie jest, naprawdę. Edward wcale się nie zdenerwował. Chciałoby się!

Jacob otworzył szeroko oczy. Chyba był przerażony.

– Co takiego?!

– Wcale nie był na mnie zły – ba, nawet nie był zły na ciebie! Jest taki cudowny, że ma się od tego jeszcze większe poczucie winy. Żeby tak chociaż na mnie wrzasnął! I tak zasłużyłam sobie na dużo gorsze traktowanie. Ale jemu jest wszystko jedno. Chce tylko, żebym była szczęśliwa.

– Nie był zły?

– Nie. Był bardzo miły. Aż do przesady.

Patrzył na mnie długo w milczeniu, a potem nagle zmarszczył czoło.

– Cholera jasna!

– Co jest? Coś cię zabolało?

Rozejrzałam się bezradnie za jakimiś lekami.

– Nie – mruknął ze wstrętem. – Nie mogę w to uwierzyć! Nie postawił ci żadnego ultimatum ani nic?

– Nawet o nim nie napomknął. Hej, co z tobą?

Skrzywił się i pokręcił głową.

– Kurczę, a tak na niego liczyłem. Niech to szlag. Twardy z gościa zawodnik.

Przypomniało mi się, jak Edward pochwalił go rano w namiocie za brak skrupułów, tyle że mój ukochany nie był przy tym taki zagniewany. Czyli Jake wciąż robił sobie nadzieje, wciąż walczył. Ukłuło mnie to w samo serce.

– Jake – powiedziałam cicho – on nie gra w żadną grę.

– Akurat. Gra tak samo ostro, jak ja, tyle że wie, co robi, a ja nie. Trudno, jest lepszym manipulatorem ode mnie. To kwestia doświadczenia – nie miałem tyle czasu co on na doskonalenie swoich sztuczek.

– Edward mną nie manipuluje!

– Manipuluje, manipuluje. Kiedy wreszcie otworzysz oczy i uświadomisz sobie, że nie jest jednak chodzącym ideałem?

– Przynajmniej nie groził, że się zabije, żebym go pocałowała – odparowałam. Gdy tylko wyrzuciłam z siebie te słowa, zrobiło mi się głupio. – Przepraszam, nie chciałam. A obiecywałam sobie, że nie będę do tego wracać.

Wziął głęboki wdech. Kiedy się odezwał, był już spokojniejszy.

– Dlaczego nie?

– Bo nie po to tu przyjechałam, żeby cię o coś obwiniać.

– Ale to prawda – stwierdził. – Tak właśnie zrobiłem.

– Wszystko jedno. Nie mam ci tego za złe.

Uśmiechnął się.

– Mnie też wszystko jedno. Wiedziałem, że mi wybaczysz, i cieszę się, że to zrobiłem. Teraz postąpiłbym tak samo. Przynajmniej mam chociaż to. Przynajmniej pokazałem ci, że mnie kochasz. To już coś warte.

– Tak? Lepiej tak, niż gdybym jednak nie wiedziała?

– A nie sądzisz, że powinnaś wiedzieć, co naprawdę czujesz? Bo inaczej mogłabyś się zorientować, jakby już było za późno? Jakbyś była już żoną wampira?

Pokręciłam przecząco głową.

– Nie myślałam o sobie, tylko o tobie – o tym, co dla ciebie byłoby lepsze. Lepiej ci teraz czy gorzej, jak już wiem, że jestem w tobie zakochana? I tak nie robi mi to różnicy. Nie wolałbyś, żebym wybrała Edwarda, sądząc, że kocham tylko jego?

Pytałam na poważnie i tak też on potraktował moje pytania. Zanim mi odpowiedział, wszystko sobie starannie przemyślał.

– Tak. Wolę, że wiesz – zadecydował w końcu. – Gdybyś sama na to kiedyś nie wpadła... w kółko bym gdybał, czy może jednak wszystko nie potoczyłoby się inaczej. A teraz wiem, że bym się łudził. Zrobiłem wszystko, co mogłem.

Kiedy skończywszy mówić, wziął wdech, zadrgała mu szczęka. Zamknął oczy.

Tym razem po prostu musiałam go pocieszyć – nie mogłam się powstrzymać. Uklękłam przy wezgłowiu łóżka, bojąc się na nim usiąść, żeby nic Jacoba nie zabolało, pochyliłam się nad nim i dotknęłam czołem jego policzka. Westchnął, a potem pogłaskał mnie po głowie.

– Przepraszam.

– Od początku wiedziałem, że mam małe szanse. To nie twoja wina, Bella.

– No nie, ty też mnie rozgrzeszasz – jęknęłam. – Błagam, odpuść to sobie.

Odsunął się, żeby móc mi się przyjrzeć.

– Co ty wygadujesz?

– To jest moja wina. I mam po dziurki w nosie wysłuchiwania, że plotę bzdury.

Uśmiechnął się, ale uśmiech nie sięgnął jego oczu.

– Mam cię przegonić po rozżarzonych węglach?

– Tak już lepiej.

Zacisnął wargi, oceniając, jak bardzo wierzę w to, co mówię. Na moment po jego twarzy znowu przemknął uśmiech, a zaraz potem wykrzywił ją grymas gniewu.

– Czemu mnie tak całowałaś? – warknął. – To niewybaczalne. Skoro wiedziałaś, że i tak się ze wszystkiego wycofasz, to może nie warto było być taką przekonującą, co?

Spuściłam oczy.
– Tak bardzo mi przykro.
– To twoje „przykro" niczego nie naprawi. Co ty sobie myślałaś, że kim ja jestem?
– Nic nie myślałam – szepnęłam.
– Trzeba było mi powiedzieć: „A idź sobie na tę bitwę, mam cię gdzieś", a nie wciskać mi kit.
– Przestań. Nigdy nie chciałam, żebyś zginął.
W oczach stanęły mi łzy.
– Ej, chyba nie płaczesz? – spytał nagle swoim normalnym głosem, po czym zaczął się niecierpliwie, acz niezdarnie przesuwać po materacu.
– A właśnie, że płaczę – wychlipałam przez łzy, nie wiedzieć kiedy się rozszlochawszy.
Przeniósł gwałtownie ciężar ciała, tak że jego lewa noga znalazła się poza łóżkiem, jakby chciał wstać.
– Co ty wyprawiasz? – zaprotestowałam. – Kładź się, kretynie, bo zrobisz sobie krzywdę!
Zerwałam się z miejsca i pchnęłam go oburącz na poduszki.
Wrócił posłusznie do poprzedniej pozycji, raz czy dwa sycząc z bólu, ale złapał mnie jednocześnie w talii i przyciągnął mnie do swojego zdrowego boku. Zwinęłam się przy nim w kłębek, usiłując zdusić szlochanie, wtulając twarz w jego rozgrzaną skórę.
– Nie mogę uwierzyć, że się rozpłakałaś. Przecież wiesz, że naskoczyłem na ciebie tylko dlatego, że sama się tego domagałaś. Ja tak wcale nie myślę.
Pogładził mnie po ramieniu.
– Wiem. – Spróbowałam się opanować, kontrolując swój oddech. Jak to się stało, że to on musiał mnie teraz pocieszać? – Ale to i tak wszystko prawda. Dzięki, że jedynie powiedziałeś to głośno.
– Czy dostanę punkty za to, że przeze mnie się rozpłakałaś?
– Jasne. – Uśmiechnęłam się blado. – Ile tylko zechcesz.
– Nie martw się, maleńka. Wszystko się ułoży.
– Nie wiem jak – burknęłam.

Poklepał mnie po głowie.

– Ogłoszę kapitulację i będę grzeczny.

– To jakaś nowa gra?

Podniosłam wzrok, żeby sprawdzić, jaką ma minę.

– Może. – Zaśmiał się z pewnym wysiłkiem, a potem skrzywił. – Ale się przyłożę.

Ściągnęłam brwi.

– Nie bądź taką pesymistką. Okaż mi trochę zaufania.

– Co dokładnie rozumiesz przez „bycie grzecznym"?

– Będę twoim przyjacielem – powiedział cicho. – I nie będę domagał się niczego więcej.

– Chyba już na to za późno, Jake. Jak możemy być przyjaciółmi, skoro jesteśmy w sobie zakochani?

Popatrzył w skupieniu na sufit, jak gdyby odczytywał coś, co było na nim napisane.

– Może... to będzie musiała być przyjaźń na odległość.

Jak dobrze, że nie patrzył w moją stronę. Zacisnęłam zęby, żeby się znowu nie rozszlochać. Musiałam być silna, ale nie wiedziałam, skąd tę siłę czerpać...

– Znasz tę historię z Biblii? – spytał znienacka, wciąż wczytując się w pusty sufit. – Tę z królem i dwiema kobietami, które kłócą się o dziecko?

– Jasne. Król Salomon.

– Zgadza się, król Salomon – powtórzył. – Rozkazał rozciąć dziecko na pół... ale to był tylko taki test. Żeby zobaczyć, kto odstąpi swoją część, byle tylko ocalić malucha.

– Tak, pamiętam.

Spojrzał wreszcie na mnie.

– Bella, już cię nie będę próbował rozciąć na pół.

Rozumiałam, co ma na myśli. Chciał mi przekazać, że kocha mnie bardziej niż Edward i że rezygnuje ze zdobycia mnie, żeby to udowodnić. Zapragnęłam bronić swojego ukochanego, wyjaśnić Jacobowi, że Edward postąpiłby tak samo, gdybym tylko go o to poprosiła, gdybym tylko mu na to pozwoliła. To ja egoistycznie starałam się zatrzymać ich obu. Nie było jednak sensu wszczynać dysputy, po której Jacob czułby się tylko jeszcze gorzej.

Zamknęłam oczy, wysiłkiem woli zmuszając się do kontrolowania bólu. Nie mogłam mu tego narzucić.

Na chwilę zapanowała cisza. Jacob czekał chyba, aż ja pierwsza się odezwę, ale nie miałam pojęcia, co powiedzieć. W końcu przejął inicjatywę.

– Czy mogę ci się zwierzyć, co jest w tym wszystkim najgorsze? – spytał ostrożnie. – Nie masz nic przeciwko? Będę grzeczny.

– Czy to ci jakoś pomoże? – szepnęłam.

– Czy ja wiem. Na pewno nie zaszkodzi.

– To co jest najgorsze?

– Najgorsza w tym wszystkim jest świadomość, że byłoby nam razem tak dobrze.

– Być może – poprawiłam.

– Nie, nie. – Pokręcił przecząco głową. – Pasujemy do siebie idealnie. Ten związek nie wymagałby od nas żadnego wysiłku – bycie razem byłoby dla nas równie naturalne, co oddychanie. Gdyby nic nie stanęło ci na przeszkodzie, taką ścieżkę byś właśnie wybrała... – Przez moment wpatrywał się w przestrzeń, a potem dodał: – Gdyby świat był taki, jaki powinien być, nie byłoby żadnych potworów ani żadnej magii.

Wiedziałam, jaką miał wizję przyszłości, i wiedziałam, że miał rację. Gdyby świat był naprawdę taki, jakim wydawał mi się jeszcze dwa lata wcześniej, ja i Jacob zostalibyśmy parą. I bylibyśmy razem szczęśliwi. W tamtym świecie był moją bratnią duszą – i byłby nią nadal, gdyby jego roszczenia do mojej osoby nie przebiło coś silniejszego, coś tak potężnego, że w racjonalnej rzeczywistości nie miałoby prawa istnieć.

Czy Jacoba też miało spotkać coś podobnego? Czy w jego życiu miał się pojawić ktoś ważniejszy od jego bratniej duszy? Nie miałam innego wyboru, jak wierzyć, że tak będzie.

Te dwie wersje przyszłości... zbyt dużo tego było jak dla jednej osoby. I takie to było niesprawiedliwe, że nie tylko ja miałam za to zapłacić. Cierpienie Jacoba wydawało się zbyt wysoką ceną. Wzdrygając się na samą myśl o niej, zastanowiłam się, czy wahałabym się, gdyby Edward mnie wcześniej raz nie zostawił. Gdybym nie wiedziała, jak to jest żyć bez niego. Nie byłam pewna. Ta wiedza stanowiła już tak integralną część mnie samej, że nie byłam w stanie sobie wyobrazić, jakbym się bez niej czuła.

– On jest dla ciebie jak narkotyk. – Nie wypominał mi tego, po prostu stwierdził fakt. – Widzę, że nie potrafisz już bez niego żyć. Już za późno. Związek ze mną byłby dla ciebie zdrowszy. Nie byłbym twoim narkotykiem, tylko twoim powietrzem, twoim słońcem.

Kącik moich ust wygiął się w smutnym półuśmiechu.

– Wiesz, że nawet kiedyś tak o tobie myślałam? Że jesteś moim słońcem, moim osobistym słońcem? Odganiałeś dla mnie chmury.

Westchnął.

– Z chmurami sobie radzę, ale nie mogę walczyć z zaćmieniem.

Przyłożyłam mu dłoń do policzka. Czując na skórze mój dotyk, zrobił wydech i przymknął powieki. Przez minutę wsłuchiwałam się w miarowe bicie jego serca.

– A dla ciebie co jest w tym wszystkim najgorsze? – spytał cicho. – Powiesz mi?

– Nie sądzę, żeby to był dobry pomysł.

– Proszę.

– Chyba cię tym zranię.

– Proszę.

Jak mogłam na tym etapie czegokolwiek mu odmówić?

– Najgorsze jest to, że... – Przerwałam, ale w końcu pozwoliłam sobie na szczerość. – Najgorsze jest to, że potrafię to wszystko sobie wyobrazić – całe nasze życie. I to, co widzę, tak okropnie mi się podoba. Tak bardzo chciałbym zostać tu z tobą i już nigdy cię nie opuścić. Chciałbym móc cię kochać i uszczęśliwić. Ale nie mogę i to mnie dobija. Mam tak jak Sam z Emily, Jake – nigdy nie miałam wyboru. Od początku wiedziałam, że to już tak na zawsze. Może dlatego tak bardzo walczyłam z tym uczuciem do ciebie.

Odniosłam wrażenie, że Jacob skupia się na tym, żeby równo oddychać.

– Nie powinnam ci o tym opowiadać.

– Nie. Cieszę się, że się zgodziłaś. Dziękuję. – Pocałował mnie w czubek głowy, a potem westchnął. – Od teraz już będę grzeczny.

Zerknęłam na niego. Uśmiechał się.

– Czyli niedługo wychodzisz za mąż, tak?

– Daj spokój.

– Chciałbym poznać jakieś szczegóły. Nie wiem, kiedy znowu się zobaczymy.

Musiałam odczekać chwilę, zanim zaczęłam mówić. Spełniłam jego prośbę dopiero wtedy, kiedy byłam już w stu procentach pewna, że nie zadrży mi głos.

– Tak, wychodzę za mąż. Sama nie widziałam takiej potrzeby, ale skoro to dla niego takie ważne, pomyślałam, czemu nie?

Przytaknął mi.

– To prawda. To właściwie nic takiego – no wiesz, w porównaniu.

Mówił w sposób bardzo opanowany, jakbyśmy omawiali jakieś zagadnienie praktyczne. Przyjrzałam mu się, ciekawa, jak mu się to udaje, i wszystko tym zepsułam. Nasze oczy spotkały się na sekundę, po czym Jacob odwrócił raptownie głowę. Zaczekałam, aż zacznie na powrót normalnie oddychać.

– Tak – zgodziłam się. – W porównaniu.

– Ile zostało ci jeszcze czasu?

– To zależy od tego, na kiedy Alice zdąży zorganizować uroczystość.

Alice i organizacja wesela! Zdusiłam w sobie jęk.

– To będzie przed czy po? – wyszeptał.

Wiedziałam, o co mu chodzi.

– Po.

Pokiwał głową. Musiał przyjąć tę wiadomość z ulgą. Zastanowiłam się, ile bezsennych nocy spędził, rozmyślając o tym, co miało wydarzyć się po zakończeniu roku szkolnego.

– Boisz się?

– Tak.

Oboje mówiliśmy teraz szeptem.

– Czego się boisz?

Ledwie go słyszałam. Wpatrywał się w moje dłonie.

– Wielu rzeczy. – Postarałam się przybrać bardziej rozluźniony ton głosu, ale nie zamierzałam kłamać. – Nigdy nie byłam masochistką, więc te godziny agonii to nie jest coś, na co czekam z utęsknieniem. No i wolałabym, żeby nie było przy tym Edwarda – tak bardzo będzie przeżywał to, że cierpię – ale tak się nie da. Jest jeszcze problem z tym, co zrobić z Charliem i z Renée... I jak to będzie wyglądało później. Chciałabym się jak najszybciej nauczyć nad sobą panować, ale mogę stać się takim utrapieniem, że będzie się mną musiała zająć wataha.

Jacob posłał mi spojrzenie pełne dezaprobaty.

– Wybiję im taki pomysł z głowy.

– Dzięki.

Uśmiechnął się blado, a potem zmarszczył czoło.

– Ale czy to nie jest bardzo niebezpieczne? W tych wszystkich książkach i filmach tak im ciężko... tracą nad sobą kontrolę... ludzie giną...

Głośno przełknął ślinę.

– Nie, tego się nie boję. Głuptasku, tyle widziałeś, a jeszcze wierzysz w książki i filmy?

Był zbyt zdenerwowany, żeby ta uwaga go rozbawiła.

– Tak czy owak, mam się czym martwić. Ale w rozrachunku to jest tego warte.

Pokiwał głową, chociaż wiedziałam, że nie podziela mojego zdania.

Wyciągnęłam szyję, żeby sięgnąć jego ucha, przykładając policzek do jego rozgrzanej skóry.

– Wiesz, że cię kocham – szepnęłam.

– Wiem. – Odruchowo mocniej ścisnął mnie w talii. – A ty wiesz z kolei, jak bardzo chciałbym, żeby to wystarczało.

– Tak.

– Będę zawsze na ciebie czekał, Bella – przyrzekł mi pogodniejszym tonem, wypuszczając mnie z objęć.

Odsunęłam się od niego, czując, że tracę coś niezwykle cennego, i zarazem, że zostawiam przy nim na łóżku jakąś cząstkę siebie.

– Zawsze będziesz miała do wyboru drugą opcję.

Zmusiłam się do uśmiechu.

– Dopóki moje serce nie przestanie bić.

Też się uśmiechnął.

– Wiesz, tak sobie myślę, że chybabym cię jednak przyjął – chyba, bo nie wiem jeszcze, jak bardzo będziesz cuchnąć.

– Mam cię odwiedzić? Czy lepiej nie?

– Przemyślę to sobie i dam ci znać. Mogę potrzebować towarzystwa, żeby nie oszaleć. Twój wspaniały pan chirurg mówi, że nie mogę się przeobrażać, dopóki nie da mi zielonego światła – inaczej znowu poprzestawiam sobie kości.

Skrzywił się.

– Bądź grzeczny i słuchaj Carlisle'a, to szybciej wyzdrowiejesz.

– Jasne, jasne.

– Ciekawa jestem, kiedy cię trafi. No wiesz, kiedy wpadnie ci w oko ta twoja jedyna.

– Tylko nie rób sobie zbyt wielkich nadziei – doradził mi kwaśno. – Chociaż rozumiem, że kamień spadłby ci z serca.

– Może tak, a może nie. Pewnie będę uważać, że nie jest dla ciebie dostatecznie dobra. Ciekawe, jak bardzo będę zazdrosna.

– Tak, to akurat może być zabawne – przyznał.

– Dasz mi znać, tak? Obiecuję, że się stawię.

Z westchnieniem obrócił się do mnie policzkiem. Nachyliłam się i pocałowałam go.

– Kocham cię, Jacob.

Zaśmiał się cicho.

– Ale ja kocham cię bardziej.

Kiedy wychodziłam z pokoju, odprowadził mnie wzrokiem z nieodgadnionym wyrazem twarzy.

27 *Potrzeby*

Nie zajechałam daleko.

Kiedy już nic nie widziałam, pozwoliłam oponom furgonetki odnaleźć pobocze i powoli wyhamowałam. Oparłszy się bezwładnie o siedzenie, pozwoliłam, żeby przygniotła mnie słabość, z którą walczyłam przez cały pobyt w pokoju Jacoba. Było gorzej, niż się spodziewałam. Dobrze zrobiłam, ukrywając ją przed przyjacielem. Nikt nie powinien był widzieć mnie w tym stanie.

Niedane mi było jednak długo siedzieć w samotności – Alice miała mnie na oku, a szybkim samochodem można było dotrzeć do mnie w kilka minut. Zaskrzypiały otwierane drzwiczki i Edward mocno mnie przytulił.

W pierwszym odruchu chciałam go odepchnąć, bo niewielka cząstka mnie – niewielka, ale z minuty na minutę coraz bardziej się awanturująca – pragnęła przytulać się do kogoś zupełnie innego. I tak do bólu dołączyły świeże wyrzuty sumienia.

Edward nic nie powiedział, tylko pozwolił mi się wypłakać. W końcu zaczęłam mamrotać coś o Charliem.

– Naprawdę czujesz się już na siłach wrócić do domu? – spytał wątpiąco.

Po paru próbach udało mi się mu przekazać, że w najbliższym czasie i tak nie dojdę do siebie, a musiałam dostać się do domu, zanim zrobiłoby się na tyle późno, że Charlie zadzwoniłby do Billy'ego.

Brzmiało to sensownie, więc czym prędzej mnie odwiózł. Przez całą drogę obejmował mnie opiekuńczo ramieniem i po raz pierwszy, prowadząc moją furgonetkę, jechał z prędkością dużo poniżej jej możliwości.

Starałam się uspokoić. Było to niezwykle trudne, ale się nie poddawałam. To tylko parę sekund, powtarzałam sobie. Wyrzucisz z siebie tych kilka wymówek i będziesz mogła znowu się rozkleić. Na tyle to chyba jeszcze cię stać. Przetrząsałam zakamarki swojego umysłu w poszukiwaniu zapomnianych rezerw siły.

Starczyło na to, żebym przestała szlochać – przynajmniej na chwilę – ale łzy nadal uparcie ciekły mi po policzkach. Nie wiedziałam, jak się zabrać do stłumienia płaczu.

– Zaczekaj na mnie na górze – wymamrotałam, kiedy zaparkowaliśmy przed domem.

Edward przycisnął mnie do siebie raz jeszcze, a potem zniknął.

Wszedłszy do środka, ruszyłam prosto ku schodom.

– I jak tam? – zawołał Charlie, kiedy mijałam drzwi saloniku.

Jak zwykle siedział na kanapie przed telewizorem.

W milczeniu obróciłam się w jego stronę. Wytrzeszczył oczy i podniósł się niezgrabnie z miejsca.

– Co się stało? – przestraszył się. – Coś z Jacobem?

Pokręciłam gwałtownie głową, usiłując odzyskać głos.

– Nie, nie, nic mu nie jest – zapewniłam go ochryple.

Można było uznać to za kłamstwo, ale Charliego interesował stan fizyczny Jacoba, a ten rzeczywiście się nie pogorszył.

– Ale coś musiało się stać. – Położył mi ręce na ramionach i spojrzał mi prosto w oczy. – Jak nie jemu, to tobie.

Musiałam jednak wyglądać dużo gorzej, niż myślałam.

– To nic takiego, tato. Nie martw się, do jutra mi przejdzie. Widzisz... tak wyszło, że poruszyliśmy pewien trudny temat. Sam rozumiesz.

Uspokoiło go to, ale i zgorszyło.

– Nie mogłaś z tym poczekać?

– Nie miałam już jak się od tego wymigać, musiałam się zdeklarować... A w pewnych sprawach nie da się pójść na kompromis.

Podrapał się po brodzie.

– Jak to przyjął?

Nie odpowiedziałam, więc sam to sobie dopowiedział. Wpatrywał się we mnie przez chwilę, po czym pokiwał głową.

– Mam nadzieję, że taki szok nie wpływa na proces gojenia.

– Goi się na nim jak na psie – mruknęłam.

Ojciec westchnął.

Poczułam, że powoli tracę nad sobą kontrolę.

– Idę do siebie – oświadczyłam, wyślizgując się spod jego rąk.

– Okej – zgodził się bez protestów.

Chyba zauważył, że oczy mi wilgotnieją. Nic tak bardzo go nie przerażało jak łzy.

Dotarłam do swojego pokoju, potykając się i macając ściany jak ślepiec. Zamknąwszy za sobą drzwi, zaczęłam majstrować trzęsącymi się dłońmi przy zapięciu bransoletki.

– Nie rób tego – szepnął Edward, łapiąc mnie za ręce. – To część ciebie.

Kiedy mnie przytulił, znowu się rozpłakałam.

Dzień uparcie nie chciał się skończyć. Zastanawiałam się, czy ma zamiar kiedykolwiek dobiegnąć końca.

A potem przyszła noc. Ona również ciągnęła się uporczywie, nie była to jednak najgorsza noc mojego życia i w tej myśli szukałam pocieszenia. W dodatku nie byłam sama. To także ogromnie podnosiło mnie na duchu.

Charlie tak bardzo nie lubił zadawać się z ludźmi będącymi we władaniu silnych emocji, że trzymał się z daleka od mojej sypialni, chociaż nie uspokoiłam się aż do rana – tak jak ja, nie zmrużył pewnie oka.

Dręczyły mnie nieznośnie żywe wspomnienia. Moja pamięć wyrzucała wszystkie błędy, jakie kiedykolwiek popełniłam, od błahych po te najpoważniejsze. Każdy grymas bólu, jaki z mojego powodu pojawił się na twarzy Jacoba, każda rana, jaką podczas trwania naszego związku zadałam Edwardowi – odnotowałam je wszystkie, nie mogąc żadnego występku ani zignorować, ani się wyprzeć.

Poza tym zdałam sobie sprawę, że myliłam się co do magnesów. To nie wilkołaka i wampira starałam się do siebie na siłę zbliżyć, tylko dwa oblicza siebie samej: Bellę Jacoba i Bellę Edwarda. Nie były one w stanie współegzystować. Okazałam naiwność, podejmując jakiekolwiek zmierzające ku temu próby.

Tyle szkód wyrządziłam.

W środku nocy przypomniało mi się, co obiecałam sobie tego ranka – że Edward nie zobaczy już ani jednej łzy wylanej przez mnie za Jacoba Blacka. Na myśl o swoim przyrzeczeniu dostałam ataku histerii, który przestraszył mojego ukochanego bardziej niż wcześniejsze popłakiwania. Na szczęście szybko opadłam z sił.

Edward mówił niewiele – trzymał mnie w objęciach, pozwalając niszczyć sobie koszulę słonawymi kroplami.

Nie spodziewałam się, że owa niewielka cząstka mnie ze złamanym sercem będzie potrzebować aż tyle czasu, żeby dojść do siebie, ale wreszcie dobiegł on końca i wyczerpana odpłynęłam w niebyt. Sen nie przyniósł pełnego ukojenia, a jedynie odrętwienie połączone z obojętnością, niczym środek uspokajający. Ból stał się łatwiejszy do zniesienia – ale nie zniknął. Nawet nieprzytomna byłam go świadoma. Pomogło mi to stopniowo dostosować się do nowej sytuacji.

Obudziłam się może nie w lepszym nastroju, ale do pewnego stopnia pogodzona z tym, co się stało, i z poczuciem, że mam nad sobą i swoim życiem nieco większą kontrolę. Wiedziałam instynktownie, że nowe rozdarcie w moim sercu już zawsze będzie mnie pobolewać. Od teraz taka już po prostu miałam być. Było mi wszystko jedno, czy czas wyleczy moje rany, czy nie – liczyło się tylko to, czy wyleczy je u Jacoba. Czy mój przyjaciel jeszcze kiedyś będzie szczęśliwy.

Otworzyłam oczy – już suche – i zobaczyłam, że Edward przygląda mi się z troską.

– Hej – odezwałam się.

Miałam chrypkę, więc odkaszlnęłam.

Nie odpowiedział. Obserwował mnie, czekając, aż znowu się zacznie.

– Nie, już wszystko w porządku – zapewniłam go. – I przyrzekam, że to był ostatni raz.

Zacisnął usta.

– Przepraszam, że musiałeś to oglądać – dodałam. – To nie było w porządku z mojej strony.

Przyłożył mi dłonie do policzków.

– Bello... jesteś pewna, że dokonałaś właściwego wyboru? Jeszcze nigdy nie widziałem, żebyś tak cierpiała... – Głos mu się załamał.

Prawda, nie widział, bo gdy cierpiałam dużo bardziej, był daleko stąd.

Dotknęłam jego warg.

– Tak, jestem pewna.

– Sam nie wiem... – Zmarszczył czoło. – Jeśli to tak bardzo cię boli, to co to za najlepsze rozwiązanie?

– Edwardzie, wierz mi, wiem, bez kogo nie mogę żyć.

– Ale...

Pokręciłam głową.

– Nie rozumiesz. Może ty jesteś wystarczająco dzielny albo wystarczająco silny, żeby żyć beze mnie, jeśli tak byłoby dla mnie najlepiej. Ale mnie nigdy nie będzie stać na takie poświęcenie. Muszę być z tobą. To dla mnie jedyne możliwe rozwiązanie.

Wciąż nie wyglądał na przekonanego. Nie powinnam była poprzedniego wieczoru pozwolić mu zostać ze sobą. Ale tak bardzo go potrzebowałam...

– Czy możesz mi podać tamtą książkę?

Wskazałam ją brodą.

Zrobił zdziwioną minę, ale spełnił moją prośbę.

– Nie masz jej jeszcze dość?

– Chcę tylko znaleźć jeden fragment... – Zaczęłam przerzucać kartki – żeby sprawdzić, jak to ona ujęła...

Nie sprawiło mi to większych trudności, bo tyle razy zatrzymywałam się w tym miejscu, że stronę zdobił ośli róg.

– Cathy jest potworem, ale tu akurat trafiła w samo sedno – przyznałam. Przeczytałam cytat na głos, ale właściwie tylko dla siebie. – *„Gdyby wszystko przepadło, a on jeden pozostał, to i ja istniałabym nadal. Ale gdyby wszystko zostało, a on zniknął, wszechświat byłby dla mnie obcy i straszny, nie miałabym z nim po prostu nic wspólnego"**. – Pokiwałam głową, znowu tylko do siebie. – Doskonale rozumiem, o co jej chodzi. I wiem, bez kogo ja nie umiem żyć.

Edward wziął ode mnie książkę, po czym cisnął nią przez pokój – wylądowała na biurku. Objął mnie w talii.

Jego piękną twarz rozświetlił blady uśmiech, ale czoło jeszcze mu się nie wygładziło.

– Heathcliff też czasami ma swoje momenty – stwierdził.

Nie musiał zerkać do książki, by móc go zacytować. Przyciągnął mnie bliżej do siebie i szepnął mi do ucha:

– *„Nie mogę żyć bez mego życia! Nie mogę żyć bez mojej duszy!"***.

– Tak – powiedziałam cicho. – Tak właśnie myślę.

– Bello, nie mogę patrzeć na to, jak się męczysz. Może...

– Nie, Edwardzie. Wszystko pokomplikowałam i będę musiała z tym żyć. Ale wiem też, czego chcę i czego mi trzeba... i co teraz zrobię.

– Tak? To co teraz zrobimy?

Uśmiechnęłam się, kiedy mnie poprawił, ale potem westchnęłam.

– Pojedziemy do Alice.

---

* Fragment *Wichrowych wzgórz* w tłumaczeniu Janiny Sujkowskiej – przyp. tłum.

** Fragment *Wichrowych wzgórz* w tłumaczeniu Janiny Sujkowskiej – przyp. tłum.

Zastaliśmy ją na najniższym stopniu schodków werandy – oczywiście doskonale wiedziała, co zamierzałam jej zakomunikować, i była zbyt podekscytowana, żeby czekać na nas w środku. Miałam wrażenie, że z radości zaraz zacznie tańczyć.

– Dziękuję! – zawołała, kiedy wynurzyłam się z furgonetki.

– Wstrzymaj się jeszcze – ostrzegłam ją, podnosząc do góry palec. – Mam dla ciebie kilka ograniczeń.

– Wiem, wiem. Nie wolno mi wyznaczyć terminu późniejszego niż trzynasty sierpnia, muszę zagwarantować ci prawo weta przy ustalaniu listy gości, a jeśli z czymś przesadzę, to już nigdy się do mnie nie odezwiesz.

– No tak. Zgadza się. Czyli znasz już zasady.

– Nic się nie martw, Bello, będzie fantastycznie. Czy chcesz teraz zobaczyć swoją suknię ślubną?

Zamurowało mnie. Wzięłam kilka głębokich wdechów. Niech się dziewczyna cieszy, pomyślałam.

– Jasne.

Uśmiechnęła się, zadowolona.

– Hm, Alice... – Spróbowałam przybrać swobodny ton głosu, żeby ukryć swoje rozżalenie. – A właściwie to kiedy zdążyłaś kupić tę całą suknię?

Nikogo nie nabrałam. Edward ścisnął mi dłoń, żebym się uspokoiła.

Alice szła przodem, kierując się ku schodom.

– Tego nie da się załatwić tak z dnia na dzień, Bello – wyjaśniła dość wymijająco. – Oczywiście nie byłam do końca pewna, kiedy sprawy przybiorą taki a nie inny obrót, ale prawdopodobieństwo było bardzo wysokie, więc...

– Kiedy? – powtórzyłam z naciskiem.

– Zrozum, u Perrine'a Bruyere'a jest lista oczekujących. Uszycie kreacji, która jest dziełem sztuki, wymaga czasu. Gdybym nie wykazała się inicjatywą, musiałabyś kupić coś gotowego!

Chyba nie miałam szans na uzyskanie interesującej mnie informacji.

– Ten Per.... Co to znowu za jeden?

– Tylko mi nie mów, że przesadziłam, bo to wcale nie jest żaden znany projektant. Ale ma talent i specjalizuje się w tym, czego nam trzeba.

– Nic nie mówię.

– Rzeczywiście, nie.

Przyjrzała mi się podejrzliwie, a potem przeniosła wzrok na idącego za nami Edwarda. Stałyśmy już na progu jej sypialni.

– A ty dokąd? Sio!

– Dlaczego? – zaoponowałam.

– Bello – jęknęła. – Znasz zasady. Pan młody nie może zobaczyć sukni przed ślubem.

Raz jeszcze wzięłam głęboki wdech.

– Mnie tam wszystko jedno, zresztą i tak już ją widział w twojej głowie, ale skoro nalegasz...

Alice pchnęła Edwarda, jednak nawet na nią nie spojrzał – wpatrywał się we mnie z niepokojem, nie wiedząc, czy może mnie zostawić.

Skinęłam głową. Miałam nadzieję, że wyraz twarzy mam dostatecznie spokojny, żeby uśpić jego obawy.

Alice zatrzasnęła mu drzwi przed nosem.

– Okej. No to chodźmy.

Złapawszy mnie za nadgarstek, pociągnęła do swojej prywatnej garderoby, większej niż cały mój pokój. W najdalszym kącie pomieszczenia, na osobnym stojaku, wisiał długi, plastikowy pokrowiec na ubrania.

Alice rozpięła torbę jednym zwinnym ruchem, a potem ostrożnie wyciągnęła zawartość. Powiesiwszy suknię z powrotem na stojaku, odsunęła się o krok z wyciągniętą w jej stronę ręką, jakby była hostessą prezentującą nagrody w jakimś głupawym teleturnieju.

Założyłam ręce i przekrzywiłam głowę, żeby trochę się z nią podrażnić.

– Hm...

Alice wygięła usta w podkówkę.
Nie mogłam jej dłużej dręczyć. Uśmiechnęłam się.
– Podoba ci się? Co o niej sądzisz?
Ania z Zielonego Wzgórza, nic dodać, nic ująć.
– Bomba. Świetny pomysł. Jesteś geniuszem, Alice.
– Wiem – przyznała nieskromnie.
– Lata osiemdziesiąte dwudziestego wieku? – strzeliłam.
– Mniej więcej. Częściowo to mój własny projekt: tren, welon... – Mówiąc, dotknęła białej satyny. – Koronka jest z epoki. Podoba ci się?
– Śliczna. Tak bardzo pasuje do Edwarda.
– A do ciebie nie?
– Właściwie to do mnie chyba też. Wiem, że już się o to postarasz, jeśli tylko ci na to pozwolę. Tylko bez szaleństw!
Promieniała.
– Pokażesz mi teraz swoją? – spytałam.
Moja prośba zbiła ją z pantałyku.
– Chyba mi nie powiesz, że nie zamówiłaś jednocześnie sukienki dla druhny? – jęknęłam, udając rozpacz. – Załamię się, jeśli będziesz musiała założyć coś gotowego.
Złapała mnie w pasie.
– Dziękuję! Jesteś kochana!
– Nie wiedziałaś, że ci na to pozwolę? – zażartowałam, całując ją w nastroszone włosy. – Co z ciebie za jasnowidz?
Oderwała się ode mnie i klasnęła w dłonie z uciechy.
– Mam tyle roboty! Idź, pobaw się z Edwardem. Muszę wziąć się do pracy.
Wypadła z pokoju.
– Esme!
I już jej nie było.
Podążyłam za nią w swoim ludzkim tempie. Edward czekał na dole oparty o pokrytą boazerią ścianę.
– Bardzo ładnie się zachowałaś.

– Wydaje się zadowolona.

Dotknął mojego policzka, przyglądając mi się badawczo. Oczy miał już zbyt ciemne – tak dawno nie był na polowaniu.

– Chodź – zaproponował znienacka. – Zabiorę cię na naszą łąkę.

Brzmiało to zachęcająco.

– Czyli nie muszę się już dłużej ukrywać?

– Nie. Niebezpieczeństwo za nami.

Po drodze nie odzywał się, pogrążony w rozmyślaniach. Twarz owiewał mi wiatr – ciepły, bo po śnieżycy nie pozostał już żaden ślad. Niebo, jak zwykle, zakrywały deszczowe chmury.

Na łące panował idylliczny nastrój. Kwitnące stokrotki znaczyły zielony kobierzec plamami żółci i bieli. Nie zważając na to, że ziemia jest odrobinę wilgotna, położyłam się na trawie i zabrałam do wyglądania w obłokach jakichś fantastycznych kształtów. Niestety, były zbyt równe, zbyt gładkie. Przypominały miękki, jasnoszary koc.

Edward położył się koło mnie i złapał mnie za rękę. Przez kilka minut syciliśmy się kojącą ciszą.

– Dlaczego akurat trzynasty sierpnia? – spytał niby to od niechcenia.

– Żeby mieć dostatecznie szeroki margines. To dokładnie miesiąc przed moimi urodzinami.

Westchnął.

– Esme jest trzy lata starsza od Carlisle'a – poniekąd. Wiedziałaś o tym?

Pokręciłam przecząco głową.

– Nie robiło im to żadnej różnicy – podkreślił.

Po jego tonie odgadłam, że znowu boi się, iż do czegoś się zmuszam.

– Edwardzie – odpowiedziałam mu ze spokojem – to, ile mam lat, nie jest dla mnie najważniejsze. Po prostu czuję się gotowa.

Dokonałam wyboru i teraz chcę jak najszybciej wcielić swoje plany w życie.

Pogłaskał mnie po głowie.

– A to prawo weta przy układaniu listy gości?

– Tak naprawdę wszystko mi jedno, ale... – Zawahałam się. Wolałam nie poruszać tego tematu, ale skoro już to się stało... Lepiej mieć to szybko z głowy, pomyślałam. – Widzisz, Alice może zaprosi... kilkoro wilkołaków, a nie chciałabym, żeby... żeby Jake czuł się do czegokolwiek zobowiązany. Może pomyślałby, że wypada, żeby przyszedł, albo że zrani moje uczucia, jeśli się nie pojawi. Chcę oszczędzić mu dylematów.

Edward milczał przez dłuższą chwilę. Wpatrywałam się w czubki drzew, niemalże czarne na tle jasnoszarego nieba.

Nagle mój ukochany chwycił mnie w pasie i przyciągnął do piersi.

– Powiedz mi, dlaczego to robisz, Bello? Dlaczego zgodziłaś się dać Alice wolną rękę?

Opowiedziałam mu o treści rozmowy, jaką odbyłam z ojcem poprzedniego dnia, zanim pojechałam do Jacoba.

– To nie byłoby fair, gdybyśmy nie dopuścili do tego Charliego – podsumowałam. – A to oznacza także dopuszczenie Renée i Phila. Więc równie dobrze można też przy okazji dać Alice się wyszaleć. Może Charliemu będzie łatwiej, jeśli pozwoli mu się pożegnać mnie z pompą? Nawet jeśli uważa, że jestem o wiele za młoda na małżeństwo, nie chcę pozbawiać go wzruszeń. – Wyobraziłam sobie, jak prowadzi mnie do ołtarza, i aż się wzdrygnęłam. – Z tyloma osobami będę musiała się rozstać: z mamą, z tatą, ze wszystkimi znajomymi. I nikomu nie będę mogła powiedzieć prawdy. Niech chociaż zobaczą to, co mogę im pokazać: że znikam, bo związałam się z tobą. Niech wiedzą, że jesteśmy razem na stałe. I że będziemy szczęśliwi, niezależnie od tego, dokąd wyjedziemy. To chyba najlepsze wyjście.

Przez moment Edward przyglądał mi się uważnie.

– Zrywam umowę – oświadczył nagle.

– Co? – zawołałam. – Wycofujesz się? Tylko nie to!

– Nie wycofuję się, Bello, dotrzymam danego słowa, ale zwalniam z tego ciebie. Zrobię, co zechcesz, ale niczego nie zażądam w zamian.

– Dlaczego?

– Bello, widzę, co się dzieje. Starasz się uszczęśliwić wszystkich dookoła. Ale mnie nie obchodzą uczucia innych ludzi. Zależy mi wyłącznie na tym, żebyś to ty była zadowolona. Tylko się nie przejmuj, że Alice ominie zabawa. Sam się nią zajmę. I obiecuję, że tym razem nie będzie próbować wzbudzić w tobie poczucia winy.

– Ale...

– Nie, zrobimy wszystko po twojemu. Moja taktyka okazała się beznadziejna. Niby to ty jesteś uparta, ale sama popatrz, co zdziałałem. Od miesięcy przekonuję cię jak głupi do tego, co tak naprawdę jest jedynie moją wizją, wmawiam ci jeszcze, że to dla twojego dobra, i w rezultacie najzwyczajniej w świecie cię ranię. Zraniłem cię już z tego powodu nie raz, i to głęboko. Jak po tym wszystkim mogę sobie dalej ufać? Nie, ty sama wiesz najlepiej, jak zadbać o swoje szczęście. Ja od początku się myliłem. – Przesunął się pode mną, coraz bardziej podekscytowany. – Posłuchaj, zrobimy to jeszcze dziś, dziś wieczorem. Im szybciej, tym lepiej. Porozmawiam z Carlisle'em. Tak sobie myślałem, że może, jeśli zaaplikujemy ci dość morfiny, to nie będzie tak źle. Warto spróbować.

– Edward, nie... – zaczęłam, ale przyłożył mi do ust palec.

– Nic się martw, najdroższa. Pamiętam też o twoich pozostałych żądaniach.

Zanim dotarło do mnie to, co powiedział – i co zamierzał – wplótł mi palce we włosy i zaczął całować – delikatnie, ale jak najbardziej na poważnie.

Nie miałam czasu do stracenia. Gdybym zbyt długo się ociągała, zapomniałabym, dlaczego musiałam go powstrzymać. Minęło dopiero kilka sekund, a ja i tak już miałam problemy z oddychaniem. Moje dłonie same czepiały się jego ramion, by mocniej mnie do niego przycisnąć; moje wargi wpijały się łapczywie w jego wargi, odpowiadając mu na każde niewypowiedziane pytanie.

Usiłowałam odzyskać mowę, ale nie było to łatwe.

Obróciliśmy się i Edward znalazł się nade mną. Oszałamiała mnie słodycz jego oddechu. A co mi tam, pomyślała mniej szlachetna część mojej natury.

Nie, nie, nie, powiedziałam sobie. Potrząsnęłam głową i Edward oderwał się od moich ust, a przesunął ku szyi, co pozwoliło mi normalnie oddychać.

– Przestań. Czekaj.

Głos miałam równie słaby, jak wolę.

– Dlaczego? – szepnął w zagłębienie pod moim gardłem.

Z wysiłkiem przybrałam bardziej stanowczy ton.

– Nie teraz. Nie tu.

– Jesteś pewna?

Uśmiechnął się szelmowsko, po czym znowu zaczął całować w usta, uniemożliwiając mi dalsze protesty. Krew krążyła mi w żyłach coraz szybciej, rozgrzana skóra paliła pod jego dotykiem.

Zmusiłam się do skupienia uwagi na tym, co chciałam osiągnąć. Wiele mnie kosztowało samo oderwanie dłoni od głowy Edwarda i przesunięcie ich na jego tors, ale udało mi się. Teraz mogłam spróbować go od siebie odepchnąć. Nie miałam szans zrobić tego sama – chodziło mi tylko o to, żeby zorientowawszy się, sam stosownie zareagował.

Odsunął się ode mnie na kilkanaście centymetrów, żeby móc mi się przyjrzeć. Widok jego oczu nie pomógł mi w moich staraniach – płonął w nich czarny ogień, któremu trudno się było oprzeć.

– Dlaczego? – powtórzył niskim, męskim głosem. – Kocham cię. Pragnę cię. Tu i teraz.

Przeszedł mnie rozkoszny dreszcz. Zaniemówiłam. Edward zaraz to wykorzystał.

– Czekaj – wyszeptałam spod jego warg.

– Nie ma mowy – mruknął, nie przerywając.

– Błagam.

Jęknął zniecierpliwiony, ale przekulał się na plecy.

Leżeliśmy tak przez minutę, wsłuchując się w nasze zwalniające oddechy.

– Czekam na wyjaśnienia – oznajmił w końcu. – I lepiej, żeby to nie miało nic wspólnego ze mną.

Co za bezsensowne żądanie, pomyślałam. Wszystko w moim świecie miało coś z nim wspólnego.

– Zrozum, to dla mnie bardzo ważne. Chcę, żeby wszystko odbyło się, jak należy.

– Czyli jak?

– Po mojemu.

Wsparłszy się na łokciu, posłał mi spojrzenie pełne dezaprobaty.

– Mogłabyś to zdefiniować bardziej szczegółowo?

Wzięłam głęboki wdech.

– Chcę, żebyśmy postąpili odpowiedzialnie. I chcę zachować właściwy porządek. Nie opuszczę Charliego i Renée, nie dołożywszy wszelkich starań, żeby po moim zniknięciu jak najmniej się o mnie martwili. Nie zabronię Alice zorganizować uroczystości, skoro ta i tak się odbędzie. I przyrzeknę ci miłość do końca mych dni, zanim sprawisz, że stanę się nieśmiertelna. Zrobię wszystko tak, jak należy. Twoja dusza jest dla mnie o wiele za cenna, żeby pozwalać sobie na jakiekolwiek ryzyko. Nie zmusisz mnie do tego.

– Chcesz się założyć?

Jego oczy znowu zapłonęły.

– Może jesteś w stanie mnie zmusić, ale powstrzymasz się – zauważyłam sprytnie. – Nie wiesz przecież, czy to naprawdę to, czego mi trzeba.

– No nie – oburzył się. – A gdzie zasady fair play?

Wyszczerzyłam zęby w uśmiechu.

– Nigdy nie mówiłam, że będę się do nich stosować.

Też się uśmiechnął, ale smutno.

– Cóż, gdybyś zmieniła zdanie...

– Będziesz pierwszą osobą, która się o tym dowie.

Ledwie to powiedziałam, zaczął siąpić deszcz. Padające z rzadka krople zderzały się cicho ze źdźbłami traw.

Spojrzałam w niebo wilkiem.

Edward wytarł mi policzek z przezroczystych korali.

– Chodź, zaraz będziesz pod dachem.

– Deszcz to pestka – mruknęłam. – Tyle że musimy się stąd wynosić, a skoro tak, to już niedługo będziemy musieli coś załatwić, coś bardzo nieprzyjemnego i być może nawet wysoce niebezpiecznego.

Zaniepokojony, otworzył szeroko oczy.

– Dzięki Bogu, nawet kula z policyjnego rewolweru nie zrobi ci krzywdy. – Westchnęłam. – Podskoczymy po pierścionek, a potem pojedziemy do domu. Co tak na mnie patrzysz? Pora powiadomić Charliego.

Moja mina go rozbawiła.

– Niebezpieczna misja, mówisz? – Sięgnął do kieszeni spodni. – Przynajmniej nie będziemy musieli nadrabiać drogi.

Mój pierścionek zaręczynowy po raz drugi został mi wsunięty na palec lewej dłoni – tam, gdzie miał pozostać na całą wieczność.

Epilog: Wybór

– Dałbyś spokój, Jacob. Długo jeszcze będziesz to przeżywał?

Leah miała mnie po dziurki w nosie.

Zacisnąłem zęby.

Jako członek sfory wiedziała o mnie wszystko, wiedziała więc także, dlaczego tu przyszedłem – na sam kraniec ziemi, nieba i oceanu. Żeby pobyć sam. O niczym tak nie marzyłem, jak o odrobinie prywatności.

Wiedziała to, ale i tak narzucała mi się ze swoim towarzystwem.

Poza tym, że się okropnie zirytowałem, odczułem jednak pewną satysfakcję, chociaż trwało to tylko kilka sekund – satysfakcję, ponieważ nie musiałem nawet kiwnąć palcem, żeby się uspokoić. Jakimś cudem udało mi się powstrzymać – żadnych głupich dreszczy, żadnego pulsowania w skroni – rewelacja. Kiedy się odezwałem, głos miałem opanowany jak prawdziwy twardziel.

– Wiesz co, Leah, idź, skocz z klifu – doradziłem jej, wskazując przepaść u swoich stóp.

Puściwszy moją uwagę mimo uszu, rozsiadła się na ziemi koło mnie.

– Nie masz pojęcia, mały, jak to mnie denerwuje.

– Ciebie? – W pierwszej chwili myślałem, że sobie żartuje. – Boże, dziewczyno, jesteś chyba najbardziej skupioną na sobie osobą pod słońcem. Nie chciałbym niszczyć iluzji, w której żyjesz – tej, w której jesteś pępkiem wszechświata – więc nie powiem ci, gdzie mam twoje problemy. A teraz spadaj.

– Spójrz tylko na to z mojego punktu widzenia, okej? – ciągnęła, jakbym nic nie powiedział.

Jeśli jej celem było popsucie mi humoru, to go osiągnęła. Zacząłem się śmiać. Ten dźwięk dziwnie mnie ranił.

– Przestań rżeć i skup się – warknęła.

– Jeśli będę udawał, że cię słucham, to sobie pójdziesz? – spytałem, zerkając na jej stale naburmuszoną twarz. Nie byłem pewien, czy umie jeszcze robić inne miny.

Przypomniało mi, że kiedyś uważałem ją za ładną, a nawet za piękną. Ale to było dawno temu. Nikt już jej tak nie postrzegał. Z wyjątkiem Sama. Nigdy sobie tego nie wybaczył. A przecież to nie była jego wina, że zmieniła się w tę zgorzkniałą harpię.

Nastroszyła brwi jeszcze bardziej, jakby potrafiła odgadnąć, o czym myślę. Pewnie potrafiła.

– Rzygać mi się od tego chce. Wyobrażasz sobie, jak się z tym czuję? Ja nawet nie lubię tej twojej Belli, a przez ciebie muszę tak rozpaczać nad jej odejściem, jakbym sama była w niej zakochana. Nie dociera do ciebie, że to może być dla mnie niesmaczne? Wczoraj śniło mi się, że się z nią całuję! I co ja mam według ciebie z tym zrobić?

– Myślisz, że mnie to coś obchodzi?

– Mam powyżej uszu siedzenia w twojej głowie! Daj sobie spokój z tą laską! Ona wychodzi za to coś za mąż! Pijawa spróbuje ją w coś takiego zmienić! Mały, musisz o niej zapomnieć! Życie toczy się dalej!

– Zamknij się.

Powstrzymywałem się, żeby nie odpłacić jej pięknym za nadobne, ale pomyślałem, że jeśli zaraz sobie nie pójdzie, dam jej popalić.

– I tak ją pewnie niechcący zabije – stwierdziła szyderczym tonem. – W tych wszystkich historiach najczęściej tak to się właśnie kończy. Ha, może będziemy mieli pogrzeb zamiast weseliska. Może to nawet byłoby lepiej.

Tym razem, żeby nie wybuchnąć, musiałem się skoncentrować. Zamknąwszy oczy, zacząłem mocować się z falą ognia, która rozlewała mi się wzdłuż kręgosłupa, wywołując drgawki, od których moje ciało miało wkrótce rozerwać się na strzępy.

Kiedy odzyskałem nad sobą kontrolę, rzuciłem Lei pełne niechęci spojrzenie. Przyglądała się, jak przestają trząść mi się dłonie. Z uśmiechem.

Tak, bardzo zabawne.

– Skoro denerwują cię sny o całowaniu Belli... – powiedziałem powoli, starannie akcentując każde słowo – ...to jak sądzisz, jak nam, chłopakom, podoba się to, że musimy patrzeć na Sama twoimi oczami? Emily wystarcza, że musi radzić sobie z twoją fiksacją. Wierz mi, banda nastolatków śliniących się na widok jej narzeczonego nie jest jej potrzebna do szczęścia.

Byłem na nią nieźle wkurzony, ale kiedy skrzywiła się z bólu, i tak poczułem się jak ostatni drań.

Zerwała się z miejsca, zatrzymując się tylko po to, żeby splunąć w moim kierunku, po czym ruszyła biegiem ku drzewom, drżąc jak galareta.

Zaśmiałem się gorzko.

– Nie trafiłaś!

Wiedziałem, że Sam będzie na mnie wściekły, ale było warto – miałem ją wreszcie z głowy. Gdyby tylko nadarzyła się okazja, z chęcią bym to powtórzył.

Skąd ta mściwość? Bo jej słowa nadal wwiercały mi się w mózg, a ból był przy tym tak silny, że ledwie mogłem oddychać.

Nie chodziło nawet o to, że Bella wybrała kogoś innego. Owszem, było mi źle z tego powodu, ale w gruncie rzeczy mogłem tak przeżyć całe swoje idiotycznie długie życie.

Dużo, dużo, dużo gorsze było to, że Bella zamierzała ze wszystkiego zrezygnować – że jej serce miało przestać bić, jej skóra miała zlodowacieć, jej umysł miał przeobrazić się w narzędzie do polowania. Miała stać się potworem. Kimś zupełnie mi obcym.

Wydawało mi się, że nie może być większej tragedii – że nic nie jest w stanie sprawić mi więcej bólu.

Ale gdyby przypadkowo ją zabił…

Znowu musiałem zdusić w sobie gniew. Gdyby nie Leah, z chęcią pozwoliłbym fali ognia zmienić mnie w istotę, która lepiej by sobie z tym wszystkim radziła, istotę o instynkcie silniejszym niż jakiekolwiek ludzkie emocje, zwierzę, które inaczej odczuwało ból. Zawsze byłaby to jakaś odmiana. Ale Leah sama była teraz wilkiem, a ja nie chciałem dzielić się z nią swoimi przemyśleniami. Przeklęta suka. Nie dość, że doprowadziła mnie do tego stanu, to jeszcze odebrała mi najlepszą drogę ucieczki.

Starałem się, ale ręce i tak mi się trzęsły. Od czego? Z gniewu? Z bólu? Nie byłem już pewien, z czym walczyłem.

Musiałem wierzyć, że Bella przeżyje, ale to wymagało zaufania, na które nie chciałem się zdobyć. Do osoby, której miałbym zaufać – do osoby, od której zależał los Belli – jakoś nie mogłem się przełamać.

Bella miała się zmienić i zastanawiałem się, jak to na mnie wpłynie. Czy miałem się poczuć tak, jakby umarła, widząc ją z ciałem wyciosanym z marmuru, z lodu? Jej zapach miał palić mi nozdrza i wzbudzać we mnie żądzę mordu. „Jak to będzie?", pomyślałem. Czy naprawdę będę chciał ją zabić? Czy jestem w stanie nie chcieć zabić jednego z nich?

Przyglądałem się, jak spienione bałwany prą ku plaży. Przesłaniały ją skały, ale słyszałem, jak masy wody rytmicznie uderzają o piach. Siedziałem tak bardzo długo, nie odrywając wzroku od morza. W końcu, nie wiedzieć kiedy, zapadł zmrok.

Wolałem trzymać się jak najdalej od domu, ale byłem głodny i nie miałem żadnych innych pomysłów na napełnienie żołądka.

Wsadziłem rękę w temblak i sięgnąłem po kule. Cholerne rekwizyty. Najchętniej wrzuciłbym je do morza. Że też Charlie musiał być tamtego dnia u Billy'ego, i rozgadać później wszystkim, że miałem wypadek motocyklowy!

Kiedy dotarłem do domu, doszedłem do wniosku, że trzeba było zostać w lesie. Tatę coś dręczyło. Łatwo się było tego domyślić, bo zawsze przesadzał z zachowywaniem pozorów. Że niby nic, ale to nic się nie stało.

No i za dużo mówił. Byle mówić. Zaczął nadawać, jeszcze zanim usiadłem za stołem. Nigdy tyle nie gadał, jeśli nie miał przede mną czegoś do ukrycia. Ignorowałem go, jak mogłem, koncentrując się na jedzeniu. Chciałem skończyć jak najszybciej i się zmyć.

– ...a potem wpadła Sue. Wspaniała kobieta. Twardsza od grizzly. Nie ma na nią siły. Ale i tak nie wiem, jak wytrzymuje z tą swoją córeczką. Z Sue to dopiero byłaby wilczyca! Leah to raczej rosomak.

Zaśmiał się ze swojego dowcipu*.

Ucichł, czekając na jakąś reakcję z mojej strony, jakby nie widział mojego przytępionego spojrzenia i znudzonej miny. Często go to drażniło. A mnie drażniło, że wspomniał o Lei. Starałem się o niej nie myśleć.

---

* Gra słów – wilk to po angielsku *wolf*, rosomak: *wolverine* – przyp. tłum.

– Z Sethem to co innego. Ciebie też było zresztą łatwiej wychowywać niż twoje siostry... przynajmniej dopóki nie musiałeś zacząć sobie radzić z dużo poważniejszymi problemami.

Westchnąłem i wyjrzałem przez okno.

Billy ucichł na moment.

– Przyszedł list – odezwał się w końcu.

Zgadłem, że nareszcie przeszedł do właściwego tematu.

– Co za list?

– Zaproszenie... na ślub.

Mimowolnie spiąłem wszystkie mięśnie. Plecy musnął mi pierwszy język ognia. Przytrzymałem się stołu, żeby opanować drżenie palców.

Billy kontynuował takim tonem, jakby niczego nie zauważył.

– W środku była dodatkowa kartka zaadresowana do ciebie. Nawet jej nie rozłożyłem.

Ze szpary pomiędzy swoim udem a bokiem wózka wyciągnął grubą kremową kopertę. Położył ją na stole pomiędzy nami.

– Lepiej tego nie czytaj. To już nie ma znaczenia.

Wiedziałem, że powiedział to tylko po to, żebym mu się sprzeciwił. Wziąłem kopertę do rąk.

Jaki sztywny papier. Drogi. Zbyt wyszukany jak na Forks. Zaproszenie w środku było w tym samym stylu, jak dla gwiazdy filmowej. Bella nie miała z tym nic wspólnego. To nie jej gustem się kierowano, decydując się na półprzezroczyste stronice drukowane w płatki kwiatów. Pewnie uważała, że to kicz. Nie przeczytałem ani słowa, nie zerknąłem nawet na datę. Miałem to gdzieś.

Oprócz zaproszenia w środku znajdował się też złożony na pół kremowy arkusik z moim imieniem i nazwiskiem wykaligrafowanymi czarnym atramentem. Nie rozpoznałem stylu pisma, ale było równie fikuśne, co cała reszta. Przez chwilę przyszło mi na myśl, że może pan pijawka zapragnął podzielić się ze mną swoim szczęściem.

Rozłożyłem kartkę.

Jacob,

wysyłając ci to, łamię dane jej słowo. Bała się, że cię zrani, i nie chciała, żebyś czuł się do czegokolwiek zobowiązany. Wiem jednak, że gdybym był na twoim miejscu, wolałbym mieć wybór.

Obiecuję, że będę się nią opiekował. Dziękuję ci – za nią – za wszystko.

Edward

– Jake, mamy tylko jeden stół – zaprotestował Billy, zezując w dół.

Rzeczywiście, jeszcze trochę, a wyrwałbym kawałek deski. Oderwałem od blatu jeden palec po drugim, a potem splotłem je z palcami drugiej dłoni, żeby niczego nie zniszczyć.

– Nie przejmuj się.

Wstałem od stołu, ściągając z siebie jednocześnie podkoszulek. Miałem nadzieję, że Leah zdążyła już wrócić do domu.

– Tylko nie siedź w lesie całą noc – usłyszałem za sobą, kiedy pchnąłem drzwi.

Biegłem na czterech łapach, jeszcze zanim dotarłem do linii drzew, zostawiając za sobą szlak ze strzępków ubrań, jakbym się martwił, że nie trafię z powrotem. Tak łatwo było mi się teraz przeobrażać – nie musiałem nawet o tym myśleć. Moje ciało wiedziało, dokąd się wybieram, i nim je o to poprosiłem, dawało mi to, czego chciałem.

Niemal frunąłem w powietrzu.

Mijane pnie zlewały się w morze czerni. Moje mięśnie pracowały bez wysiłku w równym rytmie. Mogłem tak pędzić i pędzić, wcale się nie męcząc. Może tym razem już nigdy nie miałem się zatrzymać.

Ale nie byłem sam.

Przykro mi, szepnął w mojej głowie Embry.

Był wiele kilometrów na północ od La Push, ale zawrócił, żeby do mnie dołączyć. Warknąłem sfrustrowany i przyspieszyłem.

Hej, zaczekaj, poprosił Quil. Był niedaleko, dopiero co wypadł z domu.

Chcę być sam, syknąłem.

Czułem w naszej wspólnej jaźni, że się o mnie martwią, chociaż próbowałem z całych sił zepchnąć ich głosy za trzask gałęzi i szum wiatru. Tego właśnie nienawidziłem – patrzenia na siebie ich oczami, zwłaszcza teraz, kiedy się nade mną litowali. Zdawali sobie z tego sprawę, ale i nie przestawali mnie gonić.

W mojej głowie odezwał się kolejny członek sfory:

Pozwólcie mu na to.

Sam nie był zagniewany, ale rozkaz przywódcy to rozkaz przywódcy. Embry i Quil odpuścili.

Gdybym tylko mógł przestać słyszeć ich myśli, przestać widzieć to, co widzieli... W mojej głowie był taki ścisk, że jedynym sposobem, żeby zakosztować samotności, było pozostawanie człowiekiem, jednak wtedy nie radziłem sobie z bólem.

Chłopaki, dosyć tego, zarządził Sam. Embry, podjadę po ciebie.

Znikli z mojej świadomości jeden po drugim. Został tylko Sam.

Dziękuję.

Jak tylko będziesz mógł, wracaj do domu, dobra?

I on mnie opuścił. Zostałem sam.

Co za ulga. Mogłem teraz chłonąć odgłosy natury: szmer suchych liści pod swoimi łapami, szelest skrzydeł gdzieś wysoko w górze, jęki oceanu – daleko, daleko na zachodzie. Nie słyszałem już nic więcej. I nie czułem już nic prócz pędu, prócz swoich mięśni, ścięgien i kości pracujących ze sobą w idealnej harmonii, by pokonywać kolejne kilometry.

Jeśli już nigdy nic nie miało zakłócić ciszy w mojej głowie, nie zamierzałem wracać. Nie byłbym pierwszym, który wybrał taki los. Może, pokonawszy dostatecznie dużą odległość, miałem ich nie usłyszeć, nawet gdyby wrócili...

Biegłem coraz szybciej, żeby zostawić Jacoba Blacka daleko za sobą.

Podziękowania

Byłoby to z mojej strony wysoce naganne, gdybym zapomniała okazać swoją wdzięczność wszystkim tym osobom, które pomogły mi przetrwać bolesne narodziny trzeciego tomu.

Moi rodzice byli dla mnie prawdziwą opoką. Nie wiem, jak radzą sobie pisarze, którzy nie mogą regularnie radzić się taty i wypłakiwać się w matczynych objęciach.

Mój mąż i synowie wykazali się nadzwyczajną wytrzymałością psychiczną – na ich miejscu wielu innych ludzi już dawno zamknęłoby mnie w domu wariatów. Dzięki, że jeszcze mnie tolerujecie, chłopcy!

O to, żebym nie zatraciła się w szaleństwie, zarówno w domowych pieleszach, jak i w trasie, zadbała moja niesamowita asystentka do spraw public relations, Elizabeth Eulberg. Niewielu ludzi ma szczęście współpracować z najlepszymi przyjaciółmi. Jestem dozgonnie wdzięczna dziewczynom ze Środkowego Zachodu za ich dobroczynny wpływ na moje zdrowie.

Moją karierą pisarską nadal kieruje z genialną finezją Jodi Reamer. Świadomość, że znajduję się w dobrych rękach, oszczędza mi wielu zmartwień.

W dobrych rękach znajdują się również oryginalne wersje moich książek. Dziękuję Rebece Davis za to, że bezbłędnie odgaduje, co mam na myśli, i cierpliwie nakierowuje mnie na właściwy trop. Dziękuję też Megan Tingley – za niezachwianą wiarę w to, co robię, i za tak dobrą redakcję, że tekst po niej aż lśni.

Wszyscy w Little, Brown and Company, Books for Young Readers, dokładali wszelkich starań, aby seria o Belli i Edwardzie odniosła sukces. Bardzo to doceniam. Chris Murphy, Shawn

Foster, Andrew Smith, Stephanie Voros, Gail Doobinin, Tina McIntyre, Anne O'Neill i pozostali – dziękuję! Te książki to owoc pracy nas wszystkich.

Kiedy myślę o tym, że udało mi się odkryć Lori Joffs, nie dowierzam własnemu szczęściu. Ta cudowna kobieta jest nie tylko najszybszym, ale i najdokładniejszym czytelnikiem na świecie. Jestem dumna, że współpracuje i przyjaźni się ze mną kobieta tak pomysłowa, utalentowana i tak odporna na moje histeryzowanie.

To właśnie Lori Joffs, razem z Laurą Cristiano, Michaelą Child i Tedem Joffsem, stworzyła i administruje najjaśniejszą gwiazdą w internetowym wszechświecie *Zmierzchu*: The Twilight Lexicon. Dzięki ciężkiej pracy wymienionej powyżej czwórki moi fani mają gdzie surfować – naprawdę to doceniam. Dziękuję także moim zagranicznym znajomym z Crepùsculo-es.com za stronę tak wspaniałą, że w jej przypadku nie obowiązuje bariera językowa. Słowa uznania należą się też Brittany Gardener za Twilight and New Moon by Stephenie Meyer na MySpace. Ta strona jest tak ogromna, że nie sposób jej ogarnąć! Brittany, nie mam słów. Katie i Adrey, Bella Penombra to prawdziwe cudo. Heather, Nexus rządzi. Nie jestem w stanie wymienić tutaj autorów wszystkich stron internetowych poświęconych mojej twórczości, ale chciałabym podziękować każdemu z was z osobna.

Dziękuję moim czytelniczkom Laurze Cristiano, Michelle Vieira, Bridget Creviston i Kimberlee Peterson za cenne wskazówki i motywujący entuzjazm.

Każdy pisarz musi mieć zaprzyjaźnioną księgarnię, taką prowadzoną przez pasjonatów i nienależącą do żadnej sieci. Dla mnie jest to Changing Hands w Tempe, w moim rodzinnym stanie Arizona. Faith, jeśli chodzi o literaturę, masz świetny gust!

Jestem dozgonnie wdzięczna rockowym bogom z zespołu Muse za kolejny inspirujący album. Dziękuję wam za to, że nie przestajecie tworzyć muzyki, do której tak dobrze mi się pisze. Jestem także wdzięczna innym grupom, które pomogły mi przetrwać chwile niemocy, w tym moim nowym odkryciom: OK Go, Gomez, Placebo, Blue October i Jack's Mannequin.

I wreszcie gigantyczne DZIĘKI dla wszystkich moich fanów. Jestem święcie przekonana, że to najfajniejsi, najinteligentniejsi i najwierniejsi fani pod słońcem! Gdybym tylko mogła, każdego z was serdecznie bym wyściskała, a potem obdarowała porsche 911 turbo.

Spis treści

Przeczytaj wszystkie części cyklu „Zmierzch”.
Poznaj całą historię miłości Belli i Edwarda,
zwykłej nastolatki i niezwykłego wampira...

STEPHENIE MEYER, jedna z najciekawszych pisarek ostatnich lat, autorka megabestsellerowego cyklu „Zmierzch”, który ma miliony fanów na całym świecie, stworzyła pasjonującą, oryginalną i zapadającą w pamięć powieść o potędze miłości oraz istocie człowieczeństwa. *INTRUZ*, pierwsza jej książka napisana z myślą o dorosłych czytelnikach, opowiada o przyszłości, w której nasz świat został opanowany przez niewidzialnego wroga. Najeźdźcy przejęli ludzkie ciała i wiodą w nich normalne życie. Jedną z ostatnich niezasiedlonych, wolnych istot ludzkich jest Melanie. Wpada jednak w ręce wroga, a w jej ciele zostaje umieszczona wyjątkowa dusza o imieniu Wagabunda. Intruz nie spodziewa się, że poprzednia właścicielka ciała będzie stawiać mu tak zażarty opór. Nie potrafi oddzielić swoich uczuć od pragnień ciała i zaczyna tęsknić za ukochanym Melanie, którego miał pomóc schwytać. Wkrótce Wagabunda i Melanie stają się sojuszniczkami i wyruszają na poszukiwanie człowieka, którego obie kochają.